Ebba D. Drolshagen

WEHRMACHTSKINDER

Ebba D. Drolshagen

WEHRMACHTSKINDER
Auf der Suche nach dem nie gekannten Vater

DROEMER

»Ich wär der Sohn des Indianers gewesen. Wo du gar
kein Indianer warst. Warst Soldat. Deutscher Soldat.
Wir haben uns gründlich verpasst. Ich gab vor, die
Deutschen nicht zu mögen. Ein richtig dummer Junge,
der seinen Waisenkummer kultivierte.
Manchmal halt ich's kaum aus, dass du nicht da bist.
Papa. Irgendwas ist verdammt schiefgelaufen bei unse-
rer Geschichte.«

Richard Bohringer

Inhalt

Einführung

In allen Ländern des besetzten Europas haben die Soldaten der deutschen Wehrmacht zwischen 1939 und 1945 Kinder gezeugt. Ihre genaue Zahl ist ungewiss, zur Zeit deutet alles darauf hin, dass außerhalb Deutschlands zwischen ein und zwei Millionen Europäer leben, deren leiblicher Vater ein deutscher Besatzungssoldat war.

Über diese illegitimen Nachkommen der Soldaten ist in Deutschland nahezu nichts bekannt. Dabei sind sie hier kein »verbotenes« Thema. Sie sind ein »blinder Fleck« in unserem Wissen über den Zweiten Weltkrieg und die Wehrmachtssoldaten, die ja nicht nur abstrakt *die deutschen Soldaten*«, sondern auch unsere Väter und Großväter waren. Selbst wenn die Existenz der Kinder als solche kein Tabu ist, ist es keineswegs zufällig, dass sie im offiziellen Bild des Zweiten Weltkriegs und in den privaten Familiengeschichten nicht vorkommen. Sie rühren an etwas, das tatsächlich »ganz generell tabuisiert und in der Wissenschaft eher ein exotisches Randthema«[1] ist: die Sexualität der deutschen Soldaten. Sie wurde bisher nur unter den Aspekten von Wehrmachtsbordellen und Vergewaltigungen erforscht (und auch das erst in den letzten Jahren). Dass ein deutscher Soldat und eine Frau im besetzten Land einander attraktiv fanden und sich verliebten, dass es also Beziehungen zwischen Mann und Frau gab, die nicht von Gewalt bestimmt waren, war in diesem Weltbild nicht vorgesehen. Sexuelle Beziehungen, die auf gegenseitiger Anziehung beruhten, wurden und werden praktisch völlig ignoriert.[2]

*

Wenn man sich den Themen Krieg und Besatzung unter dem Aspekt von Gut und Böse, Töten, Morden und Vernichten nähert, scheint die Grenze zwischen Täter und Opfer, Besatzer und Zivilbevölkerung völlig eindeutig. Doch da der direkte Kontakt zwischen Menschen nie den Gesetzen der Weltpolitik gehorcht, gestaltete sich der konkrete Besatzungsalltag häufig weitaus diffuser. Einige der rigiden Grenzen verwischten rasch bis zur Unkenntlichkeit, zwischen den Soldaten und der Zivilbevölkerung entstanden ebenso persönliche Feindschaften wie lebenslange Freundschaften und tiefe Lieben.

Wenn ein Soldat und eine Bürgerin des besetzten Landes ein Liebespaar wurden, missachteten sie die politischen Verhaltensregeln, die andere für sie definiert hatten. Sie begründeten das damit, der Macht der Liebe ausgeliefert zu sein. Liebende, sagt der Schriftsteller Rafik Schami, gehen über das Verbot hinweg und bilden damit die ersten anarchistischen Einheiten.[3]

Wer etwas über diese Paare und ihre Kinder erfahren will, muss selbst ein wenig Anarchie wagen, die traditionelle Täter-Opfer-Dichotomie verlassen und sich auf wissenschaftlich ungesichertes Terrain vortasten. Vor allem muss der Neugierige bereit sein, die deutschen Soldaten in einer Rolle zu akzeptieren, in der sie niemals wahrgenommen wurden: als Männer, die liebten und geliebt wurden.

Szenen wie das Umschlagbild dieses Buches, das einen offenbar glücklichen Wehrmachtssoldaten mit seiner norwegischen Verlobten und seiner Tochter zeigt, waren während des Krieges nicht alltäglich. Aber viele Deutsche hatten in den besetzten Ländern Beziehungen zu einheimischen Frauen. Diese Bindungen waren häufiger und ernster, als man es heute für möglich halten mag. Dort, wo die Rassenpolitik der Nationalsozialisten Kontakte zu einheimischen Frauen erlaubte oder zumindest duldete, war sogar der Prozentsatz der anerkannten Vaterschaften relativ hoch. Andererseits haben viele Männer aus den unterschiedlichsten Gründen nie erfahren, dass ihre Geliebte ein Kind von ihnen bekommen hat.

Die im Krieg und in den Jahren danach geborenen Deutschen, auch sie Kinder dieser Soldaten, kamen äußerst selten auf den Gedanken, dass »ihr Alter« zwischen 1939 und 1945 in einem der besetzten Länder eine Freundin gehabt und gar ein

Kind gezeugt haben könnte. Sehr konkrete Hinweise auf die amourösen Kriegserlebnisse der Vätergeneration wurden entweder ignoriert oder nicht auf den eigenen Vater angewandt. Beispielsweise waren die Geliebten und die Kinder der Wehrmachtssoldaten Gegenstand von sehr erfolgreichen (ausländischen) Filmen und Romanen. So kam 1960 Alain Resnais' Film *Hiroshima, mon amour* nach einer Vorlage von Marguerite Duras in die Kinos. Er handelt von einer Französin, die 1944 wegen ihrer Liebe zu einem Deutschen kahlgeschoren wurde. 1984 erschien der Roman *Das Haus mit der blinden Glasveranda*, in dem Herbjørg Wassmo das trostlose Leben eines nordnorwegischen Wehrmachtskindes beschreibt.

Diese, ich finde kein anderes Wort dafür, Begriffsstutzigkeit der Deutschen hält bis heute an. Sie ahnen weder etwas von den zahllosen illegitimen Kindern ihrer Väter und Großväter noch etwas davon, dass diese ihrerseits Kinder und Enkel, ja sogar schon Urenkel haben. Die schlichte Wahrheit ist, dass wir Deutsche sozusagen mit ganz Europa versippt und verschwägert sind, denn wir haben überall Brüder und Schwestern, Nichten und Neffen, Cousins und Cousinen.

*

Meine Mutter ist Norwegerin, mein Vater Deutscher, daher werde ich gelegentlich gefragt, ob ich selbst ein Wehrmachtskind sei. Das bin ich nicht. Aber ich habe als Kind einige Jahre und später immer wieder für kürzere Zeit in Norwegen gelebt. Ich kannte Wehrmachtskinder und ihre Mütter, lange bevor ich wusste, dass sie etwas mit dem Zweiten Weltkrieg und Deutschland zu tun haben. Irgendwann begriff ich, warum sie von ihren Landsleuten gleichzeitig stigmatisiert und verschwiegen wurden. Dann dauerte es noch einmal recht lange, bis mir dämmerte, dass man in Deutschland gar nichts von ihnen wusste, obwohl doch ihr Leben so eng mit dem Krieg und Deutschland verbunden war. Dieser Widerspruch begann mich zu interessieren, vor allem als mir klar wurde, dass der Grund für das

Schweigen in beiden Ländern die brisante, in hohem Maße tabuisierte Sexualität der Wehrmachtssoldaten ist.

Ich fing an, Biographien von Soldatenfreundinnen und ihren Kindern zu »sammeln«, anfangs nur aus Norwegen, dann aus allen ehemals deutschbesetzten Ländern. Manche Geschichten habe ich gelesen, andere erfuhr ich aus Rundfunk- oder Fernsehdokumentationen, die meisten wurden mir von den Betroffenen selbst oder von Menschen erzählt, die ihnen nahestehen. Das alles geschah völlig unsystematisch und ohne definiertes Ziel. Ich dachte nicht daran, mich eingehender mit diesen Schicksalen zu befassen oder gar ein Buch über sie zu schreiben.

Nun verhält es sich ehrlich gesagt so, dass ich nur zu schreiben beginne, wenn ich mich lange genug über etwas geärgert habe. Und es ärgerte mich sehr, dass in Deutschland niemand über diese Menschen und ihr oft schwieriges Leben nach dem Krieg sprach. 1997 war ich endlich lange genug zornig gewesen, ich schrieb *Nicht ungeschoren davonkommen,* ein Buch über die Geliebten der Soldaten in Nord- und Westeuropa, also über die Sexualität der Wehrmachtssoldaten. Damit, so meinte ich, hatte ich das Thema für mich abgehakt.

In den Jahren seither hat es in den deutschen und internationalen Medien eine wahre Flut von Berichten über »die norwegischen Kriegskinder« gegeben. Anlass war der spektakuläre Schritt einiger norwegischer Wehrmachtskinder, die vom norwegischen Staat materielle Entschädigung forderten, weil dieser sie, so der Vorwurf, aufgrund ihrer Herkunft systematisch ausgegrenzt und benachteiligt haben soll.

Die Medienberichte kreisten um die vermeintlichen Vergehen Norwegens und die tragischen Einzelschicksale der sieben Kläger. Hundertfach nachgedruckt, mutierten deren extreme und daher im Grunde untypische Biographien zur alleinigen »Wahrheit« über die Wehrmachtskinder. Die reißerisch präsentierten Lebens- und Leidensgeschichten zementierten überdies die Mär von der lieblosen und egoistischen Soldatengeliebten, die ihrer eigenen Wege ging und ihr Neugeborenes bedenkenlos in den Fängen der Nazis zurückließ.

12

Dieses Bild entspricht keineswegs der Realität. Die allermeisten Wehrmachtskinder, nicht nur in Norwegen, haben von ihrer Mutter sehr viel Solidarität erfahren.

Am verblüffendsten fand ich indes, dass ausnahmslos alle diese Berichte, in denen es doch um die konkreten Folgen der Soldatensexualität ging, ohne die geringste Erwähnung dieser Sexualität auskamen, also ohne die deutschen »Schwängerer« und ohne die Rolle der Wehrmacht. Zwar wurde stets die SS-Organisation Lebensborn erwähnt, deren (meist verzerrt dargestellte) Tätigkeit aber schwebte in diesen Texten im luftleer anmutenden, jeden Gegenwartsbezug entbehrenden Raum abstrakter »Nazi-Verbrechen«. Auch die deutschen Journalisten sahen keinerlei Verbindungen zu den deutschen Vätern oder zum heutigen Deutschland. Keiner hob den Blick von Norwegen, um sich zu fragen, wie viele Wehrmachtskinder es in den übrigen ehemals besetzten Ländern wohl geben und wie deren Leben verlaufen sein mochte. Und keiner bezeichnete die »Kinder« als das, was sie sind: unsere unbekannten Brüder und Schwestern. Mit der Ansicht, dass diese Menschen uns Deutsche etwas angehen, stand ich offenbar immer noch ziemlich allein da. Mein innerer Druck stieg, doch so ehrbar eine solche Empörung sein mag, sie ist kein ausreichender Grund für ein Buch.

*

Die deutsche Sprache hat kein Wort für die unehelichen Nachkommen der Wehrmachtssoldaten. Das ist ein sicheres Indiz dafür, dass sie im Bewusstsein der Deutschen nicht existieren. Bisher behalf man sich mit »*Kriegskinder*«, hin und wieder werden sie »*Besatzungskinder*« genannt. Diese Bezeichnungen sind unbefriedigend, weil sie seit langem für andere Gruppen gebräuchlich sind. Mit *Besatzungskind* wird in erster Linie das Kind einer deutschen Mutter und eines alliierten Soldaten assoziiert, das im Nachkriegsdeutschland zur Welt kam, als *Kriegskind* wird jedes Kind bezeichnet, das in Kriegszeiten aufwächst und besonderen Belastungen ausgesetzt ist.[4]

Das Wort »*Wehrmachtskinder*«, das ich bereits benutzt habe, ist ein klares und schlüssiges Wort für die Nachkommen der Wehrmachtssoldaten, weil es sie und nur sie in einer spezifischen Zeit und einer spezifischen Situation verankert. Es bezeichnet jene Menschen (und nur sie), die zwischen 1939 und 1946 in einem deutschbesetzten Land geboren wurden, deren leibliche Mutter Bürgerin dieses Landes, deren leiblicher Vater ein deutscher Soldat war. Dieses »ihr leiblicher Vater war deutscher Soldat« ist allerdings eine Vereinfachung. Zum einen war der *Deutsche* nicht immer Deutscher, recht viele waren Österreicher, auch Männer anderer Nationalitäten waren als »Volksdeutsche« in der Wehrmacht. Zum zweiten war der *Soldat* nicht unbedingt Wehrmachtssoldat, er konnte auch Angehöriger der SS, der Polizeikräfte oder der Besatzungsverwaltung sein. Der Vater eines »Wehrmachtskindes« kam also, ganz banal gesagt, mit den deutschen Besatzungstruppen in das Heimatland der Mutter.

Ein Begriff wie dieser hat mehrere Vorteile. Zum einen rückt er die Nachkommen der Wehrmachtssoldaten als eine große europäische Gruppe mit ähnlichem Schicksal ins Bewusstsein. Das ist für die Betroffenen wichtig, denn sie empfinden es als schmerzlich, dass sie von ihren Landsleuten als »Deutsche« verfemt wurden, in Deutschland aber völlig unbekannt sind. Außerdem könnte der Begriff dazu beitragen, ihr individuelles Gefühl der Isolation zu mildern. Und noch eines: Dieser neue, umfassende Begriff könnte die Aufmerksamkeit von Historikern und Historikerinnen in ganz Europa auf diesen bislang vertuschten und unerforschten Aspekt der Kriegs- und Nachkriegsgeschichte lenken.

*

Die Lebensgeschichte jedes Wehrmachtskindes ist einzigartig, in jedem europäischen Land gingen die Landsleute etwas anders mit den Wehrmachtskindern um als in anderen Ländern. Dennoch fielen mir mit der Zeit in den Geschichten, die ich gesammelt hatte, immer mehr Parallelen auf. Unabhängig vom individuellen Schicksal der Menschen und unabhängig von der konkreten Besatzungsgeschichte ihres Landes schienen Wehrmachtskinder vom Nordkap bis zum Mittelmeer, von den Kanalinseln bis weit nach Russland hinein vergleichbare Erfahrungen gemacht zu haben, die ursächlich damit zusammenhingen, dass sie als Kind des Feindes geboren worden waren. Die Gemeinsamkeiten häuften sich. Sie wurden für mich zu einem weiteren Grund, ein Buch über unsere unbekannten Verwandten in *allen* ehemals deutschbesetzten Ländern zu schreiben, ein Buch, das sich die Freiheit nimmt, die gravierenden historischen und politischen Unterschiede in der Kriegs- und Nachkriegsgeschichte dieser Staaten nicht völlig außer acht zu lassen, aber hintanzustellen.

Einige dieser Gemeinsamkeiten sind: Sie wuchsen in einer Welt auf, in der über etwas existentiell Wichtiges – nämlich ihre Herkunft – beharrlich geschwiegen und gelogen wurde. Sie wurden von Kindern, Lehrern, Nachbarn, oft von ihren engsten Angehörigen als »Deutschenbastard« verhöhnt, beschimpft und diskriminiert, manche wurden körperlich misshandelt. Sie fühlten sich minderwertig und schämten sich, oft ohne zu wissen, warum. Sie kannten ihren Vater nicht, erschreckend viele wussten nicht einmal, wie er hieß oder wie er aussah. Aber er war in ihrem Leben außerordentlich präsent – als Abwesender. Obwohl sie »Deutschenbastard« genannt wurden,[5] wussten erstaunlich viele lange Zeit noch nicht einmal, dass ihr Vater ein deutscher Besatzungssoldat war. Die es wussten, fühlten sich »irgendwie auch deutsch« und sehnten sich danach, ihre deutschen Wurzeln zu finden.

Die »deutsche Identität« wurde ihnen durch solche Beschimpfungen aufgedrängt, manche Kinder und Erwachsene bezeichneten überdies nicht nur die abwesenden deutschen Väter, sondern auch deren anwesende Kinder als »Judenmörder«. Das zwang sie, sich als Jugendliche und junge Erwachsene mit der »Schuld der Väter« auseinanderzusetzen, eine Bürde, die sie mit der deutschen Nachkriegsgeneration teilten.

Hier erkannte ich zwischen den deutschen und ausländischen Kindern der Soldaten plötzlich Gemeinsamkeiten, mit denen ich nicht gerechnet hatte: Zum einen beunruhigte alle die Ungewissheit, ob der Vater aktiv an nationalsozialistischen Verbrechen beteiligt gewesen war. Zum anderen stellte sich ihnen die Frage nach einer »kollektiven Scham« der Nachgeborenen oder gar einer »Kollektivschuld«. Aber im Gegensatz zur deutschen Kindergeneration, die diese Probleme kollektiv angehen konnte (und anging), waren die Wehrmachtskinder in ihrer völligen Isolation mit diesen seelischen und intellektuellen Belastungen völlig allein gelassen.

Zumindest einige nord- und westeuropäische Wehrmachtskinder fanden für die starken antideutschen Gefühle, die sie in der Gesellschaft, aber auch in sich selbst spürten, eine »Problemlösung«, die sich drastisch vom Weg ihrer deutschen Altersgenossen unterschied: Da Nationalstolz und Patriotismus in ihren Heimatländern etwas Selbstverständliches sind, haben sie sich offenbar entschieden, Deutschland als ihr zweites Heimatland zu definieren und in diesen Nationalstolz »einzugemeinden«. Sie werten die Bundesrepublik seit 1945 als Erfolgsgeschichte und würdigen Deutschlands sehr alte Kultur, die wir Deutsche zu oft übersehen, weil unser Blick aus triftigen Gründen auf die letzten achtzig oder hundert Jahre fixiert bleibt.[6]

*

Da ich als Deutsche für Deutsche schreibe, gilt mein Interesse nicht nur den Wehrmachtskindern. Es war mir ebenso wichtig, ihre deutschen Angehörigen einzubeziehen und ausführlich zu Wort kommen zu lassen. Leider traf ich nur noch zwei Väter lebend an, aber ich konnte mehrere Witwen dazu befragen, welche Rolle das abwesende Kind im Leben ihres Mannes und in ihrer Ehe gespielt hat. Natürlich habe ich viele Gespräche mit Deutschen geführt, die als Geschwister gefunden wurden oder die sich selbst auf die Suche nach Vaters unbekanntem Kind begeben haben. Und ich habe mit Menschen gesprochen, die den Wehrmachtskindern in Deutschland bei der Suche nach ihren Angehörigen helfen und die mir sowohl von den Hoffnungen und Enttäuschungen der Suchenden wie von den Reaktionen der Gefundenen erzählen konnten.

Ich habe alle Geschichten so aufgeschrieben, wie sie zu mir kamen. Ich habe sie weder verändert oder gar aufgepeppt, noch habe ich mehrere Biographien zu einer besseren »Story« verknüpft. Wo ich spekuliere, was ich oft und gern tue, sage ich das. Viele Namen habe ich auf Wunsch anonymisiert, diese sind bei ihrem ersten Auftauchen mit einem Sternchen gekennzeichnet.

Ich kenne nur eine verbürgte Geschichte von einem Wehrmachtskind, das nachweislich bei einer Vergewaltigung gezeugt wurde. Wenn ich also ausschließlich von Menschen berichte, deren Eltern (vermutlich) in gegenseitigem Einverständnis miteinander geschlafen haben, dann, weil das die Geschichten sind, die mir erzählt wurden. Alle Wehrmachtskinder, über die ich schreibe, haben sich als solche zu erkennen gegeben.

Was banal klingt, ist in Wahrheit ein gravierendes Forschungsproblem, das sich auch darin ausdrückt, dass die Grundlagen für seriöse Gesamtschätzungen fehlen. Während es für Nord- und Westeuropa relativ gut fundiertes Material gibt, ist für Ost- und Südeuropa fast nichts zuverlässig dokumentiert. Hinzu kommt, dass sich von den zahllosen, vielleicht Millionen von Wehrmachtskindern bisher nur sehr, sehr wenige zu Wort gemeldet haben.

Das kann mehrere Gründe haben: Manche wissen es schlicht nicht, andere interessiert diese Identität nicht oder sie finden, dass sie niemanden etwas angehe. Da aber jene, die ihre Geschichten erzählen, immer auch von Scham und Verschweigen berichten, liegt die Vermutung nahe, dass die meisten schweigen, weil sie immer geschwiegen haben. Sie haben als Kind erlebt, dass gerade jene Erwachsenen, die das Kind zur Ehrlichkeit anhielten, selbst vertuschten und geradeheraus logen, sobald es um seine Herkunft ging. So lernten sie, dass sie einen Makel haben und »anders« sind.

Eine von denen, die sich nie versteckt haben, ist die Norwegerin Elna Johnsen. Wir lernten uns kennen, als ich 1999 für einen Fernsehfilm über die Geliebten der Wehrmachtssoldaten Gesprächspartnerinnen suchte. Ein gemeinsamer Bekannter sagte, ich solle Elna Johnsen anrufen, sie wisse immer Rat (womit er recht behalten sollte). Als ich wenig später mit dem Filmteam ins norwegische Bergen kam, trafen wir uns persönlich, aus dem ersten Lächeln wurde bald eine enge Freundschaft.

Für dieses Buch wünschte ich mir, dass sich meiner eigenen, distanzierten Stimme als Betrachtende die persönliche Stimme eines Menschen hinzugesellen würde, der von seinen eigenen Erfahrungen berichten kann. Ich fragte Elna, ob sie sich mit mir in dieses Wagnis begeben und einem deutschen Lesepublikum ihre Geschichte erzählen wolle. Sie stimmte zu und schrieb zehn wunderbare Briefe, die nun – als Buch im Buch – zwischen meinen Kapiteln Platz gefunden haben.

Mein eigener Text beginnt mit dem Schweigen über die Wehrmachtskinder, weil mich das persönlich am meisten beschäftigt hat und noch beschäftigt. Danach geht es um die Eltern sowie um die Lebenssituation der meist jungen Frauen als Schwangere und als Mütter, weitere Kapitel umkreisen verschiedene soziale und psychische Aspekte des Aufwachsens der Wehrmachtskinder in der oft feindlichen Atmosphäre der Nachkriegszeit. Mit dem Kapitel zum Thema »Suche« verlagert sich meine Aufmerksamkeit vom europäischen Ausland nach Deutschland; in den letzten Kapiteln geht es stärker um die Väter und die deutschen Halbgeschwister, mit denen das Buch auch endet.

*

Für alle Länder, aus denen uns autobiographische Berichte oder sogar eines der wenigen Forschungsergebnisse vorliegen, lässt sich mit Sicherheit sagen, dass schwere Misshandlungen von Wehrmachtskindern wegen ihrer Herkunft nicht die Norm waren. Kinder, die das erleben mussten, hatten das tragische Pech, dass es niemanden gab, der sie liebte und schützte oder wenigstens irgendeine Art von Verantwortung für sie übernommen hätte. Dass sie allerdings überhaupt in eine solche Lebenssituation *geraten* konnten, war nicht nur Pech oder blindes Schicksal. Dafür trugen durchaus Menschen und Institutionen die Verantwortung – die deutschen Besatzungsbehörden agierten willkürlich, Väter stahlen sich davon, Mütter waren überfordert, Kinderheime und Jugendämter desinteressiert, Patrioten bewiesen ihre nationale Gesinnung, indem sie kleine Kinder terrorisierten.

Manche, vielleicht sehr viele Wehrmachtskinder mögen nach der deutschen Kapitulation Opfer des Friedens geworden sein, Opfer des Krieges sind sie mit Sicherheit nicht. Deutschland schuldet den unbekannten Kindern seiner Soldaten keine finanzielle Wiedergutmachung.[7] Aber es muss sie endlich zur Kenntnis nehmen und bei der Suche nach ihrem Vater und ihren Familien unterstützen, es muss ihnen größere Rechte einräumen, vor allem beim Zugang zu Archiven. Mein größter persönlicher Wunsch ist, dass die Väter (soweit sie noch leben) und die Geschwister ihre Angehörigen aus Sewastopol, Brüssel oder Rovaniemi, wenn diese den Kontakt zu ihnen suchen, ohne Vorbehalt willkommen heißen.

E. D. D.
Frankfurt am Main
im Oktober 2004

Elnas Geschichte (I)

Das alles begann an einem Winterabend im Februar 1985. Kjell, mein Mann, und ich erwarteten Gäste, seine Nichte und ihr Verlobter waren auf dem Weg in die Ferien, sie wollten bei uns Zwischenstation machen und das Wochenende in Bergen verbringen. Es wurde ein Besuch, den weder sie noch wir jemals vergessen sollten.

Etwa um 19 Uhr klingelte das Telefon, und eine Frau fragte, ob sie mit Elna Johnsen sprechen könne. Als ich sagte, dass ich Elna Johnsen sei, begann sie so heftig zu weinen, dass ich zunächst kein verständliches Wort mehr aus ihr herausbringen konnte. Tausend Gedanken jagten mir durch den Kopf. Sie sprach mit nordnorwegischem Dialekt, wir hatten Freunde dort – war ihnen etwas zugestoßen? War jemand gestorben, verunglückt – was konnte passiert sein? Ich bat sie, ruhig durchzuatmen, sich zu beruhigen und sich etwas zusammenzunehmen. Schließlich sagte sie zwischen Schluchzern: »Ich bin deine Mutter.« Meine Nackenhaare sträubten sich wie bei einem wütenden Schäferhund. »Du bist meine Tochter. Ich habe dich vor vielen Jahren weggegeben. Seither hast du mich verfolgt.« Ich wurde völlig steif. Und ich wusste sofort, dass diese Frau die Wahrheit sagte.

Ich stellte zahllose Fragen. Sie erzählte von dem deutschen Soldaten, mit dem sie verlobt gewesen war, von ihren drei anderen Kindern und deren Leben. Sie erzählte von sich, von ihrem Leben, ihrem Ehemann, ihrem Geschäft, ihren Enkeln. Ich hörte zu und stellte dieser Fremden namens Therese weitere Fragen. Meine Nackenhaare blieben gesträubt.

Ich merkte, dass mein Sohn Arild auf der Treppe saß und das Gespräch mit großen Augen verfolgte. »Mit wem redet sie, ihre Stimme ist so komisch?« fragte er Kjell. »Mit ihrer Mutter«, antwortete Kjell lakonisch. »Aber die ist doch letztes Jahr gestorben«, sagte Arild.

Ich klammerte mich immer noch an den Telefonhörer, als sei er eine Nabelschnur, und fragte und fragte. Was ich fragte, weiß ich heute nicht mehr. Ich kann mich nur noch an ihre Antworten erinnern. Dabei saß die ganze Zeit ein kleiner Teufel auf meiner Schulter und flüsterte mir ins Ohr: Du hast zu viele amerikanische Seifenopern gesehen, Dallas, Denver und wie sie noch alle heißen. So etwas passiert nicht im wahren Leben. Nicht in deinem Leben.

Das Gespräch endete mit ihrem Versprechen, mir einen Brief und auch Fotos von sich und ihrer Familie zu schicken. Sobald ich den bekommen hatte, würde ich mich wieder bei ihr melden.

Ich sank in der Sofaecke zusammen: Meine Mutter war nicht meine Mutter, mein Vater nicht mein Vater, meine Großmutter, meine Tanten und Onkel – sie waren alle nicht »meine«, wir waren nicht verwandt. Was sie mir erzählt hatten, war nicht wahr. Hinter mir war niemand – niemand, den ich kannte. Ich glitt auf einer Bananenschale aus und stürzte in ein schwarzes Loch. Wer war ich? Wer waren meine Söhne? Mit wem war ich, waren sie verwandt? Was nun?

Das Telefon klingelte nochmals, es war wieder Therese. »Vielleicht kannst du dir die heutige Ausgabe der Fredrikstader Lokalzeitung besorgen«, sagte sie, »da ist ein Foto deiner jüngsten Schwester drin.« Dann klingelte es an der Tür. Unsere Gäste waren da.

1. Kapitel
DAS SCHWEIGEN

Manchmal schien es mir für dieses Buch nur einen möglichen Titel zu geben: *Das Schweigen.* Die Kinder, die die deutschen Soldaten zwischen 1939 und 1945 im besetzten Ausland zeugten, existierten jahrzehntelang weder in ihren Heimatländern noch in Deutschland. Sie wurden verschwiegen, weil sie eine Schande waren: eine Schande für ihre Mütter, eine Schande für ihre Nation und auch eine Schande für die deutschen Soldaten.

Die Mütter waren unehelich schwanger geworden. Schon das war zu jener Zeit überall in Europa eine so furchtbare Schande, dass sie vor keiner Verzweiflungstat zurückschreckten, um sich den Folgen zu entziehen – bis hin zu Kindsmord und Selbstmord. Dabei war es unerheblich, ob sie den Kontakt zu dem Mann freiwillig gesucht hatten oder ob die Schwangerschaft die Folge einer Vergewaltigung war.

Ein Wehrmachtskind bezeugte nicht nur den vermeintlich liederlichen Lebenswandel seiner Mutter, es war überdies der Beweis ihrer engen Verbindungen zu einem Angehörigen der feindlichen Besatzungsmacht, einem Deutschen. Darum wurden die Freundinnen der Deutschen generell des Landesverrats und der Kollaboration bezichtigt. In Nord- und Westeuropa wurden sie bei Kriegsende gedemütigt und öffentlich bestraft, in Ost- und Südosteuropa konnte es ihren Tod bedeuten, sei es, dass sie von ihren Landsleuten umgebracht, sei es, dass sie von den Sowjets nach Sibirien verbannt wurden.

Auf solche Strafen reagieren wir heute mit Fassungslosigkeit. Wir können in einer verliebten Frau keine verachtenswerte Landesverräterin sehen, nur sehr wenige Menschen würden ihr Kind wegen seiner biologischen Abstammung hänseln, verhöhnen, ja sadistisch quälen. Zumindest in Nord- und Westeuropa kann niemand mehr nach*empfinden,* wie explosiv der Gegensatz *Patriotismus* und *Kollaboration* in den Kriegsjahren und kurz danach in ganz Europa war. Wer auf Fotos sieht, wie die Freundinnen der Soldaten gedemütigt, verprügelt und geschoren wurden, empfindet nicht mehr die Frauen als Täter, sondern die hämisch lachende Menge um sie herum. Es ist schwer, nein: es ist unmöglich, *unseren* Blick auf diese Geschehnisse auch nur vorübergehend abzulegen. Für jedwede Beschäftigung mit der Geschichte gilt, was Alexander Kluge über Stalingrad sagte: »Es gibt keinen einzigen Menschen in Deutschland, der so fühlt, sieht oder denkt wie irgendeiner der Beteiligten 1942.«[1]

Die Wehrmachtskinder waren die Schande einer Nation, allein durch ihre Existenz widerlegten sie den Mythos eines Volkes, das von der ersten Kriegsminute an wie ein Mann (!) gegen die Deutschen kämpfte. So waren sie schon während des Krieges ein Politikum; die norwegische Exilregierung bemühte sich beispielsweise, die Zahl der Nachkommen deutscher Soldaten herunterzuspielen, damit die Alliierten nicht am Widerstandswillen des norwegischen Volkes zu zweifeln begannen.

Auch nach Kriegsende blieben sie tabu: »Ich konnte nicht begreifen, dass man nie über die Tausende von Kindern sprach, die als Resultat dieser dänisch-deutschen Beziehungen geboren worden waren«, wundert sich Lotte Tarp, ein dänisches Wehrmachtskind. »Die gehörten doch dazu, wenn man im Fernsehen zum einhundertsiebzehnten Mal die halbnackten geschorenen Frauen vorgeführt bekam.«[2]

In Deutschland will man bis heute nichts von ihnen wissen. Mit ihrer bloßen Existenz widersetzen sich die Wehrmachtskinder der klar getrennten Täter-Opfer-Geschichtsschreibung, sie passen weder zum Vernichtungskrieg noch zum geschundenen Landser und somit ins Kriegsbild keiner politischen Seite.

Und sie passen auch nicht ins Vaterbild der Nachkriegsdeutschen, jener Generation, die sich mit ihrem programmatischen Slogan *Make love not war* auch gegen die Väter abgegrenzt hatte. Denn dieser »Schlachtruf« bedeutete ja auch: Wir lieben und führen (darum) keinen Krieg. Ihr habt Krieg geführt und (deswegen) nicht geliebt.

Für sie waren die Väter Soldaten, vielleicht sogar Nazimörder, aber sicher keine jungen Männer, die sich ausgerechnet im Krieg verliebten. Wenn die Kriegsgeneration ihren Kindern über ihre Kriegszeit etwas verheimlichte, dann, so glaubte die deutsche Nachkriegsgeneration, ihre Beteiligung an Massakern. Auf den Gedanken, dass dieses Schweigen (auch) etwas davon so Verschiedenes wie eine Liebesgeschichte umfassen könnte, kam kaum jemand. Das lag natürlich auch daran, dass die allermeisten Väter 1945 nach Deutschland zurückkehrten und über die Frauen und Kinder, die sie zurückgelassen hatten, keine Silbe verloren.

Dass es sich hierbei weder um eine zufällige noch um eine familiär begrenzte Erzähllücke handelte, deutete sich spätestens 1992 an, als Helke Sander und Barbara Johr in einem Film- und Buchprojekt zum ersten Mal die Wehrmachtskinder erwähnten und der Frage nachgingen, wie viele es in Europa geben könnte. Ihr Vorstoß, das bekannte Bild vom Zweiten Weltkrieg um die Facette der Soldatensexualität zu erweitern, traf auf Empörung. Sie hätten »beträchtliche Energien darauf verwendet, den Abfluss deutschen Spermas im Europa des Zweiten Weltkriegs hochzurechnen«, weiteres Forschen, ja auch nur ein Nachdenken darüber wurde auf alle Ewigkeit diskreditiert: »Die Vorstellung von den massenhaften Zeugungs- und Geburtsvorgängen als Subgeschichte des Zweiten Weltkriegs bekommt ihre makabren Seiten, wenn sie auf dem Hintergrund des erweiterten Szenarios millionenfacher Vernichtung und Tötung gesehen wird.«[3]

Dergleichen verstieß offenbar gegen eine Art unantastbaren deutschen Kriegsmythos, der etwa wie folgt lautete: »Ausnahmslos alle Wehrmachtssoldaten (einige wenige ehrenhafte Helden ausgenommen) haben von der ersten bis zur letzten Stunde im Auftrag Hitlerdeutschlands bereitwillig gemordet und gefoltert.« Dieses und nur dieses Bild des Wehrmachtssoldaten war unangreifbar »politisch korrekt« geworden.

Es hatte also niemand – weder in Deutschland noch in den ehemals besetzten Ländern – ein Interesse daran, auch nur die geringste Aufmerksamkeit auf diese Kinder zu ziehen. Dieses Vertuschen gelang so umfassend, dass es mir noch 2004 in mehreren ehemals besetzten Ländern trotz intensivster Suche völlig unmöglich war, auch nur ein einziges Wehrmachtskind zu finden.

Als einziges Beispiel hierfür möchte ich meine Suche in Italien schildern: Als erstes bat ich eine italienische Historikerin um die Namen von Kollegen, die im Umfeld meines Themas arbeiten. Sie antwortete mir, in Italien gebe es dazu keinerlei Forschung. Man wisse gar nichts über die Geliebten der Deutschen und die Kinder, die sie mit Italienerinnen gezeugt haben könnten.

Das überraschte den deutschen Historiker Dr. Lutz Klinkhammer, der am Deutschen Historischen Institut in Rom arbeitet und an der Universität in Viterbo bei Rom lehrt, nicht im geringsten: »Die von Ihnen angesprochenen Beziehungen zwischen Deutschen und Italienerinnen durften in der antifaschistischen Kultur der Nachkriegszeit praktisch nicht existieren. Als Kollaborateurinnen mit den Deutschen wurden sie zwar öffentlich abgestraft und misshandelt (es gibt wenige Dokumentarfilmausschnitte darüber), aber nie wissenschaftlich behandelt. Im übrigen ist es ja auch kein Zufall, dass diese Debatte bisher vor allem Länder betrifft, die keinen nennenswerten (im Vergleich zu Italien, Griechenland oder Jugoslawien) militärischen Widerstand gegen die NS-Besatzung hatten (die Vorgänge in Frankreich mögen hier eine gewisse Ausnahme sein).«

Danach wandte ich mich an den deutschen Journalisten und Italienkenner Dr. Eggert Blum. Er meinte, es müsse sich jemand finden lassen, denn wenn es in Frankreich zweihunderttausend Kinder gebe, »müssten es in Italien auch einige Tausend sein. Nicht so viele, weil die Wehrmacht von Juni 1940 bis Juni 1944, also vier Jahre lang, in Frankreich war, als Besatzung ohne Kampf. In Italien war sie nur von September 1943 bis April 1945, ohne Kampf und auch nur in Norditalien. Dort allerdings war das Verhältnis [zur Zivilbevölkerung, *dr.]* nicht unbedingt schlechter als in Frankreich.« Blum gelang es mit wenigen Telefongesprächen, die Geschichte eines Wehrmachtskindes aus der Nähe von Mantova zu erfahren. Der dortige Lokalhistoriker wusste auch zu erzählen, dass es in jedem Dorf mindestens vier oder fünf enge deutsch-italienische Beziehungen gegeben habe, viele hätten ein Kind zur Folge gehabt. Aber trotz aller Bemühungen konnte ich kein italienisches Wehrmachtskind finden, mit dem ich ein Gespräch hätte führen können.

In den ehemals besetzten Ländern lautet die offizielle Wahrheit, dass es keine Wehrmachtskinder gibt, weswegen man auch nicht über sie zu reden braucht. Tatsächlich aber verhält es sich so, dass es keine gibt, *weil* man nicht über sie redet. Sobald ein oder zwei Wehrmachtskinder eines Landes es wagen, aus dem Schatten des Schweigens und der Scham herauszutreten und laut zu sagen: »Ich bin das Kind eines Deutschen«, fassen andere den Mut, diesem Beispiel zu folgen. Dann zeigt sich, dass es sie sehr wohl gibt.

Den engen kausalen Zusammenhang zwischen solchen Coming-outs und dem Entschluss, sich selbst auf die Suche nach dem unbekannten Vater zu begeben, beweist die Zunahme der Suchanträge, die bei der »Deutschen Dienststelle für die Benachrichtigung der nächsten Angehörigen von Gefallenen der ehemaligen deutschen Wehrmacht« in Berlin, der sogenannten Wehrmachtauskunftstelle (WASt), eingehen.[4] Lagen die Jahreszahlen der Suchanfragen aus Frankreich bis 2002 zwischen dreißig und fünfzig, waren es 2003 bereits hundertdreißig Anträge. Der Grund für den Anstieg war vermutlich, dass im Februar 2003 eine Fernsehdokumentation über die *Enfants de boches,* also die Kinder der Deutschen, ausgestrahlt worden war. Im April 2004 erschien in Frankreich das Buch *Enfants maudits,* auch das schlug sich umgehend im Posteingang nieder; Die WASt hatte Mitte August 2004 bereits zweihundert Anfragen erhalten.[5]

Die Geschichten, die diese Menschen über ihre Kindheit und Jugend erzählen, sind Geschichten von Kindern, die totgeschwiegen wurden. Das Schweigen nimmt in ihren Lebensgeschichten eine so zentrale Stelle ein, dass nicht nur dieses Buch, sondern jedes einzelne Kapitel so überschrieben sein könnte: *Das Schweigen und die Mütter. Das Schweigen und die Umwelt. Das Schweigen und die Adoptiveltern. Das Schweigen und die Behörden. Das Schweigen und die Väter. Das Schweigen und die deutsche Nachkriegsgeneration. Das Schweigen der Wehrmachtskinder über sich selbst.* Vor allem aber und immer wieder: Das Schweigen *über* die Wehrmachtskinder. Dieses Schweigen ist die Ursache aller vorgenannten – und es ist dessen Folge.

*

Elnas Eltern hatten ihr verschwiegen, dass sie nicht ihr leibliches Kind war. Sie mögen das Thema, wie sehr viele andere Adoptiveltern auch, gemieden haben, um nicht an ihren tiefen Schmerz erinnert zu werden: an ihre Unfähigkeit, miteinander ein Kind zu zeugen, und an die Scham, die das für ein Paar bedeuten kann. Sie hofften auch, ihre Tochter so stärker an sich binden zu können. Sie sollte zu ihnen gehören und in ihrer Liebe und ihrer Loyalität für die »neuen« Eltern nicht durch Bindungen und Gedanken an die »alten« Eltern beirrt werden. Traditionell war die Grundidee jeder Adoption, alle Verbindungen zu der Herkunft des Kindes zu kappen. Es sollte eine völlig neue Identität bekommen.

Aber Elnas Adoptiveltern hatten auch ein besonders belastetes Kind zu sich genommen: Das Mädchen hatte einen deutschen Vater. Damals behaupteten führende norwegische Experten, von solchen Kindern müsse man das Schlimmste erwarten, denn sie trügen die Gene einer Hure und eines Nazi-Mörders in sich. Sie waren Kinder der Schande, und davon sollte Elna nichts erfahren. Hätte Therese nicht angerufen und das Schweigen gebrochen, zu dem sie sich vierzig Jahre zuvor verpflichtet hatte, als sie ihr Kind weggab, Elna wüsste es vermutlich bis heute nicht.

Viele Wehrmachtskinder leben, wie Elna bis zu jenem Freitagabend, ohne auch nur zu ahnen, dass ihre Eltern nicht ihre leiblichen Eltern sind beziehungsweise dass ihr Vater nicht ihr Vater ist. Und es kommt immer noch vor, dass sie – wie Elna – von der Nachricht überrumpelt werden, dass sie nicht sind, wer sie zu sein glauben. Dass sie selbst zu der verfemten Gruppe der *Deutschenbälger* gehören, über die sie sich bis zu dieser Minute kaum Gedanken gemacht hatten.

Auch der norwegische Fuhrunternehmer Martin* hätte das wohl nie erfahren, wenn nicht eine Deutsche von dem Sohn gewusst hätte, den ihr Vater in Norwegen hatte, und es einem pensionierten Kriminalkommissar nicht mit recht kühnen Methoden und tatkräftiger Hilfe von norwegischer Seite gelungen wäre, diesen Halbbruder für sie zu finden.

Martin war zweiundsechzig Jahre alt, als im Sommer 2004 ein wildfremder Deutscher (besagter Kommissar) in seiner Heimatstadt Kristiansund auftauchte und ihn zu einem Gespräch auf einen Campingplatz bat. Martin willigte zögernd ein. Als er ankam, komplimentierte ihn der Deutsche in seinen Campingwagen und begann das Gespräch mit der höflichen Frage, ob Martin einen deutschen Vater habe. Das wies dieser entschieden zurück, er war mit seinen leiblichen Eltern und Geschwistern aufgewachsen, daran gab es nicht den geringsten Zweifel. Außerdem hegte er aufgrund der lange zurückliegenden Kriegsereignisse für Deutschland wenig Sympathie.

Der Deutsche legte eine alte Fotografie auf den Tisch. Martin zeigte keine Regung, aber es muss ihn überrascht haben, denn es war ein Kinderbild von ihm selbst. Er nahm es auf, betrachtete es lange und gab es dem Deutschen mit den Worten zurück: »Ich kenne das Bild.« Dieser fragte ihn, ob er ihm ein weiteres Foto zeigen dürfe; dieses zeigte Martins Mutter als sehr junge Frau. Ja, sagte Martin nach langem Schweigen und nun sichtlich bewegt, das sei seine Mutter. Ob er, fragte der Deutsche weiter, ihm ein Bild jenes Mannes zeigen dürfe, der vermutlich sein leib-

---

* Name geändert.

licher Vater sei? Zwischen dem abgebildeten Fünfzigjährigen und Martin bestand eine gewisse Ähnlichkeit. Das vorerst letzte Bild, das der Deutsche ihm vorlegte, zeigte seinen Vater als jungen Mann in Wehrmachtsuniform, und die Ähnlichkeit mit ihm war so verblüffend, dass an dem Verwandtschaftsverhältnis kein Zweifel mehr bestehen konnte. Den Mann, den Martin zeitlebens für seinen leiblichen Vater gehalten hatte, hatte seine Mutter erst während der Schwangerschaft geheiratet.

Zum Abschluss betrachtete er Bilder seiner deutschen Familienangehörigen: der Halbschwester und des Halbbruders, deren Ehegatten, Kinder und Enkel. Bevor Martin nach Hause fuhr, sagte er dem Deutschen, er werde seiner Mutter nichts von diesem Gespräch sagen, da sie alt und krank sei, seiner Frau und seinen Kindern aber werde er alles erzählen. Am folgenden Tag telefonierten Schwester und Bruder bereits miteinander und einigten sich darauf, sich möglichst bald persönlich zu treffen.

Es liegt in der Natur der Sache, dass man nie erfahren wird, wie oft solche »kompletten« Vertuschungen der wahren Identität des Vaters oder der Eltern gelingen. Aber es kommt oft vor, dass ein solcher Betrug früher oder später auffliegt, sei es, weil es innerhalb der Familienkonstellation zu auffällige Ungereimtheiten, sei es, weil es zu viele Mitwisser gibt.

Sehr viele Wehrmachtskinder wuchsen bei Verwandten ihrer Mutter, normalerweise der Großmutter oder einer Schwester der Mutter, auf und hielten die eigene Mutter für eine Schwester oder Tante: »Nina [die Mutter] wohnte weiterhin bei ihren Eltern – die hatten schon bei meiner Geburt bestimmt, dass sie mich nehmen würden (so steht es in meinen Adoptionspapieren). Die Schande ließ sich am besten vertuschen, wenn man so tat, als sei Nina meine Schwester. Die ganze Familie hielt an dieser Lüge fest. Mit acht Jahren bettelte ich zu Hause, sie sollten mir sagen, wer meine Mutter ist, die Kinder sagten nämlich meine Mutter sei in Wirklichkeit meine Großmutter. Aber diese sagte nur: ›Die lügen doch alle!‹« Diese altbekannte Geschichte – eine Familie vertuscht gemeinsam den Fehltritt der unverheirateten Tochter – hat hier einen weiteren, bedrohlicher

Hintergrund: Vertuscht wird auch das nicht akzeptable Verhältnis der Tochter mit einem Feind des Landes.

Aber irgendwie »wissen« viele Kinder, dass etwas nicht stimmt. Ninas Tochter beispielsweise fand die zwanzig Jahre Altersunterschied zwischen den beiden »Töchtern« ihrer »Eltern« eigenartig. Die Norwegerin Liv* war fast vierzig Jahre alt, bevor sie es wagte, ihren langjährigen Verdacht zu äußern und ihre viel ältere Schwester zu fragen, ob sie in Wahrheit ihre Mutter sei. Diese bestätigte das sofort. Bemerkenswerterweise kann Liv sich überhaupt nicht erinnern, wie und durch wen sie das erfahren hatte. Sie habe es (so ihre Worte) irgendwie und irgendwann einfach gewusst.

Solche Geschichten von adoptierten und innerhalb einer Familie »verschobenen« Kindern mögen den Eindruck erwecken, als hätten die Mütter ihre Kinder loswerden wollen. Dieser Eindruck ist völlig falsch, die meisten Wehrmachtskinder wuchsen bei ihren Müttern auf. Doch das Beispiel von Martin zeigte ja bereits, dass dann nicht weniger vertuscht und verschwiegen wurde. Ob Martins Vater eingeweiht war, ist unbekannt, aber es gibt viele »Korrekturen« dieser Art, bei denen die Mütter gemeinsam mit ihren Ehemännern die größten Anstrengungen unternahmen, um die wahre Vaterschaft nicht nur vor dem Kind, sondern auch vor der Umwelt zu verheimlichen. Dabei bekamen sie Hilfe von Pfarrern und verschiedenen Behörden, so dass man in manchen Fällen durchaus von staatlich sanktionierter Urkundenfälschung sprechen kann.

Astrid* kam 1944 als Tochter einer Norwegerin und eines Deutschen zur Welt. Bei ihrer Geburt waren die Eltern noch nicht verheiratet, doch das holten sie im Sommer 1945 nach. Das Paar zog mit seiner Tochter in ein hessisches Städtchen. Astrid war zwar ein Wehrmachtskind, aber da sie in Deutschland aufwuchs, wurde sie wegen ihrer Eltern weder gehänselt noch schikaniert. Sie war das normale Kind eines normalen Ehepaares. Das einzig Ungewöhnliche mag die ausländische Mutter gewesen sein, die im Hessischen niemals und von niemandem als Landesverräterin diffamiert wurde. Ebensowenig

beschimpfte jemand Astrids Vater als feindlichen Besatzungssoldaten. Von den gelegentlichen Reisen zu den Großeltern
nach Norwegen abgesehen, unterschied sich Astrids Leben vermutlich wenig von dem ihrer gleichaltrigen Freundinnen.

Ein bisschen merkwürdig fand sie, dass sie einen norwegischen Tauflöffel mit dem eingravierten Datum *Januar 1944*
besaß, obwohl sie erst im Sommer 1944 geboren war. Aber sie
maß dem keine große Bedeutung bei, und die Mutter wich dem
Gespräch darüber aus. Dass diese Gravur der Schlüssel zu dem
großen Familiengeheimnis war, entdeckte Astrid erst, als sie
1966 heiraten wollte. Durch die aus Norwegen angeforderte
Geburtsurkunde erfuhr sie, dass sie nicht 1944, sondern 1943
geboren war. Ihr Vater war nicht der Mann, den sie über zwanzig Jahre lang dafür gehalten hatte, sondern ein anderer deutscher Soldat, mit dem ihre Mutter zwei Jahre vor ihrer Heirat befreundet gewesen war. Um das zu vertuschen, hatten die
Mutter und ihr Mann Astrids Geburtsdatum gefälscht und im
Kirchenbuch den Namen des Vaters ändern lassen.

Andere Kinder wussten durchaus, dass sie *nicht* wussten, wer
ihr »richtiger« Vater ist, sei es, dass die Mutter ledig blieb, sei
es, dass sie zwar heiratete, das Kind aber nicht als Kind ihres
Ehemannes ausgegeben wurde. Das Nichtwissen war also keine Ahnungslosigkeit, sondern ein sozusagen »aktives« Nichtwissen, das heißt die Kinder bekamen auf ihre Fragen keine
Antworten oder spürten intuitiv, dass sie gar nicht erst fragen
durften. Manche mussten erleben, dass ihre Mutter, wenn sie sie
nach dem Vater fragten, sofort in Tränen ausbrach, was die
Kinder meist noch effektiver zum Schweigen brachte als jede
Strafandrohung. Sie wussten nichts über ihren Vater, weder
wer er war, noch, wie er hieß, wie er aussah, welche Beziehung
die Eltern miteinander gehabt hatten, ob er noch lebte.

So verschieden ihre Schicksale sein mögen, es gibt einen Satz,
den fast alle Wehrmachtskinder früher oder später sagen: »Meine Mutter hat mir nie etwas über meinen Vater erzählt.« Fand
ich es zu Beginn meiner Beschäftigung mit dem Thema sehr
eigenartig, dass eine Mutter und ihre Verwandten einem Kind

solche grundlegenden Informationen vorenthielten, bin ich inzwischen fast erstaunt, wenn sie das nicht taten.

Lotte Tarp war dreißig Jahre alt, als ihre Mutter Åse ihr zum ersten Mal etwas über Wolfgang, ihre Liebe zu ihm, ihre Verzweiflung erzählte. Während sie sprach, betrachtete Lotte das Gesicht ihrer Mutter. Sie erkannte, dass deren Scham über diese Liebe und über das Kind, die Angst, auch dreißig Jahre später noch als Deutschenflittchen enttarnt zu werden, niemals enden würden. Und dann sagte Åse: »Wenn du das jemals jemandem erzählst, bringe ich mich um.«

Arne Øland, selbst Wehrmachtskind, hat vor einigen Jahren den »Dänischen Kriegskinderverband« gegründet, dessen Vorsitzender er auch ist. 2001 veröffentlichte er ein sehr informatives Buch, in dem unter anderem dreizehn dänische Wehrmachtskinder ihre Lebensgeschichte erzählen. Elf von ihnen wussten in ihrer Kindheit über ihren Vater überhaupt nichts, nichts Genaues oder nur das, was sie selbst herausgefunden hatten (und vor den Erwachsenen verheimlichten).

Ganz typisch ist dieser Brief eines Franzosen, der sechzig Jahre alt werden musste, bevor er sich an die WASt wenden und die Suche nach seinem Vater in Angriff nehmen konnte:

»Ich schreibe Ihnen, weil ich meine Identität suche, meinen Vater, der in meinem Leben auf grausame Weise gefehlt hat.

Ich trage den Namen meiner Mutter, die heute fünfundachtzig Jahre alt ist. Meine Mutter ist ein sehr autoritärer Mensch, und die Beziehung zu ihr war niemals einfach. Sie hat sich stets kategorisch geweigert, mit mir über meinen Vater zu sprechen, daher habe ich nie etwas über ihn erfahren. Jetzt ist sie alt, und ich mache mir keine Illusionen: Sie wird niemals etwas eingestehen, und sie wird ihr Geheimnis mit ins Grab nehmen. Die anderen Mitglieder meiner Familie sind ebenso stumm: Das Thema war völlig tabu.«

Was die Wehrmachtskinder erfuhren, erfuhren sie also auf anderen Wegen. Der Däne Nils* wusste, dass seine kleine Schwester einen anderen Vater hatte, doch dass auch er und sein älterer Bruder verschiedene Väter haben, erfuhr er erst, als ein Kind den Vater des Bruders als Säufer bezeichnete. Nils mischte sich empört ein, wurde von dem Kind aber mit der Bemerkung zum Schweigen gebracht: »Ich meine doch nicht deinen Vater, du Depp.«

»Da dämmerte mir langsam«, schreibt Nils, »dass nicht nur meine kleine Schwester einen anderen Vater hat, sondern dass auch wir Brüder verschiedene Väter haben. Aber darüber sprachen wir nicht.«

Er und sein Bruder redeten nicht über diese verstörende Entdeckung. Der Junge verschwieg sie, ich bin versucht zu sagen: *selbstverständlich* auch seiner Mutter und ihrem Mann. Alle Fragen und Ängste, die sich dadurch für ihn auftaten, behielt er für sich. Der Sechsjährige hatte die »geheime Lektion« seiner Familie perfekt erlernt, er war bereits tief in das familiäre Geflecht des Schweigens verstrickt. Als Erwachsener meinte er dazu nur lakonisch, dass man »als Kind weiß, wann man den Mund zu halten hat«.

Das wissen Kinder sehr früh, sehr genau und völlig intuitiv. Als Erwachsene fragte eine Französin ihre Mutter, warum sie ihr nie etwas über den Vater erzählt habe. »Sie erklärte mir, dass ich nie etwas über ihn habe wissen wollen. Daran kann ich mich natürlich in keiner Weise erinnern. Wahrscheinlich habe ich es schon früh verinnerlicht, dass es besser ist, sich nicht zu intensiv zu erkundigen. Meine Mutter behauptete nur, ich hätte nie gefragt.«[6]

Ein Beispiel dafür, wie man sich die Situation, »sie hat sich stets unnachgiebig geweigert, mit mir über meinen Vater zu sprechen«, konkret vorzustellen hat, schildert Nils. Nachdem er über zehn Jahre lang sein auf der Straße erworbenes Wissen und die quälende Ungewissheit, die es ihm bereitete, verschwiegen hatte, brachte er es zur Sprache. Er war sechzehn oder siebzehn Jahre alt, er und seine Mutter radelten nach einem Besuch bei der Großmutter nach Hause:

»Ein Gewitter zog auf, es war vermutlich nicht der beste Zeitpunkt für inquisitorische Fragen. Dennoch nahm ich all meinen Mut zusammen und fragte beiläufig: ›Wer ist eigentlich mein richtiger Vater?‹ Da brach wirklich ein Unwetter los, das bei Dostojewskis *Idiot* mit Sicherheit zu einem epileptischen Anfall geführt hätte. Ich hatte selten erlebt, dass meine Mutter so schnell so ungeheuer wütend geworden war. Das gehe mich nicht im allergeringsten etwas an – und damit basta! Meine Mutter war furchteinflößend.«

Viele Wehrmachtskinder erinnern sich an solche Szenen, manche waren noch nicht einmal in der Schule, andere bereits im Rentenalter. Eine gängige Reaktionsweise der Mutter war offenbar, den eigenen Tod anzudrohen, falls das Kind das Thema jemals wieder anschneiden sollte:

»Ein einziges Mal habe ich sie direkt nach diesen Dingen gefragt, und das war ein außerordentlich unangenehmes Erlebnis. Es kostete sie offenbar außerordentlich viel, überhaupt darüber zu sprechen, und ich wollte sie nicht häufiger damit quälen. Ich erfuhr nichts Neues, wurde aber in dem, was ich vermutete, nur bestätigt, als sie sagte, danach solle ich sie nicht wieder fragen, denn wenn ich das nochmals täte, würde sie krank werden und sterben.«[7]

Da erstaunt es nicht, wenn Arne Øland, der Hunderte von Schicksalen kennt, nur einmal gehört hat, dass ein Wehrmachtskind diesem immensen moralischen Druck der Mutter getrotzt hat. Als sie sich weigerte, ihm die Identität des Vaters preiszugeben, drohte er damit, jeden Kontakt zu ihr abzubrechen. Sie werde ihn nie wiedersehen, wenn er einmal Kinder habe, werde sie sie nie kennenlernen. Am folgenden Tag nannte sie ihm den Namen und übergab ihm alle Briefe und Bilder, die sie besaß.

Bei vielen bestand aber lange gar kein Anlass zu solch dramatischen Auftritten, da sie ja, wie Nils sechs und Martin sechzig Jahre lang, die Identität ihres Vaters zu kennen meinten. Es war der Mann, dessen Namen sie trugen.

Sie ahnten vielleicht nicht einmal, dass es einen Unterschied zwischen biologischen und sozialen Vätern (und Müttern und Eltern) gibt, oder gar, dass das etwas mit ihnen zu tun hatte. Mehr noch, dass dieser papiertrocken wirkende Unterschied sie eines Tages so tief ins Mark treffen könnte, dass sie Jahre ihres Lebens brauchen würden, mit diesem Wissen fertig zu werden. Anlass dafür kann der hämische Satz eines Spielkameraden sein, der, wie Kinder so sind, mit sicherem Gespür für die größtmögliche Verletzung ein solches (oft allen bekanntes) Geheimnis ausplaudert: »Ich meine doch nicht deinen Vater, du Depp.« Oder die höfliche, in einer fremden Sprache vorgetragene Bitte »Ich würde Ihnen gern einige Fotos zeigen.«

Es kann durchaus sein, dass Martin nun die bittere Erfahrung machen muss, dass nicht nur seine Mutter und eventuell sein Stiefvater die Wahrheit über ihn kannten. Die Geschwister der Mutter werden es ebenfalls wissen, ihre langjährigen Freundinnen, auch frühere Nachbarn. Und sie alle haben es unter dem Siegel der absoluten Verschwiegenheit ihren Ehepartnern und Kindern erzählt. Eine Dänin erinnert sich, über wieviel in ihrer Kindheit nicht gesprochen werden durfte. Als sie acht oder neun Jahre alt war, vertraute ihre Mutter ihr ein Geheimnis über eine Mitschülerin an:

> »Meine Mutter hat mir beispielsweise verboten, einem Mädchen gegenüber zu erwähnen, dass es adoptiert war. Sie sagte oft zu mir: ›Du darfst deiner Freundin nie sagen, dass das nicht ihre richtigen Eltern sind.‹ Das war eine Art vorbeugendes Schweigegebot, denn wenn ich nichts sagte, würden es die anderen sicher auch nicht wagen, etwas zu sagen.«[8]

Zum Beispiel, dass sie einen deutschen Vater hatte. Übrigens erfuhr auch Elna von ihren Eltern, dass in dem Haus, in dem sie wohnten, zwei Deutschenkinder lebten, jedes mit seiner Mutter, die das aber nicht wüssten und auch nie erfahren dürften. Man kann sich leicht ausmalen, was in diesen beiden und in allen anderen Nachbarswohnungen über Elna erzählt wurde.

Wenn das Wehrmachtskind Glück hatte, erfuhr es die Wahrheit von jemandem, der das Kind gern hatte: von der Großmutter, einem Onkel, dem Pfarrer oder der Mutter selbst. Aber auch das vergrößerte sein Wissen mitunter kaum und entlastete das Kind nicht immer. Die Eltern der Norwegerin Anni* »fanden es bei meiner Konfirmation an der Zeit, mir zu sagen, dass ich von Papa nur adoptiert sei. Ich wusste damals schon, dass ich anders war als meine Geschwister, das überraschte mich also nicht sehr. Darüber hinaus sagten sie nichts. Aber mir schien, dass ich sie trösten müsse, darum sagte ich, das sei doch nicht schlimm. Erst viel später warf mir jemand den Satz hin: ›Dass dein Vater Deutscher ist, das weißt du doch wohl, oder?‹«

Wenn das Kind Pech hatte, erfuhr es »die Wahrheit« durch verletzende und rätselhafte Bemerkungen in der eigenen Familie, zum Beispiel, wenn es die Familie des (Stief-)Vaters besuchte. Kaum machte es etwas falsch, hieß es: »Na ja, von so einer kann man ja nichts anderes erwarten.«[9] Und es kam immer wieder vor, dass der Stiefvater selbst in einem Zornesanfall enthüllte, dass das Kind nicht sein Kind war. Und wenn dieser Zorn und der Alkoholpegel ein gewisses Maß überschritten hatten, schob er sogar hinterher: »Dein Vater war ein Nazi. Du bist ein verdammter Nazibastard.«[10]

Hier bricht die Kette des Schweigens unversehens ab. »Nazi« – dieses Wort kannten alle. Es bedeutete nichts Gutes, über die Nazis wurde schlecht gesprochen. Der Däne Bjarne* fand beim Kramen in verbotenen Schubladen das Foto »eines Mannes in Uniform, auf der Mütze war ein Hakenkreuz«. Einerseits befriedigte ihn das, denn er »zweifelte keine Sekunde lang, dass das dieser leibliche Vater war, über den ich sonst nie etwas hörte«. Andererseits aber lässt er die Sache auf sich beruhen, denn »so wie ich und die meisten anderen Kinder das sahen, hatte es weder Glanz noch Prestige, deutscher Soldat zu sein. Die deutschen Soldaten waren praktisch Verbrecher. So war ich erzogen worden. Die Amerikaner und Briten waren die Helden, die Deutschen die Schurken. Nein, zum damaligen Zeitpunkt war ich geradezu dankbar dafür, dass man niemals darüber sprach. Ich war nur froh, dass man meinen Vater mit keinem Wort erwähnte. Und so blieb es die nächsten fünfunddreißig Jahre.«[11]

Doch das Wissen, dass die Nazis Deutsche und die Deutschen Verbrecher waren, warf viele neue Fragen auf: Wie konnte so jemand der eigene Vater sein? War die Mutter auch eine Verbrecherin, wenn sie mit einem Verbrecher zusammengewesen war? Und: War man selbst ein Verbrecher?

Wenn das Kind älter wurde und mehr über das nationalsozialistische Terrorregime erfuhr, steigerte sich die Anklage »Verbrecher« zu »Mörder und Sadist«. Falls so einer wirklich mein Vater ist, wird mancher mit Bjarne gedacht haben, dann ist es wirklich besser, darüber kein weiteres Wort zu verlieren. Wie die Polin Hela:* »Ich wollte nichts davon wissen, dass ich einen deutschen Vater hatte. Ich war mit all diesen furchtbaren Erzählungen über die Grausamkeiten der Nazis aufgewachsen. Ich schob alles weg und wünschte mir, dass ein Pole mein Vater war.«

Dieser Wunsch war in den ehemals besetzten Ländern offenbar sehr verbreitet. Manche Mütter versuchten ebenso wie einige Nachkriegsregierungen, die wahre Identität der Kindsväter zu verbergen. Das geschah mit Hilfe verschiedener offizieller, inoffizieller sowie stillschweigend geduldeter Maßnahmen, mit denen zum einen der Name des Kindes verändert und zum anderen der Name des deutschen Vaters gelöscht wurde.[12]

Wie geradezu gespenstisch perfekt hierbei die bürokratischen Maßnahmen der nationalsozialistischen Besatzungsbehörden und der Nachkriegsbehörden der befreiten Länder ineinandergreifen konnten, lässt sich am Beispiel Holland demonstrieren. Die dortigen Wehrmachtskinder galten bei den Nationalsozialisten als »rassisch wertvoll«, Schwangere konnten das Kind, das sie von einem Wehrmachtssoldaten erwarteten, in einem von mehreren Heimen entbinden, die die Nationalsozialistische Volkswohlfahrt (NSV) in Holland betrieb. Ab Frühjahr 1942 wurden die Geburten in diesen Heimen nicht mehr in holländischen, sondern in speziell dafür eingerichteten deutschen Standesämtern eingetragen. Mit der Kapitulation wurden alle dort registrierten Kinder staatenlos, die holländische Regierung erkannte sie erst 1954 als Bürger der Niederlande an. In die holländischen Geburtsurkunden, die sie nun bekamen, wurden aber weder der Name des Vaters noch seine Nationalität eingetragen, so dass die Kinder aus ihren Papieren nichts über ihre Herkunft ersehen und auch nicht ahnen konnten, dass diese Informationen an anderer Stelle existierten.[13]

Zahllose Wehrmachtskinder haben erst bei einer Gelegenheit wie der Einschulung, der Konfirmation oder der Heirat, wenn sie mit staatlichen und kirchlichen Registern in Berührung kamen, erfahren, dass sie einen anderen Namen haben, als sie glaubten (oder, um an Astrid zu erinnern, ein anderes Geburtsdatum). Auch Elna hieß ja vor ihrer Adoption »Gisela«.

Aufgrund einer nicht auf Wehrmachtskinder beschränkten Regelung konnten beispielsweise in Dänemark uneheliche Kinder den Namen des Ehemanns der Mutter tragen, ohne adoptiert zu sein. Dieses Gesetz sollte uneheliche Kinder vor Diskriminierung schützen und funktionierte in der Praxis vermutlich meist so, dass alle davon wussten, nur die Kinder selbst nicht. Als Nils eingeschult wurde, rief der Lehrer in der ersten Stunde einen »Nils Hansen« auf. Niemand meldete sich. Dann fragte er, ob denn einer »Nils« heiße. Nils meldete sich, und der Lehrer begriff, dass dieser nicht wusste, dass er gar nicht *Nielsen* hieß wie sein Stiefvater, sondern *Hansen*. Das war der Geburtsname seiner Mutter.

Manchmal wollten die Mütter erreichen, dass der Name ihres Kindes legal und auf alle Zeiten verändert wurde. Dahinter stand immer der Wunsch, das allzu offensichtlich *Deutsche* des Namens loszuwerden und das Kind sprachlich »einzugemeinden«. So wurde aus einer Hannelore eine Ann Marie oder aus einem Gynther ein Erik.

Im Frühjahr 1951 beantragte eine Dänin, den Namen ihres Sohnes von *Gynther Erik Papke* in *Erik Jensen** zu ändern. *(Erik Jensen,* das nur am Rande, ist ein so urdänischer Name, dass man über diese Alternative fast Witze machen könnte.) Sie und der Vater ihres Kindes hatten am 15. Mai 1945 vor einem deutschen Wehrmachtsrichter geheiratet, am 15. März 1946 aber erklärten die dänischen Behörden alle deutsch-dänischen Ehen, die nach der Befreiung am 5. Mai 1945 geschlossen worden waren, für ungültig. Somit war sie wieder unverheiratet und ihr Sohn nichtehelich. Er trug aber nach wie vor den Namen seines Vaters.

Nun wünschte die Mutter eine Namensänderung:

>»Die Antragstellerin gab als Grund für den Antrag an, dass ihr Sohn im April 1951 eingeschult werde und dass sie fürchte, dass ihr Sohn, der den Nachnamen seines deutschen Vaters trägt, in der Schule verspottet werden könnte, weil er einen deutschen Namen hat und nicht ihren Nachnamen trägt.
>
>Die Antragstellerin bittet des weiteren darum, dass die Berufsbezeichnung des Vaters im Kirchenbuch von ›deutscher Marinesoldat‹ in seinen zivilen Beruf ›Typograph‹ verändert wird.«

Einige Monate später kommt die Mutter auf ihren Antrag zurück. Nun wollte sie auch, dass der Vorname *Günther* – nicht mehr *Gynther* wie im ersten Dokument – gestrichen werde, sie sei willens, dafür jede anfallende Gebühr zu bezahlen. Sie bat außerdem, dem Jungen den zweiten Vornamen *Egon* geben zu dürfen, falls das abgelehnt werde, solle der Junge nur *Erik Jensen* heißen. Unter gar keinen Umständen aber solle ihr Kind weiterhin *Günther* heißen. Im September 1951 wurde die beantragte Namensänderung durch König Fredrik IX. genehmigt.

Durch die Bitte der Mutter, den Beruf des Vaters zu ändern, war allerdings das Augenmerk der Bürokraten auf die juristische Stichhaltigkeit der Vaterschaftsanerkennung gelenkt worden. Aus dem Schriftstück gehe nicht zweifelsfrei hervor, ob der Vater über alle rechtlichen Folgen der Anerkennung aufgeklärt worden sei. Daher entschied ein Jurist im dänischen Sozialministerium, dass der Name des Vaters im Kirchenbuch zu löschen sei. So geschah es – am Rand dieses Schreibens findet sich die verräterische Notiz eines vorgesetzten Juristen: »Einverstanden (Keine Vorgabe für Nicht-Deutschenväter.)«[14]

Diese kryptische Bemerkung bedeutet, dass der Vorgesetzte der Streichung des Namens des Vaters nur zustimmte, weil der Vater ein Deutscher war – und das, obwohl der Vater das Kind anerkannt hatte und die Mutter keine Veränderung dieses Eintrags wünschte. Bei einer dänischen Vaterschaftssache hätte ein Formfehler wie dieser nicht zur Tilgung des Namens führen dürfen.

So war binnen weniger Monate aus dem Gynther Erik Papke in der Geburtsurkunde ein Erik Egon Jensen geworden, weil seine Mutter das wollte. Zugleich war diese verheiratete Mutter ganz ohne ihr Zutun ledig geworden, weil der Staat ihre Ehe annullierte, und überdies in den Ruch einer Prostituierten geraten, weil ein Beamter meinte, ihren Ehemann (der nicht mehr ihr Ehemann war) als Vater ihres Kindes streichen zu müssen. Streichen zu dürfen.

Vermutlich wurde in vielen vergleichbaren Fällen genauso verfahren. Nach der Löschung hatte der Betroffene, wenn er keine anderen Informationsquellen hatte, kaum eine Chance zu erfahren, dass sein Vater damals keineswegs »unbekannt« war, wie es im Kirchenbuch steht, sondern dass er einen Namen hat und zudem sein Kind anerkannt hat.

Aber auch wenn die Mutter seinen Namen kannte, wurde ein deutscher Vater bei der staatlichen und/oder kirchlichen Registrierung einer Geburt offenbar nicht unbedingt verzeichnet. Aus Polen sind mir zwei Fälle bekannt – der eine betrifft das Wehrmachtskind Hela, der zweite die Tochter einer Zwangsarbeiterin, die in Deutschland schwanger geworden war und sich über den Vater des Kindes immer ausgeschwiegen hat –, wo als Vater des Kindes der *Vater der Mutter,* also der Großvater des Kindes, angegeben wurde. Hela ist sicher, dass ihre Mutter den fraglichen Namen kannte, ihn aber aus Angst vor Repressalien unter keinen Umständen in die Urkunde eintragen lassen wollte. Sie erklärt weiter: »Sie hat den Namen ihres eigenen Vaters genommen, da sah es aus, als sei sie mit einem Polen verheiratet und das Kind ehelich geboren.«

Auch die Geburtsurkunde des Ukrainers Henrik wurde gefälscht, um ihn und seine Mutter zu schützen:

> »Ich bin am 19. Februar 1945 geboren. Das ist mein tatsächliches Geburtsdatum. Aber in der Geburtsurkunde ist der 15. Mai eingetragen. Das wurde deshalb so arrangiert, um zu verheimlichen, wer mein wirklicher Vater ist, damit wir nicht nach Sibirien gehen mussten. Denn wenn ich erst im Mai geboren wurde, hieß dies, dass ich bereits nach dem Abmarsch der Deutschen gezeugt wurde.«[15]

Henrik erwähnt es nicht, aber es ist wohl eine zulässige Annahme, dass diese Urkunde in der Rubrik »Name des Vaters« das Wort *Unbekannt* trägt. Ob die Fälschung seines Geburtsdatums so zu deuten ist, dass Henriks Mutter bei den zuständigen Behörden Hilfe bei dieser Täuschung fand, bleibt leider offen.

Die norwegische Regierung versuchte ausdrücklich, auf die Vornamen der Kinder Einfluss zu nehmen. »Noch im September 1946 verschickte beispielsweise das Justizministerium ein Rundschreiben zum Problem der ›belasteten Vornamen‹. Es wies darauf hin, dass nach dem Namensrecht bestimmte Namen abgelehnt werden konnten. Weiter hieß es, ›typisch deutsche Vornamen, von denen man vermuten muss, dass sie das Kind belasten werden, sollten verweigert werden. Beispiele hierfür sind Heinz, Horst, Dietel [sic] oder Hellmuth‹.«[16]

Solche Vorkehrungen verstanden sich als Reaktion auf die verbreitete Diffamierung von Wehrmachtskindern und waren zweifelsohne von der wohlmeinenden Sorge getragen, den Kindern das Leben zu erleichtern, indem man sie *unsichtbarer* machte. Man könnte aber auch argumentieren, dass solche Anweisungen die Diffamierungen widerspruchslos akzeptierten, bestätigten und zementierten. Ein Aspekt, der selten zur Sprache kommt, ist, dass manche einen deutschen Namen trugen, weil dies der Name ihres Vaters oder einer weiblichen Verwandten des Vaters war. Sie wurden mit der Namensänderung auch eines Stücks Familiengeschichte und ihres Platzes in ihr beraubt.

Es war aber durchaus im Interesse der norwegischen Regierung, die Verbindungen zu den deutschen Vätern zu kappen. 1945 erwog eine Regierungskommission, von den deutschen Vätern keine Alimente zu fordern, da Unterhaltszahlungen »zu einer über Jahre andauernden, wenig erstrebenswerten Bindung an Deutschland und deutsche Zustände führen würden und daher möglichst vermieden werden sollten«.[17]

Zum Thema »Schweigen« gibt es noch eine bittere Skurrilität der dänischen Rechtsprechung zu berichten. Dort verwehrte man nichtehelich Geborenen den Einblick in ihre Vaterschaftsakte, da es die Persönlichkeitsrechte der Mutter verletzen könne, wenn das Kind die Akten lese.[18] Das Verbot wurde bis 1998 strikt befolgt, dann erkämpfte der Dänische Kriegskinderverband einen Kompromiss: Nun dürfen nichtehelich Geborene ihre Akte einsehen, wenn sie vorher unterschreiben, dass sie über alles, was sie so erfahren, völliges Stillschweigen wahren werden. Wer das unterschreibt, verpflichtet sich also, das neu erworbene Wissen weder dem Ehepartner noch den eigenen Kindern mitzuteilen. Mehr noch, sie müssen auch der Mutter gegenüber verschweigen, was sie über sie erfahren haben.

Die Chancen stehen allerdings nicht schlecht, dass sie zumindest letzteres tun werden: Wenn eine Mutter so lange und so eisern geschwiegen und jede Erwähnung des Themas tabuisiert hat, wird ihr Kind sie möglicherweise schonen, indem es sie nicht mit dem Inhalt der Akte konfrontiert. Auch Martin hatte ja spontan beschlossen, seine betagte Mutter nicht mehr mit seinem Wissen zu beunruhigen.

Die Wehrmachtskinder sind so oft an Mauern des Schweigens gestoßen, dass Schweigen auch ihnen zur zweiten Natur geworden ist. Sie tun alles, um das furchtbare Geheimnis zu wahren, dass sie das Resultat einer Verbindung sind, die privat und politisch gleichermaßen verwerflich war. Manche begannen schon als Kinder zu lügen und Strategien zu entwickeln, entsprechenden Fragen auszuweichen, ohne dass es andere merken. Andere verheimlichen die vermeintliche Schande ihrer Herkunft jahrzehntelang vor ihren Ehepartnern und Kindern. Wie befreiend es für alle ist, wenn offen über ihr Schicksal gesprochen wird, sieht man in den zwei oder drei Ländern, in denen es inzwischen relativ einfach geworden ist, sich zu seinem deutschen Soldatenvater zu bekennen. In anderen ehemals besetzten Ländern ist immer noch undenkbar, in der Öffentlichkeit, ja auch nur in der eigenen Familie darüber zu sprechen. Aber sobald es jemand wagt, bricht ein Damm.

Ein dänisches Wehrmachtskind spielte in einem Sextett, das zufällig in jener deutschen Stadt ein Gastspiel gab, in der seine deutschen Verwandten lebten. Sie hatten bisher nur miteinander telefoniert, nun trafen sie sich nach dem Konzert. Das erzählte er seinen fünf Kollegen, einer erkundigte sich eingehend, wie er seine deutsche Familie gefunden habe. Zwei Wochen später gestand er ihm, dass auch er ein Wehrmachtskind sei. Die beiden hatten fünfundzwanzig Jahre lang miteinander musiziert, ohne das voneinander zu wissen.

In den meisten ehemals besetzten Ländern wissen Wehrmachtskinder bis heute nicht, mit wie vielen Menschen in ihrem eigenen Land und in Europa sie das teilen, was sie für ihr individuelles Schicksal, ihre intimsten Erfahrungen halten. Sie kennen niemanden, mit dem sie dieses Grundgefühl des »Andersseins« teilen könnten, niemanden, der (oder die) genau das erlebt und gefühlt hat, was sie erlebt und gefühlt haben.

Eine Norwegerin, die bis dahin ihren deutschen Vater verheimlicht hatte, erinnert sich genau an den Abend, als sie begriff, dass es zu diesem Schweigen eine Alternative geben konnte: »Im Februar 1986 sah ich im Fernsehen einen Mann namens Per Arne Löhr Meek. Der stand einfach da und sagte, er sei ein Kriegskind, das Kind eines deutschen Soldaten. Und er suche andere Kriegskinder, denn er wolle nun eine Selbsthilfegruppe gründen. Plötzlich gab es einen Namen für uns: Kriegskinder. Das war ein gutes Gefühl.«

Es bedarf sehr, sehr großen Mutes, als erster öffentlich das Schweigen zu brechen und die eigene Geschichte zu erzählen. Dieser Per Arne Löhr Meek war das erste Wehrmachtskind in Norwegen, vielleicht sogar in ganz Europa, das diesen Schritt wagte.

Elnas Geschichte (II)

Am Montag reisten unsere Gäste ab, und ich nahm mir frei. Ich brauchte Zeit allein. Im Laufe des Wochenendes waren alle unsere vier Kinder dagewesen und hatten die Geschichte gehört. Die Fredrikstader Zeitung hatte ich besorgt, die Frau auf dem Bild hätte gut ich sein können – vor zwanzig Jahren. Meine beiden neuen Schwestern hatten mich angerufen und in ihrer Familie willkommen geheißen, beide hatten den Wunsch geäußert, dass wir uns bald treffen. Alle waren freundlich und positiv. Ich fühlte mich erstickt, total verwirrt, in aller Freundlichkeit aufgelauert und überfallen, im Innersten meines Herzens traumatisiert.

Und ich fühlte mich belogen und betrogen. Nun wollte ich meinen Vater mit dem konfrontieren, was ich erfahren hatte. Für dieses Gespräch brauchte ich Zeit, und ich musste mich darauf vorbereiten. Den Montagvormittag verbrachte ich darum allein zu Hause, ich starrte an die Wand und führte lange Gespräche mit mir selbst. Ich ging immer wieder durch, was Therese mir am Telefon erzählt hatte:

Ich war in Geilo geboren, das wusste ich schon. Ich war im Dr. Holms Hotel geboren, was ich äußerst merkwürdig fand. Mein Name war Gisela. Ich hatte auch in einem Kinderheim im Hotel Stalheim in Voss gelebt, bevor Therese mich zu sich holte, damals wohnte sie mit ihrer Schwester, deren Mann und Söhnchen in einer kleinen Wohnung. Sie konnte mich nicht behalten, die Schwester erlaubte das nicht, darum gab sie mich zur Adoption. Der Auslöser war, dass sowohl sie und ihre Schwester als auch deren Mann mehrere Male ins Gestapo-Büro bestellt und verhört worden waren. Dort habe man ihnen Fragen nach Otto sowie nach ihrem Verhältnis zu ihm gestellt. Otto war also mein Vater. Ein deutscher Soldat, Koch, ein lieber, gutaussehender Mann mit blauen Augen und gewelltem Haar. Sie, aber auch ihre ganze Familie, hatten ihn sooo lieb gewonnen!? Aufgrund der Verhöre, zu denen sie einbestellt worden waren, wussten sie, dass ihm irgend etwas zugestoßen sein musste, aber sie wussten nicht, was. Therese hatte aber nach dem Krieg einen Gruß von Otto bekommen, darum wusste sie, dass er überlebt hatte.

Du liebe Güte. Die ganze Familie hatte ihn liebgewonnen, hatte sie gesagt – diesen deutschen Soldaten. Hier im Land hatte doch Krieg geherrscht. Hatte sie das vergessen? Und ich war in einem Luxushotel in den Bergen zur Welt gekommen und von dort in ein Kinderheim gebracht worden, das ebenfalls in einem luxuriösen Berghotel untergebracht war. Plötzlich erinnerte sie sich doch noch daran, dass Krieg geherrscht hatte – sie waren von der Gestapo verhört worden. War diese Frau verrückt? Log sie obendrein? Ich hatte mehr Fragen denn je – dabei hatte es schon vor diesem Freitagabend in meinem Leben sehr viele Fragen gegeben.

Ich hatte meinen Vater am Wochenende angerufen und ihm gesagt, dass ich mit ihm etwas Wichtiges besprechen müsse und am Montagnachmittag kommen wolle. Es wurde ein langes und sehr intimes Gespräch zwischen ihm und mir.

Anfangs versuchte er erneut, die Sachen zu verschleiern, Nebensächlichkeiten und Anekdoten aus meiner Kindheit zu erzählen. Schließlich sagte er, dass Thereses Schwester ihn einige Tage zuvor angerufen und nach meiner Telefonnummer gefragt habe. Erst nachdem er sie ihr gegeben hatte, habe sie gesagt, wer sie sei. Mein Vater sei geradezu verzweifelt gewesen und habe sie angefleht, sich nicht mit mir in Verbindung zu setzen. »Meine Tochter weiß nichts über die Adoption, sie ist äußerst temperamentvoll und sie wird soo wütend werden!« (In Wahrheit bin ich geradezu aggressionsgehemmt.) Sie versprach ihm das und sie hielt ihr Versprechen. Es war ja meine Mutter, die mich dann anrief.

Mein Vater erzählte, dass sie sich so sehr ein Kind gewünscht hatten, aber da es einfach nicht klappen wollte, hätten sie beschlossen, eines zu adoptieren. Sie fanden eine Anzeige in der Zeitung und antworteten darauf. So seien sie mit Therese in Kontakt gekommen und mit dem Bus zur angegebenen Adresse *gefahren, wo sie Therese mit dem Kind – also mich – trafen. Ich sei gleich sehr zutraulich gewesen und hätte die Händchen nach ihnen ausgestreckt. Dann fuhren sie mit dem Bus wieder nach Hause, mit mir auf dem Arm. Das Ganze habe eine halbe Stunde gedauert. Sie hatten mit Therese verabredet, dass sie zu einem späteren Zeitpunkt eine Adoptionsvereinbarung aufsetzen würden. Meine Eltern hatten auch zugestimmt, dass Thereses Schwester den Kontakt zwischen ihr und meinen Eltern aufrechthalten werde, damit Therese auf dem laufenden blieb, wie es mir ging.*

Meine Eltern hatten keinerlei Absicht, diese Vereinbarung einzuhalten, und als die Schwester sich tatsächlich an sie wandte, wurde sie abgewiesen. Mein Vater erzählte auch, wie zurückgeblieben und unterstimuliert ich gewesen sei. Ich konnte weder gehen noch reden, ich konnte nur den Mund aufreißen, sobald ich einen Löffel sah. Ihre beiden Familien fanden, dass sie mich gegen ein anderes, aufgeweckteres Kind austauschen sollten, aber davon wollten sie nichts wissen.

Nur ein einziges Mal setzten sich meine Eltern mit Thereses Schwester in Verbindung, erzählte er. Damals war ich schwer krank, und sie legten dem Brief an sie auch eine kleine Fotografie von mir bei. (Diese Aufnahme sollte ich später noch zweimal sehen: das erste Mal an der Wand in Thereses Wohnzimmer, das zweite Mal bei Otto in Deutschland, als ich ihn dort besuchte.)

Mein Vater erzählte, dass er und meine Mutter in all den Jahren oft darüber gesprochen hatten, wie es Therese im Leben ergangen sein mochte. Sie sahen, wie ich größer wurde und ihr äußerlich immer mehr ähnelte. Und sie hätten sich gesorgt, dass es mir im Leben ebenso ergehen könnte wie ihr. Darum waren sie als Eltern so streng gewesen, sagte er.

Über meine Herkunft wusste mein Vater wenig. Therese habe bei ihrem Treffen fast die ganze Zeit geweint und nicht viel gesagt. Angeblich sei mein leiblicher Vater Besatzungssoldat gewesen, aber er glaube nicht, dass er Deutscher sei.

Ich kannte meinen Vater, darum wusste ich, dass er mir jetzt etwas verheimlichte – und richtig. Es zeigte sich, dass sie Dokumente und Fotos sowie Namen und Adressen meiner Eltern bekommen hatten, aber er hatte das alles nur ein Jahr zuvor, nach dem Tod meiner Mutter, verbrannt. Er wusste aber noch, dass ich in einem Kinderheim in Voss und in einem Lebensbornheim in Geilo gewesen sei. Auf meine Frage konnte er aber nicht sagen, was ein Lebensbornheim eigentlich war.

»Warum habt ihr mir nie etwas davon erzählt? Warum diese Lügen, dieses Verschweigen und dieser Betrug? Begreifst du denn nicht, was ihr mir damit angetan habt, meinem Gefühl dafür, wer ich bin?«

Ich sah in das alte, faltige Gesicht. Es war ein starkes Gesicht, jetzt aber von Alter und Erschöpfung geschwächt. Er war Hafenarbeiter gewesen, er hatte sein Leben lang geschuftet wie ein Pferd und nach dem Motto gelebt: »Erfülle deine Pflicht und verlange, was dir zusteht.« Er war der Zweitjüngste von zwölf Geschwistern, mit vierzehn verlor er seinen Vater, da musste er arbeiten gehen. Für jemanden wie ihn waren Schule und Berufsausbildung nicht vorgesehen, hat er immer gesagt. Seine herausragendsten Eigenschaften waren immer Stärke und Autorität gewesen. Jetzt war er dem Weinen nah.

»Wir wollten nur dein Bestes. Wir wollten dich beschützen – du weißt doch, wie die Deutschenbälger behandelt wurden.«

»Ja, das verstehe ich. Das war auch sehr gut und löblich – aber ich bin seit vielen Jahren erwachsen. Ich bin dreiundvierzig Jahre alt und habe erwachsene Kinder. Das alles hätte mir doch von meinen Eltern erzählt werden sollen, nicht am Telefon von einer Frau, die mir völlig fremd ist.«

Ich erzählte ihm kleine Begebenheiten aus meiner Kindheit und Jugend, bei denen die Frage aufgetaucht war, ob ich ihr Kind sei. Das plötzliche, verlegene Schweigen, wenn ich ins Zimmer kam. Die nicht enden wollenden Beteuerungen, wie ähnlich ich doch Arthur (meinem Vater) sei und wie bemerkenswert das sei. Meine Mutter Marie war schwächlich, zartgliedrig, liebenswert und herzensgut. Ihre Schwäche machte sie zu ihrer Stärke. Alle, die sie kannten, gaben sich die größte Mühe, sie zu erfreuen. Dafür sorgte sie. Ihre ganze Familie bestand aus kleinen, zartgliedrigen und musikalischen Menschen, die ich alle sehr liebte. Aber wenn ich mit ihnen zusammen war, fühlte ich mich wie ein Elefant im Porzellanladen. Außerdem war Marie fünfundvierzig Jahre älter als ich. Mir ging schon ziemlich früh auf, dass eine Frau mit fünfundvierzig Jahren für ihr erstes Kind ausgesprochen alt war.

Als ich mit fünfzehn in den Konfirmandenunterricht ging, fingen die Probleme erst richtig an. Ich sollte meinen Taufschein mitbringen. Den hatte ich damals nicht, und ich habe auch später nie einen besessen. Ich erhielt eine Bescheinigung, wonach ich in Geilo geboren war, Elna Marit Tvedt heiße und die Tochter von Marie und Arthur Tvedt bin, aber das war kein Taufschein. »Ach«, sagte der Pfarrer im Konfirmandenunterricht, »du bist in Geilo geboren. Bist du adoptiert?«

Zwanzig Gleichaltrige um mich herum wurden totenstill. Alle sahen mich an – alle wussten, dass alle es wussten, nur ich nicht.

Nach der Stunde behielt mich der Pfarrer da, er hatte gemerkt, dass er ins Fettnäpfchen getreten war, und stellte mir einige Fragen nach meinen Eltern und meinen häuslichen Verhältnissen. Ich fragte ihn, ob er in Erfahrung bringen könne, ob ich adoptiert sei. Das könne er nicht, ohne zuvor mit meinen Eltern gesprochen zu haben. »Tun Sie das«, sagte ich, aber meinem Vater zufolge tat er es nie.

Ich begriff, dass vom Pfarrer keine Hilfe zu erwarten war, darum ging ich zu unserem Arzt. Damals gab es noch feste Hausärzte. Ich fragte ihn. Er sagte: »Du bist zu jung. Ich werde dir die ganze Geschichte erzählen, wenn du achtzehn bist.« Aber als ich achtzehn wurde, war der Arzt gestorben. Und ich war bis über beide Ohren verliebt und erwartete meinen ältesten Sohn. Es gab eine Menge anderer Dinge, um die ich mich kümmern musste.

In dieser Zeit versuchte ich auch, mit meiner Mutter zu reden, aber da bebte ihre Unterlippe, und sie fragte mich, ob ich sie und meinen Vater nicht mehr liebhätte. Da flüchtete ich.

Ich war eigentlich ganz sicher, dass meine Mutter nicht meine Mutter sein konnte, meinem Vater hingegen glich ich sowohl äußerlich wie innerlich. Er war sehr empfänglich für die Reize schöner Frauen und konnte in solchen Situationen sehr charmant sein, das bemerkte ich schon früh. Vieles schien darauf hinzuweisen, dass er ein Abenteuer gehabt hatte, aus dem ein Kind entstanden war. Und meine Mutter – nun, sie war auf jeden Fall warmherzig genug, um sich eines solchen Kindes anzunehmen. Das glaubte ich viele Jahre, das erzählte ich auch Kjell einmal, als er dieses Thema anschnitt. Denn auch er hatte sich Gedanken darüber gemacht, dass meine Mutter nicht meine Mutter sein konnte. Auf einer Reise besuchten wir sogar einmal den Friedhof von Geilo und suchten das Grab einer Frau, die etwa um die Zeit meiner Geburt gestorben war. Diese Suche blieb zum Glück ohne Ergebnis.

All das erzählte ich meinem Vater an jenem Montag. Er lachte über meinen Verdacht hinsichtlich seiner amourösen Eskapaden, und das nahm der Situation ein wenig von ihrer Schwere. Ich sagte ihm, dass ich Therese und meine Geschwister kennenlernen und auch versuchen wolle, Otto zu finden. Er sah sich in seiner Position bedroht und litt natürlich darunter. Ich konnte ihm nur versichern, dass ich, im Guten wie im Schlechten, nur einen Vater gehabt hatte und dass ich ihn behalten wollte.

Und ich sagte ihm, dass ich ein starkes Bedürfnis hatte, jene Menschen kennenzulernen, die meine engsten Verwandten waren. So lernte ich, dass es einen Unterschied zwischen sozialen und leiblichen Eltern gibt, so lernte ich, dass es wichtig ist, beide zu kennen.

Aber jetzt hatte ich Kopfschmerzen und fuhr nach Hause.

2. *Kapitel*
Jung und verliebt:
Die Eltern

Im August schreibt der Mainzer Arnold Klein* aus Nordnorwegen an seine Eltern, er habe sich »eine kleine Freundin
zugelegt. Obwohl sie noch sehr jung ist, erst zwanzig Jahre,
trägt sie doch dazu bei, dass ich mich nicht so verlassen fühle.«
Der Dreißigjährige ist in Deutschland gerade geschieden worden. Am 20. Oktober bittet er seine Mutter, ihm ein golde-
nes Anhängerkreuz zu schicken, weil er »dem Mädel« etwas
zum Geburtstag schenken möchte. Am 7. November hat »das
Mädel« nicht nur einen Namen, Ragnhild,* sie bedankt sich auf
der letzten Seite auch persönlich »auf das herzlichste für die Ge-
burtstagskarte an mich. Das war eine große Überraschung und
bereitete mir viel Freude.«

Am 23. November fragt Arnold seine Eltern, was sie denn
davon hielten, wenn er »Ragnhild heiraten würde und sie zu
Euch nach Hause schicken würde«. Nur wenige Tage später,
am 30. November – nicht ganz überraschend angesichts des
letzten Briefes und des Tempos, das er vorlegt – gesteht er: »Ich
sehe mich verpflichtet dazu, Euch sofort zu informieren. Ich bin
doch nun der erste Mann, mit welchem Ragnhild zusammen
war, also sie war noch ein unschuldiges Ding, und nun ist das
Malheur passiert, und Ragnhild ist schwanger von mir. Ich
kann das Mädel, welches erst zwanzig Jahre ist, unmöglich sitzenlassen. Vor allem muss ich mich verloben mit Ragnhild,
sonst kann sie nicht vor ihre Eltern treten und ihnen dies sagen,
wie es um sie steht.«

Nach einigen sorgenvollen Überlegungen, wie er ohne Wohnung und Möbel in Deutschland eine Ehefrau unterbringen
soll, wiederholt er, dass es zu einer Heirat keine Alternative
gibt: »Mir wird himmelangst um die nächsten Monate. Das

Schlimmste an der ganzen Sache ist, dass Ragnhild so kolossal an mir hängt, und wie ich sie kenne, würde sie sich etwas antun, wenn ich sie hier sitzenlassen würde.«

Nichts an den Briefen dieses ebenso stürmischen wie gewissenhaften Verliebten verrät, dass er sie im Jahr 1942 schrieb. In ganz Europa und Nordafrika herrschte Krieg; wer an anderen Orten als Arnold Klein stationiert war, machte ganz andere Erfahrungen und hatte ganz andere Sorgen. Der zweiundzwanzigjährige Willy Peter Reese beispielsweise war 1942 Besatzungssoldat im Osten, seine Erinnerungen an diese Zeit lesen sich so: »Wir hatten keinen Glauben, der uns trug, und alle Filosofie diente nur, das Los erträglicher anzuschauen. Dass wir Soldaten waren, genügte zur Rechtfertigung von Verbrechen und Verkommenheit und genügte als Basis einer Existenz in der Hölle. Unsere Ideale waren das Ich, Tabak, Essen, Schlaf und Frankreichs Dirnen.«[1]

Und an anderer Stelle: »Wir ließen eine gefangene Russin Nackttänze aufführen und bestrichen ihr die Brüste mit Stiefelfett, machten sie so betrunken wie wir selbst waren.«[2]

In Arnold Kleins Briefen deutet nichts darauf hin, dass er, ebenso wie Reese, Wehrmachtssoldat ist, und dass er, anders als Reese, in Norwegen war, das die Wehrmacht gut zwei Jahre zuvor überfallen hatte. Auch dass Ragnhild Norwegerin war, spielte bei der Sorge um die Ehrbarkeit des »Mädels« (zunächst) keine Rolle. In dieser Unbekümmertheit, ja Blindheit für die großen und kleinen politischen Zusammenhänge seiner Zeit unterschied sich Arnold Klein nicht wesentlich von anderen deutschen Soldaten im besetzten Europa. Zumindest im besetzten Nord- und Westeuropa war für sie über Monate, ja Jahre vom Krieg wenig zu spüren, in vielen Feldpostbriefen steht mehr oder weniger wörtlich: »Hier geht es zu wie im Frieden«, und viele litten dermaßen unter Langeweile, dass sie sich beharrlich dorthin bewarben, wo Reese sich nach eigenen Worten »selber seltsam fremd« wurde – an die Ostfront.

Die Zivilbevölkerung dieser besetzten Länder erlebte die Jahre ganz anders. Sie war ihres Grundrechts der freien Meinungsäußerung beraubt und durfte sich nicht frei bewegen. Nichts mehr war privat. Alle wussten und spürten jeden Tag, wer das Sagen hatte und in welcher Gefahr sie lebten, jeder Patzer konnte fatale Folgen haben. Die vermeintliche Ruhe der Oberfläche war prekär und ausschließlich vom Wohlwollen des Besatzungsregimes abhängig. Außerdem wurde alles knapper – Lebensmittel, Kleidung, Seife.

So waren die Umstände in allen besetzten Ländern, auch wenn der Kriegsalltag in Ländern wie Norwegen, Dänemark oder den Kanalinseln für die Zivilbevölkerung bei weitem nicht so gefährlich und entbehrungsreich war wie in Polen und den besetzten Ostgebieten, in Südosteuropa oder Griechenland. Dort war zum einen die Not größer, zum anderen war jeder einzelne viel dramatischer vom nationalsozialistischen Terror bedroht.[3]

Überall fehlten einheimische Männer – in Ländern wie Dänemark vergleichsweise wenige, in Ländern wie Frankreich oder der Sowjetunion Millionen. Sie waren Soldaten, sie waren als Kriegsgefangene oder Zwangsarbeiter in Deutschland oder anderen deutschbesetzten Ländern, sie hatten sich der Widerstandsbewegung angeschlossen, oder sie saßen als Gefangene in deutschen Lagern. Ihre Angehörigen erfuhren über das Schicksal der Abwesenden meist wenig oder gar nichts.

Mit alldem musste die Zivilbevölkerung leben, in diesem historischen und persönlichen Ausnahmezustand entstand so etwas wie eine Normalität des Anormalen. Jeder versuchte, den Alltag zu bewältigen, sich und die Familie zu schützen. Das gelang nur, wenn man sich auf die eine oder andere Weise mit der Besatzungsmacht arrangierte. Dabei verlief zwischen dem Kampf ums Überleben und der Kollaboration oft ein gefährlich schmaler Grat.

Zu diesem neuen Alltag gehörten selbstverständlich die Besatzungssoldaten. Es gab zwar in allen Ländern weltvergessene Winkel in den Bergen oder in einer Bucht, wohin sie selten kamen, aber das waren Ausnahmen. Im Grunde waren sie überall, und es gab vor ihnen kein Entkommen. Auf den Kanalinseln kam auf zwei Inselbewohner ein Deutscher, auf Guernsey betrug das Verhältnis sogar eins zu eins, im nordfinnischen Städtchen Rovaniemi lebten sechstausend Deutsche und achttausend Finnen, die Finnen nannten solche Orte »Klein Berlin«.[4]

Aus den Schilderungen der Soldaten – sei es, dass man die Briefe und Tagebücher jener Jahre liest, sei es, dass man heute, sechzig Jahre danach, mit ihnen spricht – entsteht selten der Eindruck, dass sie sich der angespannten Situation der Zivilbevölkerung überhaupt *bewusst* waren. Sie begegneten der Zivilbevölkerung mit geradezu unglaublicher Unbefangenheit und konnten sich offenbar wirklich nicht vorstellen, dass sie nicht willkommen sein könnten. Egal, wo sie stationiert waren, viele der damaligen Besatzungssoldaten sagen selbst heute noch: Mit den normalen Leuten haben wir nie schlechte Erfahrungen gemacht. Die waren immer nett zu uns.

Daran ist sicher viel Wahres, auch wenn das in den besetzen Ländern immer noch ein Tabu ist. Nur an wenigen Orten begegnete die Zivilbevölkerung den deutschen Soldaten vom ersten Tag an und auf Dauer feindselig. Andererseits scheint kaum einer der ehemaligen Soldaten auch nur einen einzigen Gedanken darauf verschwendet zu haben, dass diese Begegnungen nie in einem herrschaftsfreien Raum stattfanden. Offenbar wussten nur die Zivilisten jederzeit ganz genau, wer bei einer Meinungsverschiedenheit am längeren Hebel saß.

Soldaten, die den Einheimischen »Fotos ihrer Kinder, Ehefrauen und Verlobten zeigten, Gottesdienste besuchten und jedem, der zuhören mochte, von ihren Familien erzählten, drückten damit ihren Wunsch nach einem privaten Bereich aus, den Staaten und Armeen nicht antasten konnten«.[5] Es mag dieser Wunsch gewesen sein, der sie veranlasste, ihre privaten Begegnungen – und als privat deuteten sie häufig auch jene Kontakte, die mit ihren militärischen Aufgaben in Verbindung standen – als Austausch zwischen Ebenbürtigen zu interpretieren. In den vielen gehüteten Kriegsalben kleben Fotos, die eher an ausgedehnte Urlaube als an Krieg denken lassen, vor allem in Nord-

und Westeuropa verlangte der Dienst den Soldaten wenig ab. Sie hatten viel Zeit für private Unternehmungen.

Ein ehemaliger Soldat schwärmte noch Jahre nach dem Krieg, dass »es auf Guernsey viele Palmen gab. Es war so aufregend, im Ausland zu sein, und das Klima war fast tropisch. Uns allen gefiel es da sehr gut, wir dachten nicht darüber nach, was wir da machten. Ich war so von dem hellblauen Meer fasziniert. Wir nahmen den Krieg nicht sehr ernst; wir fanden ihn nicht sehr wichtig, und wir waren sehr jung. Wir genossen das alles. Auf den Kanalinseln gab es keinen Krieg. Wir spielten Krieg.«[6]

Ein anderer hat ähnliche Erinnerungen an Frankreich: »Wir genießen die Freizeit, wir gehen zum Baden in der Charente und genießen das harmlose Vergnügen, Apéritifs und Weine in den Straßencafés zu kosten. Mit scheuer Vorsicht schauen wir uns auch einmal ein französisches Bordell von innen an.«[7]

Die finnische Historikerin Marianne Junila, die sich lange mit der deutsch-finnischen »Waffenbrüderschaft« befasst hat, beschreibt das Zusammenleben in Nordfinnland: »Wenn deutsche Soldaten sich über lange Zeit hinweg in derselben kleinen Dorfgemeinschaft aufhielten, wurden sie ein Teil des normalen Alltags im Dorf. Die Fähigkeiten der Deutschen standen allen anderen Ortsbewohnern zur Verfügung wie die Fähigkeiten aller anderen auch: Wurde ein Haus gebaut, fragte man den Nachbarn um Rat, der ein guter Zimmermann war, ächzte das Pferd, wurde der deutsche Tierarzt gebeten, sich darum zu kümmern.«[8]

Das beschreibt die Situation in vielen Orten Europas. Außerdem wurden vor allem zu Kriegsbeginn, als es keine geeigneten Truppenunterkünfte gab, Soldaten bei Privatleuten einquartiert. Die Deutschen lernten ihre Sprache, nahmen an ihren Freizeitaktivitäten und Vergnügungen teil. In dieser Nähe entstanden Freundschaften, die den Krieg überdauerten. Auch Männer und Frauen freundeten sich an, und das waren keineswegs nur sexuelle Beziehungen.

Jungens, die zuvor bestenfalls in der nächsten Kreisstadt gewesen waren, fanden sich plötzlich am nördlichen oder westlichen Rand Europas wieder, weit weg von der sozialen Kontrolle ihrer deutschen Familie und ihrer Heimat. Sie *erlebten* plötzlich etwas. Kein Wunder, dass sie begeistert waren. Kein Wunder, dass sie sich verliebten.

*

Willy Peter Reeses Krieg hat mit dem des Arnold Klein und der beiden Soldaten auf Guernsey und in Frankreich vermutlich nur zwei Dinge gemeinsam: Alle trugen eine deutsche Uniform. Und jeder dachte an Frauen, jeder hatte sexuelle Träume und Erlebnisse, über die er später selten sprach – falls es für ihn überhaupt ein »später« gab.

Historiker des Zweiten Weltkriegs behandeln den Themenkomplex »Soldaten und Sexualität« meist nur als den »durch männliche Gewalt geprägten Umgang mit dem anderen Geschlecht, also Vergewaltigung, Prostitution – kurz ›Eroberungen‹ der Eroberer, die lediglich als moralisch verwerfliche Begleiterscheinungen dieses verbrecherischen Krieges einzuordnen« sind.[9] Das passt nahtlos zu allen Geschichten, die seit 1945 in ganz Europa über den Krieg erzählt werden. Sie handeln von Bordellen und sexuellen Gewalttaten, es sind Geschichten wie die, die Willy Peter Reese erzählt. An ihrem Wahrheitsgehalt ist nicht zu zweifeln.

Doch es gibt noch eine andere Wahrheit über Soldaten und Sexualität, und das ist die des Arnold Klein. Liebe und Krieg. Liebe im Krieg. Ja, auch Liebe im Vernichtungskrieg, über die der Historiker Rolf-Dieter Müller schreibt: »Kaum ein zweites Thema dürfte bis heute derartig verdrängt worden sein.«

Zwischen den Soldaten und den einheimischen Frauen ergaben sich Flirts und kurze Romanzen, und es entstanden ernste Beziehungen, von denen beide hofften, ja erwarteten, dass sie den Krieg überdauern würden. Manche dieser Lieben blieben keusch. Ein Beispiel dafür ist meine norwegische Gesprächspartnerin Gudrun.* Sie war vier Kriegsjahre lang verlobt, zwei davon lebte sie bei ihren künftigen Schwiegereltern in Berlin. Da sie und ihr Verlobter tief religiös waren, schliefen sie nicht miteinander.

Dass sie sich verlieben könnten, werden die Soldaten vom Krieg ebensowenig erwartet haben wie die einheimischen Mädchen und Frauen. Die beiden, die sich da trafen und verliebten, waren oft halbe Kinder, sechzehn, achtzehn, zweiundzwanzig Jahre alt, die von der Welt noch nichts wussten und die, wie junge Leute immer und überall, offen oder versteckt nach dem anderen Geschlecht schielten und mit ihm anzubandeln versuchten.

Häufig übersehen wird, wie die offen zur Schau gestellte Körperlichkeit der jungen Deutschen auf Frauen gewirkt haben mag, die dergleichen nicht gewohnt waren. Die Uniformen waren gut und körpernah geschnitten, aber die Soldaten zeigten viel mehr. »Im Sommer 1940 zogen sich Deutsche an allen Stränden [der Kanalinseln] bis auf das absolute Minimum aus. Nette alte Damen fanden diesen Mangel an Sittsamkeit schockierend, junge Mädchen hingegen musterten die gebräunten Muskeln durchaus mit Interesse. Es war schwierig, nicht zu vergessen, dass diese Männer der Feind waren, sie unterschieden sich von den einheimischen Männern nur durch ihre blonden Haare und ihren beeindruckenden Körperbau. Die Strenge der Kirche und die entbehrungsreiche Farmarbeit hatten das Leben auf der Insel eng und prüde gemacht, eine solche Sinnlichkeit hatte es bisher nicht gegeben.«[10]

Die meisten Paare lernten sich »normal« kennen, das heißt auf Arten und an Orten, die nicht einer Kriegs- und Besatzungssituation vorbehalten waren: im Café, am Strand, über gemeinsame Bekannte und, wie heute auch, durch ihre Arbeit.[11] Viele Frauen arbeiteten freiwillig oder arbeitsverpflichtet für die Besatzungsmacht, als Küchenhilfen, Wäscherinnen oder Dolmetscherinnen. Andere waren in Sparten wie der Gastronomie oder dem Einzelhandel beschäftigt, deren Kundschaft bald überwiegend aus deutschen Soldaten bestand. Die Vermutung liegt natürlich nahe, dass die Besitzer gerade deswegen sehr gern eine hübsche junge Frau anstellten.

Synøve war Verkäuferin in einem Pelzgeschäft in Oslos, nein: Norwegens elegantester Straße, der Karl Johan Gate. In makellosem Deutsch erzählte sie mir:

> »Eine junge Frau in einem Pelzgeschäft, das war nicht so einfach, denn man wurde nach und nach deutschfreundlich. Sie waren ja so nett, die deutschen Soldaten, die da als Kundschaft waren, und hübsche Jungs und sehr höfliche Männer. Ich war monatelang da beschäftigt, ohne etwas mit den Deutschen privat zu tun zu haben. Aber eines Tages geschah es – ich war ja jung und romantisch. Und eines Tages kam einer, der hatte so ein schönes Lächeln, und er war so charmant. Er hat mir gut gefallen, das muss ich sagen. Anscheinend war er auch an mir sehr interessiert und kam öfter und öfter. Er hat natürlich versucht mich zu überreden, mit ihm auszugehen. Ich habe lange nein gesagt, aber dann, eines Tages, habe ich doch ja gesagt. Und dann – dann war ich verliebt und verloren. Das war nicht zu vermeiden. Obwohl ich ja natürlich gewusst habe, dass ich es eigentlich nicht hätte tun sollen. Ich hätte nein sagen sollen, nein und nein und nein. Aber das habe ich nicht geschafft.«

Eines Tages funkte es eben. »Wir schauten uns im Dunkel des Geschäfts in die Augen, ich war schrecklich nervös«, sagt ein Deutscher über die erste Begegnung mit seiner französischen Geliebten. »Er spielte großartig Klavier und unterhielt das ganze Lokal. Wir haben uns sofort ineinander verliebt«, sagt eine Dänin. »Meine Freundin flüsterte mir zu, dass er immer zu uns hinschaue, aber ich saß mit dem Rücken zu ihm und wollte mich nicht umdrehen. Dann brachte die Kellnerin ein Blatt Papier, er hatte mich gezeichnet und drunter geschrieben ›Ein schöner Rücken kann auch entzücken‹«, sagt eine Norwegerin. Die Geschichten ihres ersten Augen-Blicks sind, wenn überhaupt, nur deshalb bemerkenswert, weil sie sich in nichts von allen Und-dann-kamst-du-Geschichten dieser Welt unterscheiden.

In Nordfinnland kursierten Zettel, die mit Worten wie *kipeinenkuss* den Finninnen über die ersten Verständigungsklippen hinweghelfen sollten. Man darf also vor lauter Rührung und Romantik die Realität nicht aus dem Blick verlieren. Selbstverständlich warfen sich manche Frauen irgendwelchen Soldaten an den Hals, weil sie von ungezügelter Lebenslust waren oder sich, ohne im strengen Sinne Prostituierte zu sein, materielle und immaterielle Vorteile davon versprachen.[12] Aber bevor man gegen solche Frauen den Generalvorwurf der Bereicherung erhebt, muss man sich die Mühe machen, für jedes Land und für jede Phase des Krieges die wahren Lebensbedingungen der Zivilbevölkerung zu bedenken. »Brot gegen Bett« ist bei den Armen dieser Welt aus gutem Grund eine uralte Tauschformel. Wer das Brot gibt, mag sich in der Rolle des Wohltäters sehen, tatsächlich nutzt er nur eine Notlage aus.

Und selbstverständlich ging es manchen Paaren nur um das, was wir heute als »schnellen Sex« bezeichnen. In den Norwegen-Erinnerungen eines Matrosen, der offenbar überhaupt nur Frauen im Kopf hatte, findet sich folgende Passage: »Im Sommer 1941 in einem Park lernte ich ein Mädchen kennen und hatte mit fast neunzehn Jahren mein erstes sexuelles Erlebnis versteckt hinter Büschen. Sie sagte: Was ist denn mit dir los, dein Herz schlägt ja auf einmal so schnell. Es machte mich sehr verlegen, aber ich sagte ihr: Am Anfang ist das bei mir immer so.«

»Hinter den Büschen« – das war nicht nur für diese beiden der Ort ihrer Schäferstündchen. Niemand hatte ein Auto, kaum jemand eine »sturmfreie Bude« oder das Geld für ein Hotelzimmer. Ein Soldat erzählte, seine Freundin habe mit einer Freundin ein Zimmer geteilt, und wenn die mal nicht da war, habe seine Freundin ihm mit der Taschenlampe Signale gegeben.

Und die anderen? Darüber gibt niemand Auskunft, nur das »kleine verliebte Mädchen« aus Marguerite Duras' Roman *Hiroshima mon amour* verrät uns ein wenig mehr: »Erst trafen wir uns in Scheunen. Dann in Ruinen. Schließlich in Zimmern. Wie überall auf der Welt.«

Bjørg Ackermann* und ihr späterer Ehemann Georg* beäugten sich – nur draußen im Freien, wie sie ausdrücklich sagt – monatelang, bevor sie das erste Wort miteinander sprachen.

»Kennengelernt hat man sich so, man hat sich erst einmal gesehen, auf der Straße. Das war im Winter. Da habe ich immer gesehen, er hatte immer mit diesen Telefonleitungen zu tun und kletterte in diese Telefonmasten hoch. Ich war sechzehn, er war neunzehn, wir waren ja junge Leute. Habe ich immer diesen jungen Mann gesehen und gedacht, der sieht ganz nett aus, und so. Aber gesprochen nicht, gar nicht, nur so Augenkontakt ab und zu. Bis dass dann Sommer war, da war das hell, Tag und Nacht, dann sind wir Mädchen spazierengegangen, dann sind die hinterhergelaufen. Und so kam das dazu, dass er einen dann angesprochen hat. Verstanden hat man ja nicht viel. Da wurde mit Händen und Füßen und Ohren alles versucht. So fing das eigentlich an. Nicht, dass wir irgendwie privat irgendwo waren oder so, das war nur draußen im Freien.«

Bjørg und Georg achteten sehr darauf, nicht zusammen gesehen zu werden. Auch ein Matrose und seine Freundin trafen sich nur an verstecktesten Orten, damit niemand davon erfuhr. Er weigerte sich übrigens noch 2002, mir auch nur den Vornamen dieser Freundin zu nennen. Er wollte verhindern, dass ich herausfinden könnte, wer sie ist. Sie lebe möglicherweise immer noch in meiner norwegischen Heimatstadt, ihr Name sei ungewöhnlich, und er habe ihr versprochen, niemals über ihre (keusche) Liebe zu sprechen.

Mit einer solchen ehrenwerten Haltung steht er ziemlich allein da. Die meisten ehemaligen Soldaten redeten im Krieg ebenso wie danach unbefangen über ihre Freundinnen, prahlten gar mit ihnen und schienen nicht einmal im Ansatz zu begreifen, in welche Gefahr diese sich begaben und welchen Preis sie für diese Jugendliebe bezahlt haben könnten.

Die Frauen riskierten, als Landesverräterinnen abgestempelt zu werden, die möglichen Strafen waren schon im Krieg drastisch. Leute aus dem Widerstand prangerten die Frauen an, veröffentlichten in Flugblättern und illegalen Zeitungen ihre Namen und Adressen, forderten dazu auf, den Umgang mit ihnen zu meiden und sie öffentlich bloßzustellen. Dennoch machte es vielen, sehr vielen Paaren offenbar gar nichts aus, sich zusammen in der Öffentlichkeit zu zeigen. Um »unauffälliger« zu sein, trugen die Soldaten allerdings gelegentlich Zivil, obwohl sie das nicht durften.

Die polnische Jüdin Zofia Jasinska entging den Vernichtungslagern, weil sie sich mutig in die Höhle des Löwen begab und auf einem Landgut bei Warschau als Köchin für die deutschen Besatzer arbeitete. Dort traf sie einen deutschen Hauptmann der Waffen-SS, der sie auf ihr Zimmer begleiten wollte. Es entspann sich folgender Dialog:

> »Bedaure, aber ich empfange hier eigentlich keinen Herrenbesuch, schon gar nicht, wenn es deutsche Soldaten sind. Das werden Sie doch verstehen, dass ich als Polin nichts mit der Gestapo zu tun haben will.«
> »Ich bin aber nicht von der Gestapo, ich bin von der Feldgendarmerie und gehöre zur Waffen-SS.«
> »Für mich macht das keinen Unterschied, Herr Offizier, auf solche Feinheiten verstehe ich mich nicht. Bitte lassen Sie mich in Ruhe, und warten Sie abends nicht mehr auf mich.«
> »Warum?« fragte er leise. »Weil ich Deutscher bin? Oder gefalle ich Ihnen nicht?«
> »Es ist Ihre Uniform, die mich stört, Herr Offizier, die Uniform eines Feindes, eines Besatzers.«[13]

Er *ist* kein Feind, er trägt nur die *Uniform des Feindes*. Er *ist* kein Hauptmann der Waffen-SS, er trägt nur deren Uniform. Sie ist eine Äußerlichkeit ohne jeden Bezug zu dem Mann, der in ihr steckt.

Noch drastischer lässt sich kaum illustrieren, was die Frauen meinen, wenn sie immer und immer wieder beteuern, dass ihre Liebe mit Politik gar nichts zu tun gehabt habe. Sie liebten den Mann, nicht den Soldaten. Vor allem wenn sie sehr jung waren, kamen sie vielleicht gar nicht auf den Gedanken, dass dieser aufregende Mann »der Feind« sein könnte. Aber wie Synøve wussten die meisten Frauen schon damals, dass sie etwas taten, was eigentlich falsch war. Wenn sie sich (was sehr wenige tun) in den über sechzig Jahren, die seither vergangen sind, überhaupt dazu geäußert haben, beteuern sie immer, dass sie wirklich nicht vorhatten, sich mit einem Feindessoldaten »einzulassen«. Und fast jede sagt, das sei die ganz große Liebe ihres Lebens gewesen. (Von den Soldaten hört man diesen Satz übrigens deutlich seltener.)

»Ich weiß, dass ich nicht an Dich denken darf, aber es ist stärker als ich; in jeder Sekunde sehe ich Dein Bild vor mir. Ich sehe Dich so groß und elegant, mit Deinen großen, sanften Augen. Ja, mein geliebter Hermann, Du bist alles für mich.« Die Französin, die das an ihren Geliebten schrieb, durfte nicht nur deshalb nicht an ihn denken, weil er Deutscher war. Für sie war es eine im doppelten Sinne verbotene Liebe, denn sie war verheiratet.

So wie sie waren viele Soldaten und ihre Kriegslieben bereits fest gebunden. Als sich die Eltern der Französin Marie Claire* kennenlernten, waren beide schon verheiratet, beide hatten eine fünfjährige Tochter. Wenn sich, wie in ihrem Fall, ein Kind ankündigte, war es für die Männer erheblich einfacher, ihren Ehefrauen das Verhältnis und natürlich auch das Kind zu verheimlichen. Die Frauen hingegen waren in der weitaus gefährdeteren Lage, da sie ihre Untreue nur schwer verbergen konnten.

*

Abgesehen von dem privaten Problem, dass die Liebenden schon gebunden waren, hing die mögliche Zukunft einer solchen Liebe grundsätzlich von der Nationalität der Frau ab – und das war eine politische Frage. Grundsätzlich sind die Kommandanten aller Armeen der Welt bestrebt, ihren Soldaten jede Fraternisierung mit der Zivilbevölkerung des besetzten Landes, insbesondere mit den Frauen, zu verbieten, weil sie Disziplinprobleme befürchten. Das war bei der Wehrmacht nicht anders. Die Nationalsozialisten aber orientierten ihre Besatzungspolitik an einem weiteren Kriterium, das ebenso wichtig, möglicherweise wichtiger war: Ich meine die nationalsozialistische Rassenpolitik mit ihrer rigiden Regelung von erlaubten und nicht erlaubten Geschlechtsbeziehungen. So gab es beispielsweise wegen der Beziehungen zu den »erwünschten« Nordeuropäerinnen Streit zwischen den Interessen der Wehrmachtsführung, die aus den genannten Gründen keine Sonderregelungen wünschte, und denen der SS, die durch ein Verbot ihre Pläne für die arische Rasse gefährdet sah.[14]

»Beziehungen zu russischen Frauen zum Beispiel waren untersagt, weil diese ›rassisch minderwertig‹ seien und daher einen ›unwürdigen‹ Umgang für einen deutschen Soldaten darstellten. Überdies wurden die Frauen für die Verbreitung von Geschlechtskrankheiten verantwortlich gemacht und der Agentinnen- oder Partisaninnentätigkeit verdächtigt. Die Truppen wurden angewiesen, stärkste Zurückhaltung zu üben. Männer, die mit russischen Frauen verkehrten, erwarteten hohe Strafen. Geschlechtskranken Wehrmachtsangehörigen drohte eine Urlaubssperre.«[15]

Die Strafandrohungen verfehlten ihr Ziel jedoch offenbar komplett. Der ehemalige Soldat Otto Pauls sagte: »Unter uns gesagt: Also, nicht alle, aber ... es waren immer die gleichen, die hatten in jedem Dorf, in jedem neuen Ort hatten die eine Braut. Das ist doch klar ... War so.« Ein weißrussischer Partisan pflichtete ihm bei: »Jeder deutsche Soldat und jeder Offizier hatte ein Mädchen, mit dem sie eine Liebschaft hatten. Mit ihm haben sie ihre Zeit verbracht.«[16]

In einem Schreiben aus dem Jahr 1944 heißt es, dass es »von der Generallinie der Partei, dass Heiraten zwischen Deutschen und Ausländern grundsätzlich zu verbieten seien, lediglich bei den baltischen Regionen Ausnahmen geben« könne.[17] Die Gewährung solcher Ausnahmen war offenbar dringend angezeigt. »Die einheimische weibliche Bevölkerung der baltischen Generalbezirke ist vor allem den deutschen Soldaten seit dem Tage der Befreiung außerordentlich entgegengekommen, so dass der außereheliche Geschlechtsverkehr nicht mehr kontrolliert werden könnte.« Das Eheverbot stelle eine schwere Verletzung des Selbstbewusstseins der dortigen Bevölkerung dar und habe bereits zu starker Erregung geführt. Nach den bäuerlichen Gepflogenheiten in Lettland beispielsweise führe eine ernsthafte Verlobung zu intimeren Beziehungen und zur Erzeugung von Kindern. Da die Letten als »teilweise eindeutschungsfähig« eingestuft wurden, galten solche Kinder als »begrüßenswerter Zuwachs in der Eindeutschungspolitik«, Heiraten aber waren wenig willkommen.[18]

Der Geschlechtsverkehr mit Ost- und Südosteuropäerinnen war nach NS-Maßgaben verboten. Es kann also nicht erstaunen, dass die Soldaten solche Erlebnisse, ja Sexualität generell, in ihren Feldpostbriefen »in die Heimat« völlig unterschlugen. Zofia Jasinska, Polin und Jüdin, findet für die sexuelle Vereinigung mit ihrem Geliebten die bitteren Worte: »Nach deutscher Interpretation war das ›Blutschande‹, aber die ›Schande‹ dieser Beziehung empfand ich.«

Über die polnischen Freundinnen der Wehrmachtssoldaten ist im Grunde wenig mehr bekannt, als dass sie schon während des Krieges geschoren wurden, was auch Zofia Jasinska bestätigt: »In den umliegenden Wäldern formierte sich zunehmend Widerstand gegen die Besatzungsmacht. [...] Die Polen, die für die Deutschen arbeiteten, wurden als Verräter angesehen und mussten um ihr Leben bangen. Polnische Frauen, die sich mit deutschen Soldaten eingelassen hatten, wurden aufgegriffen und bekamen die Köpfe kahlgeschoren. Das sollte als Warnung dienen, nicht mit dem Feind gemeinsame Sache zu machen.«[19]

Aber auch in Polen kam es zu schwersten Verliebungen: »Krause zeigt in letzter Zeit ein so verstörtes Wesen, dass bei seinen Vorgesetzten und Kameraden der Eindruck entstand, als sei er seelisch nicht in Ordnung. Auf Vorhalt erklärte er, er sei in ein im Kasino tätiges polnisches Mädchen derart verliebt, dass er sein seelisches Gleichgewicht verloren habe.« Der arme Krause wurde mehrfach verwarnt und dann, als alles nichts fruchtete, von Krakau nach Lublin versetzt.[20] Wie sich das auf sein seelisches Gleichgewicht auswirkte, ist nicht überliefert.

Das klingt romantisch, sogar ein bisschen erheiternd, aber diese Verstrickung von Politischem und intimst Persönlichem konnte sehr unromantisch das Leben kosten. Einige waren so verloren, dass sie wegen ihrer Freundin desertierten. Kurz vor seinem Tod (fünf Jahrzehnte nach dem Krieg) erzählte ein ehemaliger Soldat seiner Tochter, wie sehr es ihn quäle, dass er in Rußland eine Nacht lang einen zum Tode Verurteilten bewacht und nicht habe fliehen lassen. Der junge Mann hatte sich in eine Russin verliebt. Da er als Wehrmachtsangehöriger mit ihr nicht zusammensein durfte, sei er desertiert.[21]

Wären die beiden Letztgenannten in Norwegen gewesen, hätten sie ein Heiratsgesuch stellen können (und es vermutlich auch getan!). Im Osten aber war die Legalisierung einer solchen Liebe ausgeschlossen. Das jedenfalls glaubte ich, bis ich von Alois Fischotter und Ulla B. erfuhr.[22]

Der SS-Mann Fischotter war unter anderem Kopf der Gestapoabteilung »Bekämpfung der polnischen Widerstandsbewegung« in Lublin und führte, obwohl verheiratet, in Polen offenbar das Leben eines Junggesellen. Zumindest wurde er wegen sexueller Kontakte zu Polinnen denunziert, in Wahrheit habe es sich bei diesen Frauen allerdings um Agentinnen des Gestapomanns gehandelt.[23]

Wie auch immer: Sein ungebundenes Leben fand in gewisser Weise ein Ende, als er die zwanzig Jahre jüngere Polin Ulla kennenlernte, die im gleichen Gebäude als Angestellte beim Kommandeur der Sicherheitspolizei und des SD arbeitete.

Sie verliebten sich, und Fischotters sexuelle Beziehungen beschränkten sich fortan auf *eine* Polin.

Nachdem seine Ehefrau bei der Geburt des dritten Kindes gestorben war, stellte er im Februar 1943 beim Rasse- und Siedlungshauptamt SS in Berlin den Antrag, Ursula B. heiraten zu dürfen. Über die geringen Aussichten dieses Antrags war er informiert, wohl deswegen fügte er gleich hinzu: »Ich gestatte mir die Anfrage, ob mir nicht von vornherein bei der Erfüllung der für die Erteilung der Heiratserlaubnis gestellten Bedingungen Erleichterungen gewährt werden können.«

Himmler, der über jedes Heiratsgesuch seiner ranghohen Führer selbst entschied, lehnte ab, bewertete er doch »den Geschlechtsverkehr zwischen SS- und Polizeiangehörigen und Polinnen ›grundsätzlich als militärischen Ungehorsam‹ und bedrohte ihn mit schweren Strafen«.[24] Dennoch wies er Fischotters Vorgesetzten ausdrücklich an, »dem Mann in einer persönlichen Rücksprache, die sich nicht nur über ein paar Minuten zu erstrecken hat«, die Ablehnung zu erklären. »Ihm ist bei dieser Aussprache selbstverständlich ein Platz anzubieten.«

Fischotter, inzwischen zum SS-Hauptsturmführer befördert und nach Memel versetzt, beharrte. Er schickte immer neue Heiratsgesuche nach Berlin und bezog sich dabei geschickterweise direkt auf Himmlers »Verlobungs- und Heiratsbefehl« für SS-Angehörige. »Bestimmend für meine Wahl war der Punkt 4 des Heiratsbefehls des Reichsführers SS, wonach die Heiratsgenehmigung einzig und allein nach rassischen und erbgesundheitlichen Gesichtspunkten erteilt oder verweigert wird.« Dann pries er seine Braut und seinen inzwischen geborenen Sohn als Verkörperung von Himmlers »rassenideologischen« Vorstellungen. Daraufhin wurden Ullas Eltern und ihre Schwestern von der Gestapo zur anthropologischen »Sippenbeurteilung« vorgeladen und auf ihre arische Abstammung untersucht.

Im Juni 1944 bat Fischotter, »dem Reichsführer vorzuschlagen, die von ihm zur Frau begehrte Ursula B. in einem Lebensbornheim des Reichsführers auf ein Jahr oder länger aufzu-

nehmen und sich so von ihrer wertvollen Persönlichkeit zu überzeugen und nachher in eine erneute Beurteilung seiner Bitte um
Ehegenehmigung einzutreten«.

Schließlich gab Himmler nach. Fischotters Ehe mit einer
Polin muss als die Ausnahme gelten, die die Regel bestätigt.
Das Glück der Jungvermählten währte übrigens nur wenige
Monate. Als im Herbst 1944 die Rote Armee Memel einschloss,
zog Fischotter sich mit seinen Leuten zurück, angeblich ohne
einen Befehl abzuwarten. Drei Tage später wurde er nach einer
Verhandlung vor dem SS- und Polizeigericht wegen militäri-
schen Ungehorsams erschossen.

*

Auch in Frankreich waren die Kontakte zwischen deutschen
Soldaten und Französinnen streng reglementiert. Und auch dort
ließen sich die Verbote nicht durchsetzen, auch dort gehörten sexuelle Beziehungen zwischen Soldaten und einheimischen
Frauen bald überall zum Alltag. Sechzig Jahre später schrieb ein
alter Mann über die damalige Beziehung zu seiner französischen
Freundin: »Wir waren so jung und voller Illusionen. Wir ver-
gaßen die ganze Welt um uns herum. Es war wohl unsere erste
ganz große Liebe! R. folgte mir in jede Stellung oder jeden Flughafen. Ich hatte große Schwierigkeiten mit meinen Vorgesetzten.
Musste sogar einmal vors Kriegsgericht. Aber ich kam glimpflich
davon. Und zwar mit vierundzwanzig Tagen Arrest.«[25]

Diese Freundin bekam ein Kind von ihm. Das war überhaupt
nicht in Hitlers Interesse, der 1941 unumwunden sagte: »Wir
wollen uneheliche *germanische* Kinder schützen und betreuen;
an Franzosen haben wir rassenpolitisch kein Interesse.«

Himmler hingegen fand es unklug, Frankreich völlig zu ignorieren. Man müsse vielmehr »alljährlich einmal unter der germanischen Bevölkerung Frankreichs einen blutmäßigen Fischzug« durchführen.[26]

Völlig anders verhielt es sich mit den Regelungen für jene
Länder, die die Nationalsozialisten als germanisch bezeichne-

ten: Holland, Dänemark und Norwegen. Sexuelle Beziehungen zu den dortigen Frauen waren von deutscher Seite ausdrücklich erlaubt. Wegen der günstigen Rahmenbedingungen – ruhiger Dienst, Stationierung an einem Ort, keine Hindernisse durch Vorgesetzte – entstanden hier besonders viele langjährige Bindungen, die einen anderen Verlauf nehmen konnten als in anderen Ländern.

Ein SS-Sturmmann bemühte sich im Januar/Februar 1942 in mehreren Schreiben an das Rasse- und Siedlungshauptamt nachdrücklich um eine Heiratsgenehmigung. »Besondere Umstände führten dazu, dass ein *Holländisches Mädel* [...] ein Kind von mir geboren hat.« Er selbst war inzwischen in Russland, von wo aus es ihm nicht möglich war, »erleichternte Schritte zu gunsten des Mädels zu unternehmen«. Er sei einem Kommando zugeteilt, »welches dauernt auf Partisanenjagt ist«, und könne daher die nötigen Papiere nicht beschaffen. Aber »als SS Mann bürge ich mit meinem Wort, das Mädel entspricht den Anforderungen des Rasse und Siedlungsamtes«. Eine vom »Höheren SS- und Polizeiführer Nordwest« bei der SS in Den Haag eingeholte Auskunft ergab, dass Fräulein A. v. V. »als deutschenfreundlich bekannt« sei. »In moralischer Hinsicht ist zu sagen, dass Frl. v. V. in letzter Zeit gut beurteilt werden kann, vorher soll sie sich recht häufig vor der Kaserne in Ede aufgehalten haben und mit mehreren deutschen Soldaten gesehen worden sein.«

Im September wurde die Genehmigung erteilt, die Holländerin zog zu ihrer Schwiegermutter nach Deutschland. Im Juli 1943 wurde ihr per Gerichtsbeschluss das Sorgerecht für das Kind mit der Begründung entzogen, sie treibe sich herum.

*

In seinem Brief schilderte Arnold Klein eindringlich, wie wichtig die »Legalisierung« der Beziehung für die junge Ragnhild war. Das galt auch ohne Schwangerschaft. Wenn die Familie der jungen Frau und ihre Nachbarn von den ernsten Absichten des Soldaten wirklich überzeugt waren, geschah es oft, dass der

Deutsche im Elternhaus seiner Freundin erst als Gast, dann als künftiger Schwiegersohn ein und aus ging. Obwohl sicher der eine oder andere nicht mit offenen Karten spielte und ein solches »warmes Nest« nur als Lebensverbesserung für die Dauer seiner Stationierung sah, kann an der Aufrichtigkeit der allermeisten »Bräutigame« nicht gezweifelt werden. Der norwegische Historiker Kåre Olsen hat bei seinem Studium einer repräsentativen Auswahl von Akten norwegischer Lebensbornkinder festgestellt, dass etwa 60 Prozent der Eltern angaben, sie wollten heiraten. Dass es so wenige taten, hatte viele Gründe – einer war, dass der Soldat den Krieg nicht überlebte.

> Anton A. hatte eine Tochter, die er so oft besuchte, wie es sein Dienst zuließ. Im Februar 1945 wurde er an die Oderfront versetzt, seine Verlobte, die Mutter seiner Tochter, erzählte, er habe bis zur letzten Minute vor der Abreise an der Wiege der Tochter gesessen. Von der Oder schrieb er aus dem Schützengraben einen langen, ergreifenden Liebesbrief, der noch den Weg zu seiner Freundin fand. Er schließt mit den Worten: »Es ist 18 Uhr und zum Schreiben zu dunkel geworden, ich kann nichts mehr sehen, bald ist der Krieg vorbei, ich komme Dich holen.« Wenige Stunden später fiel er.[27]

Vielleicht starb er mit dem Gedanken an seine Freundin und an sein Kind. Vielleicht lebte er nach seiner Verwundung noch lange genug, um neben der Verzweiflung über sein eigenes Sterben auch Trost darin zu finden, dass er in dem Kind weiterleben würde.

Auch Willy Peter Reese starb im Osten. Er war dreiundzwanzig Jahre alt, für ihn hatte es keine Geliebte, keine Hochzeitspläne, kein Kind gegeben. Wie er erlebten viele blutjunge Soldaten die einzigen sexuellen Eskapaden ihres Lebens mit »Frankreichs Dirnen«. Diese arbeiteten in den Bordellen der Wehrmacht, mit denen die »sexuelle Versorgung« der Wehrmachtsangehörigen abgedeckt werden sollte. Ebenso eisig wie diese Terminologie

sind die Statistiken, die darüber geführt wurden. Der Monats-
bericht des Kommandanturarztes im französischen Angers
vermerkt für den November 1940: »Die Bordelle wurden in
14 Tagen von 8984 Soldaten besucht, von denen 2467 den
Geschlechtsverkehr ausübten.«[28]

Der Soldat lebt in einer Männergesellschaft, eingebunden
in die feste Routine des Militärs: schlafen, essen, marschieren,
putzen. Kämpfen. Vielleicht verwundet werden. Vielleicht sterben. In einem Feldpostbrief an seine Frau schrieb Heinrich Böll:
»Der Krieg ist eine überfüllte, schmuddelige Schenke, Feldwebel
und Soldaten und eine grausam sentimentale Mischung von
Radio, Qualm und Singerei – ein Ort, an dem man sich nur
systematisch betrinken kann.«[29]

Nach sechzig deutschen Friedensjahren klingt es geradezu
pathetisch, wenn man sagt: Für den Soldaten zählte nur das
Jetzt, in wenigen Stunden konnte er tot sein. Für den, der das
damals erlebte, hatte das nichts Pathetisches. Vor einer Weile
fragte ich einen Zweiundachtzigjährigen, der den Russlandfeld-
zug vom ersten bis zum letzten Tag mitgemacht hat, was für ihn
damals das Schlimmste gewesen sei. Ohne zu zögern sagte er:
»Der Gedanke, dass ich sterben könnte, ohne jemals mit einer
Frau geschlafen zu haben.«

3. *Kapitel*
EINE ÖFFENTLICHE SCHANDE: DIE SCHWANGERSCHAFT

Nachdem Arnold seinen Eltern am 30. November 1942 das »Malheur« von Ragnhilds Schwangerschaft gebeichtet hatte, ruderte er am 4. Dezember etwas betreten, aber deutlich erleichtert zurück. Die Mitteilung sei verfrüht gewesen, nun habe sich alles zu seinem Besten gewendet. Er sei verzweifelt gewesen, »mir war es hier sehr unangenehm, denn Ragnhild ist ja noch ein junges Ding, und dann sollte sie am Ende heimatlos mit einem Kinde von einem deutschen Soldaten herumlaufen. Das wäre gar nicht zum Ausdenken gewesen.«

Er bezeichnete Ragnhild mehrfach als »unschuldiges Ding«, was vermutlich heißt, dass sie nicht nur Jungfrau, sondern auch ansonsten ahnungslos war. Eine andere Norwegerin, die mit siebzehn schwanger wurde, begründete das lakonisch damit, sie sei schlicht nicht aufgeklärt gewesen. Da Arnold zehn Jahre älter und sexuell offenbar sehr erfahren war, lag die Verantwortung für die Empfängnisverhütung allein bei ihm. Er wird aus diesem Schreck wohl die Lehre gezogen haben, künftig »besser aufzupassen«. Das konnte damals nur zweierlei bedeuten: Coitus interruptus oder Kondome. Zu ersterem gibt es wenig mehr zu sagen, als dass mit dieser Methode jede dritte bis vierte Frau schwanger wird.

Auf offiziellem Weg – das heißt über die Versorgungskanäle der Wehrmacht – erhielten Soldaten vermutlich keine Kondome, es sei denn, sie besuchten eines der von der Wehrmacht eingerichteten Bordelle. In dem Merkblatt »Anweisung für Bordellinhaberin« heißt es: »Der Geschlechtsverkehr darf nur mit Präservativ ausgeübt werden, das von der Bordellinhaberin jedem Besucher unentgeltlich auszuhändigen ist.«[1]

Auf eine wehrmachtsgelenkte Verteilung scheint allerdings

folgender Bericht über das Ende von Stalingrad hinzuweisen: »Nicht einen Tag gelang es der Luftflotte, das geforderte Minimum an Versorgungsgütern in den Kessel zu transportieren, ganz abgesehen davon, dass sich unter dem eingeflogenen Nachschub häufig völlig Überflüssiges befand wie Orden, Präservative, Propagandabroschüren u. ä.«[2]

Im Januar 1941 schrieb der deutsche Rassenexperte Dr. Heinrich Meyer aus Oslo über die Gepflogenheiten in Norwegen: »Praeservativs werden in den Zeitungen mit grosser Reklame angeboten und sind in jedem Zigarrengeschäft zu haben.«[3] Ob Kondome in allen besetzten Gebieten »frei« verkauft wurden, ist ungeklärt, aber wenig wahrscheinlich. Sicher hingegen ist, dass mit fortschreitendem Krieg Gummi knapp wurde, was deren Produktion beeinträchtigte.

Aber Männer benutzen Kondome sowieso ungern und so selten wie möglich. Sollte es eines Beweises bedürfen, dass das damals auch schon so war, möchte ich die folgende Bemerkung eines Militärarztes anführen, der in Frankreich mehrere Wehrmachtsbordelle betreute: »In letzter Zeit macht sich bei den Soldaten ein Widerstand gegen den eingeführten Kondomzwang bemerkbar.«[4]

Der Kondomzwang sollte keineswegs die Prostituierte vor Schwangerschaften, sondern den Soldaten vor Geschlechtskrankheiten schützen. Dazu existierte in Bordellen und für Soldaten ein detailliertes System von Überwachungs- und Sanierungsmaßnahmen. Aber was konnte eine Frau tun, die von ihrem Freund angesteckt worden war? Ob ledig oder verheiratet, eine Geschlechtskrankheit war für sie mit Sicherheit ebenso verräterisch und katastrophal wie eine Schwangerschaft. Geschlechtskrankheiten waren vermutlich in den meisten Ländern meldepflichtig, und in der öffentlichen Meinung stand eine geschlechtskranke Frau fast automatisch auf einer Stufe mit Huren. Wo diese Frauen Behandlung gesucht haben könnten, ohne sich weiter zu exponieren, sprengt meine Vorstellungskraft.

Zurück zur Empfängnisverhütung. Darüber denkt ein Mann

nur ernstlich nach, wenn er sich für die Frau und ein mögliches Kind verantwortlich fühlt und/oder wenn er damit rechnen muss, für den Unterhalt des Kindes herangezogen zu werden. Zumindest letzteres musste ein deutscher Soldat nur selten befürchten. In den meisten besetzten Ländern kümmerte sich die Wehrmacht nicht im geringsten um Einheimische, die von ihren Soldaten geschwängert worden waren (das tut übrigens keine Besatzungsarmee). Dabei war es unerheblich, ob das Kind in gegenseitigem Einverständnis oder bei einem Notzuchtverbrechen gezeugt worden war.

Ganz anders verhielt es sich dort, wo die Nationalsozialisten den »zu erwartenden Nachwuchs wertvollen Blutes dem Deutschtum sichern«[5] oder, um es mit einer anderen Nazifloskel zu paraphrasieren, alle »arischen« Kinder deutscher Soldaten »zur Aufnordung des Blutes abschöpfen« wollten. Zur Kaschierung von Himmlers rassistischen Zielen schraubte sich der bereits erwähnte Dr. Meyer in Oslo in schwulstige Höhen:

> »Die Ehre des deutschen Mannes und Soldaten erfordert, dass er zu seinem Wort steht. Sie erfordert Ritterlichkeit und Achtung der Frau gegenüber … Soweit aus Verbindungen zwischen deutschen Wehrmachtsangehörigen und norwegischen Frauen Kinder hervorgegangen oder zu erwarten sind, muss es als eine Ehrenpflicht der Betreffenden angesehen werden, nun auch für die Folgen ihres Handelns einzustehen und diesen Frauen und Kindern nach vorhandener Möglichkeit Hilfen zu gewähren. Es darf nicht im norwegischen Volke der Eindruck entstehen, dass der deutsche Soldat wortvergessen ist und gewissenlos und unritterlich handelt.«[6]

Dass in anderen Ländern die »Ritterlichkeit und Achtung der Frau gegenüber« sehr zu wünschen übrigließ, war nur im Sinne solcher verbalen Herrenreiter. Für sie war es eine wahrlich groteske Vorstellung, rassisch unerwünschten Frauen irgendwelche Hilfen zu gewähren.

Diese unterschiedliche Interessenlage der Deutschen an den Nachkommen ihrer Soldaten hat zu völlig unterschiedlichen Situationen hinsichtlich der Unterlagen geführt, auf die wir heute zurückgreifen können. Während in den meisten besetzten Ländern (vermutlich) keine amtlichen Schriftstücke über die Wehrmachtskinder und ihre Eltern angelegt und archiviert wurden, existiert in Norwegen, Dänemark und Holland eine Flut solcher Dokumente. Selbstverständlich sind diese Archive aus Datenschutzgründen nur einem kleinen Personenkreis zugänglich, aber es *gibt* sie. Wer sie einsehen darf, erfährt oft sehr Intimes aus längst vergangenen Beziehungen.

Eine Norwegerin hat mir Schriftstücke aus ihrer eigenen Lebensbornakte überlassen. Zwei tragen den Briefkopf »Der Höhere SS- und Polizeiführer beim Reichskommissar für die besetzten norwegischen Gebiete, Abteilung Lebensborn«, es sind die Fragebögen, die ihre Eltern ausfüllen mussten. Die Mutter gab an, sie sei einundzwanzig Jahre alt, arbeitslos, und obwohl sie bereits im sechsten Monat schwanger sei, wüssten ihre Eltern von der Schwangerschaft nichts. Sie hatte zwei Monate lang mit dem Kindsvater Geschlechtsverkehr, nun aber keinen Kontakt mehr mit ihm. Sie würde gern nach Deutschland übersiedeln. Und sie möchte das Kind nach der Entbindung in einem Kinderheim unterbringen.

Den Fragebogen füllte sie im Dezember 1942 aus. Einen Monat nach der Geburt im März 1943 verließ die Mutter das Entbindungsheim ohne das Kind.

Der Lebensborn glaubte ihren Angaben zum Kindesvater offenbar, denn man suchte den Genannten und fand ihn anderthalb Jahre später. Sein Fragebogen trägt das Datum August 1944. Er ist verheiratet und hat zwei Kinder. Er erinnert sich, im Mai und Juni 1942 mit der Kindesmutter Geschlechtsverkehr gehabt zu haben, weiß aber sonst nichts über ihre Lebensumstände. Er lehnt es ab, die Vaterschaft anzuerkennen.

Das half ihm nichts. Am 20. April 1945 entschied das »Feldgericht des Kommandierenden Generals der Deutschen Luftwaffe in Norwegen«, dass er der Vater des Kindes sei, am

6. Mai 1945 (!) wurde der Bescheid der Kindesmutter zugestellt. Das Kind blieb im Heim und fand im Februar 1946 norwegische Adoptiveltern.

In einer solchen Lebensbornakte liegen zahlreiche weitere Dokumente, für Wehrmachtskinder in anderen Ländern existiert nichts dergleichen. Aufgrund des Lebensbornarchivs wissen wir, dass in Norwegen 60 Prozent der Eltern Heiratspläne hatten. In Polen, in der Ukraine oder in Italien beispielsweise hatten die deutschen Soldaten solche Möglichkeiten gar nicht – ob sie in ähnlich hoher Zahl zu ihren Freundinnen und dem unehelich gezeugten Kind gestanden hätten, wenn sie es gekonnt hätten, ist daher eine völlig offene Frage.

Auch Ragnhild meldete sich beim Lebensborn, um Hilfe zu bekommen. Denn welche Lehren Arnold aus dem Schock über die Schwangerschaft, die keine war, auch gezogen haben mochte – es waren die falschen. Wenige Wochen nach seinem »Entwarnungsbrief« an die Eltern wurde Ragnhild wirklich schwanger. Ragnhilds Akte sieht mit Sicherheit ganz anders aus als die, aus der ich gerade zitierte. Arnold stand zu ihr, sie freuten sich auf das Kind und stellten ein Heiratsgesuch.

Auch Soldat Gustav liebte seine Freundin Liv. Ihre »eigene Mutter war verzweifelt darüber, dass ihre Tochter von einem Deutschen schwanger war. Vielleicht verständlich, schließlich war Livs Vater im Frühjahr 1940 bei den Kämpfen gegen die Deutschen umgekommen.« Liv wollte unbedingt zu Gustavs Mutter nach Deutschland umsiedeln. »Ich kann nicht zu Hause bleiben und Schande über alle bringen.« Und Gustav tröstete sie. Seine Mutter wolle sie gern aufnehmen, schrieb er, und: »Ich bin immer bei dir und meine Mamma auch, und so bist du niemals allein und brauchst keine Sorgen zu haben vor deiner Mutter, denn wir sind doch verheiratet, wenn unser Baby kommt.«[7]

Es war also keine Übertreibung, wenn Arnold seinen Eltern das Schreckgespenst einer Ragnhild an die Wand malte, die »am Ende heimatlos mit einem Kinde von einem deutschen Soldaten« herumläuft. Viele junge Frauen mussten erleben, dass ihre

Eltern sie verstießen. Meist hielt das nicht ein Leben lang an, aber ein Zerwürfnis mit der eigenen Familie gerade während der Schwangerschaft und in den ersten Monaten mit dem Kind bedeutete eine schwere zusätzliche Bürde.

In den Lebensbornakten ist sehr oft von solchen Streitigkeiten die Rede. Das ist vermutlich nicht repräsentativ, denn gerade Frauen in solchen familiären Notlagen bemühten sich um institutionelle Hilfe. Wer in der Familie aufgehoben war, hatte sie nicht in gleichem Maße nötig. Eine Nordnorwegerin, die versuchte, den seit ihrer Schwangerschaft verschwundenen Vater des Kindes zu einer Reaktion zu bewegen, schrieb an ihn: »Jetzt musst Du mir helfen. [...] Ich hoffe, dass Du mich mit dem Kind nicht allein lässt. [...] Ich habe es jetzt wirklich schwer. Du weißt ja, wie die Leute von uns reden, die wir von einem Deutschen ein Kind bekommen. Ich bin froh, dass ich jetzt Mutter und Vater habe.«[8]

Das finnische Wehrmachtskind Inga lebte mit ihrer Mutter bei deren Eltern, die ihre Tochter und ihre Enkelin schützten. Inga schreibt: »Ich kann mich nicht erinnern, mit ihnen jemals über meinen Vater gesprochen zu haben, aber es gab eine Familiengeschichte, wonach die meisten ihrer Freunde ihnen gratulierten, als ich geboren wurde, und eine bestimmte Frau ihnen statt dessen kondolierte. Das galt als empörend dumm.«

Und Eltern stritten für ihre Tochter, wie dieser Vater einer Dänin namens Inger, der im März 1941 an den Vater seines noch ungeborenen Enkels folgenden Brief schrieb:

> »Angehend diesem ernstlichen Zustand, in welchem Sie meine Tochter eingesetzt haben, verlange ich hiermit, dass Sie gänzlich sogleich diese Sache in Ordnung bekommen.
> Ich habe von Copenhagen diese Mitteilung bekommen, dass Sie meinen, dass es nicht Sie känn sein. Ich scheine, dass es ist mehr als dürftig gedenkt und gemacht von Ihnen, Herr Henkel.*
> Ich wollte nicht Inger verschonen, falls sie nicht Wahr-

heit sprachte, aber ich weiss so bestimmt, wie ihre Mutter, *dass sie niemals in ihres Leben etwas behaupten wollte, falls sie in wenigstens Zweifel war. [...]*
Es scheint mir, dass Sie nach dieser Entgegenkommen, ich gab sie im Sommer, und Ihren Aufenthalt bei mir, unter anderem sollte es würdigen und nicht wie Dank völlig unehre Inger, wie nun für Ihre Schuld, Henkel – soll dieses für immer leiden, nur dafür sie, von ihr ganzes Herz zuletzt auf Sie verlassen.
Sie, Herr Henkel, waren ja am ältesten und am meisten erfahren, aber handelten nicht wie sie, von Liebe. [...]«[9]

Man kann sich beim Lesen des Eindrucks nicht erwehren, dass dieser rührende Appell an die »Ehrenpflicht des Betreffenden« wenig gefruchtet hat, zumal er an anderer Stelle fragt, ob es zutreffe, dass Henkel in Deutschland bereits verheiratet sei.

Wie immer sich die Soldaten im konkreten Fall verhalten haben mögen, nur wenige Frauen werden sich über die Nachricht ihrer Schwangerschaft *spontan* gefreut haben. Dazu war die Situation, in der sie sich befanden, einfach viel zu kompliziert, angefangen damit, dass manche in Angst lebten, weil sie gar nicht wussten, wo ihr abkommandierter Freund war und ob er überhaupt noch lebte. Neben den großen Sorgen, wie der Freund, die Eltern, die Nachbarn und nicht zuletzt die Leute des Widerstands reagieren würden, gab es viele weitere Probleme: Wo würde sie das Kind zur Welt bringen, wo würde sie mit dem Kind wohnen, wer würde es versorgen, wenn sie arbeiten musste? Sie brauchte Kleidung, Windeln, ein Bettchen, einen Wagen für das Baby, und das alles in Zeiten, in denen dergleichen nur schwer zu beschaffen war.

Aber bei vielen wuchs die Freude in dem Maße, wie das Kind in ihrem Bauch wuchs. Auch ungeplante Kinder können zu gewollten, ja sogar nachträglich zu Wunschkindern werden, und das war bei Wehrmachtskindern nicht anders. Ein solches Kind ist Zofia Jasinskas Sohn Jacek: »Ich habe das Kind behalten, und je mehr ich darüber nachdachte, desto klarer wurde mir, dass es für mich nie zur Debatte stand, dieses Kind abzutreiben.«

Sie war schon Mitte Dreißig, als sie schwanger wurde, was damals für eine Erstgebärende alt war, wünschte sich sehr ein Kind und hatte einige Jahre zuvor ein Kind abgetrieben, weil sie als Ledige »Angst vor der eigenen Courage bekommen« hatte. Die polnische Jüdin traf wider jede Vernunft die Entscheidung, dieses Kind – das Kind eines SS-Mannes – zu bekommen.

Auch Marit,* die Mutter der Finnin Inga, war bei der Geburt ihrer Tochter schon vierunddreißig Jahre alt. Inga weiß nicht genau, »was sie fühlte, als sie schwanger wurde. Es wäre seltsam, wenn sie das nicht in irgendeine Art von Krise gestürzt hätte. Aber irgendwann hat sie beschlossen, dass ich ihrem Leben Sinn gebe.«

Es ist vielleicht kein Zufall, dass diese beiden, für die das Ungeborene schnell zum echten Wunschkind wurde, bereits ein Stück Leben hinter sich gebracht hatten und außerdem sehr gebildet waren: Zofia war Schauspielerin, Marit hatte ein abgeschlossenes Hochschulstudium. Sie konnten sich selbst, die eigenen Kräfte und Sehnsüchte besser einschätzen als eine blutjunge Frau ohne Lebenserfahrung, die nicht ahnte, wie stark sie in einer Krise sein würde. Aber auch viele der jungen Frauen bewiesen in dieser Lage eine erstaunliche Stärke, vor allem, wenn sie wussten oder bald erfahren mussten, dass sie nicht mit der Hilfe des Kindesvaters rechnen konnten.

Manche entdeckten ihre Schwangerschaft erst, als die Beziehung beendet, der Vater des Kindes versetzt oder gar gefallen war. Manche mussten feststellen, dass ihr Freund ihnen nicht seinen richtigen Namen genannt hatte, andere Soldaten wollten trotz einer engen Liebesbeziehung die Vaterschaft nicht anerkennen und begründeten das zum Beispiel wie folgt: »Ich kann nicht so einfach mein Familienglück zerstören lassen. Ich habe in der Heimat nichts zu verlieren als nur meine Frau und mein Kind. Und sollte ich sie auf diese Weise verlieren, dann hat das Leben für mich keinen Zweck mehr.« Dieser Kindesvater behauptete obendrein, die Schwangere sei auch noch mit einem anderen Soldaten zusammengewesen, eine recht beliebte Ausflucht.[10]

Über die Verzweiflung dieser werdenden Mütter findet sich in den Myriaden von europäischen Archiven und Dokumentensammlungen wenig. Ihr Kummer war tabuisiert, weil sein Anlass tabuisiert war. Selbst wenn die Schwangere durch eigene Hand oder die eines anderen zu Tode kam, wird niemand in einer offiziellen Akte vermerkt haben: »Sie starb, weil sie das uneheliche Kind eines deutschen Soldaten unter dem Herzen trug.«

Briefe oder Tagebücher der Betroffenen mögen in den Schubladen von Angehörigen aufbewahrt werden, sicher sind viele Geständnisse einer »familiären Geschichtsbereinigung« anheimgefallen, weil sie als beschämend empfunden wurden. Daher ist es ebenso außergewöhnlich wie überraschend, wenn eine Zeitzeugin sich nicht nur an diese Frauen, sondern auch an ihre verzweifelten Briefe erinnern kann. Dass sie überdies von Litauen spricht, ist ein besonderer Glücksfall für die Forschung, gehört doch Litauen zu den vielen Ländern, aus denen es (zumindest bislang) weder über die Beziehungen zwischen einheimischen Frauen und Wehrmachtssoldaten noch über deren Nachkommen gesicherte Informationen gibt.

Die im Dezember 1924 geborene Margarete Holzman erlebte den Sommer 1941 im sowjetischen Litauen, nachdem die Deutschen einmarschiert waren. In einem Interview mit dem Schriftsteller Reinhard Kaiser erzählte sie folgendes:

>»Während Marie [ihre Schwester, die im August 1941 verhaftet und Ende Oktober erschossen wurde] im Gefängnis saß, wollte ich in einem Schreibbüro Schreibmaschine lernen, weil ich wusste: In deutschen Zeiten mache ich auf dem Gymnasium tunlichst nicht weiter. Und habe da also einen Schreibkursus gemacht. Und außerdem hat man mich dann gleich angestellt als Dolmetscherin und Übersetzerin. Und in diesen paar Mona-

ten, in denen ich da war, habe ich so unendlich viel erlebt. Es kamen so viele Menschen – es war eines der wenigen Schreibbüros, vielleicht auch das einzige in Kaunas. Und es kamen wirklich alle Leute. Man hatte ja so gut wie keine Schreibmaschinen. Sehr viele Leute konnten auch gar nicht schreiben, und das meiste musste auch ins Deutsche übersetzt werden, und das waren oft ›Gesuche‹, wie man damals sagte, und Briefe, die man verfassen musste. Alle möglichen Sachen: Der eine möchte eine Landwirtschaft eröffnen; der andere sagt, er möchte in die SA eintreten, ein junger Litauer, um Juden zu erschießen; dann kamen die Leute, die für ihre Verwandten … also Gnadengesuche verfassten für ihre Angehörigen, die schon zum Tode verurteilt waren. Und denen musste ich dann auch noch die Antwort schreiben: Das Gnadengesuch ist abgelehnt! Das war eine so intensive Zeit.

Und außerdem waren noch sehr viele deutsche Soldaten da, die hatten damals Romanzen mit litauischen Mädchen. Und diese litauischen Mädchen konnten sich manchmal gar nicht unterhalten. Und oft kamen dann die deutschen Soldaten und brachten die Briefe ihrer Freundinnen zum Übersetzen. Manchmal kamen auch die litauischen Mädchen, die ihre Briefe auf deutsch an ihre Soldatenfreunde richteten. Und das war oft so rührend. Und zwar: Sehr viele dieser Mädchen nahmen sich das Leben – und das waren Abschiedsbriefe, die diese Mädchen ihren Soldaten schrieben. Wenn sie schwanger waren – das war damals doch eine so unmögliche Schande für junge, vor allem katholische … aber ich glaube, es war in allen Kreisen damals so, nicht nur weil Litauen sehr katholisch war. Da war das eine so unmögliche Schande, ein uneheliches Kind zu haben. Und das waren oft sehr beredte Briefe, die über viele, viele Seiten gingen.«[11]

Die jungen Litauerinnen sahen nur zwei Alternativen: ein Leben in tiefster Schande oder den Tod. Man tritt ihnen sicherlich nicht zu nahe, wenn man vermutet, dass viele dieser Frauen nicht schwanger geworden wären und kein Kind bekommen hätten, wenn es die heutigen Methoden der sicheren Empfängnisverhütung und schonenden Schwangerschaftsunterbrechung bereits gegeben hätte.

Wenn Arnold schreibt, dass ihm und Ragnhild ein »Malheur« passiert sei, ein Unglück also, schwingt mit, was man jahrhundertelang von einer ledigen Schwangeren sagte: Sie habe sich »ins Unglück gebracht«. Wie groß dieses Unglück tatsächlich war, hing bis weit in die zweite Hälfte des zwanzigsten Jahrhunderts von zweierlei ab: Gelang es ihr, vor dem Geburtstermin verheiratet zu sein, kam sie meist mit einem blauen Auge davon. Gelang ihr das nicht, kam es darauf an, wo sie lebte. In den protestantischen Gegenden Europas und in Frankreich wurden die Mutter und ihr Kind mitunter lebenslang stigmatisiert und ausgegrenzt. Im katholischen Polen und in den ebenfalls katholischen Ländern Südeuropas konnte die gesellschaftliche Ächtung so weit gehen, dass die Frau mit ihrem Kind aus der Gemeinschaft ausgestoßen, vielleicht sogar getötet wurde, um so mehr, wenn der Kindesvater ein Besatzungssoldat war.

Auf dem Gebiet der Sowjetunion ging die Bedrohung erheblich weiter. Die Weißrussin Galina sagte, ihre Mutter habe ihr oft erzählt, »dass sie während des Krieges viel Schweres erlebt hatte und dass sie sich gezwungen sah, sich in einem anderen Dorf vor den Partisanen zu verstecken, weil sie von ihnen zum Tode verurteilt war«.[12] Und der Griechenlandkenner Klaus Bötig ist überzeugt, dass in Griechenland »jede von einem Deutschen geschwängerte Frau entweder von ihren Verwandten getötet worden wäre oder – durchaus mit Billigung der orthodoxen Kirche – abgetrieben hätte«.[13]

Es gab also schwerwiegende Gründe, eine unerwünschte Schwangerschaft oder, falls es dazu zu spät war, die Geburt des Kindes zu verhindern. Für gläubige Christinnen allerdings war ein Schwangerschaftsabbruch undenkbar, auch wenn es sein kann, dass die Kirchen, wie Bötig es für Griechenland vermutet, vor allem nach Notzuchtverbrechen insgeheim halfen.

Da Abtreibung überall unter strenger Strafe stand, fehlen gesicherte Informationen darüber, wie verbreitet sie wirklich war. Doch geredet wurde viel. Als ich eine 1924 geborene Norwegerin fragte, ob es während des Krieges in ihrem Küstenstädtchen Abtreibungen gegeben haben könnte, senkte sie sofort die Stimme zu einem Flüstern, obwohl wir allein in ihrem Wohnzimmer saßen: »Ich weiß, dass es sie gegeben hat. Ich weiß von einer, die starb, nachdem sie eine Abtreibung hatte. Sie wohnte in unserer Nähe, es wurde darüber getuschelt. Sie war noch ganz jung.« Dass Schwangere bei einer Abtreibung ihr Leben riskierten, war allgemein bekannt. Doch wer Margarete Holzmans Erinnerungen liest, versteht sofort, warum Frauen auf Küchentischen und in dubiosen Hinterzimmern ihre Freiheit, ihre Gesundheit und ihr Leben aufs Spiel setzten.

Im französischen Charente-Inférieure wurde eine Frau anonym bei der Gendarmerie denunziert, abgetrieben zu haben. Die Zeugenvernehmungen ergaben kaum mehr als kruden Klatsch. »Man erzählte sich, sie sei schwanger gewesen«, heißt es, das Kind sei von einem Deutschen gewesen, »wenn man den Gerüchten Glauben schenken will, hat sie eine Abtreibung vorgenommen.«[14] Um die Tragweite dieses Vorwurfs ermessen zu können, muss man wissen, dass Abtreibung in Frankreich als Delikt gegen den Staat bestraft wurde: 1943 starb Marie-Louise Giraud als letzte Frau unter der Guillotine. Sie war schuldig gesprochen worden, sechsundzwanzig Abtreibungen vorgenommen zu haben, in mehreren Fällen war der Kindesvater ein deutscher Soldat. Girauds Strafe war extrem, aber sehr viele Frauen wurden in Frankreich während des Krieges wegen Abtreibung zu langjährigen, manchmal lebenslangen Haftstrafen oder zu Zwangsarbeit verurteilt.[15]

Aktenkundig wurden Abbrüche nur, wenn, wie im Fall Marie-Louise Giraud, ein »Engelmacher« gefasst wurde. Auf den Kanalinseln gab es in den Jahren der Besatzung viele Prozesse wegen Abtreibungen, über die die Zeitungen ausführlich berichteten. Einmal stand ein Masseur unter Mordanklage, weil bei ihm eine Siebzehnjährige während einer Abtreibung gestorben war, in einem anderen Prozess gestand der Angeklagte, Hunderte von Eingriffen vorgenommen zu haben.[16]

In einem offiziellen Bericht von 1941 über Empfängnisverhütung und Abtreibung in Norwegen heißt es: »Eine Reihe von Amtsärzten und Privatärzten in Stadt und Land treibt einen Abtreibungsbetrieb, teilweise in großem Stil. Einzelne Kontore haben eine internationale Klientenzahl (haben auch deutsche Patienten gehabt vor dem 9. April 1940). Eine Reihe dieser Ärzte müsste verhaftet werden.«[17]

Wegen der hohen Strafen war es schwierig, jemanden zu finden, der einen Abbruch vornahm. Wer es tat, ließ sich seine Dienste so teuer bezahlen, dass dieser Ausweg oft schon am fehlenden Geld scheiterte. Ob die Soldaten genügend Geld für eine Abtreibung aufbringen konnten, wird von Fall zu Fall verschieden gewesen sein.[18] In Lebensbornakten findet sich aber gelegentlich der Hinweis, der Kindesvater habe die Mutter zu einer Abtreibung gedrängt.[19]

Von den Beteiligten selbst – den Männern und Frauen – wissen wir wenig. Aber mit viel Glück wird man in privaten Aufzeichnungen fündig. Ein Beispiel dafür sind die Kriegstagebücher des Franz Schwarz.* Als er einundzwanzig Jahre alt war, hatte er im norwegischen Bergen eine verheiratete Freundin, die von ihm schwanger wurde. Nachdem er sie einige Tage nicht gesehen hatte, trafen sie sich bei der Arbeit. »Sie sieht mich so abwesend und leidend an, das Gesicht ist rot, aber verfallen. [...] Mittag ist vorbei, ich kriege sie in der Kombüse zu fassen. Sie sagt was, was ich nur dem Inhalt nach begreife. ›Chinin?‹ sage ich. ›Ja‹, matt und müde kommt das heraus. Meine Augen weiten sich, ich seh sie lange an. Dann mache ich plötzlich wortlos kehrt und bin weg.« Er ging hinaus, um mit seiner Bestürzung allein zu sein. Eigentlich, schreibt er, sei er ebenso froh wie neugierig gewesen »auf das, was da wurde und werden sollte. Ich hatte an alles gedacht, Scheidung, Kind nach Hause zu mir, aber nicht daran.«

Angesichts dieser neuen Situation wählte er wenige Tage

später einen ganz anderen Weg: Er beantragte seine Versetzung, die er Wochen zuvor hatte abwenden können. Obwohl er, seiner überraschenden Entscheidung nach zu urteilen, für diese Frau keine sehr tiefe Liebe empfand, war offenbar auch er bereit, zu seiner Freundin und dem Kind zu stehen.

Die Frauen dieser Generation sprachen wenig über eigene Abtreibungen oder Abtreibungsversuche. Um so bemerkenswerter, wenn der Däne Nils in einem Interview berichtet, seine Mutter habe mehrfach versucht, ihn abzutreiben. Auch seine Landsmännin Lotte Tarp hörte von ihrer Mutter Åse, sie habe sie auf gar keinen Fall haben wollen. Sie habe Lottes Vater Wolfgang sehr geliebt, doch als er nach einem gemeinsamen Jahr an die Ostfront kommandiert wurde und sie etwa gleichzeitig ihre Schwangerschaft bemerkte, sah sie keinen anderen Ausweg als einen Abbruch:

> »Ich war völlig sicher, dass ich nach dem Krieg mit Wolfgang zusammensein würde, dennoch versuchte ich mit allen Mitteln, dich zu entfernen. Ich war so unglücklich. Die Zeiten waren grausam, man würde mich als Deutschenflittchen abstempeln.«

Da ihr der Abbruch nicht gelang, versuchte sie ihren Zustand so lange wie möglich zu verbergen, die letzten Wochen vor der Geburt verbrachte sie mit vielen anderen Frauen in derselben Lage auf einem Bauernhof weit weg von Kopenhagen. Als sie im Februar 1945 in aller Heimlichkeit ihre Tochter zur Welt brachte, war Wolfgang bereits in Polen vermisst. Åse gab den Säugling sofort in ein Kinderheim, wo man angeblich Adoptiveltern für ihn suchen würde. Vielleicht ahnte sie wirklich nicht, was die Betreiber mit den Neugeborenen taten.

Lotte war erwachsen, als eine Verwandte ihr erzählte, man habe sie im Heim nicht angerührt, sie sei im Alter von einem Monat stark unterernährt gewesen. »Die hatten nicht das geringste Interesse daran, dass du lebst. So war das mit den Deutschenkindern. Niemand wollte sie adoptieren. Sie sollten sterben.«[20] Diese Verwandte konnte das nicht mit ihrem Gewissen vereinbaren, sie holte den Säugling zu sich. Lotte wuchs bei ihren Großeltern auf und hielt Åse viele Jahre lang für ihre mondäne große Schwester, die in der spannenden Großstadt lebte.

Ich kenne nur einen glaubwürdigen Bericht über eine Wöchnerin, die ihr Kind tötete. Eine ehemalige Angestellte des Lebensborn in Norwegen erinnerte sich an eine Frau, die ein Kind hatte. Ihr Verlobter, den sie sehr liebte, war an die Ostfront versetzt worden, »irgendwann hörte sie nichts mehr von ihm. Sie versuchte mit Hilfe eines Freundes (ebenfalls ein deutscher Soldat) etwas über seinen Verbleib zu erfahren, er war vermutlich gefallen. Dabei verliebten sich die beiden ineinander, und die Frau wurde wieder schwanger. Sie ertrug die Situation nicht, tötete das Neugeborene und versuchte, sich selbst umzubringen. Sie wurde gefunden und wegen Kindsmordes vor Gericht gestellt. Das war übrigens nicht der einzige Selbstmordversuch unter den Müttern. Die Verzweiflung war oft sehr groß.«

Und sie einte Schwangere in ganz Europa. Um solche Verzweiflungstaten, vor allem aber um Abtreibungen zu verhindern, verabschiedete die Vichy-Regierung in Frankreich im Dezember 1941 ein Gesetz, das es Frauen erlaubte, völlig anonym zu entbinden und das Neugeborene im Entbindungsheim zu lassen.[21] Die Regelung sollte auch den Ehefrauen französischer Kriegsgefangener eine Möglichkeit geben, sich des Beweises ihrer Untreue zu entledigen, bevor ihr Mann nach Hause kam.[22] Die anonym Geborenen haben keinerlei Chance, jemals etwas über ihre leiblichen Eltern in Erfahrung zu bringen. In keinen Unterlagen steht etwas anderes als *père et mère inconnus*.

In einigen wenigen als arisch bezeichneten Ländern, insbesondere in Norwegen, Dänemark und Holland, schufen die Nationalsozialisten für die schwangeren Freundinnen der Wehrmachtssoldaten eine ähnliche Regelung. Die SS-Organisation Lebensborn sowie das Hilfswerk »Mutter und Kind« der Nationalsozialistischen Volkswohlfahrt (NSV) nutzten die Notlage vieler Schwangerer aus und machten ihnen eine breite Palette attraktiver Hilfsangebote. Sie verfolgten damit rassenpolitische

Ziele, für die Frauen jedoch, die davon profitierten, waren diese Angebote außerordentlich wichtig, manchmal lebenswichtig. Sie reichten von kleineren Geldbeträgen für die Anschaffung von Babywäsche und Kinderwagen bis hin zu der Möglichkeit, das Kind in einem Heim zu gebären und dann dort zu lassen. Der Lebensborn sicherte zu, sich um eine Adoption zu kümmern, niemand im Umkreis der Frau würde jemals von dem Kind erfahren.

Da die Deutschen aber von der »Reinerhaltung der arischen Rasse« und somit von Genealogie besessen waren, führten sie über die Eltern und die Kinder umfangreiche Akten. Dass diese einmal erfahren würden, was in den Akten steht, war natürlich nicht vorgesehen.

Solche gezielten Angebote, ein Kind sicher zur Welt bringen und dann verlassen zu können, waren in den meisten Ländern Europas indes völlig unbekannt. Aber es gibt eine seit Jahrhunderten praktizierte »inoffizielle« Form der anonymen Geburt: Frauen legen ihr Neugeborenes auf die Schwelle eines Hospitals oder eines Klosters und hoffen, dass sich jemand seiner annehmen wird. Ein ukrainischer Historiker erzählte über die Kriegszeit in seiner Heimat: »In der Ukraine war es die größte Schande, wenn eine Frau ein uneheliches Kind zur Welt brachte. So versucht sie, das Kind loszuwerden und gibt es in solch ein Kinderheim. Anderthalb Jahre nach Okkupationsbeginn gab es in unserem Heim diese Findelkinder, Waisenkinder, die abgegeben wurden, von denen man nicht wusste, wer sie ausgesetzt hatte. Das Schicksal brachte auch mich in solch ein Kinderheim, zuerst in das eine, dann in ein anderes.«[23]

Die Zahl der nichtehelich *Geborenen* sagt nichts über die Zahl der nicht- und außerehelich *Gezeugten* aus. Das Kind einer Verheirateten galt auch dann als Kind ihres Ehemannes, wenn er als Schwängerer nicht in Frage kam oder wenn die Braut bei der Eheschließung schwanger war. Daher versuchten viele Schwangere, vor dem Geburtstermin noch schnell zu heiraten.

Eine solche Blitzheirat zur Legalisierung des außerehelich gezeugten Kindes war aber mit einem deutschen Soldaten ausgeschlossen, da diesen durch eine spezielle »Heiratsverordnung für die Dauer des besonderen Einsatzes der Wehrmacht« die Ehe mit einer Ausländerin ausdrücklich verboten war. Ausnahmen waren möglich, aber selten und für die meisten »nichtarischen« Länder sowieso völlig ausgeschlossen. Hinzu kam, dass Marschbefehle natürlich keinerlei Rücksicht auf die Heiratspläne eines einzelnen nahmen; Paare wurden für immer getrennt, sei es, dass er oder sie aufgrund der Entfernung das Interesse an der Beziehung verloren, sei es, dass er starb.

Dort, wo solche Ehen grundsätzlich erlaubt waren, in Norwegen, Dänemark und Holland, hatte die Wehrmacht die bürokratischen Hindernisse so hoch getürmt, dass sehr viele Paare es nicht schafften, alle geforderten Dokumente in der entsprechenden beglaubigten Form vorzulegen. Als Ragnhild im August 1944 mit dem Kind, das nun bereits über ein Jahr alt war, nach Deutschland umsiedeln sollte, wartete sie immer noch darauf, Arnold endlich heiraten zu dürfen.

Mit einem Landsmann ließ sich eine solche »Mussheirat« noch »fristgerecht«, also vor der Geburt, arrangieren – vorausgesetzt, die Schwangere hatte einen heiratswilligen Mann an der Hand. Wie bei dem Norweger Martin waren Bräutigam und Kindsvater nicht zwingend identisch. Ob diese Männer immer wussten, wessen Kind da sozusagen neben ihnen zum Traualter schritt, darf bezweifelt werden.[24]

Es gibt immer junge Mütter, die den »Fehler«, den sie begangen haben, möglichst schnell aus der Welt schaffen und ihr altes Leben wiederaufnehmen wollen. Sie sehen in einer Adoption, dem Aussetzen ihres Kindes oder gar dessen Tötung eine Art »verspätete Geburtenregelung«. Das ist bei jenen, die mit dem Kind eines Besatzungssoldaten schwanger sind, nicht anders. Aber alle, die sich weltweit mit den Kindern von Besatzungssoldaten und ihren Müttern befassen, können bestätigen, dass nur sehr, sehr wenige Frauen derart leichtfertig mit ihren Kindern umgehen und umgingen.

*

Es ist schwierig, sehr aufwendig und letztlich vielleicht vergeblich, sich anhand öffentlich zugänglicher Zahlen einen Eindruck davon verschaffen zu wollen, ob die Anwesenheit der Wehrmachtssoldaten die Geburtenraten verändert hat. Was für ein verwirrendes, ja widersprüchliches Bild sich ergibt, beweisen bereits die wenigen mir bekannten Statistiken: Auf den Kanalinseln stiegen die nichtehelichen Geburten zwischen 1940 und 1945 dramatisch an, für Jersey verdoppelten sie sich auf 11 Prozent, für Guernsey vervierfachten sie sich sogar auf 21,8 Prozent. In Dänemark wurden nur geringfügig mehr nichteheliche Kinder geboren, die Zahl der Vaterschaftssachen, bei denen ein Deutscher als Vater genannt wurde, stieg allerdings ebenso wie die Zahl der geborenen Kinder bis Kriegsende kontinuierlich an, der Anteil der Wehrmachtskinder an allen Lebendgeburten betrug etwa 15 Prozent. Eine Sozialwissenschaftlerin folgerte daraus bereits 1946, der einzige Unterschied zu Friedenszeiten sei offenbar der gewesen, »dass die Däninnen in diesen Jahren einen Deutschen als Vater ihres Kindes einem Dänen vorzogen«.[25]

Für Frankreich stiegen zwischen 1943 und 1946 die nichtehelichen Geburten von 7 auf 10 Prozent, während im gleichen Zeitraum die Vaterschaftsanerkennungen von 15 auf 10 Prozent sanken. Im Pariser Arrondissement Montparnasse hingegen überschritt 1944 der Anteil der unehelichen Geburten die Fünfzigprozentmarke. Das lag nicht am sündigen Pflaster Paris, sondern daran, dass in diesem Stadtteil mehrere große Entbindungsheime lagen und viele Schwangere von außerhalb anreisten, um ihr Kind in der Anonymität der Großstadt zu bekommen.[26]

Diese letzten Zahlen verdanken wir dem französischen Historiker Fabrice Virgili, der seit fünfzehn Jahren die Archive seines Landes nach Informationen über die Freundinnen der Wehrmachtssoldaten und deren Kinder durchkämmt. Da Kriegszeiten in jeder Hinsicht Zeiten der Unsicherheit und des Umbruchs sind, warnt auch Virgili davor, solche Archivfunde ungeprüft in einen kausalen Zusammenhang zur Anwesenheit der deutschen Besatzungssoldaten zu setzen. Aber Forscher wie er beweisen, dass sich mit dem herkömmlichen historischen Handwerkszeug durchaus näher eingrenzen ließe, was in jenen Jahren in Europa wirklich geschah.

Elnas Geschichte (III)

In den folgenden Tagen schwirrte mir das, was ich erfahren hatte, unablässig durch den Kopf. Ich stand ständig neben mir und konnte mich weder zu Hause noch bei der Arbeit konzentrieren. Szenen aus der frühen Kindheit, der Schule, der Familie und beim Spielen fielen mir wieder ein. Ich erinnerte mich an Worte, die gefallen waren, und daran, was sie bedeutet hatten. Plötzlich klang vieles doppeldeutig, und ich schrieb Gott und der Welt Gedanken und Absichten zu, die sie sicherlich niemals gehabt hatten. Ich verschloss mich völlig. Über das Geschehene konnte ich mit niemandem sprechen. Ich wusste, dass ich Worte für meine Gefühle und Gedanken finden musste, und ich wusste auch, dass ich für das, was ich gehört hatte, einige Antworten und Bestätigungen brauchte.

Ich bin Bürokratin und an allen Ecken und Kanten von Juristen und Bürokraten umgeben. Durch meine Arbeit bei der Staatsanwaltschaft war ich daran gewöhnt, mich in den öffentlichen Verwaltungen zurechtzufinden. Nach wenigen Tagen hatte ich eine schriftliche Bestätigung dafür, dass ich adoptiert war, da stand auch der Name und die damalige Adresse meiner Eltern. Ich erfuhr, dass der Name meiner Mutter Therese war, sie stammte aus Sandnessjøen, mein Vater war Otto, er wohnte (1945) in einem kleinen Dorf bei Trier. Ich war 1947 adoptiert worden, aber schon im Dezember 1944 zu meinen Adoptiveltern gekommen. Man sagte mir, die Bearbeitungszeiten für derartige Sachen seien damals sehr lang gewesen.

Im Geburtsregister meiner Heimatstadt war ich als Gisela Otervik registriert. Es gab weder eine Geburtsurkunde noch einen Taufschein, aber nun besaß ich wenigstens ein Dokument, das bestätigte, wer ich ursprünglich gewesen war. Bisher stimmte alles, was Therese mir gesagt hatte.

Ich fuhr zur Bibliothek, um mir Material über den Lebensborn zu beschaffen, und erwartete, dass das leicht zugängliches

Wissen sein würde, über das die Kriegshistoriker geschrieben hatten, von denen es ja jede Menge gab. Aber nein, zu diesem Thema existierten weder Bücher noch Artikel oder sonst irgendwelche Informationen. Die nächste Adresse war die Universitätsbibliothek – auch dort fiel das Ergebnis negativ aus.

Vielleicht wusste man in dem Pfarramt, zu dem Dr. Holms Hotel gehörte, etwas darüber, also rief ich dort an. Ja, sagte die Dame am anderen Ende, das Dr. Holms sei während des Krieges ein Lebensbornheim gewesen. Es war ein Ort, wo die Deutschen Kinder produzierten. Deutsche Soldaten zeugten Kinder mit norwegischen Frauen, die Frauen blieben danach im Hotel, brachten die Kinder zur Welt und reisten dann wieder ab.

Noch ein Schock!!! Sehr vorsichtig legte ich den Telefonhörer auf. Aber dieses Mal verließ mich mein Denkvermögen nicht. Was diese Dame erzählt hatte, passte nicht zu der weinenden Frau am Telefon. Irgend etwas stimmte hier überhaupt nicht.

Im Briefkasten landete ein dicker Brief mit sehr, sehr vielen Fotos. Ich legte den Brief erst einmal zur Seite und sah mir die Bilder genau an. Du liebe Güte, auf einem stand Tom, mein ältester Sohn, vor einem Herd und grinste mich an, während er gleichzeitig in einem Suppentopf rührte. »Jetzt zeige ich euch mal ein Bild von Tom, das ihr noch nie gesehen habt«, sagte ich zu Kjell und Arild. Sie wussten selbstverständlich, woher die Bilder kamen, und sie waren völlig sprachlos. Das Foto zeigte Thereses jüngsten Sohn, meinen Bruder.

»Den will ich treffen«, sagte Tom, als er kam.

Wer wollte das nicht?

Ich rief Therese an, und wir verabredeten, dass wir uns Ostern treffen würden, nur wir beide und unsere Ehemänner. Die Kinder mussten warten, bis wir sahen, wie diese erste Begegnung zwischen uns verlaufen würde. Als Treffpunkt vereinbarten wir Trondheim, das etwa in der Mitte zwischen Bergen und Mosjøen (ihrem Wohnort) lag.

Ich rief auch Anne an, meine älteste und beste Freundin. Sie war die Älteste von fünf Geschwistern, ich hatte sie meine ganze Kindheit und Jugend lang um ihre große Familie beneidet. Wir beide waren seit dem Kindergarten miteinander befreundet, und was wir voneinander nicht wussten, lohnte das Erzählen nicht. »Wir müssen uns treffen«, sagte ich. Als wir zusammensaßen, erzählte ich ihr, was passiert war.

»Also, wenn es nur das ist«, sagte sie. »Ich habe befürchtet, du bist ernsthaft krank. Das weiß ich schon, seit ich zwölf bin. Meine Mutter hat es mir unter dem Siegel der Verschwiegenheit erzählt.«

Ich war wie vom Blitz getroffen und fragte sie, warum sie nie etwas gesagt habe. »Ehrlich gesagt habe ich gedacht, dass du es weißt, aber nicht gern darüber sprechen willst.«

Ich hatte keinen einzigen Gedanken mehr. Ich verstummte nahezu. Immerhin konnte ich ihr noch sagen, dass ich jetzt auch Geschwister hatte – und ihr die Bilder zeigen.

Sie fragte, ob ich etwas über meinen Vater wisse. Das verneinte ich. »Ich habe gehört, dass er Deutscher ist«, sagte Anne vorsichtig.

Und so machte ich die Bekanntschaft des Deutschenbastards: durch eine Nebelwand aus gutgemeintem Schweigen. Ich wusste, dass ich durch diese Wand hindurch, sie für mich und meine Familie einreißen musste. Aber ich wusste nicht, wie ich das tun sollte.

*

Wie sucht man einen Menschen in einem fremden Land mit einer fremden Sprache?

Ich sah damals nur eine Möglichkeit, das war ja lange bevor es Internet gab. Ich ging zum Telegrafenamt und machte mich daran, die deutschen Telefonbücher nach Ottos Namen durchzublättern. Anfangs tat ich das nach dem Zufallsprinzip, aber das erwies sich sofort als völlig sinnlos. Ich fand eine Landkarte, auf ihr suchte ich das Dorf, in dem Otto 1945 gewohnt hatte. So konnte ich gezielt im richtigen Telefonbuch für die Gegend nachschlagen, aber in diesem Dorf stand er nicht. Ich suchte in einer Kleinstadt in der Nähe, dort fand ich seinen

Namen. Ich konnte nicht wissen, ob das der richtige Otto war, aber ich hielt es für wahrscheinlich, dass dies ein Verwandter sein könnte, der vielleicht etwas über Otto und seine Familie wusste. Ich schrieb Namen und Telefonnummer ab und fuhr nach Hause.

Das alles hatte anderthalb Stunden gedauert. Heute weiß ich, wieviel Glück ich hatte. Später habe ich Kriegskinder kennengelernt, die zehn, machmal sogar zwanzig Jahre lang vergeblich gesucht hatten. Aber das wusste ich damals noch nicht.

4. *Kapitel*
DAS STIGMATISIERTE LEBEN:
AUFWACHSEN BEI DER MUTTER

Was unterscheidet eigentlich ein Wehrmachtskind von anderen Kindern derselben Kriegsjahrgänge? Die Antwort fällt im ersten Moment nicht leicht, schließlich lebten sie wie andere Kinder auch. Manche wuchsen bei den leiblichen Eltern auf, andere allein mit der Mutter, bei Verwandten der leiblichen Eltern, bei der Mutter und einem Stiefvater, in Pflege- oder Adoptivfamilien, einige natürlich auch in Heimen. Sie waren nicht die einzigen Kinder, die ohne Vater aufwuchsen oder nicht wussten, wer ihr Vater ist. Doch sieht man sich ihre Lebensgeschichten genauer an, kristallisieren sich drei signifikante Gemeinsamkeiten heraus: Das typische Wehrmachtskind kam unehelich zur Welt. Es wuchs nicht bei seinen leiblichen Eltern auf. Und die meisten Wehrmachtskinder kannten ihren leiblichen Vater nicht, jedenfalls nicht persönlich.

Dass vor allem die letzten beiden Kriterien wirklich entscheidende Unterschiede bezeichnen, beweist die Tatsache, dass jene Wehrmachtskinder, die bei ihren natürlichen Eltern aufwuchsen, sich selbst kaum je als »Wehrmachtskind«, »Kriegskind«, »Besatzungskind«, »Feindeskind« oder ähnliches sehen, selbst wenn sie es nach starren Kriterien – Vater deutscher Besatzungssoldat, Mutter Bürgerin des besetzten Landes – sind.

Wie Astrid, von der im Kapitel über das Schweigen die Rede war, kamen diese Kinder meist als Säuglinge oder Kleinkinder nach Deutschland, manche wurden schon dort geboren, weil die Mutter bereits bei ihren Schwiegereltern (oder auch: künftigen Schwiegereltern) wohnte. Sie lebten als deutsches Kind unter anderen, die Eltern waren verheiratet, auch wenn es in manchen Familien ein offenes (oder auch gehütetes) Geheimnis war, dass sie das bei der Geburt ihres ältesten Kindes nicht gewesen waren. Aber für diesen kleinen Schönheitsfehler hatten sie einen guten Grund, einen triftigeren sogar als so manche anderen Paare, die »zu spät« vor den Altar getreten waren: Sie hatten während des Krieges nicht heiraten dürfen oder die beantragte Heiratserlaubnis nicht rechtzeitig bekommen. Deswegen kam auch Ragnhilds Töchterchen Solveig* im September 1943 unehelich zur Welt.

Niemand weiß, wie viele »deutsche« Wehrmachtskinder es gibt. Es sind sicher Tausende, aber gemessen an der Gesamtzahl der Wehrmachtskinder sind sie eine verschwindend kleine Minderheit. Und welche Probleme sie in ihrer Kindheit und Jugend auch gehabt haben mögen – es waren andere als die der »echten« Wehrmachtskinder in den besetzten Ländern.

Einige der »untypischen« Kinder lernten beide Seiten kennen – das stigmatisierte Leben im Land der Mutter und das unauffällige Leben im Land des Vaters. Es waren Kinder jener wenigen Paare, die sich über die schweren Nachkriegsjahre hinweg nicht verloren und schließlich doch noch zusammenkamen. Eine solche Liebe erlebte eine Norwegerin, die im Januar 1952, also sieben Jahren nach Kriegsende, an das zuständige Jugendamt schrieb, sie und ihr Kind hätten »den Kindesvater oft besucht, im Sommer ziehen wir ganz zu ihm«, was sie im folgenden Juli auch taten.[1]

Häufiger ging die Reise in die umgekehrte Richtung, so zum Beispiel, wenn sich in Deutschland verheiratete Frauen nach wenigen Ehejahren von ihren Männern trennten und mit dem Kind oder den Kindern nach Hause zurückkehrten.[2]

*

Alleinerziehende Mütter, die ihr Kind ohne die tätige und finanzielle Unterstützung seines Vaters oder dessen Familie großziehen mussten, lebten meist in finanziell angespannten Verhältnissen. Ganz besonders hart war das Leben für jene, die von ihren eigenen Familien verstoßen worden waren. Elna schrieb mir, eine Freundin aus dem Kriegskinderverband, die alleine mit ihrer Mutter aufgewachsen sei, habe ihr einmal erzählt, das Furchtbarste an ihrer Kindheit sei die Armut gewesen. Dass man sie hänselte und mobbte, habe sie ganz gut ertragen, weil sie groß und stark war und sich gut prügeln konnte. Aber nicht zu wissen, ob es abends etwas zu essen geben würde, immer hungrig zu sein, niemals etwas Neues zum Anziehen zu bekommen, sondern immer nur Abgelegtes von den Nachbarskindern, die ihre eigenen Sachen an ihr wiedererkannten und sie deswegen aufzogen, das sei ein Albtraum gewesen. Ihre Mutter war Dienstmädchen, und sie mussten immer umziehen, wenn sie eine neue Stelle antrat.

Daher waren viele Frauen froh, wenn ihre Familie sie unterstützte. Sie konnten bei den Eltern wohnen, Mutter, Schwester oder Schwägerin passten auf das Kind auf, während sie arbeiteten, Verwandte trugen mit Geld oder Kleidung zum Lebensunterhalt bei, das Kind wuchs mit einer Familie auf, die ihm ein Gefühl von Geborgenheit und Herkunft geben konnte. Insbesondere die Großmütter spielten dabei eine bedeutende Rolle, viele Wehrmachtskinder empfanden sie als den einzig wirklich sicheren Hafen in ihrem Leben. Die Dänin Hanne schreibt: »Am 29. Mai 1943 kam ich unter den schlimmsterdenklichen Umständen zur Welt, da ich das Kind eines deutschen Soldaten war. Frauen, die mit dem Feind Umgang gehabt hatten, waren absolut nicht beliebt, und ich wurde in einer Stimmung von Schmerz, Scham und Lüge geboren. Aber davon wusste ich nichts, ich lebte bei meiner an Krebs erkrankten Großmutter in zwei kleinen Zimmern. Meine Mutter wohnte auch dort, aber da sie zur Aufrechterhaltung des Lebens arbeiten musste, sah ich sie nur selten. Aber ich fühlte mich geborgen, lebte geliebt und beschützt bei der Großmutter.« In dieser kleinen Wohnung stand auch »beim Fenster im Wohnzimmer die Kommode mit einem Foto von Papa«.

Andererseits bezahlte manche ledige Mutter für das Leben in der Heimat einen Preis. Manchmal war er tatsächlich in Geld zu entrichten, wenn nämlich die Eltern erwarteten oder verlangten, dass sie alles, was sie verdiente, bei ihnen ablieferte. Ein anderer Preis war Abhängigkeit – vom Wohlwollen der Familie, aber auch vom Wohlwollen des Arbeitgebers und der Mitbürger, die sie vielleicht geringschätzten. Dass sie das taten, war bei den ehemaligen Deutschenfreundinnen wahrscheinlicher als bei »normalen« ledigen Müttern.

Da ihre Vergangenheit bekannt war, waren auch ihre Kinder viel stärker exponiert. Der Norweger Per Arne Löhr Meek wurde als Schulkind von anderen Kindern jahrelang auf das gröbste schikaniert und ständig verprügelt. Die Mutter protestierte mehrfach bei seinen Lehrern, die untätig zusahen, und auch bei den Eltern der anderen Kinder, aber danach wurde es nur schlimmer. Als ihr Sohn eines Tages mit zerschnittenem Gesicht nach Hause kam, nahm sie ihn in den Arm. Beide weinten, und sie sagte zu ihm: »Ich kann nichts machen, damit das aufhört. Wenn ich es versuche, wird alles nur noch schlimmer. Ich weiß einfach nicht, was ich machen soll.« Und Löhr Meek fügt hinzu: »In diesem Moment schien es, als verließe sie ihr Lebensmut und ihr Lebensfunke. Sie konnte nicht einmal mehr Wut spüren, nur Verzweiflung.«[3]

In vielen Dorfgemeinschaften war es jedoch so, dass alle wussten, wer »die Frauen« waren und »was sie damals getan haben«, trotzdem wurden Mutter und Kind stillschweigend integriert. Was immer im Dorfkrug geredet wurde, vor allem Außenseitern gegenüber hielt man dicht, an vielen Orten werden die Frauen noch heute eher mit Mitleid als mit Verachtung behandelt.[4]

An anderen Orten blieben Hass und Schikane über Jahrzehnte lebendig. Die Litauerin Meile, ein Wehrmachtskind, erfuhr von ihrem Kind, dass es in der Schule ungerecht behandelt worden war. Als sie deswegen den Lehrer – das war noch zur Sowjetzeit – zur Rede stellte, warf er ihr vor, dass sie die Tochter eines Deutschen sei. »Da sagt er doch zu mir: ›Du bist in der Kriegszeit geboren, bist Kind eines Deutschen: Was willst du also überhaupt hier? Du wagst es, uns Fehler vorzuwerfen?‹«[5]

Die französische Tochter eines Wehrmachtssoldaten erlebte noch in den sechziger Jahren, dass jemand ein schwarzes Hakenkreuz an ihre Haustür schmierte, als ihr Ehemann für den

Gemeinderat kandidierte. Ein norwegischer Mediziner, der Ende der achtziger Jahre Leiter eines großen Distriktkrankenhauses werden sollte, bekam zu Hause einen anonymen Anruf, mit dem ihm jemand mitteilte: »Wir wollen keinen Nazibastard als Chef.«[6]

Manche Mütter konnten oder wollten nicht in ihrem Heimatdorf bleiben. Sie hofften, durch einen Umzug dem Wissen ihrer Umwelt über ihre Vergangenheit und über die Herkunft des Kindes zu entkommen. Das gelang indes nicht immer. So erzählte mir der 1944 geborene Franzose Victor,* es sei in den fünfziger Jahren nicht einfach gewesen, als uneheliches Kind mit dem Stigma »Vater unbekannt« zu leben. Seine Mutter sei zwar von Paris nach Montreuil umgezogen, aber »Kinder, die keinen französischen Vater vorzeigen konnten, wurden generell verdächtigt, das Kind eines Deutschen zu sein«.

Überhaupt gehört im Nachkriegseuropa nicht viel dazu, in den Verdacht zu kommen, ein Wehrmachtskind zu sein. In der Ukraine beispielsweise wurden die Heimkinder verhöhnt und verspottet. »Es war allen klar, dass dieses Kind 1942, 1943 geboren ist, und wenn es rothaarig oder blond war, hänselte man es: Du bist das Kind eines Deutschen.«[7]

Auch die einzige Geschichte, die ich über ein italienisches Wehrmachtskind in Erfahrung bringen konnte, berichtet von einer Frau, die vermutlich wegen ihres »deutschen« Kindes ihren Heimatort verließ.

> »In dem Ort Poggio Rusco (etwa zwanzig Kilometer östlich von Mantova, am Po gelegen) war das Kommando eines Munitionslagers (Deckname ›Marder‹) einquartiert, und zwar hatte dieses halbe Dutzend Soldaten – der Erinnerung nach zur Nachrichtentruppe gehörig, weil sie Funkgeräte hatten – vier oder fünf Räume für sich. Dort arbeitete Giovanna* als Zugehfrau, sie putzte und kochte. Eine Frau aus dem Dorf sagte, es stimme nicht, was ›man so erzählte im Dorf‹, dass sie mit allen Soldaten ›was hatte‹, nein, sie sei ausschließlich mit die-

sem einen blonden und blauäugigen ›Maresciallo Georg Remmers‹* zusammengewesen, der in Deutschland Familie hatte. (Der Dorfpfarrer erzählte, dass Remmers sich beim Anrücken der Amerikaner erschießen wollte, dass aber er, der Dorfpfarrer, das verhindert und ihn überzeugt habe, doch an seine Familie zu denken und vernünftig zu sein.)

Nach der Befreiung arbeitete Giovanna zunächst in einem Krankenhaus ganz in der Nähe von Poggio Rusco als Krankenschwester. Dort lernte sie einen Italiener kennen, den sie heiratete. Im Jahr 1945 brachte sie eine blonde und blauäugige Tochter zur Welt, die eigentlich, auch zeitlicher Rechnung nach, nur von Georg Remmers stammen kann; dies war auch die allgemeine Auffassung im Ort, wo sie ›la figlia tedesca‹ [die deutsche Tochter, *dr.]* genannt wurde. Die Eheleute sind dann mit dem Kind an den Gardasee verzogen.«[8]

Ein Kind, das mit seiner Großmutter und Mutter nicht nur sein Heimatdorf, sondern sogar das Land und die Sprache wechselte, ist Europas berühmtestes Wehrmachtskind, die Schwedin Anni-Frid Synni Lyngstad, bekannt als ABBA-Sängerin Frida. Sie kam Ende 1945 in der Nähe des norwegischen Narvik zur Welt, anderthalb Jahre später zog ihre Großmutter mit ihr nach Schweden, angeblich, weil es wegen der Herkunft ihres Enkelkindes zu viele Schwierigkeiten gab. Anni-Frids Mutter folgte ihnen, starb aber kurze Zeit später.

Manche Wehrmachtskinder entscheiden sich übrigens noch als Erwachsene für diesen Schritt, weil sie die Verfolgung ihrer Umwelt nicht mehr ertragen. Die Litauerin Zita sagte: »Es war schwierig: viel verspottet und von vielen erniedrigt. habe ich die Schule beendet und ging von Radzvilio weg, um woanders zu leben und zu arbeiten, damit die Vergangenheit nicht so schwer auf mir laste.«[9]

*

Es war kein Wunder, dass viele Frauen heirateten, um sich nicht allein durchschlagen zu müssen. Sicher (hoffentlich!) war die Resignation angesichts eines allzu anstrengenden Lebens mit Kind nicht der ausschlaggebende Grund für eine Heirat. Aber wichtig war immer, dass »das Kind einen Vater« bekam.

Die Kinder selbst waren darüber nicht immer nur froh. Zum einen mochte mancher, der vom deutschen Vater wusste, eine Heirat so auslegen, dass die Mutter ihn doch nicht *wirklich* geliebt hat, weil sie sonst sicher keinen anderen nähme. Zum anderen hofften ja viele Wehrmachtskinder, dass ihr Vater eines Tages kommen und sie holen würde – und zwar vor allem in Lebenssituationen, in denen sie sich verlassen und allein fühlten. Wenn nun die Mutter einen anderen Namen hatte und vielleicht sogar umzog, würde er sie nicht mehr finden können. Tatsächlich kam es vor allem in Nord- und Westeuropa gar nicht so selten vor, dass ein Deutscher in den fünfziger Jahren zurückkehrte und vergeblich nach seiner ehemaligen Verlobten und dem gemeinsamen Kind suchte.

Dennoch bedeutete eine Heirat oft eine Veränderung zum Besseren, weil das Kind einen liebevollen, zugewandten Vater bekam. Die Mutter des 1941 geborenen Norwegers Hans Fredrik Zesten* beispielsweise konnte ihren Sohn erst 1947 aus dem Heim holen. Er war dort seit Kriegsende schwersten Misshandlungen ausgesetzt gewesen und erlebte seinen Stiefvater als Erlösung von dieser jahrelangen Qual. Die Dänin Margarete* hingegen bezeichnet ihren Stiefvater als Schmuggler, Säufer, Sadisten und Schlimmeres.

Es fällt mir auf, dass es in Erzählungen nur diese beiden konträren, emotional jeweils hoch besetzten »Varianten« von Stiefvätern zu geben scheint. Neben jenen, die »nicht besser zu mir hätten sein können«, werden auffallend viele als lieblos, ja grausam geschildert. Solche Väter beschimpften das Kind als Nazibalg, es ist von Alkoholismus und körperlicher Gewalt gegen Mutter und Kind die Rede. Vor allem Mädchen waren sexuellem Missbrauch ausgesetzt, der manchmal in den Erzählungen als Andeutung durchschimmert, manchmal explizit benannt wird. Das in Deutschland bekannteste literarische Wehrmachts-kind, Tora in Herbjørg Wassmos Roman *Das Haus mit der blinden Glasveranda,* wird vom Stiefvater lange sexuell miss-braucht.

Auch der Stiefvater der Norwegerin Tove Laila näherte sich ihr mehrfach sexuell. Dabei hatte ihr Leben recht vielverspre-chend begonnen, es gibt ein hübsches Studiofoto, das sie als Säugling zusammen mit ihren leiblichen Eltern zeigt. Ein knap-pes Jahr später fiel ihr Vater in Finnland, und Angestellte des Lebensborn, die sich um die Wehrmachtskinder kümmerten, waren der Ansicht, dass die Mutter ihre Tochter vernachlässige.

Was »vernachlässigen« in diesem Falle konkret bedeutete, weiß ich nicht, aber ich kann einen ähnlichen Gerichtsbeschluss von 1943 zitieren. Damit wurde einer Holländerin, die mit einem SS-Sturmmann verheiratet war und in Deutschland lebte, das Sorgerecht für ihren 1941 geborenen Sohn »entzogen und während der Abwesenheit des Vaters des Kindes auf die [deut-sche, *dr.]* Großmutter des Kindes« übertragen. Die Begründung lautete, dass sich »die Mutter nicht um ihr Kind kümmert, son-dern sich herumtreibt und bis mittags schläft«.[10]

Tove Laila wurde zu den Großeltern nach Eberswalde ge-schickt, wo es ihr sehr gutging. Nach dem Krieg aber sollten die norwegischen Kinder, die in Deutschland lebten, zurückge-bracht werden, und so holte man sie 1947 von den Großeltern fort und brachte sie wieder zu ihrer Mutter nach Norwegen. Dort begann, wie sie selbst sagt, »die Hölle«. Die Sechsjährige konnte kein Wort Norwegisch, das Deutsche prügelten ihre Mutter und ihr Stiefvater innerhalb von drei Monaten mit dem Kleiderbügel aus ihr heraus, sie misshandelten, erniedrigten und schikanierten das Mädchen, beide beschimpften es immer wie-der als »verdammtes Deutschenschwein«.

Was kann man gegen Mütter machen, deren Verhältnis zu ihrem Kind eigentlich nur den Schluss zulässt, dass sie es has-sen? Wie soll man ein Kind vor der eigenen Mutter schützen, die ihm vorwirft, mit seiner schieren Existenz ihr Leben zerstört zu haben? Heute sehen wir darin einen klaren Fall für das Jugendamt. Aber im Europa der fünfziger Jahre waren die Rechte eines Kindes auf seelische und körperliche Unversehrtheit keinesfalls so strikt definiert – schon gar nicht im Verhältnis zu seinen Eltern.

Nun kann man nicht wissen, ob dieses erschreckende Maß an Gewalttätigkeit und Alkoholismus nicht in vergleichbaren »normalen« Familien ebenso verbreitet war. Möglicherweise werden diese Strukturen bei den Wehrmachtskindern nur darum sichtbar, weil sie mit den Geschichten ihrer Kindheit und Jugend an die Öffentlichkeit gehen. Ich halte es allerdings für denkbar, dass in solchen Familien zwischen den Ehepartnern ein Ungleichgewicht der Macht herrschte, das Gewalt begünstigte.

Ganz sicher ist, dass Kinder wegen ihrer Herkunft von Familienangehörigen schikaniert wurden. Hierfür nur ein Beispiel: Der zehnjährige Jon* war mit seiner Mutter und seinem Stiefvater, der gut zu ihm war, bei dessen Eltern eingeladen, Anlass war ein großes Familienessen zu Weihnachten. Es gab einen festlich gedeckten Kindertisch für die acht Enkel, auf Jons Stuhl und unter seinem Teller aber lagen alte Zeitungen. So gaben seine »Großeltern« ihrer Meinung Ausdruck, dass ein Deutschenkind nicht sauber sei. Der Junge stürzte leichenblass aus dem Zimmer und betrat das Haus nie wieder. Über die Reaktion seiner Mutter und seines Stiefvaters ist leider nichts bekannt.[11]

*

Auffallend viele Wehrmachtskinder bezeichnen ihren Stiefvater als ehemaligen Widerstandskämpfer. Vielleicht war er das gar nicht – aber entscheidend für die Familiendynamik ist nicht, ob das, was behauptet wird, tatsächlich stimmt, sondern dass es behauptet und *geglaubt* wird. Gegen den Glanz eines Stiefvaters, der als Patriot für das Vaterland eingestanden ist, wird das Bild des ehrlosen deutschen Kindesvaters noch stumpfer und fleckiger.

Wie in »Patchworkfamilien« generell, begründeten manche

Mütter ihre Weigerung, dem Kind von seinem leiblichen Vater zu erzählen, damit, dass »es Papi weh täte«. Damit nahmen sie dem Kind beide Väter, den abwesenden, weil sie über ihn schwiegen, und den anwesenden, weil sie ihm die Schuld für dieses Schweigen zuschoben. Solche Intrigen machten es einem Kind schwer, ja unmöglich, zum Stiefvater ein echtes Vater-Kind-Verhältnis aufzubauen. Hanne sollte, als die Mutter 1947 heiratete, »ein ganz normales Kind werden und alles über meine unglückliche Herkunft vergessen. Aber nein, ich vergaß nicht eine Sekunde. Papa war immer bei mir wie eine großen Trauer und Sehnsucht, die ich mein ganzes Leben mit mir getragen habe.«

Erstaunlicherweise kann ich mich nur an einen einzigen Fall erinnern, in dem die Mutter, eine Norwegerin, den leiblichen Vater dem Kind gegenüber verfluchte. Er sei ein Schwein, denn als sie schwanger geworden war, habe er ihr gesagt, sie solle ihn bloß in Ruhe lassen. Erst da habe er gesagt, dass er schon verheiratet sei und drei Kinder habe. Daraufhin sei er zunächst spurlos verschwunden, und als es um die Anerkennung der Vaterschaft ging, habe er wider besseres Wissen behauptet, sie habe zur fraglichen Zeit noch mit einigen anderen Soldaten geschlafen.

Eine andere Art, das Verhältnis zwischen Stiefvater und Stiefkind zu stören, bestand in einer Idealisierung des leiblichen Vaters, gegen die der reale Mann im Leben des Kindes keine Chance hatte. Viele Wehrmachtskinder haben tatsächlich ein recht überzeichnetes Bild von ihrem unbekannten Vater, das sie allerdings in den seltensten Fällen als »Idealisierung« bezeichnen würden. Tut ein Wehrmachtskind es dennoch, entpuppt sich die Geschichte in der Regel als ungewöhnlich – wie bei der Dänin Margarete. Nachdem ihre Mutter wieder einmal von ihrem Mann verprügelt worden war, erzählte sie der Tochter zum ersten Mal von deren Vater: »Dein richtiger Vater war ein gutaussehender deutscher Soldat, der im Krieg gewesen war.« Margarete schreibt weiter: »Ich träumte oft davon, dass mein Vater – dieser gutaussehende deutsche Soldat – eines schönen Tages kommen und mich holen und retten würde.« Dieser

Traum zerbarst, als sie erfuhr, dass er als Gestapoangehöriger an der Deportierung der dänischen Juden mitgewirkt hatte.[12] Wenn gerade sie von »Idealisierung« spricht, denn offenbar deswegen, weil zwischen Erwartung und Realität eine ungewöhnlich große Lücke klaffte.

Als Margarete ihre ungeschminkte Lebensgeschichte, einschließlich ihres Gestapovaters, der trinkenden Mutter und des gewalttätigen Stiefvaters, in einer Illustrierten veröffentlichen wollte, erwirkten ihre drei Halbgeschwister die Anonymisierung aller Namen. In einem Brief an die Redaktion schrieben sie, sie hätten eine großartige Kindheit gehabt, die geplante Veröffentlichung würde ihnen und ihren Familien schweren Schaden zufügen, und zudem sei bekannt, dass ihre Schwester Margarete seit jeher etwas sensationslüstern sei.

Wie in diesem Fall bekam die Mutter mit ihrem Ehemann häufig weitere Kinder. Auch da lag Konfliktpotential, denn diese Familienmitglieder vereinte eine Selbstverständlichkeit, aus der das Wehrmachtskind sich sehr leicht ausgeschlossen fühlen konnte. Wenn es sich (zu Recht oder zu Unrecht) gegenüber den Geschwistern benachteiligt fühlte, konnte es sich immer weiter in eine Traumwelt vom idealen (abwesenden) »richtigen« Vater und der idealen Familie flüchten, die es mit ihm und der Mutter hätte haben können. Außerdem fiel bei Streitigkeiten zwischen Geschwistern gelegentlich die Beschimpfung »Deutschenbastard«, was ja als Anklage implizit auch die Mutter traf. Sorgten sie selbst und der (Stief-)Vater der Kinder nicht dafür, dass solche Zwistigkeiten bereinigt wurden, konnte das in dem ausgegrenzten Kind bis ins Erwachsenenleben als Verbitterung weiterwirken.

Die Klage, dass ein Stiefvater das Kind spüren ließ, dass es nicht sein »richtiges« Kind war, und die »eigenen« Kinder vorzog, ist nicht den Wehrmachtskindern vorbehalten. Zum einen kennen auch viele »normale« Stiefkinder dieses Gefühl, zum anderen beschweren sich auch leibliche Geschwister, ihr Vater oder ihre Mutter habe immer ein anderes Kind vorgezogen.

Wenn man sich mit einem Thema wie diesem befasst, beginnt

man allerdings, Sätzen wie dem, den ich gerade geschrieben habe, zu misstrauen. Es gibt Schätzungen, wonach 5 bis 10 Prozent (!) aller Kinder »Kuckuckskinder« sind, das heißt, ein Mann hält sich für den leiblichen Vater, während die Mutter es besser weiß. Ob das auch für die Nachkommen der Wehrmachtssoldaten gilt? Zum Glück kann das niemand überprüfen – oder jedenfalls nur am konkreten Einzelfall.

Von manchen »Kuckuckskindern« wissen nicht nur die Mutter, sondern auch ihr neuer Partner, weil sie das nicht- oder außereheliche Kind gemeinsam so früh »integriert« haben, dass niemand (außer ihnen) die wahren Verhältnisse kennt, auch (oder vor allem) das Kind nicht. Vielleicht war ja auch der Stiefvater des Norwegers Martin, der erst 2004 von seinem wahren Vater erfuhr, eingeweiht.

Ediths Vater jedenfalls war es. Edith erzählte einer Freundin aus Kindertagen, ihre verstorbene Mutter habe immer gesagt: »Ich habe meine Kinder nie belogen.« Die Freundin antwortete: »Du kannst sicher sein, in einem Punkt hat sie dich belogen. Sprich mit deinem Vater. Geh zu ihm und sprich mit ihm, bevor er stirbt, er ist schon alt.« Edith kündigte ihren Besuch bei ihm an, und zwei Tage vor diesem Besuch rief er sie an und sagte: »Seit fünfzig Jahren trage ich ein Geheimnis mit mir. Ich habe dir nie gesagt, dass ich nicht dein richtiger Vater bin.« Edith war zutiefst schockiert, doch er sagte, er sei sich ganz sicher. Wessen Kind sie wirklich war – nämlich das eines deutschen Soldaten –, erfuhr sie von einer Schwester der Mutter.[13]

Für die Französin Anita brach eine Welt zusammen, als ihre Mutter sie über ihren richtigen Vater aufklärte. Ihr geliebter spanischer Vater, auf den sie stolz war, der gegen Franco und dann in der französischen Résistance gekämpft hatte, war »nur« ihr Stiefvater. In ihren Adern floss nicht sein Blut, sondern das eines Deutschen – was für sie auch politisch eine Katastrophe war, denn sie war schon als junge Frau eine dezidierte Linke und fand jede Verbindung zu Nazideutschland unerträglich.[14]

Möglich ist eine solche Täuschung nur, wenn das Kind den

Nachnamen des Stiefvaters trägt, was durch eine Adoption automatisch geschieht. In manchen Ländern, in Dänemark beispielsweise, darf ein Kind auch ohne Adoption den Nachnamen des Stiefvaters tragen, damit es »nicht aus der Familie heraussticht«. Manchmal entdeckt ein Kind erst nach Jahren, dass es einen falschen Namen und einen falschen Vater hatte; so erging es zum Beispiel dem kleinen Nils, von dem ich schon erzählte, am ersten Schultag. Eine solche Entdeckung bedeutete natürlich immer auch, dass dem Kind nicht nur der Vater, sondern auch die väterlichen Großeltern, Tanten, Onkel, Cousins und Cousinen »genommen« wurden.

Wenn Mütter (und ihre Familien) die Kinder über die wahre Identität des Vaters im unklaren ließen, dann geschah das oft auch, um das Kind vor einem Wissen zu schützen, das ihm weh getan hätte. Es wuchs viel unbeschwerter auf, wenn es nicht erfahren musste, dass es zu einer diffamierten Minderheit gehörte.

Eine – wie ich finde – recht kluge Lösung zwischen schonendem Verschweigen und der gebotenen Ehrlichkeit fand eine französische Mutter. Ihr Sohn Victor erhielt zu seinem sechsten Geburtstag ein Geschenk von seinem Vater. Das überraschte ihn. Erst an diesem Tag habe er »entdeckt, dass ich einen Vater habe«. Die Mutter versprach, ihm an seinem vierzehnten Geburtstag zu sagen, wer er ist – und das tat sie auch.

Aber nicht nur das Kind galt es zu schützen, sondern unter Umständen auch die Mutter, denn das Kind hätte mit seinem Wissen sich selbst und der Mutter schaden können. Wenn es aber nicht wusste, wer sein leiblicher Vater ist, konnte es sich auch nicht verplappern. Ein sehr treffendes Beispiel hierfür ist das Verhalten von Ludmillas Mutter.

Die Ukrainerin Ludmilla war schon fünfundzwanzig Jahre alt, als ihre Mutter das Geheimnis der Nationalität ihres Vaters lüftete. Warum hatte sie so lange geschwiegen? »Es fällt mir schwer, darüber zu sprechen. Sie wissen doch, wie es hier war. Ich hatte Angst vor den Behörden. Wenn ich es ihr früher gesagt hätte, hätte sie vielleicht mit anderen darüber gesprochen, dann wären wir vielleicht in Schwierigkeiten geraten. Deshalb habe ich es lieber geheimgehalten.«[15]

Sie wusste, dass ihr und dem Kind in der Sowjetunion die Deportation, ja der Tod drohte. Eine Landsmännin bestätigt das: »Na, wissen Sie, die mit diesen Wehrmachtssoldaten befreundet waren, für die war das nicht so angenehm, als die Russen kamen. Sie wurden verhört – sollten etwas über die Deutschen aussagen – und dann erschossen oder nach Russland verschickt. Viele wurden nach Russland verschleppt, nach Sibirien.« Um dem zu entgehen, übernachtete die Mutter des litauischen Wehrmachtskindes Meile zwei, drei Jahre lang nicht zu Hause. Meile selbst schlief in diesen zwei oder drei Jahren meist bei Nachbarn.[16]

Wenn eine Familie umzog, konnte sie am neuen Ort behaupten, bestimmte Dokumente seien verlorengegangen, und ein Kind dann »unter der Hand« adoptieren. Dergleichen ist in unserer durchbürokratisierten Welt kaum noch denkbar, aber in den ersten Nachkriegsjahren attestierten die Standesämter vieles auf Treu und Glauben, weil unwiederbringlich vernichtete Dokumente für Millionen von Menschen bittere Realität waren.

Doch auch eine noch so perfekt konstruierte Lüge kann auffliegen. »Da es so viele Mitwisser gibt, ist es unvermeidlich, dass das Kind eines Tages [davon] erfährt, im allgemeinen durch ein anderes Kind, das zufällig den Klatsch von Erwachsenen mitangehört hat.«[17] Wie die Französin Edwige:

> »Die Identität meines Vaters erfuhr ich unter dramatischen Umständen. Ich war dreizehn. Niemand hatte mir bis dahin gesagt, wer mein Vater ist. Als wir im Gymnasium Deutsch als zweite Fremdsprache bekamen, wurde ich rasch die Beste. Eines Tages bemerkten Mitschülerinnen hämisch zu mir, dass es für mich nichts Besonderes sei, die Beste in Deutsch zu sein, schließlich sei mein Vater ja ein ›boche‹ – ein dreckiger Deutscher. Das war die schlimmste Beleidigung. Ich war am Boden zerstört.

Wer mein Vater war, musste ich also von Mitschülerinnen erfahren. Weder meine Mutter noch jemand anderer aus der Familie hatte mir vorher etwas gesagt.
Erst mehrere Jahre nach dem Vorfall in der Klasse entdeckte ich, dass es viele solche wie mich gab. Allein in unserem Dorf wohnten mindestens fünf oder sechs. Darunter Zwillingsmädchen. Die meisten Mütter hatten sich später normal verheiratet. Damit war die bürgerliche Fassade in Ordnung.«[18]

Hinter dieser bürgerlichen Fassade fand sich mancher Stiefvater nicht mit seinem Stiefkind ab, so dass das Kind die Wahrheit manchmal direkt von ihm erfuhr. Und zwar auf die vermutlich schlimmstmögliche Weise, nämlich bei einem dramatischen Streit und/oder wenn der Stiefvater betrunken war. Der Däne Erik glaubte, der Vater seiner beiden Schwestern sei auch sein Vater. »Ich nannte ihn Vater. Ich dachte, alles wäre, wie es sein sollte. Aber als er einmal sturzbesoffen war, hat er mir gesagt, dass er gar nicht mein Vater sei. Ich sei ein Nazibastard.«[19]

Eine solche Eröffnung ist brutal, »und die Kinder können das Gefühl bekommen, die ganze Welt habe sich gegen sie verschworen, um sie zu hintergehen. Jeder in ihrer Umgebung war in dieses Geheimnis eingeweiht, all ihre ›Verwandten‹, ihre Freunde und die Freunde ihrer Eltern. Es gehört nicht viel Phantasie dazu, sich vorzustellen, was für ein Schock die Entdeckung sein muss, dass der Fels, auf den man sein Selbstverständnis und sein Weltbild gebaut hat, nichts anderes als Treibsand war.«[20]

Und es gehört auch nicht viel Phantasie dazu, sich vorzustellen, was geschieht, wenn an die Stelle dieses Felsens nicht nur ein Unbekannter treten soll, sondern obendrein einer aus der Schar jener, die man bisher, wie alle Landsleute, für eine Mörderbande hielt. Solche Enthüllungen können zu schweren psychischen Erschütterungen führen. Eine Holländerin sagte, sie habe das ganze Problem viele Jahre lang ignoriert und sich erst in psychotherapeutische Behandlung begeben, nachdem sie wegen akuter Panikattacken nicht mehr auf die Straße gehen konnte.

Eine Schlüsselperson im norwegischen Verband, die Hunderte von Wehrmachtskindern persönlich kennt, sagte mir auf Anfrage, sie kenne zwei, die sich wegen des plötzlichen Verlustes aller biographischen Gewissheiten in Therapie begeben hätten. Üblicher sei, dass Wehrmachtskinder in Therapie gingen, um traumatische Kindheitserlebnisse wie sexuellen Missbrauch, soziale Verwahrlosung und so weiter zu bearbeiten, Übergriffe, die sie häufig darauf zurückführten, dass sie das Kind eines deutschen Soldaten sind. Sie habe allerdings nie gehört, dass jemand in Therapie gegangen sei, um einfach nur den Schock über einen *deutschen Vater* zu bearbeiten.

Einen bemerkenswerten Selbstschutz, man könnte sogar sagen: eine intuitive Selbsttherapie fand der gerade zitierte Erik. Nachdem er als Vierzehnjähriger die Wahrheit erfahren hatte, »gelang es mir in den folgenden Jahren, vollständig zu vergessen, was er mir im Suff gesagt hatte. Dass ich ein Nazibastard war, wurde restlos verdrängt. Ich habe es nie jemandem gesagt. Nicht einmal meiner Frau, als wir 1970 heirateten.«

In gewissem Sinn sind natürlich auch jene Kinder »Kuckuckskinder«, die ihre Großmutter oder eine Tante für die eigene Mutter halten. In dem Dokumentarfilm *Liebe im Vernichtungskrieg* schildert die Ukrainerin Tanja Kosoris, wie sie die Wahrheit erfuhr:

»Es war 1984. Meine Schwester Galja kam zu Besuch. Wir setzen uns hin, um Tee zu trinken, da sagt sie: ›Tanuscha! Ich muss dir ein Geheimnis lüften, das ich nun vierzig Jahre bewahrt habe.‹
Ich frage sie: ›Welches Geheimnis kann das schon sein?‹
Sie sagt: ›Tanja, ich bin nicht deine Schwester, ich bin deine Mutter! Du bist die Frucht unserer Liebe, meiner und Fechners Liebe. Das bist du.‹
Tanjas Mutter arbeitete damals im Büro des Kommandanten des Hauptbahnhofs von Kiew als Dolmetsche-

rin. Friedrich Fechner war ihr Chef, und obwohl er in Berlin verheiratet war, begann er mit seiner wesentlich jüngeren Mitarbeiterin eine Liebesaffäre. Tanja wird am 7. Januar 1944 geboren. Da die Freundinnen der Deutschen als ›Verräter des Volkes‹ damit rechnen mussten, nach Sibirien in die GULags geschickt oder gar erschossen zu werden, schützt sich Tanjas Mutter mit einer List:
›Ich inszenierte es so: Ich habe dich unterm Birnbaum am Haus ausgesetzt. Dort solltest du liegen, bis dich jemand findet, und dann wollten wir dich zu uns ins Haus holen. Und dann wollten wir dich aufziehen. Und so haben wir es auch gemacht. Wir haben dich unter den Birnbaum gelegt. Da hast du gelegen, bis dich unsere Nachbarn bemerkt haben. Dann haben wir dich zu uns genommen. Die Wahrheit musste verborgen bleiben. Deshalb zog dich deine Großmutter auf. Du nanntest sie Mama. Aber deine Mutter – das bin ich, von der du denkst, ich wäre deine Schwester. Aber ich bin deine Mutter.‹«

Um ihrer Tochter eines Tages beweisen zu können, wie sehr sie sie liebte, machte Galja Fotos, die zeigen, wie akkurat und hübsch ihre Tochter gekleidet war.

*

Wenn Kinder erfahren, dass sie einen anderen Vater (oder, seltener, eine andere Mutter) haben, als sie bisher glaubten, beteuern manche fast mit Genugtuung, sie hätten »immer schon gewusst, dass da etwas nicht stimmt. Ich war immer ganz anders als der Rest der Familie.« Nun erinnert sich vermutlich jeder an Momente in der eigenen Kindheit und Jugend, wo er (meistens anlässlich lautstarker Meinungsverschiedenheiten) absolut sicher war, dass er (oder sie) unmöglich das Kind *dieser Leute* sein kann.[21] Die Münchner Familientherapeutin Elisabeth Breit-Schröder hat festgestellt, dass fast alle Kinder in der Pubertät irgendwann einmal glauben, sie seien als Baby vertauscht worden. Die Engländerin Polly Toynbee stimmt dem zu: »Ich bezweifele, dass es diesen Urinstinkt gibt, der einem Kind sagt, dass es sich nicht um seine richtigen Eltern handelt. Die Einbildung, die Befürchtung, manchmal auch den Wunsch, dass es sich gar nicht um die richtigen Eltern handelt, hat fast jedes Kind irgendwann einmal während seiner Kindheit.«[22]

Sie mögen keinen Urinstinkt haben, aber sehr, sehr viele *spüren,* dass irgend etwas an der Situation, in der sie leben, nicht stimmt. Sie wissen nicht, worin das Familiengeheimnis besteht, aber sie wissen, dass es eines gibt und dass es mit ihnen zu tun hat. Sie waren irgendwie »anders«. Nun lieben Kinder es ja bekanntlich, etwas »Besonderes« zu sein. Darum kann Nelleke Noordervliet, die einen Roman über die Suche eines Wehrmachtskindes nach seinem Vater geschrieben hat, von ihrer Protagonistin Guus sagen: »Die kleine Guus schämte sich, und das wollte sie auch. Es machte sie zu etwas Besonderem. Niemand hatte so ein Geheimnis wie sie.«[23] Das ist allerdings herzzerreißend, denn dieses Besondere, das Wehrmachtskinder von anderen unterschied, nennt man gemeinhin »Stigma«.

Dabei trugen sie nicht nur eines, sondern mehrere Stigmata. Das erste, das Stigma der nichtehelichen Geburt, teilten sie mit vielen Kindern dieser Welt. Das zweite war das Stigma der kollaborierenden Mutter. Ich glaube, ein Kind muss schon recht alt sein, um etwas so Abstraktes wie »Landesverrat« begreifen zu können. Mühelos hingegen versteht es konkrete Kränkungen. Die Litauerin Meile sagte: »Meine Kindheit war sehr, sehr schwer, weil ich von den Kindern auf Schritt und Tritt verhöhnt, verspottet und auf verschiedene Arten beschimpft wurde: mal als ›Deutschenbalg‹, mal als ›Bastard‹.«

Vieles geschah auf nichtverbaler Ebene: Andere Kinder spielten nicht mit ihm und luden es nicht nach Hause ein, es wurde von seinen Mitschülern ausgegrenzt oder sogar verprügelt, die Lehrer schauten zu und griffen nicht ein. Ein solches Kind spürt natürlich, wie Guus, dass es anders ist. Und es weiß, dass es nicht auf jene Weise ein bisschen anders ist, wie jedes Kind das sein möchte, indem es nämlich von den Gleichaltrigen bewundert und beneidet wird. Egal, was es tat, es wurde nicht als Individuum wahrgenommen, nicht als das, was es war oder auch nur sein wollte. Es war auf die *falsche* Art besonders, und dieses »Falsche« hatte auf unerklärliche Weise alles und zugleich nichts mit der eigenen Person zu tun.

Während das Kind einerseits auf die sprichwörtliche Mauer des Schweigens und auf verschlossene Gesichter traf, sorgte seine Umwelt andererseits dafür, dass es seine Schande nicht vergaß – auch wenn es nicht begriff, worin sie bestand. Das Schweigen ging mit vagen Hinweisen einher, dass die Mutter wegen des Unaussprechlichen, das irgendwie mit dem Kind zu tun hatte, hatte leiden müssen. Auch das ist ein wichtiger Unterschied zu »normalen« nichtehelich Geborenen, denn die Mutter war Übergriffen ausgesetzt, weil sie dieses Kind von einem deutschen Soldaten bekommen hatte.

Auf verbaler Ebene gingen solche Übergriffe noch viele Jahre nach dem Kriegsende weiter. Die Beschimpfungen und Schmähungen verwiesen nicht nur die Mutter, sondern auch ihr Kind auf deren vermeintliche Liederlichkeit, die ja eng mit der Existenz des Kindes verknüpft war. Nun war es angesichts der rigiden Moral der vierziger und fünfziger Jahre an sich ein Unding, die Sexualität der Eltern eines Anwesenden zu thematisieren – außer bei diesen »Bastarden«. Bei denen geschah das ständig, sie wurden immer wieder nachdrücklich auf die Sexualität der Mutter (und des Vaters) hingewiesen.

Utes* Eltern hatten sich kennengelernt, als ihr Vater 1944 in England in Kriegsgefangenschaft kam. Das Paar zog um 1950 nach Deutschland, aber es war nicht leicht für die beiden. »Mein Vater habe sich ein ›Flittchen‹ aus England mitgebracht, hieß es – manchmal offen und manchmal gemunkelt. Er hatte deshalb mindestens eine Schlägerei, er konnte gut boxen. Meine deutsche Großmutter vermittelte deutlich: Waren denn ihrem Sohn die deutschen Frauen nicht gut genug, warum musste es eine Engländerin sein, die sich auch noch schminkte, Nylonunterwäsche trug und nach der sich die Männer umdrehten? Auch mein Großvater betrachtete diese Engländerin als eine Art Freiwild. Sie gaben mir das Gefühl, meine Mutter sei eine verwerfliche Frau.«

Und wie Kinder zunächst einmal glauben, dass alles, was ihnen an Schlimmem zustößt, daran liegt, dass sie »unartig« waren, so glaubten jene Kinder, die man Kinder der Schande nannte, dass allein sie die Ursache der schlechten Behandlung seien, die sie und ihre Mütter erfuhren. In dem Roman *Das Haus mit der blinden Glasveranda* glaubt Tora, ihre Mutter sei geschoren worden, *weil* sie Tora bekam. Und Noordervliet schreibt über Guus: »Sie fing an, Buße zu tun. Sie nahm die Schuld auf sich. Ihr Körper war der lebendige Beweis für Mutters Verrat.«

Solche Gedanken quälten die Kinder. Sie empfanden eine Dankbarkeitspflicht der Mutter gegenüber, sie lebten (und leben) mit einem generellen Gefühl der Schuld und blieben bis ins hohe Alter für Schuldgefühle jeder Art empfänglich.

Das dritte Stigma ist natürlich das des fehlenden Vaters, der nicht einmal *erwähnt* werden durfte. Manche Mütter fanden Wege, über den Vater zu schweigen, ohne das Kind für seine Fragen zu strafen. Die Mutter der Finnin Inga reagierte relativ souverän: »Ich fragte als Kind manchmal, warum ich keinen Vater hatte wie die anderen Kinder. Schließlich sagte meine Mutter: ›Du hast einen Vater, ich habe nur keinen Ehemann.‹ Das klang aufregend, fand ich, sogar ein bisschen wie ein Rätsel, und ich gab sogar damit an (damals war ich etwa fünf oder sechs Jahre alt). Die Mutter einer Freundin hörte das und sagte mit strenger Stimme, das sei nichts, worauf man stolz sein könne. Das brachte mich ins Grübeln, aber ich kann mich nicht erinnern, dass ich meiner Mutter davon erzählt hätte.«

Also schwieg auch sie. Das ist insofern interessant, als das Kind einer selbstbewusst auftretenden Frau den Tadel einer Fremden sofort so interpretierte, dass seiner Lebensform eine gewisse Schande anhaftet – und wer sich schämt, schweigt.

Die Holländerin Monika erinnert sich noch heute genau an

den Nachmittag, als dieses laute Schweigen Teil ihres Lebens wurde. »Die furchtbare Stille entstand durch die Frage, die ich als kleines Mädchen beim Kaffeetrinken mit Großeltern, Mutter, Onkeln und Tanten stellte: ›Wer ist eigentlich mein Vater?‹ Dieses Thema durfte ich jahrelang nicht mehr zur Sprache bringen.« Sie lernte, das Thema »Vater« wie die Pest zu meiden, aus Angst vor den Reaktionen der Familie, aber auch vor ihren eigenen Gefühlen. Sie beschreibt dieses Frageverbot mit den Worten: »Immer das Gefühl: Pass auf! Elektrodraht! Nicht berühren!« Irgendwann sagt man ihr, der Vater sei tot. Was sich, wie Monika hinzufügt, später als Lüge erweisen sollte.

Selbst in Familien, in denen viel geredet wurde, blieb diese dunkle Stelle, die der Vater war. Die Kinder hörten Sätze, in denen etwas zu fehlen schien, ohne dass sie zunächst hätten sagen können, was das war. Natürlich begriffen sie mit den Jahren, was es mit dem Geheimnis um den Vater auf sich hatte. Dann verstanden sie auch, warum die Mutter eine »Landesverräterin« war und warum andere Kinder sie »Deutschenbastard« nannten. Das Infame an einem Stigma aber ist, dass sich der Stigmatisierte dem Urteil, das die Umwelt über ihn fällt, anschließt und sich selbst für minderwertig hält. Das geschieht über komplizierte psychosoziale Prozesse, die dem Betreffenden lange überhaupt nicht bewusst sind. Darum erfassten die Wehrmachtskinder erst als Erwachsene, dass an ihnen die Sünden ihrer Eltern gerächt wurden, dass ihre ganze Existenz unlösbar mit dem Krieg verbunden ist, den sie nicht einmal bewusst erlebt hatten.

Diese Stigmatisierung machte es auch schwierig, das offizielle Bild des deutschen Nazis, wie es in der Schule, in den Zeitungen, in den Gesprächen der Erwachsenen gezeichnet wurde, mit dem Bild des fehlenden Vaters zusammenzubringen, den die Mutter, wie sie beteuerte (falls sie überhaupt etwas sagte), so sehr geliebt hatte.

Zu den tiefsten Kränkungen der Wehrmachtskinder gehört, dass sie auf ihre Mütter und Väter nicht stolz sein konnten und durften. Das Gefühl kennen Wehrmachtskinder in allen Ländern, ob die Polin Hela oder der Däne Bjarne, alle erzählen, wie sehr sie sich des deutschen Vaters schämten. Diese Scham und das diffuse Gefühl von Schuld saßen so tief, dass sie sich beschmutzt und für die Verbrechen der Nationalsozialisten verantwortlich fühlten. Margarete, deren Vater nachweislich aktiv an solchen Verbrechen beteiligt war, sagte, sie schalte »ganz bewusst um, wenn es im Fernsehen etwas über den Zweiten Weltkrieg gibt, vor allem, wenn es um die Judenverfolgung geht. Damit will ich nicht konfrontiert werden. Ich hatte immer ein furchtbar schlechtes Gewissen, wenn ich im Fernsehen sah, wie sie die Juden vernichtet haben. Es geistert mir immer durch den Kopf, dass ich etwas gutzumachen habe. Dass ich etwas von jenen Taten wiedergutmachen kann, die mein Vater begangen hat.«[24]

Diese Kinder galten nicht als Kind einer Dänin, einer Polin, einer Serbin, die unverheiratet und *darum* schlecht angesehen war, sie waren auch nicht nur das Kind einer Landesverräterin. Sie waren immer auch »Deutschenkinder«, *deutsche Kinder,* und wurden so nicht nur an den unbekannten Vater, sondern auch an ein Land gekettet, von dem sie nicht die geringste Ahnung hatten. Kein Wunder, dass viele bewusst oder unbewusst mit dem Gefühl aufwuchsen, nicht zu dem Land zu gehören – nicht zu dem Land gehören zu *dürfen* –, in dem sie lebten und dessen Staatsbürger sie waren. Das hat wesentlich zu dem Gefühl von Fremdheit und Ausgestoßensein beigetragen, das viele in ihrer Kindheit so stark empfanden und das häufig genug völlig real war. Die Strafe für die Deutschenmädchen und ihre Kinder war ja nicht nur, dass man sie in ihrem Mietshaus, ihrer Straße, ihrer Schule oder an ihrem Arbeitsplatz geringschätzte. Viel gravierender war, dass sie in der befreiten und einigen Nation nicht teilhaben durften.[25]

Besonders stark waren solche Gefühle, wenn sich Nation und Bürger an den Zweiten Weltkrieg und den gemeinsamen Kampf gegen die Deutschen erinnerten. So rissen erwachsene Norweger am Nationalfeiertag kleinen Kindern das Fähnchen aus der Hand und schimpften sie mit den Worten aus, sie hätten nicht das Recht, an diesem stolzen Tag die norwegische Fahne zu tragen.

Im Alltag gab es ähnliche Situationen, beispielsweise wenn der Lehrer in den Geschichtsstunden keine Gelegenheit ausließ, um seine eigenen Widerstands- oder Soldatengeschichten zum besten zu geben und/oder von den Verbrechen der Nazis zu berichten. Dabei konnte es geschehen, dass die Wehrmachtskinder ausdrücklich mit diesen Verbrechen in Verbindung gebracht wurden. Wenn sie dann dem Hass und der Dummheit der Mitmenschen ausgeliefert waren, war alles möglich, von schmerzhaften Sticheleien anderer Kinder über den Nazivater bis hin zu einer Ungeheuerlichkeit, die mir mehrere Wehrmachtskinder aus verschiedenen Ländern mit geringfügigen Abweichungen erzählt haben: Wenn im Unterricht über die Taten der Nationalsozialisten im allgemeinen und die deutsche Besatzung ihres Landes im besonderen gesprochen wurde, deutete der Lehrer (oder die Lehrerin) irgendwann auf das Wehrmachtskind, hieß es vor die Klasse treten und sagte zu den Mitschülern: »So sieht ein Deutscher aus.«

Einer nahezu unvorstellbar sadistischen Tat war der Däne Peter* ausgesetzt. Im Haus wohnte ein Mann namens Nielsen, der ihn ständig mit Beschimpfungen wie »Du Nazischwein« verfolgte. Der Junge hatte große Angst vor ihm, und wenn er ihn im Treppenhaus kommen hörte, klingelte er an der Wohnungstür, vor der er zufällig gerade stand, rief: »Nielsen kommt!« und stürmte hinein. Alle Nachbarn »halfen« ihm auf diese Weise, aber niemand sagte oder tat sonst etwas. Kurz bevor der Junge zur Schule kam, band ihn dieser Nielsen an das Treppengeländer, kippte einen Latrineneimer voller Urin, Kot und Papier über ihm aus und ging weg. Der Junge sah ihn nie wieder.

Dieser Nielsen war vermutlich psychisch gestört. Doch davon, dass die anderen Nachbarn sich in irgendeiner Weise dazu geäußert, bestürzt gezeigt oder den Mann gar angezeigt hätten, schreibt Peter nichts. Überhaupt hört man praktisch nie, dass sich ein Erwachsener eingeschaltet hätte, um jemandem Einhalt zu gebieten, der in der offenkundigen Not eines Kindes seine

Chance sah, sich an ihm zu vergreifen, oder dass jemand einen brutalen Erwachsenen oder ein Kind auch nur zur Ordnung gerufen hätte, indem er beispielsweise sagte: »Das ist kein Deutschenbastard. Das ist ein kleines Mädchen.« Auch Peters Mutter, die ihn dort im Treppenhaus fand, sah sich offenbar gezwungen, dieses Verbrechen gegen ihr Kind mit Stillschweigen zu übergehen. Es ist schwer, für seine Rechte auf die Barrikaden zu gehen, wenn man allein ist und einen niedrigen sozialen Status hat.

Die Mütter reagierten auf Diffamierungen meist, indem sie sich »wegduckten« und versuchten, möglichst unsichtbar zu sein. Sie erzogen ihre Kinder zu Fügsamkeit und Anpassung. Und viele *wurden* brave und angepasste Kinder, wie der Norweger Terje,* der mir in einem Interview mehrfach und mit großem Nachdruck versicherte, er sei ein sehr lieber Junge gewesen, sehr höflich, immer sehr freundlich. Das ist er heute noch. Wenn er erzählt, dass seine Mutter ihn jeden Tag ohrfeigte, »und wenn ich sie fragte, warum, sagte sie: ›Weil du deinem Vater so ähnlich siehst‹«, merkt man, welche Mühe es ihn kostet, das über die Lippen zu bringen, eben »nicht lieb« zu sein. Illoyal.

Die Wehrmachtskinder wuchsen heran, sie wurden unsichtbar, lebten als Bürger unter Bürgern. Nichts anderes wollten sie. Aber die Realität war meist nicht ganz so idyllisch, wie das klingt. Denn um »wie alle anderen« zu sein, mussten sie das Stigma ihrer Herkunft geheimhalten. Außerdem bezahlten sie die Normalität ihres Lebens damit, dass ihre persönlichsten Erfahrungen – die Ausgrenzung und Diskriminierung, die sie und ihre Mütter seit Kriegsende erlebt hatten – aus der offiziellen Geschichte ihres Landes getilgt worden waren. Schlimmer noch: Sie kamen in den kollektiven Erinnerungen ihres Landes nur als Verfemte und Verräter vor.

Wenn man sie verschwieg, dann nicht aus Vergebung, sondern weil allein die Erwähnung ihrer massenhaften Existenz den entscheidenden Besatzungsmythos ins Wanken hätte bringen können, der seit Kriegsende alle ehemals deutschbesetzten

Nationen einte: »Jeder Bürger unseres Landes (einige wenige schurkenhafte Kollaborateure ausgenommen) leistete von der ersten bis zur letzten Stunde Widerstand gegen Hitlerdeutschland und die Besatzungsarmee.«

Wer an diesem nationalen Konsens zu kratzen wagte, lebte noch bis vor kurzem gefährlich. Als die Dänin Anette Warring in den achtziger Jahren die erste europäische Studie über die »Deutschenmädchen« und ihre Kinder vorlegte, wurde sie in anonymen Anrufen und Briefen als »Netzbeschmutzerin« beschimpft, sie bekam sogar Morddrohungen.

*

Alles in allem zeichnet dieses Kapitel ein unerfreuliches Bild von der Kindheit und Jugend jener Wehrmachtskinder, die bei ihren Müttern aufwuchsen. An den Geschichten, die ich erzählt habe, gibt es nichts zu relativieren, wohl aber an dem Gesamtbild, zu dem sie sich zusammensetzen, denn in der Öffentlichkeit melden sich vor allem jene Wehrmachtskinder zu Wort, die gelitten haben. Das bekannteste Beispiel ist eine Gruppe norwegischer Wehrmachtskinder, die vor einigen Jahren vor Gericht zogen, um den norwegischen Staat auf materielle Entschädigung zu verklagen. Das sind die Geschichten, die die Medien besonders lieben und denen sie weltweit entsprechend viel Aufmerksamkeit widmen. Dadurch konnte der Eindruck entstehen, als seien die tragischen Schicksale dieser »Kinder« die Norm und nicht die Ausnahme. Es entstand der Eindruck, als sei *jedes* Wehrmachtskind so qualvoll und geschunden aufgewachsen.

Nun sagen aber viele, sehr viele Wehrmachtskinder, dass ihre Mütter und ihre Großeltern ihnen Geborgenheit gaben, dass sie behütet und geliebt aufwuchsen, dass sie weder sadistische Nachbarn noch demütigende Verwandte erlebten. In einer detaillierten Befragung zu ihrer Kindheit und Jugend unter dreihundertsechsunddreißig norwegischen Wehrmachtskindern sagte über die Hälfte, dass sie Probleme hatte. Das heißt aber natürlich auch, dass knapp die Hälfte *keine* Probleme hatte.[26]

Wenn diese Wehrmachtskinder ihre eigene Kindheit an der vermeintlichen »Norm« messen, kommen sie zwingend zu dem Ergebnis, dass sie nicht dem kollektiven Bild dessen entsprechen, was ein Wehrmachtskind ist. *So* schlimm war ihre Kindheit nicht (selbst wenn sie alles andere als einfach war). Sie sehen sich folglich als Ausnahme und schweigen, denn sie haben ja »nichts zu erzählen«. Bittet man sie, es doch zu tun, beginnen sie zögernd und unweigerlich mit einem entschuldigenden: »Ich hatte Glück, ich habe als Kind nicht gelitten.«

Von ihnen ist zuwenig die Rede, weil sie selbst zuwenig reden. Vielleicht sind sie in Wahrheit eine »schweigende Mehrheit«.

Elnas Geschichte (IV)

»Das hier ist lebensgefährlich«, sagte Kjell, während er damit kämpfte, das Auto dort zu halten, wo wir die Straße vermuteten. Es schneite dicht und heftig. Es stürmte. Wir konnten kaum durch das kleine freie Feld sehen, in dem sich der Scheibenwischer mit Mühe bewegte. Die Leitplanken auf beiden Seiten waren unsichtbar. Wir wussten nur, dass sie da waren – wir hofften es jedenfalls.

Wir waren etwa auf halbem Weg zu unserem Treffen mit Therese und Leif.

Umdrehen?! Allein der Gedanke war absurd – etwa so absurd wie der Gedanke, weiterzufahren.

Wir waren im Unwetter gefangen, und der Wunsch, Therese zu treffen, war niemals stärker als in dieser Situation, in der wir ernsthaft überlegten, ob wir umkehren mussten. Jedenfalls wurde mir erst da klar, wie stark dieser Wunsch war.

Dem bevorstehenden Treffen sah ich mit ambivalenten Gefühlen entgegen. Einerseits war ich neugierig und gespannt, diese Frau kennenzulernen, die meine leibliche Mutter war und die mein Aussehen und das meiner Söhne mit ihren Genen so stark geprägt hatte. Ich wollte gern alles über sie wissen. Andererseits empfand ich auch ein starkes Bedürfnis, sie zum einen zurückzuweisen und zum anderen wegen der Entscheidungen, die sie damals getroffen hatte, zur Rede zu stellen. Vor allem die Zeitungsannonce bereitete mir erhebliche Probleme.

Mit Hilfe eines Journalisten war ich an jene Anzeige gekommen, die ich für die richtige hielt. Im Dezember 1944 stand da zwischen Kleinanzeigen, in denen neugeborene Katzen, Hühner und Welpen zum Verkauf oder zum Verschenken angeboten wurden: »Liebes Mädchen in Pflege zu geben. Land bevorzugt. Chiffre.« Mein Vater hatte gesagt, es sei damals üblich gewesen, Kinder zu annoncieren, und das stimmte fraglos. Im November und Dezember 1944 standen viele solche Kleinanzeigen in der

Bergens Tidene, *und ich fragte mich, welches Schicksal sie wohl gehabt haben mögen, all diese angebotenen Kinder.*
Ich fand das alles natürlich völlig verantwortungslos.

*

Nach einer Übernachtung in Molde fuhren wir weiter nach Norden. Es klarte langsam auf – April ist eben April. Leif hatte Zimmer im Royal Garden reserviert, das war ein großes neues Hotel mitten in Trondheim. An der Rezeption erfuhren wir, dass Therese und Leif bereits angekommen und im Zimmer neben dem unsern untergebracht waren. Wir bugsierten unsere Koffer den Korridor entlang, Kjell ging voran. Statt die Tür zu unserem Zimmer aufzuschließen, klopfte er an der Tür des Nachbarzimmers und stürzte dort hinein.

Da saßen sie, sie und Leif. Sie paffte an einem langen Zigarillo, hatte gepflegte Hände mit rotlackierten Nägeln. Sie stand auf, und ich sah, dass sie eine kleine, etwas rundliche Frau war, sie trug starke Farben und viel Schmuck. Sie hatte ein großes, lebendiges Gesicht mit einem energischen Kinn und einem vollen Mund, der verriet, was sie fühlte. Ihr Blick war blau und direkt. Ich sagte keine Silbe von dem, was ich mir vorher zurechtgelegt hatte. Wir begrüßten uns, umarmten uns – Therese hat später erzählt, dass ich »Gott, wir sehen uns so ähnlich« gesagt habe. Ich erinnere mich gut daran, dass ich das dachte, aber nicht daran, dass ich es sagte.

*

Wir aßen zu Mittag, und als existiere eine stillschweigende Vereinbarung, verschwanden unsere Männer. Ich weiß bis heute nicht, wohin sie gingen, aber sie gaben uns die Möglichkeit, allein miteinander zu sprechen – lächelnd, lachend und weinend breitete sie ihr Leben vor mir aus:
Sie war auf einer Insel vor Sandnessjøen aufgewachsen. Sie waren zehn Geschwister, fünf Buben und fünf Mädchen, sie

war die Viertjüngste. Der Vater war Fischer und viel fort, die Mutter hielt das Heim zusammen, sie hatte eine kleine Landwirtschaft und kümmerte sich um die große Kinderschar. Alle mussten helfen; sie waren auch nach den Maßstäben der damaligen Zeit arm, litten aber niemals Not. Was sie brauchten, produzierten sie fast alles selbst, im Stall hatten sie eine Kuh, ein Schwein und ein paar Schafe.

»Bei uns zu Hause war ständig etwas los, und es war oft sehr lustig«, lachte Therese und erzählte kleine Geschichten von entflohenen Kühen und gekenterten Booten. Sie erzählte sehr lebendig, und ihre Augen strahlten. »Später zogen wir in die Stadt, und ich fand eine Anstellung als Näherin. Ich habe immer Spaß an Kleidern gehabt, darum habe ich mir früh beigebracht, meine eigenen Sachen zu nähen. Ich habe Altes umgenäht und wurde richtig gut, ich habe auch für meine Geschwister genäht. Später haben mich dann andere Leute gefragt, ob ich nicht für sie nähen würde. Es hat sich von allein entwickelt, dass ich irgendwann von der Schneiderei leben konnte.«

Sie trafen sich 1941 in Sandnessjøen, sie und Otto. Sie war auf dem Weg zur Arbeit, als sie von einem Fahrradfahrer angefahren wurde. Das war Otto. Es tat verflucht weh, sie hatte ein Loch im Strumpf, ein aufgeschlagenes Knie und Schürfwunden am Kopf und an den Armen. Der Unfall tat ihm furchtbar leid, und er sorgte dafür, dass sie nach Hause gefahren wurde. Später kam er mit Blumen und einem Paar neuer Strümpfe als Ersatz für die, die kaputtgegangen waren. So lernten sie sich kennen, daraus entwickelte sich erst eine Freundschaft, dann eine Liebe, die mehrere Jahre dauerte, sagte sie.

Therese wollte sich in der Stadt nicht mit einem deutschen Soldaten zeigen. Darum trafen sie sich meistens bei ihr zu Hause oder bei gemeinsamen Bekannten in Sandnessjøen. Otto sprach fließend Norwegisch und hatte einen norwegischen Freundeskreis in der Stadt. Er war Koch in der dortigen Truppenunterkunft, der Mittelschule in Sandnessjøen.

Ihre Brüder waren von Otto ganz begeistert, erzählte Therese, vor allem einer von ihnen. Hilmar und Otto wurden enge

Freunde. Wann immer sich die Gelegenheit bot, machten sie zusammen Bergwanderungen und fuhren zum Angeln hinaus, sie führten oft lange und heiße Diskussionen. Wenn sie zu heiß wurden, sagte Otto immer: Wir kommen alle in der Himmel hinein. Das sei nach all den Jahren in der Familie immer noch der stehende Spruch, wenn es mal hoch hergehe. »Das«, sagte sie, »war das einzige, was wir überhaupt auf deutsch konnten!«

Wenn Otto zu Besuch kam, brachte er oft ein paar Leckerbissen mit, und die wurden gern angenommen. Thereses jüngster Bruder und ihr Neffe, der auch bei ihnen wohnte, waren damals noch kleine Jungen. Beide erinnerten sich gut an Otto, erzählten sie später, sie gingen oft zur Mittelschule und bettelten ihn um Eintopf an. Er habe ihnen auch noch Tomaten aufschwatzen wollen, weil sie so gesund seien, aber dafür konnte er die Jungen nicht erwärmen. Sie hatten nie zuvor eine Tomate gesehen.

Otto gehörte richtig zur Familie, versicherte Therese mir. Einmal sei er sogar mit zweien ihrer Brüder zum Tanzen gegangen. Dafür lieh er sich von Hilmar Sachen, er trug überhaupt am liebsten Zivil, wenn er bei ihnen war. »Das hat mich sehr nervös gemacht«, sagte Therese. »Das durften sie nämlich eigentlich nicht.«

»Es war also ganz unproblematisch, dass er ein deutscher Soldat war?« fragte ich.

»Nein«, sie zögerte etwas und dachte nach. »Das war es nicht. Wir konnten nicht zusammen ausgehen, weil die Leute redeten. Wenn wir das unbedingt wollten, mussten wir nach Mosjøen fahren, in die nächstgrößere Stadt. Da gab es das Tippen, ein schönes Café, wo man auch tanzen konnte. Wir waren ja jung und wollten ab und zu mal miteinander ausgehen. Einer meiner Schwestern gefiel unsere Verbindung gar nicht. Otto gefiel ihr durchaus, aber ihr gefiel nicht, dass er Deutscher war. Meine Mutter war großartig, du darfst nicht vergessen, dass sie ihren ältesten Sohn im Krieg verloren hatte, er wurde im Kampf um Narvik getötet. Und ein anderer Sohn fuhr zur See, er konnte nicht nach Hause zurück, solange noch Krieg war. Trotzdem konnte sie Otto als den anständigen Menschen sehen, der er

war, und sie sah in ihm sehr gern auch ihren künftigen Schwie-
gersohn. Ich erinnere mich noch gut, dass sie ihm einmal etwas
zu Weihnachten schenken wollte, weil er immer so nett und
fürsorglich war. Sie wollte ihm richtig dicke Norwegersocken
stricken, sie fand die deutschen Socken nicht warm genug. Aber
da gab es in der Familie Krach.«

Hier lachte Therese. »Es kam überhaupt nicht in Frage, dass
sie dafür sorgte, dass der Feind warme Füße hatte.« Was er statt
dessen zu Weihnachten bekam, wusste Therese nicht mehr.
Norwegersocken jedenfalls nicht.

Die wirklichen Probleme fingen an, als sie schwanger wurde,
erzählte Therese. Da wollte sie nicht in Sandnessjøen bleiben.
Die Schande war zu groß. Sie hatten sich verlobt und ein Hei-
ratsgesuch eingereicht. Das war damals eine sehr komplizierte
Angelegenheit. Sie sollte dafür die Geburtsurkunden ihrer El-
tern, Großeltern und am besten auch noch ihrer Urgroßeltern
vorlegen. »Das war doch fast unmöglich!«

Otto wurde nach Trøndelag verlegt, Therese folgte ihm und
wohnte dort in einem möblierten Zimmer. Den Platz im Dr.
Holms hatte Otto über seine Vorgesetzten für sie arrangiert.
Zunächst war sie in einem Heim in Oslo gelandet. Da waren
viele Frauen, sowohl Norwegerinnen wie Deutsche, alle mög-
lichen, fügte sie vielsagend hinzu. Die Angestellten waren alle
Deutsche. Otto hatte sie gewarnt. »Rede mit keinem«, hatte er
gesagt. »Erzähl über dich sowenig wie möglich.« Diesen Rat
hatte sie befolgt.

Von Oslo wurde sie mit dem Zug nach Geilo geschickt, und
da bekam sie dann im Sommer 1943 mich. »Im Dr. Holms
waren auch alle Angestellten Deutsche, unter anderem eine
Hebamme, die Natalie* hieß. Sie hat dich auf die Welt geholt.
Sie hatte schwarze, stechende Augen, und ich hatte Angst vor
ihr. Es gab auch regelmäßig Arztvisiten. Der Arzt war der ein-
zige Mann, den ich da oben sah, also abgesehen von Otto, sonst
waren da nur Frauen, darunter sogar ein Mädchen, das ich
schon kannte. Sie hieß Ruth und bekam einen Tag nachdem ich
dich bekommen hatte einen Jungen.

124

Ein paar Wochen nach deiner Geburt kam Otto zu Besuch. Er war an die Ostfront kommandiert worden und kam, um seine Tochter zu sehen und sich zu verabschieden. Ich war völlig verzweifelt, wusste nicht, wie es mit mir und dem Kind weitergehen sollte. Ich sagte Otto, dass ich sogar daran dachte, dich zur Adoption zu geben«, sagte Therese.

Otto hatte nur einen kurzen Urlaub und musste weiter nach Oslo. »Ich begleitete ihn«, sagte Therese. »Ich ließ dich dort zurück. So hatten wir noch ein paar gemeinsame Stunden. Am nächsten Abend brachte ich ihn zum Ostbahnhof, und wir verabschiedeten uns auf dem Bahnsteig voneinander. Das war das letzte Mal, dass ich ihn sah.

Ein Soldat folgte mir vom Bahnhof zurück bis zum Hotel. Das beunruhigte mich sehr. Er sagte kein Wort, aber als ich am Hotel angekommen war, tippte er an seine Mütze und verschwand. Das war sicher eine letzte Geste von Otto, es war ein Freund, den er gebeten hatte, aufzupassen, dass ich sicher nach Hause kam. Jedenfalls glaube ich das seit damals.

Von Oslo aus reiste ich nach Bergen und zog bei meiner Schwester und ihrem Mann ein. Ich arbeitete erst als Hausmädchen und später in einer Konfektionsfabrik. Das war besser bezahlt. Damals konnte ich dir auch ein bisschen näher sein, denn du warst inzwischen nach Voss ins Heim Stalheim geschickt worden. Das war nicht so weit weg – nur etwa zwei Stunden mit dem Zug.«

»Und die Zeitungsanzeige?« fragte ich.

Das war schwierig, das sah ich.

Sie schluckte.

»Ich war panisch. Wir alle drei, meine Schwester, ihr Mann und ich waren zum Verhör bei der Gestapo gewesen und wurden über Otto ausgefragt. Sie wussten, dass du in Stalheim warst. Otto hatte offenbar irgend etwas Verbotenes getan, und jetzt suchten sie ihn. Aber ich hatte seit seiner Abreise kein einziges Wort mehr von ihm gehört, obwohl ich viele Briefe geschrieben hatte – auch an die deutschen Dienststellen, um zu erfahren, ob er gefallen war. Ich habe niemals eine Antwort bekommen.

Ich hatte furchtbare Angst, dass sie dich als Druckmittel benutzen würden, um an ihn heranzukommen.

Außerdem hatte ich Angst, dass sie dich wegschicken könnten. Meine Freundin Ruth aus Geilo hatte im Heim Stalheim eine Stelle bekommen, damit sie mit ihrem Sohn zusammenbleiben konnte. Sie erzählte mir, dass die Kinder nicht mehr im Heim bleiben durften, wenn sie älter als zwei Jahre waren, und dass sie sie dann alle nach Deutschland schickten. Das hatte ihr jemand vom deutschen Personal erzählt.

Wir mussten etwas unternehmen. Meine Schwester übernahm die ganzen praktischen Dinge, die erledigt werden mussten, um dich wegzugeben; was das angeht, erinnere ich mich ehrlich gesagt an fast nichts mehr. Bei ihr konnten wir nicht wohnen, das war zu eng. Sie versprach mir, dass sie sich immer darüber informieren würde, wie es dir geht, und mir alles erzählen würde, was sie in Erfahrung bringen konnte.

Ich fuhr nach Stalheim und holte dich, ich schmuggelte dich an einem dunklen Abend durch die Hintertür hinaus. Ruth half mir. Am nächsten Tag stand die Polizei vor der Tür. Die Männer überzeugten sich, dass es dir gutging, fragten mich, ob ich dich behalten wolle, und gingen wieder. Einer von ihnen war übrigens ein Deutscher, aber das merkte ich erst am Ende, als er den anderen befahl, dass sie jetzt gehen sollten.

Ich habe dich zweimal weggegeben. Das erste Paar, das kam, war gutsituiert, jedenfalls sah es so aus, und sie hatten eine ›feine‹ Adresse. Denen sagte ich nichts über Otto.

Einige Tage später klingelte es an der Tür. Auf der Treppe saßest du neben dem Kleiderbündel, das ich dir mitgegeben hatte. Auf das Bündel waren mehrere große Hakenkreuze gemalt. Ich weiß bis heute nicht, wie sie es erfahren haben, ich hatte es ihnen jedenfalls nicht gesagt.«

Therese weinte. »Dieses kleine blonde Mädchen mit den Hakenkreuzen hat mich seither verfolgt, mein ganzes Leben lang.«

»Dann kamen Marie und Arthur und holten dich.« Sie faltete die Hände mit den rotlackierten Nägeln im Schoß und sah sie an. »Danach gab es nur noch das Bild.«

Langsam tauchte die Wirklichkeit um mich herum wieder auf. Ich traf Kjell und Leif unten am Empfang. Ziemlich mitgenommen gingen wir alle auf unsere Zimmer, um uns vor dem Abendessen etwas auszuruhen.

*

Bei diesem Abendessen erwies sich ein strahlender Leif als Mann mit Lebensart. Das konnten wir sehen und hören. Er war gut gekleidet, hatte gute Manieren und mochte keine heiklen Themen oder Situationen. Ich fragte ihn, wie das alles für ihn sei, aber darauf ging er gar nicht ein. Zusammen mit Kjell sorgte er dafür, dass der Abend leicht und unbeschwert verlief. Wir redeten über Kinder, Enkel, Familie und Beruf – über alles, was in unserem alltäglichen Leben wichtig war. Leif hatte eine eigene Firma, und Therese erzählte, dass sie viele Jahre lang ein Gardinengeschäft besessen und geführt hatte. »Aber ich musste aufhören, weil die Schuppenflechte, meine Psoriasis, zu heftig wurde. Ich vertrug keine imprägnierten Stoffe. Ich habe auch in den Nägeln Psoriasis, das sieht hässlich aus. Darum benutze ich immer einen kräftigen Lack.«

Darum also hatte Toms Arzt einmal gefragt, ob jemand in der Familie an Psoriasis leide. Das hatte ich in meiner Unwissenheit natürlich verneint. Ich fragte, ob es andere Krankheiten in der Familie gebe. »Ja«, sagte Therese, »das Herz.«

»Nein«, sagte Leif, »darüber reden wir jetzt nicht. Jetzt wird getanzt.«

5. *Kapitel*
Nie mehr auffallen: Das Leben der Mütter nach dem Krieg

Fast jede sagt, das sei die ganz große Liebe ihres Lebens gewesen.« Erinnern Sie sich an diesen Satz aus dem zweiten Kapitel? Wie groß diese Liebe sein konnte, und zwar von ihrer wie von seiner Seite, beweist der innige Brief, mit dem sich Henriettes* Vater am 14. Mai 1945 in rührendem Dänisch von seiner »kleinen geliebten Irma« verabschiedete. Er schrieb ihn in einem dänischen Freihafen, wo er auf seinen Rücktransport nach Deutschland wartete.

»Du bist immer so gut zu mir, und ich danke Dir herzlich für alles, was Du für mich in fünf langen Jahren getan hast, die wir uns kennen. Jetzt sind die letzten Stunden gekommen, und wir müssen voneinander scheiden, aber wir hoffen das Beste, dass wir uns wiedersehen. Du musst nicht traurig sein, meine kleine geliebte Irma. […] Du weißt, dass ich nie Lust auf den Krieg gehabt habe, aber ich muss Soldat sein, aber jetzt bin ich den ganzen Dreck los, und ich hoffe, dass die Sonne immer über Dich, Henriette und Deine ganze Familie und das alte Dänemark scheint. Ich weiß selbst nicht, was für mich kommt und wohin wir sollen. Aber wir hoffen das Beste für mich. Dich, meine geliebte Irma, vergesse ich nie, das kannst Du glauben, und da kannst Du ganz ruhig sein.
Wir hatten bis zum letzten Tag eine gute und schöne Zeit zusammen. Jetzt hoffen wir, dass wir eines Tages zusammenkommen und uns wiedersehen. […] Du kannst auch zu meiner Schwester nach Deutschland kommen. Du mein kleiner Schatz und geliebte Irma bist bei uns immer herzlich willkommen.

Auf Wiedersehen, meine kleine geliebte Irma. Ich denke an meine kleine Tochter Henriette. Grüße Deine Familie ein letztes Mal von mir, und viele herzliche Grüße und Küsse für Dich, meine geliebte Irma.«

Wie sollte man einem solchen Brief, der so offenbar aus tiefstem Herzen geschrieben wurde, nicht Glauben schenken? Vier Seiten ist er lang, und man sieht ihm deutlich an, dass jemand ihn lange in einer Brieftasche aufbewahrt hat.

Wie lange wird Irma ihn mit sich herumgetragen haben? Wie lange hat sie das Ausbleiben des Geliebten auf die äußeren Umstände geschoben, wann musste sie sich eingestehen, dass ihr Verlobter, der Vater ihres Kindes, sein Versprechen nicht einlösen würde? Einlösen konnte? Warum kam er nicht? Da ein Lebenszeichen von ihm ausblieb und sie den Grund dafür nicht kannte, musste sie alleine eine Erklärung finden.

Für einige lag diese Erklärung auf der Hand. Sie hatten bereits während des Krieges von einem seiner Kameraden oder von Verwandten in Deutschland gehört, dass er vermisst sei. Manche hielten eines Tages den eigenen Brief wieder in Händen, mit einem Stempel »Zurück« und vielleicht der zusätzlichen Aufschrift versehen: »An Absender zurück, nicht zustellbar!«; die Briefe anderer waren schon während des Krieges ohne eine Erklärung unbeantwortet geblieben. Die Frauen deuteten dieses Schweigen des Freundes fast immer als Beweis dafür, dass er gefallen sein *musste*.

In ihrem Glauben an seine Ehrlichkeit, seine Zuverlässigkeit und Treue waren sie ähnlich blind wie jene blutjunge Braut, die in Eduard Mörikes *Maler Nolten* von dem Geliebten träumt, der zur See fährt. »O besser, dass er in die Tiefe des Meeres versänke, als dass du ihn treulos fändest, gutes Kind! [...] Vielleicht in dem Augenblicke, da du mit seinem Schatten spielest, sucht er wachend ein verbotenes Glück und treibt schändlichen Verrat mit deiner Liebe.« Dass er mit ihnen und ihrer Liebe »schändlichen Verrat« getrieben haben könnte, hielten nicht wenige ein Leben lang für ausgeschlossen.

So hielt sie ihn für tot, was leichter zu ertragen und für ihre Selbstachtung gnädiger gewesen sein mochte als die Gewissheit, dass er sie (und gar mit dem Kind) schlicht im Stich gelassen hatte. Der (vermutete) Tod des Geliebten war schmerzlich, doch er verlieh ihr wenigstens die Würde einer Witwe.

Darum *behaupteten* viele Verlassene auch, dass er tot sei, obwohl sie es (woher auch immer) besser wussten. Das wahrte ihr Gesicht und kaschierte ihre Demütigung. Es nahm dem Vater die Ehrlosigkeit, was für das Kind gut war, denn dann musste es sich nicht mutwillig von ihm verlassen fühlen. Und es war eine plausible Erklärung, warum er nicht zurückkam und man nicht nach ihm zu suchen brauchte. Ein Franzose, der sich 2004 an die WASt wandte, hatte das schon früh durchschaut: »Ich weiß von der Schwester meiner Großmutter, dass es zwischen meiner Mutter und meinem Vater Briefe gegeben hat. Meinetwegen. Als ich immer weiter fragte, sagte sie, er sei bei den Bombardements gestorben (aber ich glaube, dass man nicht wollte, dass ich in der Vergangenheit grabe).«

Was der Frau von ihm blieb, waren Erinnerungen, ein paar Briefe und Bilder, eine Kette oder ein anderes Erinnerungsstück – vielleicht ein Kind. Und nachdem sie lange genug gewartet und schließlich die Hoffnung verloren hatte, ihn jemals wiederzusehen, tat sie, was damals die meisten jungen Menschen in Europa taten: Sie heiratete. Und zwar einen Landsmann. Damit war der Makel der ledigen Mutter von ihr genommen, Mutter und Kind entkamen der erniedrigenden Bevormundung durch das Jugendamt, das Kind hatte einen Vater, und wenn dieser es adoptierte, »verschwand« auch die makelbehaftete Herkunft des Kindes. Sie konnte auf ein normales bürgerliches Leben hoffen, und das bekamen viele auch. Sie führten ein glückliches »neues« Leben mit einem Mann, den sie liebten, mit weiteren Kindern, neuen Freunden. Wenn sie wenig oder gar nicht über das sprachen, was sie während des Krieges und direkt danach getan und erlebt hatten, dann auch, weil sie es in sich verschlossen, weil sie keine Worte dafür hatten, weil sie es von ihren Kindern fernhalten, sie nicht damit belasten wollten.

So gelang es ihnen, ihre Vergangenheit hinter sich zu lassen. Was damals war, spielte in diesem Ehe- und Familienleben keine nennenswerte Rolle mehr; es sei denn, es entstand unversehens eine Situation, in der die wohltuende Alltäglichkeit ihres Lebens durch Menschen oder Geschichten bedroht schien, die aus dem »Damals« auftauchten.

Frauen, die im Krieg einen deutschen Freund hatten, heirateten auffallend häufig einen Mann, der im Krieg antideutsch eingestellt war. Wichtig ist nicht, ob er wirklich aktiv zum Widerstand beigetragen hat, wichtig ist, dass die beiden während des Krieges politisch auf verschiedenen Seiten standen. Davon abgesehen herrschte in den befreiten Ländern selbstverständlich eine ausgeprägt antideutsche Haltung, die von allen – ob Männer, Frauen oder Kinder – geteilt wurde, ob sie gegen die Deutschen gekämpft hatten oder nicht.

Die Französin Anita, die mit so großem Kummer begreifen musste, dass sie nicht die Tochter des vergötterten, heldenmütigen Spaniers, sondern eines ihr ebenso unbekannten wie unwillkommenen deutschen Soldaten ist, war völlig ratlos angesichts der Liebe zwischen ihrer Mutter, die den Deutschen auch politisch nahegestanden hatte, und dem Mann, der *nicht* ihr Vater war. Wie konnte es sein, dass sich die Mutter mit ihrer deutschenfreundlichen Einstellung nur zwei Jahre nach dem Krieg von einem republikanischen Spanier angezogen fühlte, einem Anarchisten und ehemaligen Widerstandskämpfer? Und was war mit ihm? Als er sie 1946 kennenlernte, *wusste* er, dass sie wegen Kollaboration zehn Monate im Gefängnis verbracht hatte. Wie konnte *er* sich in *sie* verlieben? Anita war verstört, denn »zu der belastenden Ungewissheit über ihre deutschen Wurzeln gesellte sich das Rätsel über die Beziehung ihrer Eltern.«[1]

Auch sie waren in den Augen ihrer Umwelt ein »falsches« Paar, auch sie ließen sich, wie wenige Jahre zuvor der Soldat und die Einheimische, von politischen und sozialen Einwänden nicht aufhalten. Das ist sehr romantisch, aber man kann auch zynisch sagen, dass offen zutage liege, welche Vorteile Anitas Mutter von einer solchen Heirat gehabt hat: Sie wurde wieder zu einem ehrbaren Mitglied der Gesellschaft. Dieser Seitenwechsel konnte allerdings auch schiefgehen, denn das Gedächtnis der Umwelt ist mitunter lang, wie das Beispiel der Gemeinderatswahl im letzten Kapitel zeigte.

Es drängt sich eine weitaus heiklere Frage auf: Wurden in solchen privaten Beziehungen die politischen Verhältnisse im kleinen fortgeführt? Spielte »Vergebung« eine Rolle? Blieb die Frau für ihn (und seine Familie) die »Gefallene«? Dass es in einer Beziehung überhaupt um Vergebung geht, wird besonders dann deutlich, wenn sie verweigert wird, wie bei dem kleinen Jon, dem die Großeltern den Tisch mit Zeitungspapier »deckten«. Diese Kränkung galt dem Jungen ebenso wie seiner Mutter. Und dem Sohn wurde signalisiert, mit welcher Unversöhnlichkeit seine Eltern die Wahl dieser Frau missbilligten.

Wie dankbar war Jons Mutter ihrem Ehemann dafür, dass er das für sie und ihr Kind auf sich nahm? Wie dankbar *musste* sie ihm sein und wie tief stand sie – nach ihrer und nach seiner Meinung – in seiner Schuld? Wie viele wagten es, das einmal, wenigstens einmal so offen auszusprechen wie diese Dänin?

> »Ich habe nie mit jemandem darüber gesprochen, was ich im Krieg getan habe. Außer mit einer Freundin, die jetzt tot ist, und mit meinem Analytiker. Auch mit meinem Mann nicht. Es kann sein, dass er es weiß, aber wir sprechen nicht darüber. Es hat mich fürs Leben gezeichnet. So etwas kann man unterdrücken, aber niemals überwinden. Es ist die Angst, ausgestoßen zu werden, dass ich gestempelt war, und dann diese unglaublichen Schuldgefühle, die dazu geführt haben, dass ich viele Jahre glaubte, ich sei nichts wert. Und dass ich auch dankbar dafür sein sollte, dass mein Mann mich genommen hat.«[2]

Die Frauen wurden erpressbar, und Männer, die charakterlich dazu neigten, missbrauchten solche Minderwertigkeits- und Schuldgefühle. Das konnte zu geradezu sadistischen Strukturen führen. Ich denke an die Ehe einer Norwegerin, die für die Deutschen gearbeitet hatte und auch mit einem Deutschen verlobt gewesen war. Anfang der fünfziger Jahre heiratete sie einen recht bekannten Widerstandskämpfer, dem sie das erzählte, vielleicht sollte ich eher sagen: gestand. Einige Jahre und drei Kinder später war die Ehe zerrüttet. Als sie ihn verlassen wollte, drohte er, den Kindern die Wahrheit über ihre »Nazimutter« zu sagen. Sie führte die Ehe, in der sie täglich gedemütigt wurde, dreißig Jahre lang weiter, bis er starb. Heute ist sie weit über achtzig Jahre alt. Ihre Kinder und Enkel ahnen nichts, nicht einmal, dass sie fließend Deutsch spricht.

Was in dieser Geschichte bereits anklingt – nämlich Gewalt –, taucht in den Erinnerungen vieler Wehrmachtskinder auf. Ich weiß nicht, ob ehemalige Deutschenmädchen tatsächlich besonders häufig an solch harte Männer gerieten, sicher ist nur eines: Ihr zerstörtes Selbstwertgefühl war keine günstige Ausgangsposition, um sich gegen die Tyrannei des Ehemannes zu behaupten. Manchen wird die Kraft gefehlt haben, das Elend ihres Kindes wahrzunehmen, weil sie selbst ein so elendes Leben führten. Ein literarisches, dennoch realistisches Beispiel ist Toras Mutter Ingrid, die von ihrem trinkenden Mann geschlagen und vergewaltigt wird und die nicht wahrnimmt, dass Tora von ihm sexuell missbraucht wird.[3]

Dass es auch – und sicher nicht selten – ganz andere Ehen und Vater-Kind-Beziehungen gab, beschreibt die Französin Marie Claire in dem ersten Brief, den sie 2004 an ihre gerade gefundene deutsche Halbschwester Gisela* schrieb.

> »Wie meine Mutter mir 1976 erzählte, war die Situation
> von Anfang an schwierig. Dein Vater war verheiratet
> und hatte eine fünfjährige Tochter. Auch meine Mutter
> war verheiratet und hatte eine fünfjährige Tochter.
> Mein offizieller Vater wurde am 3. September 1939 ein-
> gezogen, am 28. Juni 1940 gefangengenommen und war
> vom 28. Juni 1940 bis zum 30. April 1945 als Kriegs-
> gefangener in Deutschland. Dieser Vater war ein guter

Mensch. Er machte niemandem Vorwürfe, er sagte nie ein böses Wort zu mir, und er liebte mich sehr.«

Wie viele Männer kamen 1945 zu ihren Ehefrauen zurück, nachdem sie als Soldaten gegen die Deutschen gekämpft oder als Kriegsgefangene oder Zwangsarbeiter für sie gearbeitet hatten, und fanden ein Kind des Feindes unter ihrem Dach? Und wie viele von ihnen hatten die menschliche Größe, die Marie Claire an ihrem Stiefvater beschreibt? Auf den Kanalinseln verlautete jedenfalls kurz vor der Befreiung, die einheimische Polizei werde nicht so genau hinsehen, wenn die betrogenen Ehemänner – darunter viele britische Soldaten – zurückkämen, denn dann gäbe es sicherlich einige Morde.

Manche Männer wollten ihre Freundin nur heiraten, wenn sie ihren »Fehltritt« los wurde. Eine Ehe zu solchen Bedingungen lehnten Mütter meist rundweg ab, andere entschieden sich für etwas, was sie als Kompromiss empfanden: Sie heirateten und gaben das Kind zu ihren Eltern, anderen Verwandten oder zu Pflegeeltern. Auf diese Weise behielt die Mutter – manchmal nur sporadischen – Kontakt zu ihrem Kind. Manchmal erwies sich allerdings erst nach einer Heirat, dass der Mann das Kind nicht in die Familie aufnehmen wollte, dann wurde es regelrecht abgeschoben.

*

Freunde erzählten mir vor vielen Jahren von einer Norwegerin, deren Geschichte sie von einer Bekannten gehört hatten. Sie taten es beim Abendessen und eher beiläufig, weil sie von meiner Verbindung zu Norwegen wussten. Diese Frau – nennen wir sie Sylvi – hatte einen Sohn von einem deutschen Soldaten, und als der Krieg vorüber war, reiste sie mit dem Kind zu ihm an den Rhein. Die beiden waren willkommen, doch nach einiger Zeit kehrte Sylvi allein nach Norwegen zurück – ob es als kurze Reise, als Abschied für lange Zeit oder für immer geplant war, ob sie fuhr, weil sie Heimweh hatte, den Mann nicht mehr liebte, ob sie den Sohn in Deutschland lassen oder später holen wollte – darüber wussten meine Freunde nichts zu sagen. Jedenfalls lernte Sylvi in Oslo einen Mann mit einwandfreier patriotischer Vergangenheit kennen, sie verliebten sich, sie heirateten, sie bekamen drei Kinder – und nie schien der richtige Moment, das Geheimnis zu enthüllen. Sie hatte, fast wie im Märchen, in einer bedrängenden Situation ein Kind gegen ein neues Leben getauscht.

Doch das ist nur die Hälfte der Geschichte und nur die Hälfte von Sylvis Geheimnis. In all den Jahren hatte sie über eine norwegische Freundin die Verbindung nach Deutschland aufrechterhalten, und irgendwann, Ende der fünfziger, vielleicht Anfang der sechziger Jahre, wollte sie ihren Sohn wiedersehen. Das war kein geringes Unterfangen, es war teuer, vor allem aber war es damals für eine verheiratete Frau durchaus nicht üblich, ohne Ehemann und Kinder zu verreisen. Schließlich gelang es Sylvi, mit ihrer Freundin zu einer Rheinfahrt aufzubrechen – Sylvi besuchte ihre »deutsche« Familie, die Freundin fuhr den Rhein hinauf und hinunter. Das taten sie fortan jedes Jahr einmal.

Als ich – vierzig und mehr Jahre nach Kriegsende – Sylvis Geschichte hörte, wusste ihre norwegische Familie immer noch nicht, warum sie *wirklich* an den Rhein fuhr. Und ich fragte mich, ob ihr Mann und ihre Kinder tatsächlich gänzlich ahnungslos sind, oder ob sich in all diesen Jahren nicht doch zumindest eine Ahnung vermittelt hat, dass da *etwas* ist, etwas Unbekanntes, Unbenanntes, Unbenennbares. Ich fragte mich, ob Sylvi auf dem Sterbebett oder in ihrem Testament ihr Schweigen brechen und ihren Erstgeborenen doch noch zu ihrem legitimen Kind machen wird oder ob sie das Geheimnis seiner Existenz und somit einen wesentlichen Teil ihres eigenen Lebens tatsächlich mit ins Grab nehmen wird.

Und falls sie sich dafür entscheiden sollte – wird es für ihren deutschen Sohn selbstverständlich sein, mit seiner Mutter über ihren Tod hinaus loyal zu bleiben und ihr Geheimnis zu wahren? Wird ihn das geteilte Geheimnis vielleicht sogar auf besondere Weise mit ihr verbinden, wird er, wie die Holländerin Guus, das Gefühl haben, dass es ihn zu etwas Besonderem macht, weil niemand so ein Geheimnis wie er hat? Oder wird er seine Halbgeschwister zwingen, die vermeintlich bekannte, die geheimnislose Mutter und die wenig beachteten Bilder der jährlichen, eher spießigen Rheinfahrten mit neuen, mit anderen, mit ungläubigen Augen zu sehen?[4]

Mit dieser Passage endet in meinem Buch *Nicht ungeschoren davonkommen* das Kapitel über die Kinder. Wenn ich sie nun wörtlich in das Kapitel über das Nachkriegsleben der Mütter übernehme, geschieht das nicht nur aus Sentimentalität, auch wenn ich gerne einräume, dass ich davon nicht ganz frei bin. Die Lücken in Sylvis Geschichte – und in der ihres Sohnes – lassen mir offenbar keine Ruhe. Es ist wohl nur wenig übertrieben, wenn man behauptete, dass ich nun schon das zweite Buch schreibe, um sie für mich zu füllen.

Wie Elnas Mutter Therese hielt auch Sylvi ihre einmal gefällte Entscheidung, ohne das Kind weiterzuleben, nicht aus. Aber es gebrach ihr an dem Mut, den Therese hatte, angefangen damit, dass diese ihrem Mann vor der Heirat von dem Kind erzählte. Bemerkenswert auch, dass Therese, nachdem sie sich entschlossen hatte, Elna zu suchen, von ihren jüngeren Kindern erwartete, dass sie mit diesem »Makel« in der Vergangenheit ihrer Mutter zurechtkamen. Und dass sie das Kind, das ihre Mutter nach Jahrzehnten in die Familie »zurückholte«, nicht dafür büßen lassen würden. Therese als »mutig« zu bezeichnen bedeutet nicht, Sylvi im gleichen Atemzug als »feige« zu verdammen. Wer das tut, weiß nichts darüber, wie es den Freundinnen der deutschen Soldaten nach dem Krieg erging.

*

Die Freundinnen der Wehrmachtssoldaten (von denen ja einige auch Mütter waren) wurden nach dem Krieg schlecht, manche ohne jede gesetzliche Grundlage sogar wie Kriminelle behandelt. So wurde auf den Kanalinseln in den Tagen nach der Befreiung eine junge Frau, die von einem Deutschen ein Kind hatte, geteert und gefedert, einer anderen stopfte man einen benzingetränkten Lappen zwischen die Beine. Aber auch wenn die Frauen körperlich unversehrt blieben (und das blieben entgegen einer verbreiteten Irrmeinung die meisten), wurden sie durch die üble Nachrede, die Hetze in den Zeitungen, die Anschuldigungen und tausend kleinen Alltagssticheleien so gründlich traumatisiert, so gründlich gedemütigt, dass sie zeit ihres Lebens nur noch einen Wunsch hatten: nie mehr auffallen. Sie schwiegen, weil sie einmal in ihrem Leben zu »laut«, zu sichtbar gewesen waren.

Allgemein gilt, dass Menschen psychisch ziemlich viel Leid, Kummer und Verfolgung ertragen, solange sie ihre Selbstachtung nicht verlieren. Anette Warring, Autorin des allerersten Buches über die Freundinnen der Wehrmachtssoldaten, hat beobachtet, dass die Deutschenmädchen im allgemeinen und die Mütter der Wehrmachtskinder im besonderen ihr Selbstwertgefühl nach dem Krieg nur dann wahrten, wenn es ihnen gelang, sich vom Urteil anderer über ihr Verhalten frei zu machen. Wenn sie es also fertigbrachten, trotz aller Anfeindungen an ihrer Überzeugung festzuhalten, dass sie damals nichts falsch gemacht hatten, sondern einfach nur sehr, sehr verliebt waren, schufen sie ein recht solides Fundament für ihr weiteres Leben und das ihres Kindes. Und so kuschten bei weitem nicht alle, und nicht alle ließen sich einschüchtern.

Wenn eine Mutter der Umwelt stolz und ohne Scham die Stirn bot, konnten die Kinder ihr auch von Ungerechtigkeiten berichten, die ihnen widerfahren waren: Als eine französische Lehrerin eine ihrer Schülerinnen als »bâtarde du boche« (Deutschenbastard) bezeichnete, stellte deren Mutter sie zur Rede: »Madame, nicht meine Tochter hat mit einem Deutschen geschlafen, sondern ich. Wenn Sie jemanden beleidigen wollen, müssen Sie sich an mich halten, statt das an einem unschuldigen Kind auszulassen.«[5]

1999 suchte ich für einen Dokumentarfilm über die Geliebten der Wehrmachtssoldaten Frauen, die sich vor der Kamera über ihre Jugendliebe äußern würden. Nach zahllosen Vorgesprächen in mehreren europäischen Ländern fanden sich nur zwei dazu bereit, eine war die Norwegerin Ellen. Sie hat sich nie dafür geschämt, dass sie für die Deutschen gearbeitet, ein Kind von einem Deutschen bekommen, einen Deutschen geheiratet hat. Mit diesem »richtigen Mann zur falschen Zeit«, wie sie ihn nennt, war sie über fünfzig Jahre lang, bis zu seinem Tod, sehr glücklich verheiratet.

Wenn Ellen über die Nachkriegsjahre in Norwegen spricht, gerät sie noch heute in Wut über die Doppelmoral ihrer selbstgerechten Landsleute:

> »Dass ein Mann für die Deutschen arbeitete, ja, schön und gut, er hatte eine Familie zu versorgen; aber dass eine alleinstehende Frau auch Geld haben musste, um zu leben, das hat man irgendwie nicht verstanden. Was sollten diese Frauen machen? Sollten sie anständig verhungern und zugrunde gehen? In aller Anständigkeit. Sie wollten ja auch ihr tägliches Brot haben. Das war ungerecht. Sündenböcke wurden die Frauen, die mit Deutschen ein Verhältnis gehabt haben. Das wurden die Sündenböcke und deren Kinder. Aber all die anderen, die ihre Vorteile gehabt haben, die Geld verdient haben, ihre Familie versorgt haben, die vielleicht mit den Deutschen getuschelt haben, die sich so manche Vorteile beschaffen konnten durch ihre Beziehungen zu den Deutschen, von denen hat man nie etwas gehört. Aber die Frauen, die haben wie immer gelitten. Die hat man so in ihre Mäuselöcher reingejagt, die haben nie gewagt, aus diesen Mäuselöchern wieder rauszukommen. Ja, das ist wahr. Jetzt bin ich böse.«

Die allermeisten Frauen hatten nicht die Kraft, sich offen und allein gegen die Mehrheitsmeinung zu stellen. Sie verharrten, um in Ellens anschaulichem Bild zu bleiben, tatsächlich verängstigt in ihren »Mäuselöchern«. Wie immer diese Verstecke konkret aussahen, die damit verbundene Hoffnung war immer gleich: Sie wollten unsichtbar sein. Die Katze sollte vergessen, dass es sie überhaupt gab.

Ingrid, die Mutter des literarischen Wehrmachtskindes Tora, schaut einmal in den Spiegel und beginnt zu weinen: »Die langen Jahre, die sie so gern vergessen wollte. Die bittere Rolle, verurteilt zu sein, schon bevor man einen Raum betrat. Die demütigende Rolle, niemals das Recht zu haben, ein stolzer Mensch zu sein.«

Das war das wohl üblichste »Versteck«: Resignation. Sie wagten keine Kontroversen mehr, wagten nicht mehr, etwas für sich zu verlangen, sie hatten das Urteil der anderen über sich selbst angenommen, ihr Selbstwertgefühl eingebüßt. Eine solche Gebrochenheit teilt sich Kindern selbstverständlich mit. Sie spüren genau, ob jemand sie schützen kann, und viele Wehrmachtskinder wussten, dass ihre Mutter das nicht konnte. Sie sahen, wie sie sich schlecht behandeln ließ, duckten sich selbst, um »nicht noch mehr Schande über sie zu bringen«, bedrängten die Bedrängte nicht noch zusätzlich mit ihren Fragen.

Ein bewegendes Beispiel für die Sensibilität, mit der ein Kind die seelische Not der Mutter erspürt und ihr hilft, genau das zu verschweigen, was das Kind unbedingt wissen möchte, schildert der Däne Peter. Er wusste zwar schon lange, dass sein Vater ein deutscher Soldat war, aber er und seine unverheiratete Mutter sprachen nicht darüber. »Manchmal fing sie an zu sagen, dass es da etwas gebe, worüber wir sprechen sollten. Aber ich merkte ihr deutlich an, dass es ihr nicht leichtfiel und sie keine Lust hatte, darüber zu sprechen, dass sie sich vielleicht schämte, darum hielt ich mich zurück und respektierte ihre Schamhaftigkeit.«

Wie Peter begannen die Kinder mit großer Tapferkeit ihre Mutter so gut zu schützen, wie sie es vermochten – sei es, dass sie loyales Stillschweigen über das Geheimnis und die Lügen der Mutter wahrten, sei es, dass sie ihr gegenüber verschwiegen, wenn sie von Gleichaltrigen oder Erwachsenen gehänselt oder schikaniert wurden. Das taten sie auch dann, wenn die Beschimpfungen ausdrücklich beiden, Mutter und Kind, galten.

Beispielsweise bekamen unzählige Mädchen zu hören, ihre Mutter sei ein Deutschenflittchen und aus ihnen würde auch eine Hure werden.

*

Erstaunlich viele Frauen blieben am Ort ihrer Erniedrigung – es war schon die Rede davon, wie wichtig die Überlebenshilfe ihrer Familien für sie war. Manche jedoch kehrten zurück, nachdem sie jahrelang fort gewesen waren. Zu ihnen gehört jene Frau, der das bittere Schicksal bestimmt war, zur berühmtesten Geschorenen der Welt zu werden. Als die Bevölkerung von Chartres im August 1944 dem Scheren mehrerer Frauen beiwohnte und sie anschließend durch die Straßen der Stadt ins Gefängnis begleitete, war der amerikanische Fotograf Robert Capa in der Menge und machte eine ganze Serie von Bildern. Eines davon, das in keiner Ausstellung der großen Fotos des Jahrhunderts fehlt, zeigt eine junge Frau im Moment ihrer tiefsten Demütigung. Die Dynamik des Fotos verrät den großen Fotografen, wirklich einzigartig aber wird es durch etwas anderes: Die Geschorene, Mittelpunkt einer seltsam konzentriert wirkenden Menschenmenge, scheint ihrerseits völlig auf einen Säugling konzentriert, den sie auf dem Arm trägt. Es gebe, sagt der französische Historiker Fabrice Virgili, kein zweites Bild einer Geschorenen mit einem Kind – mit ihrem Wehrmachtskind.*

Ein provisorisches Gericht verbannte die damals Dreiundzwanzigjährige für zehn Jahre aus Chartres. Nach Ablauf dieser Zeit kehrte sie zurück und lebte dort, weiterhin verfemt und gemieden, bis sie 1966 mit Mitte Vierzig starb.[6] Ihre Tochter wurde in ihrer Abwesenheit von einer Tante versorgt.

Angeblich erfuhr diese Tochter erst 1964 von der Vergangenheit ihrer Mutter. Jemand soll ihr eine Zeitschrift mit dem Capa-Bild gezeigt haben; es heißt, sie sei daraufhin in Depression verfallen und suizidal geworden.[7] Kann es sein, dass die Tochter

* Siehe z. B. http://www.temple.edu/photo/photographers/capa/capa13.jpg

zwanzig Jahre lang in Chartres leben konnte, ohne zu erfahren, wie ihre Mutter – mit ihr im Arm! – öffentlich gepeinigt worden war?

Andere flohen geradezu aus ihrer Heimatstadt und wagten es, auf dem morastigen Grund von Lügen und Vertuschung ein neues Leben aufzubauen. Das mochte gelingen, doch die Angst vor Entdeckung blieb und kann bis heute zu extremen Reaktionen führen. So versuchte ein inzwischen sehr betagter Deutscher im Frühjahr 2004, zu seiner ehemaligen Freundin in Norwegen Kontakt aufzunehmen. Er wusste, dass sie damals eine Tochter bekommen hatte, und vermutete, dass er deren Vater war. Es war nicht sehr schwer, die alte Dame ausfindig zu machen. Als eine norwegisch sprechende Kontaktperson sie anrief, bestritt sie geradezu panisch, diesen Mann überhaupt zu kennen, und verbat sich zugleich energisch jede direkte Kontaktaufnahme seinerseits. Sie hatte eine solche Angst, dass jemand in ihrem Dorf sehen könnte, dass sie einen Brief aus Deutschland erhielt (!), dass sie sogar ins Auge fasste, umzuziehen und sich eine geheime Telefonnummer zuzulegen. Das ist ein treffendes Beispiel für den tatsächlich als lebensbedrohend empfundenen Einbruch der Vergangenheit in die »wohltuende Alltäglichkeit«, von der bereits die Rede war.

Der Mann, der diese ganze Aufregung verursachte, konnte das überhaupt nicht verstehen. Es sei doch alles schon sechzig Jahre her. Nachdem er das kopfschüttelnd konstatiert hatte, schärfte er mir ein, dass seine Ehefrau von seiner Suche und der möglichen Tochter in Norwegen um Himmels willen nichts erfahren dürfe.

*

Wenn eine Frau in den ersten Nachkriegsjahren mit ihrem Kind umzog, musste eine Geschichte über den Vater des Kindes samt Erklärung her, wo er abgeblieben war. Am praktischsten war ein Toter. Nun sind diese erfundenen Väter nicht irgendein (natürlich sehr geliebter) Mann, der irgendwie zu Tode gekommen ist. Es handelte sich vielmehr – und zwar häufig – um Widerstandskämpfer, die von den Deutschen ermordet wurden, eine phantasierte »Übererfüllung« der patriotischen Partnerwahl, die keineswegs an die Nationalität der Frau gebunden ist. Die Dänin Åse erzählte ihrer Tochter Lotte: »Er war ein Widerstandskämpfer und kam in ein deutsches Konzentrationslager, das von den Engländern bombardiert wurde. Er ist tot.« Die polnische Jüdin Zofia Jasinska hielt noch 1967 an ihrer Geschichte fest (da hatte ihr Sohn bereits als Soldat im Sechstagekrieg gekämpft): »Ich bestand aber darauf, dass Jacek nichts von Jakobs Vaterschaft erfahren sollte. Er glaubte immer noch, dass sein Vater ein Pole war, der im Widerstand gegen die Deutschen gefallen war.«

Dass die fehlenden Väter in den seltensten Fällen Widerstandskämpfer waren, dürfte hinreichend klar sein. Aber nun stellt sich immer drängender die Frage, wo die Männer *wirklich* abgeblieben waren. Ich verrate wohl wenig Überraschendes, wenn ich sage, dass es ab Mai 1945 im Grunde nur drei Alternativen gab: Sie waren (wie die Väter von Lotte und Jacek) gefallen beziehungsweise vermisst, sie waren – wie übrigens Ragnhilds Verlobter Arnold – wieder zu Hause in Deutschland, oder sie lebten in Kriegsgefangenschaft.

Von jenen, die – jedenfalls in den westlichen Ländern – in Kriegsgefangenschaft waren, verliebten sich natürlich auch einige in einheimische Frauen, und wieder waren solche Kontakte verboten. In England standen sie unter Strafe, die französische Regierung untersagte im März 1945 Ehen zwischen Französinnen und deutschen Kriegsgefangenen, das Verbot blieb zwei Jahre lang in Kraft.

In seiner Rede zum sechzigsten Jahrestag des D-Day huldigte Bundeskanzler Schröder einem solchen Nachkriegspaar: »Was am 6. Juni 1944 unmöglich schien, ist wahr geworden, weil die Menschen unserer Länder es so wollten. Ich möchte als Beispiel das Schicksal des deutschen Soldaten Hans Flindt aus Usedom erwähnen. Er hat in der Normandie gekämpft und kam in Gefangenschaft. Nach seiner Entlassung heiratete er eine Französin und blieb. Heute sagt der Achtundsiebzigjährige über den 6. Juni 1944: ›Es war für uns alle der Beginn eines neuen, glücklicheren Lebens.‹«

Ein bewegender Satz. Er ist sicher wahr – auf lange Sicht. Der Realität der ersten Jahre und Jahrzehnte allerdings entspricht er nicht im geringsten. Aber wie unversöhnlich solche Paare – auch Hans Flindt und seine Frau Marie-Thérèse – in Frankreich und anderen ehemals besetzten Ländern diskriminiert wurden, passt nicht in sentimentale Sonntagsreden. Daher will ich, zur Vervollständigung des idyllischen Bildes, ungekürzt einen Artikel zitieren, der im *Hamburger Abendblatt* erschien:

Ihre Liebe war stärker als der Hass
Seit 60 Jahren ein Paar: der deutsche Soldat Hans und die Französin Marie-Thérèse

»Für Marie-Thérèse und Hans Flindt hat mit der Alliierten-Landung vor 60 Jahren eine deutsch-französische Geschichte von Liebe und jahrzehntelanger Ausgrenzung begonnen: Stets stand die heute 78jährige Französin zu ihrem gleichaltrigen deutschen Mann – sie und die sechs gemeinsamen Kinder wurden dafür jahrzehntelang geächtet.

Der aus Usedom stammende Flindt war mit 17 Jahren in die Bretagne abkommandiert worden. Nach der deutschen Kapitulation arbeitete er zwei Jahre auf dem Bauernhof seiner künftigen Schwiegermutter in der Normandie, wo die unzeitgemäße Liaison begann. Marie-Thérèse musste lange unter der Ächtung ihrer Umgebung leiden, wie sie heute berichtet. Nur die alten Landfrauen hätten ihr Bösartigkeiten erspart: ›Sie kennen den Schmerz zu sehr, um bösartig zu sein.‹ Ein geistlicher Lehrer habe sich dagegen in den 50er Jahren geweigert, ihre Tochter Marie-Yvonne öffentlich als Klassenbeste auszuzeichnen.

Nicht nur Nachbarn und Verwandte lehnten die Liebesbeziehung ab, auch ihre eigene Mutter sperrte sich mit aller Macht dagegen: Als Hans Flindt 1953, vier Jahre nach der Eheschließung, an einer schweren Tuberkulose erkrankte, riet sie ihrer Tochter Marie-Thérèse, sie solle ihn im Krankenhaus nicht besuchen und ›fallenlassen‹, um ihren ›ursprünglichen Irrtum wiedergutzumachen‹. Immer wieder wurden Blumen am Bauernhof der Flindts plattgetreten und ihre Tiere vergiftet. In den 70er Jahren sprach schließlich eine Nachbarin erlösende Worte: ›Du hast deine Kinder gut erzogen, wir rehabilitieren dich.‹«[8]

Die wenigsten Frauen hatten wegen ihrer »Kriegsliebe« ihr Leben auf immer verpfuscht, und nur für sehr wenige gab es wirklich kein Zurück. Hierher gehören natürlich jene, die mit ihren Kindern nach Sibirien deportiert wurden, ebenso wie jene, die in die Arbeitslager Sibiriens geschickt wurden und ihre Kinder zurücklassen mussten.

Viele Mütter von Wehrmachtskindern bezahlten teuer für eine Jugendliebe, dennoch erschien vielen auch später noch der Preis nicht zu hoch. Sie gaben sich trotz aller Widrigkeiten und Entbehrungen die allergrößte Mühe, ihr Kind »anständig«, wie man damals sagte, großzuziehen. Andere konnten (oder wollten) ihr Kind nicht bei sich haben, konnten (oder wollten) es aber auch nicht völlig aufgeben. Sie ließen es mitunter jahrelang in einem Kinderheim, wo sie es immer wieder besuchten; manche taten das allerdings selten oder sogar überhaupt nicht. Lebte das Kind in einer Pflegefamilie, die es adoptieren wollte, hielt manchmal etwas Unerklärliches – Unerklärtes – die leibliche Mutter davon ab, das Kind endgültig aufzugeben und in die Adoption einzuwilligen.

Diese Fälle sind für die Kinder besonders tragisch, aber zum Glück recht selten. Mütter, die ihr Kind nicht selbst aufziehen wollten, machten meist einen klaren Schnitt, indem sie es zur Adoption gaben und nie mehr darüber sprachen.

Es legt in der Natur der Sache, dass niemand wissen kann,

wie oft das wirklich klappte. Seit dem Kriegsende wurden aber in mehreren europäischen Ländern die Adoptionsgesetze geändert. Nun gilt nicht mehr die absolute Geheimhaltung der leiblichen Eltern, im Gegenteil, nach den neuen Gesetzen dürfen die Adoptierten erfahren, wer ihre leiblichen Eltern sind, das heißt, sie können nun den Namen der Mutter und, falls bekannt, des Vaters erfahren. Seither müssen also vor allem die Mütter jederzeit damit rechnen, dass ihr verheimlichtes Kind auftaucht und ihre jahrzehntelange »Tarnung« zerstört.

Die englische Autorin Polly Toynbee hat sich eingehend mit Adoptivkindern, Adoptiveltern und den leiblichen Müttern befasst. »Bei meinen Recherchen habe ich festgestellt, dass, mit Ausnahme von zwei Müttern, alle über das Wiedersehen mit ihrem verloren geglaubten Kind überglücklich waren. Sie hatten unter der Trennung sehr gelitten und hatten Reue und Scham empfunden, dass sie ihr geliebtes Kind unter dem Druck der Verhältnisse im Stich gelassen hatten.«

Kirsten Nilsen hat ganz andere, man könnte sagen: konträre Erfahrungen gemacht. Sie war jahrzehntelang beim Norwegischen Roten Kreuz für Familienzusammenführungen zuständig und kennt viele adoptierte Wehrmachtskinder. Sie sagte, nahezu keine norwegische Mutter, die sie ausfindig mache, wünsche Kontakt zu dem damals abgegebenen Wehrmachtskind.[9] Ohne andere Untersuchungen lassen sich aus diesen beiden versprengten Zitaten keine weitergehenden Schlussfolgerungen ziehen. Dennoch leuchtet mir dieser Unterschied sofort ein.

Die »normalen« Mütter haben sehr stark von dem gesellschaftlichen Wandel profitiert. Ledige Mütter werden nicht mehr verachtet. Wir wissen heute etwas über den früheren Druck auf ledige Schwangere, der durch deren individuelle Notlage einerseits und die generelle Stickigkeit der Verhältnisse andererseits entstand. Beim Kampf gegen das Abtreibungsverbot und bei anderen Gelegenheiten haben diese Frauen selbst – oder andere an ihrer Statt – solchen Erfahrungen eine Stimme verliehen, sie waren Zeitzeugen einer sozialen Realität, unter der zahllose Frauen gelitten haben. Die öffentlichen Bekenntnisse trugen zu einem neuen Zeitgeist bei, in dem es für die Betreffenden erheblich einfacher wurde, die damalige Entscheidung zur Adoption (auch vor sich selbst) zu rechtfertigen. Es existiert ein Fundament, über das in der Gesellschaft Einigkeit herrscht, auf dem jede einzelne Frau das Gebäude ihres eigenen Erlebens errichten kann, das ihm Stabilität und nicht zuletzt Glaubwürdigkeit verleiht.

Die Mütter von Wehrmachtskindern haben für die »politische« Seite ihrer Biographie nichts dergleichen. Niemand hat sie gebeten, ihre Geschichte – die Geschichte der Freundinnen der deutschen Soldaten – zu erzählen, nur wenige haben es für sie getan. In der Kriegs- und Sozialgeschichte Europas kommen sie nicht vor. Es ist auch in unserer vermeinlich so liberalen Zeit überhaupt nicht akzeptiert, »dass die sich damals mit den Soldaten eingelassen haben«. Wenn sie sich dem Kind von damals stellen müssen, das heute vor ihrer Tür steht, bricht – jedenfalls ihrem eigenen Ermessen nach – tatsächlich ihre ganze Existenz zusammen. Dann müssen sie ihr neues Leben gegen das Kind tauschen.

Elnas Geschichte (V)

Die folgenden Wochen und Monate waren für meine Familie ereignisreich und hektisch. Es wurden neue Kontakte hergestellt, und wir alle knüpften neue Bande – enge, feste und dauerhafte.

Meine älteste Schwester wohnte in der Gegend von Stavanger, etwa dreihundert Kilometer südlich von Bergen. Wir telefonierten inzwischen häufig miteinander, ihr Mann sprach Deutsch. Er rief für mich in Deutschland an, eine Frau war am Apparat. Er sagte, dass er aus Norwegen anrufe und fragte, ob das Geburtsdatum dieses Ottos mit dem übereinstimmte, das ich ihm genannt hatte.

»Geht es um Gisela?« fragte sie mit etwas heiserer und brüchiger Stimme zurück.

Es war Ottos Ehefrau. Sie erzählte, dass er mit Oberschenkelhalsbruch im Krankenhaus liege und dass sie sich beide freuen würden, wenn ich Verbindung zu ihnen aufnähme. Das war eine ungeheure Erleichterung – dass sie es wusste, meine ich. Ich weiß nicht, wie ich es sonst angepackt hätte. Mit Hilfe eines Wörterbuches stoppelte ich einen Brief zusammen, legte Fotos von mir und meiner Familie bei und steckte ihn in den Briefkasten, bevor ich nach Trondheim fuhr.

Bodenständig und lebhaft war sie, meine ältere Schwester Britt. Sie besuchte uns an dem Wochenende nach unserer Trondheimreise. Britt hatte das gleiche Erzähltalent und die gleiche Freude an Geschichten wie Therese. Bald schwirrte uns der Kopf vor Namen von Tanten, Onkeln, Vettern und Cousinen, deren Schicksalen und Leben, wir konnten sie kaum auseinanderhalten. Wir erfuhren alles über die großen und kleinen Skandale, die es in der Familie gegeben hatte.

Britt erzählte humorvoll und warmherzig und machte sich einen Spaß daraus, immer ein bisschen zu dick aufzutragen. An diesem Wochenende wurde viel gelacht. Sie sagte, von ihrer Schwester in Bergen wisse sie schon seit ihrer Kindheit. In den

*ersten Jahren ihrer Ehe habe sie sogar in Bergen gewohnt. Sie
habe auf der Straße jeder Frau im passenden Alter direkt in die
Augen gesehen, weil sie nach Gemeinsamkeiten oder einer
Familienähnlichkeit suchte. Aber damals sind wir uns wohl
nicht begegnet.*

*Mein Sohn Tom fuhr nach Norden, um meinen Bruder Stein
kennenzulernen, der ihm auf dem Foto so ähnlich gesehen hatte.
Stein hatte von uns nichts gewusst, bis Therese ihm sagte, sie
fahre nach Trondheim, um dort seine Schwester zu treffen. Ich
telefonierte von Anfang an sehr häufig sowohl mit ihm als auch
mit meiner jüngeren Schwester Ester, ich traf sie aber erst im
Sommer des folgenden Jahres. Ester wusste seit einigen Jahren
von mir, Therese hatte ihr nach einem rauschenden Familienfest
spät in der Nacht von dem Kind erzählt, das sie weggegeben
hatte.*

*Es dauerte lange, bis ich begriff, dass gemeinsame Erinne-
rungen aus Kindheits- und Jugendjahren eine unabdingbare
Voraussetzung für wirklich enge Geschwisterbeziehungen sind.
Diese Gemeinsamkeiten kann ich mit meinen Geschwistern nie
mehr aufholen. Ich spüre aber, dass wir durch Therese eine sehr
starke Bindung haben. Mit den Jahren sind Familien- und
Freundschaftsbande hinzugekommen, die wir selbst geknüpft
haben, und ich freue mich wirklich und uneingeschränkt darüber, dass ich nach vier Jahrzehnten als Einzelkind jetzt Geschwister, Neffen und Nichten habe.*

*In dieser turbulenten Zeit machte ich mit meinem Vater eine
Woche Ferien auf Rhodos. Ich hatte den Eindruck, dass ihm das
alles etwas zuviel wurde. Trotzdem freute er sich darüber, dass
ich Geschwister gefunden hatte, er wollte auch Therese und Leif
kennenlernen, wenn sie uns, wie sie es planten, im Spätsommer
in Bergen besuchen würden – jedenfalls sagte er das.*

*Therese rief an. Sie rief sehr oft an. Sowohl sie als auch ich
hatten immer noch viele offene Fragen. So fragte ich sie, warum
sie so lange damit gewartet hatte, mich anzurufen. »Ich habe so
oft von Otto geträumt«, sagte sie. » Er wollte mir etwas sagen.«
Aber sie sagte auch, dass »Leifs Eltern letztes Jahr gestorben*

sind. Sie durften davon nichts wissen, aber Leif habe ich alles erzählt, bevor wir geheiratet haben.«

Nach unserer ersten Begegnung in Trondheim wurde Therese etwas depressiv. Das war ganz deutlich. Vielleicht war es für sie zu schmerzlich gewesen, diese alte Wunde wieder aufzureißen. Vielleicht war es auch die Erkenntnis, dass sie das Kind verloren hatte, nach dem sie sich über vierzig Jahre lang gesehnt hatte.

Denn ihr Kind konnte ich nicht sein. Das war mir ganz unmöglich.

6. *Kapitel*
ANDERER ELTERN KIND:
ADOPTION UND HEIM

Was in Menschen vorgeht, die erst im Erwachsenenalter erfahren, dass sie adoptiert sind, beschreibt Elna mit den Worten: »Meine Mutter war nicht meine Mutter, mein Vater nicht mein Vater, meine Großmutter, meine Tanten und Onkel – sie waren alle nicht ›meine‹, wir waren nicht verwandt. Was sie mir erzählt hatten, war nicht wahr. Hinter mir war niemand – niemand, den ich kannte. Ich glitt auf einer Bananenschale aus und stürzte in ein schwarzes Loch. Wer war ich? Wer waren meine Söhne? Mit wem war ich, waren sie verwandt? Was nun?«

Nach Thereses Anruf hatte sich zwar ein schwarzes Loch aufgetan, Therese hatte Elna aber auch bereits alles gegeben, was sie brauchen würde, um nach dem Sturz so sanft wie möglich zu landen: eine Mutter, die ihr Kind nach über vierzig Jahren gesucht hatte und ihm bereitwillig alles über seine Anfänge erzählte. Die Identität des Vaters, auch wenn sie nicht wusste, wo er nun war und ob er noch lebte. Neue Verwandte, die alle von dem Kind wussten und es – zusammen mit seiner eigenen vielköpfigen Familie – uneingeschränkt willkommen hießen.

Außerdem hatte Elna einen Adoptivvater, der verständlicherweise um die Liebe seines Kindes fürchtete, es aber genug liebte, um ihm Verständnis zu signalisieren. Ihr Mann und ihre Kinder unterstützten sie und nahmen ernst, was mit ihr geschah. Und sie würde eines Tages in einem dicken Ordner mit amtlichen Schriftstücken jeden Satz bestätigt finden, den sie von ihrer Mutter und später von ihrem Vater hörte.

Nichts von alldem ist selbstverständlich. Es gibt Legionen von Adoptivkindern, die, wie Elna, von einer Sekunde auf die nächste nichts anderes mehr über ihre eigene Identität wissen, als dass sie gar nichts wissen. Darin unterscheiden sich Wehrmachtskinder und »andere« Adoptierte nicht. Und wie bei Elna, die ja an sich als »Gisela« durchs Leben gehen sollte, ist es auch ganz üblich, dass das Kind einen anderen Vornamen bekommt. Die Eltern wollen das Kind mit »ihrem« Namen enger an sich binden, aber sie haben auch noch einen weiteren Grund: »Die meisten Adoptiveltern wechseln den Namen des Kindes, weil sie ihn angeblich nicht mögen, in Wirklichkeit aber, um die Erinnerung an die erste Mutter, die ihm diesen Namen gab, auszulöschen. Selbst ältere Kinder werden oft umbenannt, das alles ist Teil des Versuchs, die Vorgeschichte des Kindes zu verleugnen.«[1]

Die Vorgeschichte des Kindes verleugnen. Natürlich taten das nicht alle Adoptiveltern, aber sie hatten dafür bei den Wehrmachtskindern noch triftigere Gründe als bei »normalen« Adoptivkindern. Und die Paare in den befreiten Ländern, die damals ein Wehrmachtskind adoptierten, konnten auf wenig mehr als auf die Hoffnung bauen, dass sich die »gesicherten Erkenntnisse der Wissenschaft« bei ihrem Kind als falsch erweisen würden. Diese Erkenntnisse betrafen die alles überschattende Dominanz der Vererbung, eine Auffassung, die in Europa und bis weit in die fünfziger Jahre hinein keineswegs den deutschen Nationalsozialisten vorbehalten war (wohl aber die Konsequenzen, die sie daraus zogen). Vor allem in Norwegen basierten die aufgepeitschten öffentlichen und privaten Debatten über »die Nachkommenschaft der Nazis« auf der Annahme, dass diese jungen Menschen aufgrund ihrer Erbanlagen praktisch unrettbar verdorben seien: Vater Mörder, Mutter Hure, so eine Argumentation, die sich ebenso in ausführlichen Gutachten anerkannter Kapazitäten wie in zahllosen Zeitungsartikeln wiederfand: Da könne aus den Kindern nichts mehr werden.

So konstatierte eine offizielle norwegische Kommission, die sich bereits im Sommer 1945 mit dem drängenden »Problem« der Wehrmachtskinder befasste, »es sei eine weitverbreitete Auffassung, dass erstens die meisten Mütter geistig zurückgeblieben und von fragwürdigem Charakter seien und sie zweitens diese Eigenschaften sicherlich an ihre Kinder vererbt hätten. Offenbar zweifelten auch einige Kommissionsmitglieder an der Intelligenz und dem Geisteszustand von Mutter und Kind. Besonders tief beeindruckte es offenkundig einige, dass eine national anerkannte Autorität wie der Psychiatrieprofessor Gabriel Langfeldt in einem Leserbrief gefordert hatte, man müsse die Kinder ›umgehend aus der unheilvollen Umgebung entfernen‹, also von ihren Müttern trennen. Auf Grundlage von Spekulationen behauptete Langfeldt, dass ›die Mutter wohl meist einen schlechten Charakter hat, häufig leicht debil ist‹.«[2]

Anders als das Paar, das Elna mit den Hakenkreuzen auf der Kleidung zu Therese zurückbrachte, gingen Arthur und Marie mit der Adoption des Mädchens also ein Risiko ein. Dass sie sich dessen bewusst waren, zeigt sich daran, dass Arthur bei dem entscheidenden Gespräch nach Thereses Anruf zu Elna sagte, wenn sie so strenge Eltern gewesen seien, dann aus Angst, sie könne nach ihrer Mutter schlagen.

Elna kam in eine »gute« Familie. Auf die erzieherische Kraft eines solchen *richtigen* Umfelds setzte man – trotz der vermeintlichen Macht der Gene – die allergrößten Hoffnungen, ja man erwog in Norwegen ernstlich die gerade zitierte »Lösung«, *alle* Kinder der ehemaligen Besatzer von ihren leiblichen Müttern zu trennen und in »patriotische« Pflege- und Adoptionsfamilien zu geben. Nicht wenige sahen darin die einzige Chance, zu verhindern, dass die »Nazibastarde« im eigenen Land zu einer Fünften Kolonne des Nationalsozialismus heranwuchsen.

Die norwegische Nachkriegsgesellschaft war auf geradezu hysterische Weise auf die unwägbaren Gefahren fixiert, die angeblich vom »deutschen Blut« der Kinder für die Reinheit der Nation ausgingen.[3] Die Hysterie führte so weit, dass der damalige Sozialminister Verhandlungen mit Australien darüber in die Wege leitete, ob man nicht sämtliche achttausend oder mehr Kinder deutscher Soldaten dorthin deportieren könne. Begründet wurden diese Überlegungen auch damit, dass es den Kindern dort bessergehen werde, weil sie in Australien von der Bürde ihrer Herkunft befreit seien.

Das ganze Vorhaben war historisch einzigartig: »Damit hatte man eine in der modernen norwegischen Geschichte beispiellose Maßnahme ins Auge gefasst, dass nämlich Behörden mehrere tausend norwegische Bürger ihrer staatsbürgerlichen Rechte berauben und des Landes verweisen konnten, nur weil es Leute gab, die sie nicht mochten. Abgesehen von den Deportationen der Nazis war es in Norwegen bis dahin noch kaum vorgekommen, dass man bestraft wurde für das, als was man geboren war.« Der Plan scheiterte aus zahlreichen Gründen, unter anderem an den logistischen Problemen, so viele tausend kleine Kinder ohne Eltern beziehungsweise Mütter auf die andere Seite des Globus zu verschiffen.[4] Von einer Absicht, die Mütter zu diesem Plan zu befragen, ist übrigens nirgends etwas vermerkt.

Norwegen war das einzige befreite Land, in dem die Kinder von offizieller Regierungsseite als »Problemgruppe« definiert wurden (in der Sowjetunion wurden nicht die Kinder, sondern die Mütter verfolgt). In den anderen Ländern gab es, soweit bislang bekannt, keine staatlichen Kommissionen und Empfehlungen, es spricht zumindest gegenwärtig nichts dafür, dass dort die Diskriminierung der Kinder von staatlicher Seite gefördert wurde. Dass sie aber überall von Vertretern des Staates stillschweigend geduldet und ausgeübt wurde, ist ebenso bewiesen wie die vielfältigen individuellen Peinigungen, denen sie ausgesetzt waren.

Wenn also die Adoptiveltern um Geheimhaltung bemüht waren, dann nicht nur aus egoistischen Gründen. Sie wollten ihr Kind vor einer Behandlung als Deutschenbastard schützen. Wer, wie Elna, von der Adoption und den leiblichen Eltern nichts ahnte, weil alle Verwandten, Nachbarn und sonstigen Menschen, die Bescheid wussten, »dichthielten«, stieß vielleicht früher oder später auf das Familiengeheimnis der Adoption, nicht aber auf das zweite, davon überdeckte dunkle Geheimnis der Herkunftseltern.

Ich möchte noch einen Adoptionsfall schildern, den ich aus Kåre Olsens Buch *Vater: Deutscher* übernehme. Der betreffende Junge hatte sicher eine glückliche Kindheit, vielleicht ist er heute ein bedeutender Bürger Hamburgs. Die Geschichte ist ungewöhnlich, weil sie einen Fall schildert, wo eine Mutter ihre Entscheidung nach Jahren bereute und rückgängig machen wollte. Und sie geht mir nah, weil es ihr nicht gelang. Ich wüsste sehr gern, ob der Sohn jemals erfahren hat, dass er adoptiert ist und dass seine Mutter darum gekämpft hat, ihn wieder zu sich zu holen.

In den Nachkriegsjahren überprüften die norwegischen Behörden, ob die Kinder, die während des Krieges nach Deutschland gebracht worden waren, bei den dortigen Pflegeeltern bleiben oder nach Norwegen zurückgeholt werden sollten. »In einigen Fällen ließen die zuständigen Behörden das Kind gegen den Wunsch seiner norwegischen Mutter bei den deutschen Pflegeeltern. Dazu gehörte ein Kind, das man bei einer deutschen Familie fand, die es im Krieg ohne die Zustimmung der zuständigen norwegischen Stellen adoptiert hatte. Man erwog, die Adoption aufzuheben und das Kind zu seiner Mutter zurückzuschicken, die in Norwegen kurz vor der Hochzeit stand und gerne ihr Kind zu sich nehmen wollte. Daraufhin wurden die leibliche Mutter in Norwegen und die Adoptiveltern in Deutschland besucht, mit dem Ergebnis, dass hier wie dort ordentliche Verhältnisse herrschten. Von der Kindesmutter hieß es zwar, sie sei ›eine anziehende junge Frau, mit guter Erziehung und aus gutem Elternhaus‹, dennoch wurde den Adoptiveltern der Vorzug gegeben. Sie waren ein reifes, ›gutsituiertes Ehepaar, das eine eigene Villa am Stadtrand von Hamburg besitzt‹, der Mann war Akademiker. Die Mitarbeiter des Norwegischen Rotes Kreuzes waren auch vom Entwicklungsstand des Jungen beeindruckt: ›Der Junge ist in einem guten Zuhause aufgewachsen […], er ist gesund, kräftig und sieht außergewöhnlich gut aus.‹ Seine Pflegeeltern taten ihr möglichstes, um die norwegischen Behörden in ihrem Sinne zu beeinflussen, so legte der Pflegevater in mehreren langen Briefen ausführlich dar, warum es richtig sei, wenn der Junge bei ihnen bliebe. Das durfte er dann auch. Im Januar 1948 stimmte das norwegische Justizministerium der deutschen Adoption von 1944 nachträglich zu.«[5]

Wir wissen natürlich nicht, ob diese Adoptiveltern ihrem offenkundig geliebten Kind seine »wahre Identität« vorenthielten. Sehr viele aber blieben in Unwissenheit, und zwar nicht nur in den Kindheits- und Jugendjahren, sondern, selbst wenn die Eltern es anfangs vielleicht anders planten, auf immer. Heute empfinden wir es als unverantwortlich, ja geradezu betrügerisch, einem Kind seine »wahre Identität« vorsätzlich vorzuenthalten. Man darf nicht vergessen, dass das damals bei geheimen Adoptionen die Regel war, denn es hieß, dass Eltern und Kind nur so eine wirklich enge Bindung zueinander aufbauen könnten.

Nun sind sich alle, Betroffene wie Forscher, einig, dass adoptierte Wehrmachtskinder in aller Regel eine normale, ja glückliche Kindheit hatten. Ihnen blieb all das erspart, worunter andere Wehrmachtskinder litten. Sie wuchsen ohne deren Traumata auf, ihr Trauma kam erst, wenn sie Jahrzehnte später erfuhren, was man ihnen verschwiegen hatte. Doch dass sie so lange »in seliger Unwissenheit« leben konnten (oder: so lange in bester Absicht betrogen wurden), mag ihnen überhaupt erst die Standfestigkeit und das Selbstbewusstsein gegeben haben, sich der schockierenden Wahrheit stellen und auch ihren Frieden damit machen zu können.

Einerseits ermöglichte die Verheimlichung ihrer Identität den adoptierten Wehrmachtskindern also eine mehr oder weniger normale Kindheit. Andererseits ist es gerade die Erkenntnis des Betruges und der ihnen vorenthaltenen Identität, die ihnen Jahrzehnte später den Boden unter den Füßen wegzieht. Das bleibt ein unauflösbares Paradox.

Für einige Wehrmachtskinder stand die »fehlende, ihnen vorenthaltene Identität« in so krassem Gegensatz zu dem, was sie bislang über sich selbst zu wissen meinten, dass schwere psychische Störungen die Folge waren.

Gunnel,* heute schwedische Staatsbürgerin, kam im Sommer 1945 zusammen mit etwa dreißig weiteren Kindern aus Deutschland nach Schweden. Um Adoptiveltern für sie zu finden, schilderten die zuständigen Behörden einigen schwedi-

155

schen Zeitungen das tragische Schicksal der Kinder. Die Kleinen, so logen die Staatsvertreter beherzt, kämen direkt aus deutschen Konzentrationslagern, beide Eltern (oder auch nur die Mutter) seien von den Nazis ermordet oder im Chaos der Lagerauflösungen bei Kriegsende von ihren Kindern getrennt worden, daher seien Geburtsort, Nationalität und natürlich auch deren Eltern unbekannt.

Tatsächlich gab es damals in Europa zahllose sogenannte Kinder ohne Identität, und es war durchaus üblich, ihnen eine erfundene Identität »zuzuteilen«. »Schweizer Behörden haben überlebende Kinder des Holocaust mit einer neuen Identität versehen und zur Adoption gegeben. Es entsprach der Pädagogik der Nachkriegszeit, mit der man die Kinder gewiss nicht nur um ihre Geschichte betrügen, sondern auch schützen wollte, zum Beispiel vor Diskriminierung oder Staatenlosigkeit.«[6] Der Unterschied zu den norwegischen Kindern indes bestand darin, dass sie weder »Kinder ohne Identität« noch gar »überlebende Kinder des Holocaust« waren. Die schwedischen und norwegischen Behörden gaben ihnen nicht nur (aus welchen Gründen auch immer) eine neue Identität – vor allem raubten sie den Kindern ihre wahre Identität, die ja lückenlos dokumentiert war.

Gunnel fand liebevolle Eltern, bei der Einschulung erfuhr sie von der Lehrerin, dass sie adoptiert sei. Sie lief nach Hause und fragte ihre Mutter, was das sei – »adoptiert«? Daraufhin erzählte diese ihr alles, was sie selbst wusste, auch dass in Gunnels Unterlagen stehe, sie sei in Oslo geboren und ihre Mutter sei »vermutlich« Norwegerin. »Das war eine aufregende Geschichte, in die sich ein Kind gut einleben konnte. In den folgenden Jahren spann sie die Geschichte für sich aus, sie erzählte sie ihren Freundinnen und versuchte, sich vorzustellen, was mit ihrer Mutter im Konzentrationslager geschehen sein mochte. Sie knüpfte ihre gesamte Identität an dieses Bild der Mutter. Als sie älter wurde, nahmen die furchtbaren Schicksale in den Lagern für sie plastischere Gestalt an. Als sie mit neunzehn Jahren eine Fernsehdokumentation über Auschwitz sah, brach sie völlig zusammen, weinte mehrere Tage und war lange krank.«[7]

1975 versuchte sie, mehr über das Schicksal ihrer Mutter zu erfahren, doch erst in den neunziger Jahren erfuhr sie, dass weder sie noch die Mutter jemals in einem Konzentrationslager gewesen waren. Die Mutter hatte nach dem Krieg in Oslo geheiratet, zwei weitere Kinder bekommen und war erst 1992 gestorben, wenige Jahre bevor Gunnel herausfand, wer ihre wahre Mutter war. Mindestens ebenso erschütternd war, dass ihr Vater kein Opfer der Nazis gewesen war, sondern als deutscher Soldat deren Uniform getragen hatte.

Das Schicksal von Gunnel und den dreißig Kindern dieses Transports ist seit Jahren bekannt. Aber erst der norwegische Historiker Lars Borgersrud deckte 2002 die ganze ungeheure Geschichte auf: Die Kinder waren in norwegischen Lebensbornheimen geboren, von ihren Müttern freigegeben und im Krieg in deutsche Lebensbornheime gebracht worden. Das Kriegsende verhinderte, dass sie, wie geplant, an deutsche Adoptiveltern vermittelt werden konnten. Nun waren sie »displaced persons« und sollten nach dem Willen der Alliierten nach Hause zurückgebracht werden. Aber als sie in Malmö angekommen waren, verständigten sich die norwegischen und schwedischen Behörden darauf, die Kinder statt dessen in Schweden zur Adoption zu geben. Borgersrud konnte nachweisen, dass Vertreter des norwegischen Staates im Sommer 1945 erwogen, *alle* norwegischen Wehrmachtskinder außer Landes, also beispielsweise nach Schweden zu bringen und sie dort zur Adoption zu geben. Er vermutet, dass es sich bei diesem ersten kleinen Transport um einen »Versuchsballon« gehandelt haben könnte.

Man steckte sie in ein Kinderheim bei Stockholm, gab ihnen zum Teil neue Namen und verwandelte norwegische Wehrmachtskinder in staatenlose KZ-Überlebende, weil man glaubte, auf diese Weise leichter Adoptiveltern für sie zu finden. Den norwegischen Müttern teilte man mit, ihr Kind sei gestorben. Es handelte sich, so Lars Borgersrud, um gezielte, staatlich initiierte und sanktionierte Geschichtsfälschung. Er vermutet, dass die meisten, die damals mit diesem Transport nach Schweden kamen, bis heute ahnungslos sind. »Ich weiß, wer sie sind, aber es ist nicht meine Aufgabe als Historiker, ihnen das zu sagen, denn das würde ihr Leben drastisch verändern.«[8]

Die meisten der »schwedischen« Kinder hatten eine glückliche, unauffällige Kindheit. War also das, was man mit ihnen gemacht hatte, »zu ihrem Besten«? Oder wäre es zu ihrem Besten, wenn ihnen nach sechzig Jahren jemand sagte – was sagte? Wer sie »wirklich« sind?

*

Hin und wieder tauchen in Erzählungen der Vater des Kindes oder Verwandte von ihm auf, die der Mutter anboten, das Kind zu adoptieren. So war der Vater eines holländischen Mädchens über die Geburt seiner Tochter hocherfreut, weil er mit seiner deutschen Ehefrau keine Kinder bekommen konnte. Daher bedrängte er die Mutter, ihm das Kind zur Adoption zu überlassen. Die aber wollte sich von ihrem Kind nicht trennen und lehnte kategorisch ab: »Sie und ich oder keine von uns.«[9]

Zofia Jasinska schrieb Ende 1945 einen Brief an die Familie von Jakob, ihrem Geliebten und dem Vater ihres Kindes, weil sie noch keine Nachricht von ihm hatte. Die Familie antwortete ihr, dass er im April 1945 als vermisst gemeldet worden war. »Jakobs Frau erfuhr von Jaceks Existenz und ahnte seine Herkunft. Um ihr Kummer zu ersparen, bestritt ich, dass er Jakobs Sohn sei. Sie schrieb mir, dass sie ihn adoptieren wolle, aber ich antwortete, dass das nicht in Frage käme.«

Kåre Olsen erwähnt in seinem Buch über die norwegischen Wehrmachtskinder einige Fälle, bei denen die Eltern, Geschwister oder auch, wie bei Jasinska, die Ehefrau des Vaters das Kind tatsächlich zu sich holten. In diesen Fällen hatte die leibliche Mutter vielleicht die Möglichkeit, mit dem Kind in Verbindung zu bleiben.

Ein dunkles Kapitel betrifft jene Kinder, die bei Pflegeeltern aufwuchsen – »dunkel« in zweifacher Hinsicht: Einerseits ist relativ wenig über ihr Leben bekannt, andererseits deutet manches darauf hin, dass gerade von ihnen viele eine schwere Kindheit hatten. Die Entscheidungen der zuständigen Behörden, welches Kind sie warum in welche Pflegefamilie gaben, bleiben im nachhinein oft völlig rätselhaft – es sei denn, man unterstellte den Zuständigen vorsätzliche Bosheit, ein Gedanke, der sich im Fall der Holländerin Maxine* aufdrängt.

Maxine war 1945, mit zwei Jahren, in eine Pflegefamilie gegeben worden, genauer gesagt: an eine Pflegemutter, denn als diese das Kind zu sich holte, saß ihr Mann noch im Lager. Er war als Kollaborateur verurteilt worden. Verurteilte Kollaborateure blieben zeit ihres Lebens ausgegrenzt, sie wurden, wie Maxine sagte, nach dem Krieg von den Niederländern als Parias angesehen und auch so behandelt. Hinzu kam, dass die Pflegeeltern ohne Einkommen waren, weil der Pflegevater bei Kriegsende aus der Polizei entlassen worden war und auch seine Pension eingebüßt hatte. Es ist daher gut möglich, auch wenn Maxine das nicht mit Sicherheit weiß, dass das Paar nur darum ein Kind annahm, weil es vom Jugendamt dafür Geld bekam.

Auf jeden Fall war es eine bemerkenswerte Entscheidung von einer Jugendbehörde, 1945 überhaupt ein Kind in solch eine schwer belastete Familie zu geben. Maxine sieht den Grund darin, dass es damals sehr schwierig gewesen sei, »stigmatisierte Kinder, das heißt Kinder von Mitgliedern der Nationaal-Socialistische Beweging (NSB) und die sogenannten deutschen Kinder bei Pflegeeltern unterzubringen, weil keine ›aufrechten‹ Holländer sich mit ihnen abgeben wollten«. Als sei das nicht genug, lebte die protestantische Familie in einer streng katholischen Gegend.

Obwohl sie auf der Straße als »Moffenkind« (Kind eines Deutschen) beschimpft wurde und andere Kinder ihr sagten, ihre Eltern seien gar nicht ihre Eltern, blieb sie völlig ahnungslos. Die Beziehung vor allem zur Mutter war äußerst angespannt, aber erst mit achtzehn Jahren erfuhr sie von anderen die Wahrheit: Sie lebte bei Pflegeeltern, sie war nicht deren leibliches Kind, sie war niemals adoptiert worden, sie hieß nicht so, wie sie bislang geglaubt hatte, sie hatte einen deutschen Vater, und sie war katholisch getauft. Hinzu kam eine weitere Überraschung: Ihre erste Mutter – die sie nie gesehen hatte – war bis zu ihrem achtzehnten Lebensjahr ihr Vormund gewesen! »Als ich das erfuhr, habe ich sehr gestaunt! Ich war in all diesen Jahren weder das Kind von meinen Pflegeeltern noch das Kind von meiner leiblichen Mutter gewesen!«

Ihre Pflegeeltern »verstießen« sie, als sie mit achtzehn Jahren Katholikin werden wollte – das war, bevor sie erfuhr, dass sie ja bereits katholisch war. Ob sie jemals vorhatten, sie zu adoptieren, weiß sie nicht.

Pflegeeltern sind oft »Überbrückungsstationen«, sei es, dass sie das Kind adoptieren wollen und die Formalitäten nicht abgeschlossen sind, sei es, dass das Jugendamt das Kind vorübergehend außerhalb eines Heimes unterbringen will oder muss. Im ersten Fall werden die Eltern sich dem Kind gegenüber verhalten, als seien sie bereits seine (Adoptiv-)Eltern. Im zweiten Fall hingegen taten sich zumindest in den vierziger und fünfziger Jahren Grauzonen auf, weil die Behörden die Familien nicht ausreichend überwachten und die Kinder der Willkür der Pflegefamilien oft genug schutzlos ausgeliefert waren. Neben Familien mit uneingeschränkt altruistischen Motiven, die ein Kind aus einem Heim holen und ihm ein Zuhause geben wollten, spielten bei anderen durchaus auch materielle Gründe mit. Vor allem in der Landwirtschaft waren Pflegekinder oft wenig mehr als kostenlose Arbeitskräfte, manche Familien nahmen allein deswegen nicht eines, sondern zahlreiche Pflegekinder auf.

Als 1945 das Lebensbornheim Sonnenwiese bei Leipzig aufgelöst wurde, suchten die Behörden händeringend Pflegefamilien für die fünfundneunzig Kinder, die noch dort lebten. Die Vermittlung lief schleppend, was angesichts der allgemeinen Lage im Sommer 1945 nicht erstaunt. Als die sowjetischen Besatzungstruppen dort die Amerikaner ablösten, wollten sie das Heim zügig räumen. Zeitungsberichten zufolge wurden die Bewohner der umliegenden Dörfer aufgefordert, sich zu einem bestimmten Zeitpunkt im Heim einzufinden, dort wurden ihnen die Kinder in Gruppen vorgeführt, und wer wollte, nahm eines mit. Vielleicht dachte auch hier mancher an künftige Arbeitskräfte, denn es war damals ganz normal, dass Zehnjährige in der Landwirtschaft mithalfen.

Aber viele bekamen ein gutes Zuhause. Ein besonders anrührender Fall ist der einer kinderlosen Kriegerwitwe, die unmittelbar neben dem Heim wohnte. Sie hatte sich, wie sie später immer wieder erzählte, schon lange in ein ganz bestimmtes kleines blondes Mädchen verliebt, das sie oft beim Spielen gesehen hatte. Als das Heim aufgelöst wurde, konnte sie es zu sich nehmen. Sie ließ dem Mädchen seinen (für Sachsen) sehr ungewöhnlichen norwegischen Vornamen und sagte ihm auch immer, dass es »von weit her kommt«. Die beiden wurden sehr glücklich miteinander, und das kleine blonde Mädchen, das inzwischen über sechzig Jahre alt ist, lebt immer noch in dem Haus neben ihrem ehemaligen Kinderheim.

Wie die anderen Eltern der Sonnenwiesekinder durfte allerdings auch diese Frau ihr geliebtes Pflegetöchterchen nicht adoptieren. Als sie die entsprechenden Anträge stellte, weigerten sich die zuständigen DDR-Behörden, die von Norwegen geforderten Dokumente auszustellen, so dass Norwegen seinerseits die Zustimmung zu den Adoptionen verweigerte. So blieben die Kinder norwegische Staatsbürger in der DDR, die weder »in ihre Heimat« ausreisen noch durch eine legale Adoption Deutsche werden konnten.

Ein weiteres Problem war, dass nichtadoptierte Kinder nicht erbberechtigt waren. Dass sie gar nicht adoptiert waren, erfuhren sie aber mitunter erst am Grab eines Elternteils, wenn es für ein entsprechendes Testament zu spät war. Das Erbe ihrer leiblichen Mutter stand ihnen weiterhin zu, doch das wussten sie nicht, und es gab auch niemanden, der es ihnen gesagt hätte.

Ein besonders bitteres Schicksal hatte Franz Walther.* Auch er war als Kind ins Heim Sonnenwiese gebracht worden, auch er kam 1945 in eine Pflegefamilie, die allerdings auf dem Gebiet der späteren Bundesrepublik lebte. Seine Eltern adoptierten ihn, und diese Adoption wurde von norwegischer, aber nicht von deutscher Seite anerkannt. Sein Pflegevater versuchte mehrfach, eine Geburtsurkunde für Franz zu bekommen, zum letzten Mal, als dieser mit achtzehn Jahren zur Bundeswehr eingezogen werden sollte. Daraufhin erhielt Franz einen norwegischen Pass sowie seine Ausweisung. Er musste Deutschland binnen sechs Wochen verlassen.

Er fuhr zu seiner Mutter nach Norwegen. Das endete selbstverständlich katastrophal, denn sie hatte einen Ehemann und Kinder, und weder sie noch ihre Familie waren davon angetan, einen völlig fremden und nur deutsch sprechenden Achtzehnjährigen als Sohn beziehungsweise Bruder aufnehmen zu müssen. Franz verließ Norwegen und meldete sich zur Fremdenlegion. Jahre später kehrte er nach Norwegen zurück und gründete dort eine Familie. Er suchte in allen zugänglichen Archiven nach Details seiner frühen Geschichte, aber es blieb dabei: Seine Adoption war in Norwegen, nicht aber in Deutschland aktenkundig. Damit war er im juristischen Sinne niemandes Sohn und daher auch weder in Norwegen noch in Deutschland erbberechtigt.

Die Mutter der Holländerin Maxine hatte sie unmittelbar nach der Geburt im Kinderheim zurückgelassen. Ob sie wusste (oder wissen wollte), was danach mit ihrer Tochter passierte, ist ebenso ungewiss wie die Frage, ob sie vielleicht vorhatte, das Kind später zu sich zu holen, und das dann aus gravierenden Gründen nicht tun konnte (oder wollte). Damals ließen viele – für unseren heutigen Zeitgeist und unsere Mentalität erstaunlich viele – Mütter ihre Kinder für Monate oder sogar Jahre im Heim. Sie waren der festen Überzeugung, dass es ihnen dort gutgehe.

Für ihre umfangreiche Studie über die Heime des Lebensborn e.V. hat Dorothee Schmitz-Köster unter anderem Mütter interviewt, die ihr Kind in einem dieser Heime zur Welt brachten und es für einige Zeit dort zurückließen. Sie wundert sich, dass sich die meisten nicht mehr daran erinnern konnten, ob ihnen die Trennung vom Kind schwergefallen sei.[10] Ragnhild hingegen, die im September 1944 von Nordnorwegen die weite Reise in den Süden machte, um ihre Tochter in einem Lebensbornheim zur Welt zu bringen, schrieb vier Wochen nach deren Geburt an ihre künftigen Schwiegereltern in Deutschland: »Aber ich sehe dem Tag mit angst und Schmerz entgegen, da ich sie verlassen muß. Es wird sehr schwer sein, aber es ist für mich ganz unmöglich das kind rauf nach Nordnorwegen mitzunehmen, es ist Viel zu weit zu fahren mit so einem kleinen Kind und ausserdem auch viel zu kalt. Dortoben liegt ja schon hoher Schnee. [...] Ich weiss, sie wird es hier im Heim sehr gut bekommen, aber ich werde sie sehr vermissen.« Danach schrieb sie in jedem Brief, dass sie sich kranksehne nach ihrem Kind. Im Februar 1945 konnte sie es endlich holen. Auf der Rückreise im überfüllten Zug musste sie das Kind siebzehn Stunden lang auf dem Schoß halten, daran schlossen sich noch dreizehn Stunden auf dem Schiff an.

Wie Ragnhild holten die meisten ihr Kind ab, sobald es ihre Lebenssituation zuließ. Einige hingegen taten das nicht. Eine ehemalige Angestellte des norwegischen Lebensborn erinnerte sich an die Mutter eines Jungen, die mit ihrem norwegischen Verlobten ins Heim gekommen sei. Der habe einen Blick auf das Kind geworfen und erklärt, er wolle keinen Deutschenbastard. Daraufhin sei das Paar verschwunden, der Junge blieb im Heim.[11] Was immer der Grund dieser Frau dafür gewesen sein mag, den Jungen zurückzulassen, die meisten Frauen, die ihr Kind im Heim ließen, taten dies nur schweren Herzens und weil sie keinen anderen Weg sahen.

Als Elnas Mutter Therese im Februar 1945 den Lebensborn bat, selbst eine Adoptivfamilie für ihr Kind suchen zu dürfen (zu diesem Zeitpunkt hatte sie ihre Tochter bereits an Adoptiveltern übergeben), erhielt sie binnen weniger Tage zur Antwort, »es sollte immer vermieden werden, dass eine Mutter ihr Kind ganz von sich gibt. Wenn allerdings überhaupt keine Möglichkeit vorhanden ist, dass Sie dem Kinde eine ausreichende Erziehung gewährleisten können, bin ich gern bereit, Ihnen bei der Adoption behilflich zu sein. Es geht allerdings nicht an, dass Sie ohne meine Genehmigung eine Adoptionsstelle für Ihr Kind suchen. Außerdem muss der Kindesvater zu der beabsichtigten Adoption ebenfalls seine Genehmigung geben.« Erst wenn die

Mutter eine Erklärung unterschrieben und der Vater zugestimmt habe, »werde ich prüfen, ob Ihr Kind zur Adoption freigegeben werden kann«.

Spätestens wenn das Kind zwei Jahre alt war, drängte der Lebensborn allerdings darauf, dass die Mutter es entweder zu sich holen oder zur Adoption freigeben müsse, weil das Heimleben dem Kind auf Dauer schade. Zögerte die Mutter zu lange mit einer Entscheidung, konnte es durchaus geschehen, dass Angestellte des Lebensborn sie unter Druck setzten, einer Adoption zuzustimmen. Wenn für solche Kinder keine Pflege- oder Adoptivfamilie gefunden wurde, mussten sie auf Dauer im Heim bleiben. Damals wurde von solchen Institutionen kaum mehr erwartet, als dass die Kinder dort »sauber, trocken und satt« aufbewahrt wurden. Ob wenigstens diese Mindestanforderungen erfüllt waren, vor allem aber, wie das Personal darüber hinaus mit den völlig von den Betreuungskräften abhängigen Kindern verfuhr, war allzu häufig allein von der Willkür des Heimleiters abhängig.

Sicher ist, dass ein solches System zunächst einmal in den Kindern kaum andere Talente als die Entwicklung von Strategien förderte, wie man durch Überanpassung oder aber, im Gegenteil dazu, durch ständige lautstarke Präsenz die eigenen Chancen vergrößerte, bei der Verteilung der wenigen begehrten Güter nicht völlig übergangen zu werden. So hatte die achtzehn Monate alte Elna nur eines perfekt gelernt: Mund aufreißen, wenn der Löffel kommt. Sonst gab es nichts zu essen.

Wir haben ja bereits von den Findelkindern gehört, die sich anderthalb Jahre nach Kriegsbeginn in den ukrainischen Heimen befanden. Ist das repräsentativ für andere Länder? Wie oft halfen die Kirchen verzweifelten Frauen, indem sie diskret ihr Neugeborenes übernahmen? Wer weiß, wie viele Kinder in europäischen Waisenhäusern der vierziger und fünfziger Jahre einen deutschen Vater hatten? Und wie viele gar keine Waisen waren, sondern Verlassene? Wurden sie schlechter behandelt, wenn das Personal oder die Nonnen, die sie betreuten, etwas über ihre leiblichen Eltern wussten? Hatten sie ein noch härteres Schicksal als die anderen unglücklichen Elternlosen?

Über die Situation in Holland, Frankreich, Polen, Italien und in den vielen anderen ehemals deutschbesetzten Ländern ist so gut wie nichts bekannt. Warum ist das so? Wie war es in diesen Ländern mit der Heimunterbringung und mit Adoptionen? Wer war dafür zuständig, und wie ist es den Kindern ergangen? All das ist nicht bekannt, denn darüber wird in kaum einem der ehemals besetzten Länder öffentlich gesprochen oder geforscht.

Das einzige Land, in dem diese Fragen in den letzten Jahren öffentlich diskutiert wurden, ist – wieder einmal – Norwegen, wo einige Wehrmachtskinder sehr eingehend von Misshandlungen berichtet haben, denen sie in staatlichen Heimen wegen ihrer Herkunft ausgesetzt gewesen seien. Dass etwas öffentlich diskutiert wird, beweist noch nicht, dass es so war, es beweist lediglich, dass die Aufarbeitung und Enttabuisierung des ganzen Themenkomplexes »Wehrmachtskinder« in Norwegen ebenso einzigartig wie vorbildlich verläuft. Ein besonders treffendes Beispiel hierfür ist das Gerücht, das sich seit einigen Jahren hartnäckig hält und sich besonders bei der ausländischen Presse größter Beliebtheit erfreut, wonach norwegische Wehrmachtskinder, die in Kinderheimen und psychiatrischen Anstalten untergebracht waren, gezielt zu LSD-Experimenten herangezogen worden seien.

Es wurde eine Regierungskommission gebildet, die im Jahr 2004 bekanntgab, dass sie für die Wahrheit dieser Behauptung keinerlei Anhaltspunkte finden konnte. Ich vermute allerdings, dass das der Popularität dieser Anschuldigung nicht schaden wird.

*

Welche Erfahrungen waren es, von denen die heute über Sechzigjährigen sagen, dass sie ihr Leben zerstörten, noch bevor es richtig begonnen hatte? Exemplarisch ist die Kindheit eines

Mannes, der vor einigen Jahren zusammen mit sechs anderen Wehrmachtskindern den norwegischen Staat auf materielle Entschädigung verklagte. Er heißt Paul H. und kam 1942 in Norwegen zur Welt. Seine Mutter heiratete 1945 einen Deutschen (nicht Pauls Vater) und zog mit ihm nach Deutschland, den Jungen ließen sie in Norwegen in einem Lebensbornheim zurück.

Bei der Kapitulation lebten noch etwa fünfhundert Kinder in den neun Heimen, sie konnten alle bei ihren Müttern, bei Pflegeeltern oder in anderen Kinderheimen untergebracht werden. Alle bis auf zwanzig Kinder, die als geistig behindert galten und für den norwegischen Staat ein »Problem« darstellten, mit dem er sich äußerst ungern befassen wollte. Schließlich verfrachtete man sie im Sommer 1946 ohne jede fachärztliche Untersuchung in ein Heim für geistig Behinderte, was ihnen zum Kainsmal »Deutschenkind« noch das Kainsmal »schwachsinnig« aufdrückte. Eines dieser Kinder war Paul, 1946 notierte jemand über den damals Vierjährigen: »IQ 45. Er ist reinlich. Isst allein. Möchte mit den anderen Kindern spielen. Ein recht gesundes und freundliches Kind, kann recht gut sprechen.«[12] Pauls früheste Erinnerungen an dieses Heim sind furchtbar: »Als erstes hörte ich Menschen schreien. Sie aßen und erleichterten sich am gleichen Ort – auf dem Fußboden, auf den Tischen. Ich hatte Todesangst. Die Leute waren angekettet.«

Er kam in andere psychiatrische Heime und ging nur vier Jahre zur Schule. Als er zwölf war, schickte man ihn in das erste Heim für geistig Behinderte zurück, wo er noch vier Jahre blieb. Die Heimjahre waren sein ganzes Leben lang ein Grund für andere, auf ihn herabzusehen, und für ihn selbst, sich deswegen tief zu schämen. Viele Jahre später sagte ein Oberarzt dieses Heimes: »Hätten diese Kinder 1945 die Möglichkeit eines Neuanfangs und eines normal geführten Lebens bekommen, hätten sie sich vermutlich auch normal entwickelt.«[13]

Paul bewies das aus eigener Kraft. Als Zweiundzwanzigjähriger begann er zu arbeiten, und nachdem er fast sein ganzes Leben lang als geistig behindert eingestuft worden war, erwies er sich als tüchtiger Handwerker, über den seine Arbeitgeber nur Gutes zu sagen wussten.

Heute sagt er bitter: »Uns wollte keiner. Ich wurde zu den Geisteskranken gesteckt. Ich glaube, das war eine Strafe für die Eltern, die wir hatten. Es war so etwas wie Rache dafür, dass wir einen deutschen Vater und eine norwegische Mutter hatten.«

Über Pauls Schicksal und über das seiner sechs Mitstreiter im Osloer Prozess haben auch die deutschen Medien breit berichtet. Die Artikel gefielen sich nahezu ausnahmslos in dem Gestus der Empörung, ja Fassungslosigkeit über die furchtbaren Dinge, die der norwegische Staat diesen unschuldigen Kindern angetan hat. Kein einziger Journalist verweist darauf, dass sie als Kinder nicht nur von ihrer Mutter und den norwegischen Jugendämtern, sondern auch von ihrem Vater im Stich gelassen worden waren – und der ist Deutscher. Ich vermute, dass in kaum einem der Deutschen im entsprechenden Alter, die diese Artikel beim Frühstück überflogen, für eine Sekunde die Frage aufflackerte, ob es sich bei einem dieser bedauernswerten Norweger um ein Kind des eigenen Vaters, um eine Halbschwester oder einen Halbbruder handeln könnte.

7. *Kapitel*
SONDERFALL NORWEGEN[1]

Das Schicksal der Wehrmachtskinder in Norwegen unterschied sich von Anfang an gravierend von dem aller anderen Wehrmachtskinder in Europa.

Bereits wenige Monate nachdem die Deutschen im April 1940 Norwegen besetzt hatten, wurde klar, dass deutsche Soldaten und Norwegerinnen so häufige und so enge Kontakte zueinander hatten und vermutlich weiterhin haben würden, dass mit vielen Kindern aus solchen Beziehungen zu rechnen war. Das sahen die Nationalsozialisten, vor allem natürlich die SS und der Reichsführer-SS Heinrich Himmler, mit größtem Wohlwollen, denn ihnen war sehr an der »Auslese und Sammlung arischen Blutes« gelegen.

Die Nationalsozialisten führten nicht nur einen »erbarmungslosen Vernichtungskrieg gegen die Juden und alle übrigen rassisch ›Minderwertigen‹«, sie dachten auch an die, wie sie es selbst nannten, »Züchtung eines ›Herrenvolkes‹«.[2] Hierzu gehörte 1935 die Gründung der SS-Organisation Lebensborn e.V. Dieser Verein sollte »Frauen guten Blutes«, die (ob verheiratet oder nicht) schwanger geworden waren, die Möglichkeit geben, »unter dem Deckmantel der Verschwiegenheit eine Schwangerschaft austragen und das Kind zu Welt bringen zu können«.[3] Während der Lebensborn die Daten der Eltern, insbesondere deren »arische« Reinheit, auf das genaueste überprüfte und festhielt, konnte nach außen nicht nur die Identität des Vaters geheimgehalten werden, sondern auch, falls die Mutter dies wünschte, die Existenz des Kindes.

Diese Geheimhaltung führte dazu, dass sich bereits im Dritten Reich zahlreiche Gerüchte um den Lebensborn rankten, in deren Mittelpunkt die Behauptung stand, der Lebensborn betreibe Edelbordelle, in denen SS-Männer mit ausgesuchten

Frauen zusammengebracht werden, um die »arische Elite« zu zeugen.

Das ist blanker Unsinn, aber die Mischung SS und Sex, blonde Maiden und unschuldige Kinderlein war zu schön, um ungenutzt zu bleiben, daher wurde sie seit Kriegsende in Kinofilmen, Romanen und der Presse endlos wiederholt, auch die internationalen Medien unserer Tage hängen dem Zuchtmythos mit unvermindertem Enthusiasmus an. Die »höheren Weihen« erhielt diese Legende durch ein französisches Buch von Marc Hillel und Clarissa Henry, das 1975 erschien. »Der Klappentext pries ihr Buch als Ergebnis jahrelanger seriöser Forschungen. In Wirklichkeit war die Arbeit schlampig recherchiert«, ihr »Beweis«, dass »die Produktion nordischer Kinder in Norwegen glatter gelaufen« sei als in allen anderen Ländern, war nur die Wiederholung alter Gerüchte. Hillel und Henry hatten niemals Zugang zu den entsprechenden Archiven in Norwegen.[4]

1985 legte Georg Lilienthal die erste wissenschaftlich fundierte Arbeit über den Lebensborn vor. Er konnte schlüssig nachweisen, dass die Obszönität des Lebensborn nicht in gelenkter Zeugung, sondern darin bestand, dass er, so auch der Untertitel seines Buches, »ein Instrument nationalsozialistischer Rassenpolitik« war. »Bei den vom Lebensborn angebotenen Hilfen ging es niemals um ›das Schicksal hilfsbedürftiger Frauen‹. Die Kinder und ihre Mütter wurden [in Deutschland, dr.] denselben Auswahlkriterien unterworfen wie die Mitglieder der SS.«[5]

Da die Norweger nach Dafürhalten der nationalsozialistischen »Rassenexperten« die »arischsten aller Arier« waren, wollte sich die SS den Zugriff auf dieses »gute Blut« sichern. Norwegens oberster SS-Mann Wilhelm Rediess, höherer SS- und Polizeiführer Nord, meinte, selbst wenn diese Kinder weiterhin bei ihren Müttern wohnten und norwegische Staatsbürger seien, könne man so »deutschgesinnte Vorposten im norwegischen Volke« schaffen.[5] Daher drängte die SS schon bald nach dem Überfall auf Norwegen darauf, alle Kinder einer Norwegerin (soweit sie nicht Samin, Jüdin oder Sinti war) und eines

Deutschen zu registrieren, egal, ob er Wehrmachtssoldat, Angehöriger der Waffen-SS oder Zivilbeschäftigter beim Reichskommissariat, der Organisation Todt und so weiter war. Allein zu diesem Zweck wurde ab Sommer 1941 eine hochkomplexe Bürokratie aufgebaut, die den Namen »Abteilung Lebensborn« bekam und schließlich nicht weniger als neun Lebensbornheime umfasste.

Da die meisten Wehrmachtsangehörigen in Nordnorwegen stationiert waren, mussten sich die Rassenexperten sehr bald mit dem »Problem« der in Nordskandinavien beheimateten Samen befassen. »Es scheint, als hätte es die Samen in der Rassenlehre der Deutschen vor dem Krieg gar nicht gegeben. Zu Beginn der Besatzung sahen die Deutschen in ihnen offenbar ein exotisches Naturvolk. Aber nachdem sie sich eingehender mit den rassischen Merkmalen der Norweger befasst hatten, unterzogen sie auch diese kleine Bevölkerungsgruppe einer genaueren Untersuchung und kamen zu dem Ergebnis, dass jeglicher samische Einschlag rassisch unerwünscht sei. Die Deutschen mussten allerdings zur Kenntnis nehmen, dass die Geburtenrate in Gebieten mit überwiegend samischer Bevölkerung höher war als im übrigen Land.«[7]

Das führte zu der paradox anmutenden Situation, dass die Deutschen versuchten, die Geburtenrate im Süden Norwegens zu erhöhen und im Norden zu senken. Ein Lebensbornangestellter schlug 1941 vor, Ehen zwischen Samen und Norwegern gesetzlich zu verbieten. Er wollte das samische Volk allerdings nicht offen als minderwertig abstempeln: »Man wird ein Verbot der Heirat zwischen Norwegern und Lappen nicht mit der Reinerhaltung des norwegischen Blutes begründen, man wird es damit begründen, dass das kleine Volk der Lappen in Gefahr wäre, von den verschiedenen, es umgebenden Volksgruppen aufgesaugt zu werden, um die Lappen nicht zu verletzen. Man wird also sagen, dass die Lappen und ihr artgemäßes Leben erhalten bleiben müssen und des Schutzes bedürfen.«

Wenn schon Ehen zwischen Samen und Norwegern verboten

werden sollten, kann man sich leicht ausrechnen, dass Ehen zwischen einer Samin und einem Deutschen ausgeschlossen und ihr Nachwuchs unerwünscht sein würde – denn wie immer die Samen einzuordnen sein mochten, der germanischen Rasse gehörten sie jedenfalls nicht an. Was mögliche Nachkommen deutscher Soldaten mit Saminnen anging, so äußerten die zuständigen Lebensbornfachleute denn auch »schwerste Bedenken, das deutsche Volk mit einem solchen mongolischen Einschlag zu belasten«.

In der Regel wurden die Soldaten lediglich scharf ermahnt, bei der Auswahl ihrer Freundinnen mehr Rassenbewusstsein zu beweisen, und nach der geheimen Verordnung des Oberkommandos der Wehrmacht vom Herbst 1942 wurden Heiratsgesuche grundsätzlich abgelehnt, wenn die Frau samischer Herkunft war.[8] Kåre Olsen erwähnt in seinem Buch den Fall eines Soldaten, der von den Deutschen verhaftet wurde, weil er zu einer Samin eine Beziehung unterhielt, was gegen die deutsche Rassenideologie verstieß.[9] Im Januar 1943 hieß es bedauernd, »die Erfahrungen in den nordischen Ländern zeigten, dass der Deutsche im wesentlichen nicht das rassisch wertvolle Mädchen heirate. Der Soldat, der lange nicht in der Heimat gewesen sei, habe den richtigen Blick leider verloren.«[10]

Dieser richtige Blick, den die Soldaten eingebüßt hatten, hielt sich nicht mit Charme, Warmherzigkeit, Sinnlichkeit, Schönheit oder Häuslichkeit der Erwählten auf, sondern taxierte einzig ihr Potential als Mutter arischer Kinder. Denn allein darum ging es dem Lebensborn: um die arische Mutter und ihr Kind.

Die konkrete Arbeit des Lebensborn in Norwegen bestand darin, die schwangeren Norwegerinnen sowie ihre Kinder zu erfassen und zu betreuen. Die Betreuung umfasste finanzielle und materielle Hilfen ebenso wie den Versuch, die Vaterschaft festzustellen, sei es durch freiwillige Erklärung des Mannes, sei es durch medizinische Gutachten und gerichtlichen Beschluss. Der hierzu betriebene Aufwand war mitunter ungeheuer, so wurden mehrfach Blutproben der Betreffenden nach Berlin geschickt, nach manchen angegebenen Vätern wurde jahrelang gesucht. Erfasst und betreut wurden aber ausschließlich Frauen, die dies wünschten.

Es war nie Ziel des Lebensborn in Norwegen (übrigens auch in Deutschland nicht), die im Lebensbornprogramm aufgenommenen Frauen dazu zu verleiten, ihre Kinder zur Adoption zu geben, zu schweigen davon, dass sie ihnen »geraubt« wurden, wie gelegentlich behauptet wird. Das hätte völlig dem nationalsozialistischen Ideal von der arischen Mutter und ihrem Kind widersprochen. Wenn aber eine Mutter ihr Kind zur Adoption geben wollte, regelte der Lebensborn alles Weitere. Der deutsche Vater musste vorher der Adoption zustimmen.

Was man den Müttern nicht sagte: Die Kinder wurden »sortiert«; nach eingehender rassischer Begutachtung wurden die »arischsten« Kinder, es handelte sich um einige hundert, nach Deutschland gebracht, um sie dort zur Adoption zu geben. Die erste Station der Kinder aus Norwegen waren die Kinderheime Sonnenwiese bei Leipzig, Hohenhorst bei Bremen und Bad Polzin im jetzigen Polen, doch viele von ihnen fanden keine liebevolle Familie, sondern führten ein rastloses Leben voller Umbrüche und Leid, das im wesentlichen, wenn nicht gar ausschließlich die Folge dieses Transports nach Deutschland war.

Soweit ich weiß, hat bisher noch niemand geprüft, ob es rechtlich relevante Folgen haben könnte, dass der Lebensborn die Mütter bei den Adoptionsvereinbarungen vorsätzlich getäuscht hat. Eine solche Folge könnte sein, die Bundesrepublik Deutschland als Rechtsnachfolger des Lebensborn e.V. für das Leid dieser Gruppe von Wehrmachtskindern zur Verantwortung zu ziehen.[11] Anhand des in Oslo erhaltenen Lebensborn-Archivs wäre es vermutlich möglich, die meisten Schicksale bis Kriegsende zu belegen.

Das Herzstück der norwegischen Organisation waren die (heute in Oslo lagernden) Folianten, in die chronologisch alle Kinder eingetragen wurden, die unter der Obhut des Lebensborn geboren worden waren. In diesen Listen stehen neben dem Geburtsdatum des Kindes der Name und der Wohnort der

Mutter sowie der Name und die Heimatadresse des Vaters, in einer gesonderte Spalte wurde vermerkt, ob dieser die Vaterschaft anerkannt hatte beziehungsweise ob sie gerichtlich geklärt worden war. Außerdem wurde für jede Schwangere und/oder Mutter, die sich mit dem Lebensborn in Verbindung setzte, eine Akte angelegt, die alles enthielt (oder enthalten sollte), was diesen speziellen »Vorgang« (und folglich das Kind) betraf: Die Ersterfassung der Mutter, alle Schriftstücke rund um die Vaterschaftsanerkennung, die rassischen Bewertungen von Mutter und Kind, die Korrespondenz des Lebensborn mit der Mutter, dem Vater sowie mit Behörden und anderen Institutionen, der Nachweis aller Orte, wo sich die Mutter und/oder das Kind aufgehalten haben, und so weiter. Die Akten enthalten auch Nachweise der materiellen Unterstützung von Mutter und Kind, wozu neben den Alimenten, die der Lebensborn für die Dauer des Krieges stellvertretend für die Väter übernahm, auch Ausgaben für die Babyerstausstattung, die Entbindung, Reisen und so weiter gehörten.

Ingesamt wurden zwischen Frühjahr 1941 und Mai 1945 etwa achttausend norwegische Lebensbornkinder registriert. Sie sind die verschwindend kleine Minderheit unter den europäischen Wehrmachtskindern, über die es präzise Aufzeichnungen gibt.

Während bei Kriegsende ein Großteil der deutschen Lebensbornakten gezielt vernichtet wurde, arbeitete in der Osloer Zentrale des Lebensborn dessen Leiter, SS-Untersturmführer Ernst Ragaller, noch Monate nach der Kapitulation daran, die vorhandenen Akten zu komplettieren. Sie sollten in späteren Jahren für die norwegischen Wehrmachtskinder eine wichtige Rolle spielen.

In ihren Berichten über die Prozesse gegen den norwegischen Staat bezeichneten die internationalen Medien häufig *alle* norwegischen Wehrmachtskinder als »Lebensbornkinder«. Das ist nicht richtig. Viele Schwangere nahmen, aus welchen Gründen auch immer, niemals Kontakt zum Lebensborn auf, ihre Kinder tauchen also in den Lebensbornunterlagen gar nicht auf. Die geschätzte Gesamtzahl der Nachkommen deutscher Soldaten in Norwegen liegt bei mindestens zwölftausend. Diese Zahl umfasst sowohl die während des Krieges wie die nach der Kapitulation *geborenen* Kinder. Und sie versucht auch jene Kinder zu berücksichtigen, die nach Mai 1945 *gezeugt* wurden, denn die letzten Wehrmachtssoldaten verließen Norwegen erst Anfang 1947.

*

Noch im Krieg begannen verschiedene Gruppen norwegischer Patrioten sich um das künftige Schicksal der »Deutschenkinder« Gedanken zu machen, Auslöser hierfür war eine SS-Publikation mit dem Titel *Schwert und Wiege* von 1943 (der Titel ist eine Anspielung auf die SS-Parole »nach dem Sieg auf dem Schlachtfeld folgt der Sieg in der Wiege«). Sie schilderte (mit vielen Fotos) die Tätigkeit der Abteilung Lebensborn in Norwegen und enthielt auch konkrete Angaben wie die Zahl der bisher unter Obhut des Lebensborn geborenen Kinder oder zur Höhe der Unterhaltszahlungen. Ein Exemplar des Buches wurde von einem der norwegischen Drucker entwendet und gelangte so verschiedenen Widerstandskreisen zur Kenntnis.

Bemerkenswert viele, die sich damit befassten, reagierten alarmiert. Sie sahen in den Kindern, die sie als minderwertige Mischung aus verbrecherischen Nazivätern und liederlichen Verrätermüttern brandmarkten, eine ernste künftige Gefahr für Norwegen. Noch vor Kriegsende erwogen daher geheime Berichte, sie bei Kriegsende sofort zu deportieren (am besten nach Deutschland, »weil sie ja Deutsche sind«), und zwar zusammen mit ihren Müttern, die ihr Land gewissenlos verraten hätten.

Als zwischen August 1944 und Mai 1945 in Europa »der Frieden ausbrach«, wie die Norwegerin Ellen Genius es so treffend formulierte, begann überall die große Hetzjagd auf die verhassten »Deutschenflittchen«. Aber im Gegensatz zum übrigen Europa, wo diese Strafaktionen, inoffizielle wie offizielle, nur den zurückgelassenen Freundinnen der Soldaten galten, umfasste in Norwegen die aufgepeitschte Stimmung und der Ruf nach »Säuberungen« auch deren Kinder. Wie stark diese Kinder, von denen keines älter als vier Jahre war, die Phantasien der »Volksseele« und der Fachleute beschäftigte, »zeigt sich an den hasserfüllten Aussagen in der Presse, daran, was die Leute redeten, wieviel Verachtung und Feindseligkeit die norwegischen Pfarrer zum Ausdruck brachten, dass Ärzte die Kriegskinder und ihre Mütter als minderwertig und schwachsinnig beurteilten«.[12]

Sofort nach der Befreiung nahm sich die neue Regierung ganz offiziell des »Problems der Deutschenbastarde« an; bereits im Juli 1945 wurde eine mehrköpfige Kommission damit beauftragt, die Lage zu erörtern und Lösungen zu erarbeiten. Vielleicht spielte die Existenz des Lebensbornarchivs mit den kompletten Daten Tausender Wehrmachtskinder und ihrer Mütter eine Rolle dabei, dass die Norweger überhaupt diese im befreiten Europa beispiellose »Problembearbeitung« ins Auge fassten. Ohne dieses einzigartige bürokratische Vermächtnis der SS wäre es undenkbar gewesen, aus der Menge aller norwegischen Kinder, die im fraglichen Zeitraum geboren worden waren, die Kinder der Soldaten heraussuchen zu wollen.

Die meisten Empfehlungen der Kommission waren letztlich wenig spektakulär, nur wenige wurden schließlich umgesetzt. Diese Kommission war es übrigens auch, die für die Kinder eines Wehrmachtssoldaten und einer Norwegerin das Wort »Kriegskind« einführte. Andere staatliche Stellen erwogen allerdings extremere Vorschläge wie den, alle diese acht- bis neuntausend Kinder nach Australien zu deportieren.[13]

Zahlreiche norwegische Kinder, die während des Krieges vom Lebensborn nach Deutschland gebracht worden und nicht rechtsgültig adoptiert worden waren, lebten bei Kriegsende in Heimen oder bei Pflegeeltern. Sie waren norwegische Staatsbürger, daher drängten die Alliierten darauf, dass Norwegen sie »nach Hause« holte.

Der bereits erwähnte erste Transport mit dreißig Kindern ging im Sommer 1945 ab Bremen und kam nicht weiter als bis

Schweden. Das waren die Kinder, die mit der Behauptung in Schweden zur Adoption gegeben wurden, ihre Eltern seien im KZ getötet worden. Die Rückführung von etwa fünfzig weiteren Kindern aus Deutschland nach Norwegen wurde von norwegischer Seite zwei Jahre lang verzögert und dann so miserabel organisiert, dass man versucht ist, von Vorsatz zu sprechen. Ohne Zweifel verdanken viele der Kinder ihr Leben allein der beharrlichen Fürsorge eines norwegisch-schottischen Ehepaares namens Cecilie und John Murphy, das sich in Norwegen um sie kümmerte, während sich die Haltung der zuständigen Behörden durch Gleichgültigkeit und Vernachlässigung auszeichnete.[14]

Ein anderes Schicksal erwartete etwa dreißig norwegische Kinder, die bei der Kapitulation im Lebensbornheim Sonnenwiese bei Leipzig lebten. Sie konnten nicht zurückgeholt werden, weil die Behörden im sowjetischen Teil Deutschlands ebenso wie die der späteren DDR die Zusammenarbeit mit den alliierten Hilfsdiensten und mit Norwegen verweigerten. Die Kinder blieben also dort, die meisten kamen bei Familien in der Nähe des Heims unter und wuchsen als norwegische Staatsbürger in der DDR auf. In den sechziger Jahren beantragten mindestens sechs dieser »Kinder« den ihnen zustehenden norwegischen Pass, mit dem ihnen dann der Weg in den Westen offenstand.

»Was 1962 wirklich geschah, ahnten damals weder die Beamten in Norwegen noch die Kriegskinder, die angeblich ihren Pass beantragt hatten. Erst Jahre später [1997, *dr.*] stellte sich heraus, dass der Stasi die Identitäten einiger norwegischer Kriegskinder benutzt hatte, um Agenten mit norwegischen Pässen versehen in den Westen zu schicken. Die echten Kriegskinder wurden Anfang der sechziger Jahre von Polizeibeamten aufgesucht und erhielten ein strenges Verbot, sich jemals mit Norwegen in Verbindung zu setzen. Danach nahmen ostdeutsche Agenten die Identitäten dieser Kriegskinder an und beantragten bei den norwegischen Behörden ›ihren‹ norwegischen Pass, mit dem ihnen dann alle Türen nach Norwegen und in den Westen offenstanden. Bislang konnten drei Fälle dieser Art

nachgewiesen werden. Einige Agenten spielten ihre Rolle mit
Perfektion. So reiste einer nach Norwegen, um beim Begräbnis
seiner norwegischen ›Mutter‹ dabeizusein, und erhielt auch das
Erbe, das ihm als ›Sohn‹ zustand.«[15]

*

Nach der Hysterie der unmittelbaren Nachkriegszeit wurde
es in der Öffentlichkeit und auf Regierungsebene um die Wehrmachtskinder erstaunlich schnell sehr still. Sie blieben zwar in
ihrem privaten Umfeld sichtbar und wurden häufig jahrelang
als »Deutschenbastarde« gehänselt, aus dem grellen Rampenlicht der öffentlichen Aufmerksamkeit aber verschwanden sie
völlig.

Knapp vierzig Jahre lang waren die Nachkommen der Deutschen in Norwegen, wie überall in Europa, ein Tabuthema.
1986 erschien das Buch *Kinder der Schande,* in dem die Journalistin Veslemøy Kjendsli den geradezu unglaublichen Weg eines
Wehrmachtskindes nachzeichnete; wenig später bekannte sich
Per Arne Löhr Meek als erstes norwegisches Wehrmachtskind
in einer Fernsehsendung zu seiner Herkunft. Er war es auch, der
im selben Jahr den Kriegskinderverband Norwegen *(Norges
Krigsbarnforbund,* NKBF) gründete.

Elna Johnsen, die dem Verband schon früh beitrat, weiß an-
schaulich davon zu erzählen, wie sich die organisierten »Kriegskinder« gegenseitig stützten und bei der Suche nach ihren
Vätern halfen, wie sie zusammen um mehr Rechte gegenüber
Behörden und Archiven kämpften und wie sie in vielen kleinen
Schritten versuchten, ihre eigene Geschichte aufzudecken. Sie
brachen gemeinsam das Schweigen über sich und ihre Existenz,
sie berichteten von Misshandlungen und Unrecht, sadistischen
Erwachsenen und rechtswidrig agierenden Behörden.

Außerordentlich wichtig für die individuelle Recherche der
einzelnen sowie für die norwegischen Wehrmachtskinder als In-
teressengruppe war eine umfassende Änderung der Adoptionsgesetze von 1987. Sie betraf die Wehrmachtskinder insofern, als

sie ihnen unter anderem das Recht einräumte, zu erfahren, was in den betreffenden Lebensbornakten über ihre deutschen Väter stand.

Ein wichtiger Teil der Verbandsarbeit war die Aufklärung darüber, wer die Wehrmachtskinder sind, wie sie aufwuchsen und was der Lebensborn wirklich war. Es war den Wehrmachtskindern unerträglich, dass viele ihrer Landsleute (und oft genug sie selbst) lange in dem Glauben lebten, dass sie das Resultat eines nationalsozialistischen Zuchtexperiments seien, in dem ihre Mütter bereitwillig die Rolle einer Gebärmaschine übernommen hatten.

Mit der Zeit erzählten immer mehr Wehrmachtskinder in der Öffentlichkeit ihre Geschichte, manche berichteten, dass sie in ihrer Kindheit und Jugend nicht nur von privater Seite, sondern auch von staatlichen Stellen wegen ihrer Herkunft gezielt benachteiligt, vernachlässigt und misshandelt worden seien.

Gegen Ende der neunziger Jahre wurden Stimmen laut, der norwegische Staat müsse den Wehrmachtskindern für erlittenes Unrecht eine finanzielle Wiedergutmachung zahlen, 1999 entstand ein neuer Kriegskinderverband, der, anders als der NKBF, vor allem dieses Ziel verfolgte.[16] Sieben Mitglieder dieses neuen *Krigsbarnforbundet Lebensborn,* die besonders tragische Schicksale hatten, strengten am 10. Dezember 1999 eine Klage gegen den norwegischen Staat wegen Verletzung der Menschenrechte an, weit über hundert weitere Wehrmachtskinder schlossen sich ihnen an.

Als erste Reaktion darauf bat nur vier Tage später (!) die Bischofskonferenz bei den Wehrmachtskindern um Entschuldigung dafür, dass sich die Lutheranische Kirche Norwegens und einige ihrer Pfarrer in den Nachkriegsjahren an der Ausgrenzung der Kinder beteiligt hatten. Am 1. Januar 2000, also nur drei Wochen später, entschuldigte sich der damalige norwegische Ministerpräsident Kjell Magne Bondevik in seiner Neujahrsansprache bei diesen Norwegern für das Unrecht, das ihnen von ihren Landsleuten angetan worden war.

1998 erschien Kåre Olsens Buch über den Lebensborn in

Norwegen bis 1945 und das Leben der Wehrmachtskinder seither. Diese Arbeit ist die erste (und bisher einzige) wissenschaftlich fundierte Studie über Wehrmachtskinder in Europa.

Um den Vorwürfen der Kläger auf den Grund zu gehen, beschloss die norwegische Regierung, den von Olsen beschrittenen Weg der wissenschaftlichen Klärung weiterzuverfolgen, und stattete 2001 eine fünfköpfige Wissenschaftlergruppe mit einem großzügigen Budget aus. Sie sollte in einem auf drei Jahre angelegten Projekt die Kindheit und Jugend der Wehrmachtskinder erforschen und der Frage nachgehen, inwieweit der norwegische Staat in der unmittelbaren Nachkriegszeit aktiv an deren Ausgrenzung beteiligt gewesen war. Das Projekt untersuchte, wie der Staat juristisch und von Amts wegen mit den Kindern des Feindes umging, inwieweit statistische Daten über ihr weiteres Leben Auskunft geben können und schließlich wie sie selbst ihr Leben einschätzen. Um das herauszufinden, führten zwei Wissenschaftlerinnen einhundertfünf mehrstündige Tiefeninterviews.[17]

Die Vorwürfe der Kläger gegen den norwegischen Staat erhielten eine außerordentlich große internationale Medienaufmerksamkeit. Dies mag mit dazu beigetragen haben, dass die Regierung sich entschloss, über die Wiedergutmachungsforderungen zu beraten, ohne zuvor den weiteren Verlauf der angestrengten Klage abzuwarten. Während diese also noch offen war und die Wissenschaftler noch arbeiteten, schlug die Regierung im Sommer 2004 die Zahlung einer Wiedergutmachung vor, und zwar bis zu zwanzigtausend Kronen (ca. zweitausendfünfhundert Euro) für Übergriffe, die nicht belegt werden können, bis zu zweihunderttausend Kronen für nachweislich schwere Übergriffe. Der Entwurf soll dem norwegischen Parlament im Winter 2004/2005 zur Verabschiedung vorgelegt werden.

Das Schuldeingeständnis der norwegischen Regierung konnte die Kläger ebensowenig versöhnen wie das Forschungsprojekt und die in Aussicht gestellte materielle Entschädigung. Bisher wurde die Klage in jeder Instanz aus formalen Gründen abgelehnt, da nach Auffassung der Gerichte die Tatbestände verjährt sind. Nun wollen die Lebensbornkinder, nach dem Gang durch alle norwegischen Instanzen, ihr Anliegen vor den Europäischen Gerichtshof in Straßburg bringen.

Der erste Teilbericht der Forschungsgruppe erschien 2002, darin unterbreitete der Historiker Lars Borgersrud Beweise für die schweren Versäumnisse, die sich der norwegische Staat 1945 bei der Rückführung der dreißig Kinder aus Bremen hatte zuschulden kommen lassen. Den zweiten Teilbericht legte der Statistiker Dag Ellingsen im September 2004 vor. Er hatte mit einem völlig neuen Verfahren Daten aus gut tausend Lebensbornakten mit Daten zusammengeführt, die seit 1960 im Statistisk Sentralbyrå (etwa vergleichbar dem Statistischen Bundesamt) über norwegische Bürger gesammelt worden waren.[18] Dabei fand er unter anderem heraus, dass norwegische Wehrmachtskinder eine um 66 Prozent höhere Sterberate haben als die Vergleichsgruppen, dass sie schlechter ausgebildet, wirtschaftlich schlechtergestellt und auch häufiger krank sind. Diese Ergebnisse bekräftigen die Aussagen der norwegischen Wehrmachtskinder, dass sie in ihrer Kindheit und Jugend besonderen Belastungen ausgesetzt waren, zeigen aber auch, so Dag Ellingsen, dass die meisten Wehrmachtskinder dennoch ein normales Leben geführt haben.

Wer sich jedoch heute in Norwegen als Wehrmachtskind zu Wort meldet, ohne von schwersten körperlichen und psychischen Übergriffen berichten zu können, beginnt unweigerlich mit der Einschränkung, dass er (oder sie) wegen seiner/ihrer Herkunft »nicht leiden musste«, sondern eine »normale Kindheit und deswegen großes Glück« hatte. Selbst wer aufgrund seiner Herkunft eine schwierige Kindheit hatte, findet, die eigene Geschichte sei »langweilig« und lohne kaum das Erzählen – und schweigt. Dadurch wird die öffentliche Berichterstattung noch einseitiger und noch weniger repräsentativ.

Gleichzeitig mit Ellingsen Ergebnissen legte Lars Borgersrud einen weiteren Bericht vor. Er hat in dreijährigem Archivstudium zahlreiche Hinweise darauf gefunden, dass der Staat die

Kinder in den ersten zehn Nachkriegsjahren gezielt ausgegrenzt und benachteiligt haben könnte. Der Grund dafür sei vor allem gewesen, dass einige der Zuständigen die Kinder nicht als »richtige Norweger« empfunden hätten. In der Zusammenschau von Hunderten kleiner Archivfunde entsteht zudem ein Bild, das nach Borgersruds Ansicht nur die Schlussfolgerung zulässt, dass die norwegische Regierung im Sommer 1945 tatsächlich konkrete Schritte unternahm, um möglichst alle Kinder nach Deutschland oder Schweden zu deportieren; als dritte Alternative war Australien im Gespräch.

Auf die brisante Frage, warum ausgerechnet Norwegen und offenbar *nur* Norwegen in den Nachkommen der deutschen Soldaten ein so ernstes politisches Problem sah, dass man ihm mit Kommissionen, Gesetzen und Sonderregelungen begegnen musste, können die Forscher keine schlüssige Antwort geben. Sicher spielte es eine Rolle, dass Norwegen erst 1905 ein souveräner Staat geworden war. Der »Neuanfang« von 1945 glich daher einer zweiten Phase der »Nationenfindung«, in der nochmals definiert werden musste, wer künftig als legitimer Bürger des neuen Staates gelten würde und wer nicht.

Aber ich sehe noch einen anderen Grund: Die höchst unerwünschte Umarmung durch die deutschen Nationalsozialisten, die die Norweger als »arische Brüder« vereinnahmt hatten, führte 1945 dazu, dass sich die demokratischen Kräfte nachdrücklich, ja demonstrativ gegen alles abgrenzen mussten, was in Norwegen von den Deutschen »befleckt« worden war. Darum war man in Norwegen der Meinung, man müsse sich *von Staats wegen* um das »Problem« der Geliebten und der Kinder der deutschen Soldaten kümmern und sich ihrer entledigen. (Das war meiner Meinung nach auch der Grund, warum die Abrechnung mit den eigenen Nationalsozialisten so unerbittlich ausfiel, dass sie in Europa einzigartig dasteht.)

Borgersrud gibt zu Recht zu bedenken, dass es keine wissenschaftlichen Beweise für die Vermutung gebe, dass die Behörden anderer Länder die Kinder besser behandelt hätten als die norwegischen Behörden: »Unser Wissen darüber, was in anderen

Ländern geschehen ist, ist äußerst spärlich. [...] Dieser Mangel an Wissen spiegelt einen Mangel an Forschung.«[19]

Sicher ist, dass wir über keine anderen Nachkommen deutscher Soldaten auch nur annähernd soviel wissen wie über die norwegischen. Sie wurden von den Nationalsozialisten registriert und vermessen, sie wurden in den ersten Kriegsjahren von den Norwegern misstrauisch beäugt, sie waren Gegenstand eines bisher weltweit einzigartigen Forschungsprojekts, das ein Staat in Auftrag gab, um sich seiner Verantwortung für das Schicksal seiner »Feindeskinder« zu stellen. Ob die Forschungsergebnisse, die 2004/2005 vorgelegt werden, auch für Wehrmachtskinder in anderen Ländern Gültigkeit haben, ist völlig offen.

Aber: Die Osloer Lebensbornakten der Nationalsozialisten wären heute vielleicht vergessen, das Forschungsprojekt sicher nie in Auftrag gegeben worden, wenn nicht vor bald zwanzig Jahren einige wenige norwegische Wehrmachtskinder das Schweigen über sich selbst und ihre Existenz gebrochen und vor laufender Kamera oder in Büchern ihre Lebensgeschichte erzählt hätten. Sie ebneten als Pioniere erst anderen im eigenen Land und dann in ganz Europa den Weg aus dem Schweigen und der Scham.

Da über die Norweger so viel bekannt ist, besteht die große Gefahr, dieses Wissen mit einem Wissen über *die Wehrmachtskinder* gleichzusetzen. Das ist völlig falsch. Über die Wehrmachtskinder in Europa wissen wir wenig mehr als nichts.

Elnas Geschichte (VI)

Endlich kam Antwort aus Deutschland. Sie war von Maria, Ottos Frau. Sie schrieb, dass Otto immer noch im Krankenhaus liege. Er habe sowohl einen Herzinfarkt als auch einen Schlaganfall erlitten, danach habe er Krankengymnastik bekommen. Dabei sei er gestürzt und habe sich den Oberschenkelhals gebrochen. Sie wolle ihm von meinem Brief erst erzählen, wenn er aus dem Krankenhaus entlassen werde. Aber sie wisse, dass er ihn sehr glücklich machen werde. Sie werde sich bei mir melden, sobald Otto zu Hause sei. Sie erzählte von ihren drei Kindern, zwei Söhne und eine Tochter, von sich und ihrer Krebserkrankung. Nun hatte sie keinen Kehlkopf mehr, aber sonst war sie wieder ganz gesund. Sie legte auch Bilder von allen bei. Wir betrachteten sie genauestens und suchten noch nach den kleinsten Ähnlichkeiten. Ich fand kaum welche.

Dann verstrichen Tage und Wochen. Ich hörte nichts und konnte die Spannung kaum noch ertragen. Aber eines wusste ich: Da ich nun schon einmal angefangen hatte, würde ich diesen Weg bis zu Ende gehen – komme, was da wolle.

Ich rief an.

»Es ist Elna«, sagte ich.

»Ach, Gisela. Moment bitte«, sagte Maria, und dann war Otto am Telefon. Ich hatte mir wegen der Sprache Sorgen gemacht, aber er versuchte gar nicht erst, mit mir deutsch zu sprechen. Er redete sofort auf norwegisch los, anfangs noch etwas holprig, weil er die richtigen Worte suchte, aber schon bald nahezu mühelos – es wurde ein sehr langes Gespräch. Er erzählte von seinem Leben, ich von dem meinen. Er war linksseitig gelähmt und ans Bett gefesselt. »Ich kann nicht nach Norwegen fahren. Du musst zu mir kommen«, sagte er.

Das tat ich natürlich. Aber da ich in Deutschland nicht nur

Otto, sondern auch andere Menschen treffen würde, musste ich vorher wenigstens ein bisschen Deutsch lernen. Dafür hatte ich sehr wenig Zeit. Ich lieh mir einen Kassettenkurs Deutsch, fuhr stundenlang allein mit dem Auto umher und redete laut mit meinen Kassetten, die mir antworteten. Diese Gespräche waren allerdings ziemlich vorhersehbar.

An einem schönen Spätsommermorgen im August brach ich auf – allein. Ich war nicht sehr reiseerfahren, und es wurde eine Tour mit Hindernissen. Ich landete mit vier Stunden Verspätung in Düsseldorf, der Zug, den ich hätte nehmen sollen, war natürlich schon lange fort, und ich hatte nicht die geringste Ahnung, wann andere Züge nach Trier gingen. Nach kurzem Zögern nahm ich ein Taxi. Auf der langen Fahrt unterhielt ich mich mit dem Fahrer. Er war sehr nett und gesprächig, und es war kaum zu fassen: Der Mann verstand mich! Ich war so froh, ich hätte ihn küssen mögen. Er ahnt sicher bis heute nicht, wie sehr er mir meine allererste Begegnung mit Deutschland erleichtert hat.

Als wir vor dem Trierer Hauptbahnhof hielten, wurde es schon dunkel. Da saß Maria und wartete auf mich. Sie wartete seit Stunden. Sie erkannte mich sofort und rief mit ihrer brüchigen Stimme: »Elna!«

Sie war eine kleine, sorgfältig gekleidete Frau mit feinen Gesichtszügen, die wie gemeißelt wirkten, ihre Haare und ihre Augen waren haselnussbraun. Ich sah, dass sie erschöpft war.

»Er liegt da drin«, sagte sie, als wir angekommen waren. »Geh alleine zu ihm hinein.«

Mein Bruder Eduard hatte uns abgeholt und nach Hause gefahren. Im Wohnzimmer stand ein Krankenhausbett, und da war er, Otto, mein leiblicher Vater. Unsere Blicke trafen sich. Es war ein Moment von größter Intensität. Diese Augen hatten mich bisher nur aus dem Spiegel angesehen. Es waren meine Augen.

»Meine liebe Theres«, sagte er, und die Tränen stiegen ihm in die Augen. »Du siehst ihr so ähnlich.«

Ich küsste ihn auf die Wange, und er streichelte mir mit der gesunden Hand über Wangen und Schultern.

An diesem Abend sprachen wir nicht mehr viel miteinander. Es war spät geworden.

8. *Kapitel*
FAMILIENBILDER: ZEUGNISSE
EINER ANDEREN WAHRHEIT

Was soll schon dran sein am Fotoalbum einer Familie? Die Bilder entstanden bei Hochzeiten, Kindstaufen, in den Ferien, Ereignisse also, die aus dem Alltag herausragen. Und obwohl sie solch wichtige Begebenheiten festhalten, sind die abgelichteten Szenen im Grunde banal. Das wahre Leben, möchte man einwenden, findet zwischen dem statt, was die Bilder im Album erzählen. Und was ist mit den Briefen, die der Großvater 1943 von der Ostfront an seine Mutter schrieb? Sie werden wie ein Schatz gehütet, aber Kinder und Enkel finden es zu mühsam, sich durch die kaum verständliche Sütterlinschrift hindurchzubuchstabieren.

Und doch wissen wir alle, dass Fotos und Schriftstücke, die die eigene Vergangenheit und die der Familie dokumentieren, für jeden Menschen wichtig sind. Sie sind eine leicht zugängliche Familienchronik, halten die Orte und die Feiern seiner Kindheit fest, stellen ihn in die Reihe seiner Ahnen, beweisen ihm (hoffentlich), dass er ein Kind der Liebe ist. Bilder und Briefe sagen: »Das hat mein Vater an meine Mutter geschrieben. So sahen sie aus, als sie sich ineinander verliebten. Das ist das Hochzeitsbild meiner Eltern, mein Vater hat diesen unmöglichen Mittelscheitel, meine Mutter trägt das Kleid, das Tante Julchen für sie genäht hat und das immer noch auf dem Speicher hängt.«

Solche materiellen Zeugnisse bestätigen, was man bereits weiß, sie sind Teil der gemeinsamen Familiengeschichte, sie illustrieren, was am Mittagstisch oder bei den großen Weihnachtsfesten von Onkeln, Tanten und Großeltern mal andächtig, mal lachend, jedenfalls oft und gern erzählt wird.

In Wahrheit sind solche Familienalben also keineswegs eine

banale Sache. Dass sie spontan und individuell wirken, täuscht. In Wirklichkeit sagen sie etwas darüber aus, wer dazugehört und wer nicht. Sie verankern einen Menschen in dieser speziellen Familie und in deren Geschichte. »Auf diesen Bildern nicht vorzukommen ist fast gleichbedeutend damit, unwichtig oder nicht existent zu sein. Dass man die Kinder einer Familie fotografiert, ist selbstverständlich – es gilt geradezu als unverzeihliche Gleichgültigkeit, wenn Eltern ihre Kinder nicht filmen oder fotografieren.«[1]

Vor diesem Hintergrund ist leichter zu verstehen, warum solch materielle Zeugnisse ihrer Herkunft, der Geschichte ihrer Eltern, ihrer eigenen frühen Kindheit – kurz: *ihrer Existenz* für Wehrmachtskinder meist eine außerordentlich große Rolle spielen. Sie sind wie Steine im Flusslauf des eigenen Lebens, die es ihnen erlauben, zumindest einige Schritte zu tun, ohne sofort im Strudel des Unbekannten zu ertrinken.

Als die Norwegerin Turid dreizehn Jahre alt war, lüfteten ihre Eltern das Geheimnis, dass sie sie als Sechsjährige adoptiert hatten. Obwohl sie sich an die ersten Jahre ihres Lebens nicht erinnern konnte, fand sie das nicht überraschend. Ihr war schon länger aufgefallen, dass es außer einem einzigen Foto im ganzen Haus nichts aus ihrer Kindheit gab.

> »Sie kann nicht älter als sieben, acht Jahre alt gewesen sein, als sie ihre Eltern fragte, warum ihr alter Kinderwagen nicht auf dem Speicher stand, so wie der ihrer Freundin Anne. Und all die anderen Kinder hatten Fotos von sich an der Wand, auf denen sie mollig und winzig auf Eisbärfellen lagen. Warum hing bei ihnen nicht so ein Eisbärfell-Bild an der Wand?«

Die Eltern sagten, ihre Kindersachen seien verbrannt. Turid glaubte das nicht, alle anderen alten Sachen seien doch noch da. Als sie weiterfragte, reagierten die Eltern immer gereizter. »Dann ging ihr auf, dass die Eltern niemals einen Kinderwagen oder ein Bild von ihr als Baby gehabt hatten. Sie begriff langsam, dass sie nicht das wirkliche Kind ihrer Eltern war.«[2]

Vor allem spät adoptierte Wehrmachtskinder wie Turid kennen solche Erfahrungen, es fehlte nicht nur Bilder, vor allem eines von der Mutter mit ihrem Baby, es fehlten auch andere Erinnerungsstücke wie Geburtsanzeigen, Taufkleidchen, die abgestoßenen roten Laufschühchen oder eben der Kinderwagen. Und den Kindern fehlt darum irgendwie der Anfang ihres eigenen Lebens.

Sehr vielen Wehrmachtskindern, nicht nur den spät adoptierten, fehlt ebenfalls der Anfang ihrer Geschichte. Die beginnt ja nicht erst mit der eigenen Geburt, sondern (spätestens) mit den Eltern und mit deren Leben. Wer einen Elternteil (oder gar beide) nicht kennt, wer wenig oder gar nichts über sie weiß, für den bekommen Fotos und Briefe dieser Menschen einen sehr hohen Stellenwert, weil sie die als schmerzlich empfundenen Leerstellen füllen können. Für sie sagen alte Briefe nicht nur: »Das hat mein Vater an meine Mutter geschrieben.« Sondern auch: »Sie hat ihm etwas bedeutet. Das ist seine Handschrift.« Für sie sagen alte Fotos nicht nur: »So sah meine Mutter aus, als sie sich in meinen Vater verliebte.« Sondern auch: »Der Mann auf diesem Bild ist mein Vater. Die Frau auf diesem Bild ist meine Mutter. So sahen meine Eltern aus. Ich sehe ihnen ähnlich. Ich bin ihr Kind.«

Fotos und Briefe verraten noch viel mehr: An der Kleidung der Fotografierten sind ihr Geschmack und ihre finanziellen Möglichkeiten zu erkennen; bei mehreren Abgebildeten lässt deren Körperhaltung Rückschlüsse darüber zu, wie sie auch im übertragenen Sinne zueinander standen; Schrift, Stil und Orthographie eines Briefes verweisen auf den Bildungsstand, schon die Themenwahl spiegelt Interessen, Weltanschauung, Gefühlslage des Schreibenden. Und selbstverständlich verraten Briefe etwas über die Beziehung zwischen dem Schreibenden und dem Adressaten. Vor allem aber findet sich in Briefen – manchmal auch auf der Rückseite eines Fotos – eine Information, die jedem, der seine Wurzeln kennt, so selbstverständlich ist, dass er sie kaum wahrnehmen wird. Für jene, die ihre Wurzeln noch suchen, ist sie von außerordentlicher, ja existentieller Bedeutung: Ich meine den Namen des Vaters.

Wie wichtig Name und Bild sind, beschreibt die Niederländerin Nelleke Noordervliet in ihrem Roman über das Wehrmachtskind Augusta de Wit, die Guus genannt wird. Diese fragt ihre Mutter: »Du hast mir mal erzählt, dass mein Vater August hieß und aus Weimar kam. Aber du hast mir nie seinen Nachnamen gesagt, mir nie erzählt, wie das war. Ich würde es gern wissen.«

Die Mutter gibt ihr einen Schuhkarton. »Das ist alles, was ich von ihm habe«, sagte sie. »Foto, Brief, Umschlag mit Namen und Adresse.«

Augusta öffnet den Karton. »Obenauf lag das Foto und der Brief und der Umschlag mit der Adresse. Sie blickte darauf und konnte es nicht mehr rückgängig machen. Er trug die Uniform eines gewöhnlichen Soldaten; sein viel zu junger, magerer Kopf schien lose auf dem steifen Kragen zu liegen […] die präzise Schrift: ›Meine lieben Mädchen …‹ Mehrzahl. Er wusste von ihrer Existenz. Er, ›August Schulz‹. Der Name des Vaters.«

Und der ist so wichtig, dass Noordervliet ihrem Roman diesen Titel gab: *Der Name des Vaters.*

Was diese Passage literarisch verdichtet, entspricht zahllosen Erzählungen »echter« Wehrmachtskinder. Sie empfinden eine tiefe Sehnsucht nach dem Namen und dem Bild des Vaters und natürlich auch der Mutter, falls sie diese nicht kennen. Eine Holländerin sagte, als sie zum ersten Mal den Namen ihres Vaters geschrieben sah, habe sie ewig lang nur auf das Papier starren können. Dann habe sie angefangen zu weinen, es sei gewesen, als löse sich die Spannung ihres ganzen Lebens.

Ohne Namen ist es völlig ausgeschlossen, den Vater zu finden. Daher ist folgender Suchantrag an die WASt der ganz und gar aussichtsloseste (und daher auf seine Weise rührendste), den ich je gesehen habe. Es handelt sich um den Brief eines Polen, es waren zwei Fotos beigelegt:

»Hiermit übersende ich ein Foto eines Mannes, der wahrscheinlich mein Vater ist. [...] Wenn es moeglich waere bitte ich herzlich diesen Mann zu finden. Mein Sohn (23) und dieser Mann sind auf den Fotobildern sehr aehnlich und deswegen moechte ich wissen, ob meine Vermutung richtig ist. Das Foto habe ich, nach Sterben meiner Mutter, in ihrer Sammlung gefunden. Ich besitze keine anderen Daten. Um die Vergleichung zu ermoeglichen uebersende ich auch das Bild meines Sohnes.«[3]

Die Formulierung lässt vermuten, dass allein die Ähnlichkeit zwischen dem Unbekannten (der vermutlich eine deutsche Uniform trägt) und seinem Sohn ihm die Erkenntnis aufdrängte, dass es sich um seinen Vater handeln müsse. Auch Martin, der bis zu seinem zweiundsechzigsten Lebensjahr nichts von einem deutschen Vater ahnte, erkannte im Gesicht eines Fremden auf einem alten Foto, das ihm jemand hinlegte, die eigenen Gesichtszüge. Was für Martin sicher zunächst ein existentieller Schock war, bereitet sehr vielen ein großes Glücksgefühl: *Zum ersten Mal in ihrem Leben* erkennen sie sich in einem anderen Menschen. Endlich sehen sie jemandem ähnlich! Vielen ist, als hätten sie plötzlich Boden unter den Füßen.

Daher ist der Austausch von Fotos ein außerordentlich wichtiger Teil jeder ersten Kontaktaufnahme zwischen den Wehrmachtskindern und ihrer deutschen Familie. Die Verblüffung über eine auffallende Familienähnlichkeit kann sich dabei durchaus auch auf deutscher Seite einstellen. Die Französin Marie Claire hatte noch nie ein Foto ihres verstorbenen Vaters gesehen, und als sie von ihrer Halbschwester Gisela einige bekam, konnte sie keinerlei Ähnlichkeit mit ihm feststellen. Als aber Gisela Marie Claires Porträt betrachtete, wusste sie sofort, dass Marie Claire zur Familie gehörte: »Übrigens gleichst du sehr der Mutter unseres Vaters.«

Die Mitgliedsblätter der norwegischen und dänischen Kriegskinderverbände veröffentlichen regelmäßig Geschichten von geglückten Zusammenführungen. Immer gehört ein Bild dazu, das den/die Erzählende/n mit den gerade gefundenen Verwandten zeigt. Mehr als einmal musste ich beim Betrachten der Fotos vor Überraschung lachen, weil die Halbgeschwister, die da nebeneinander auf einem geblümten Sofa oder beim Kaffeetrinken im Garten sitzen und in die Kamera lächeln, nicht nur wie Geschwister aussehen, sondern wie eineiige Zwillinge.

Die Bedeutung solcher Schnappschüsse ist nicht zu überschätzen. Mit ihnen gelangen die Kinder, die bislang »unwichtig oder nicht existent« waren, ins Fotoalbum ihrer Familie. Sie werden als Mitglied dieser Familie anerkannt.

Als geradezu bestürzend beglückend erleben sie es, wenn sie ihre deutsche Familie zum ersten Mal besuchen und feststellen, dass sie in den Alben bereits existieren. Das mag selten sein, aber es kommt vor: Solveig, das im Lebensbornheim geborene Töchterchen von Arnold und Ragnhild, kam 2004 zum ersten Mal nach Deutschland und besuchte ihren Bruder Klaus. Er zeigte ihr das Kriegsalbum seines Vaters, das er, Klaus, als Kind oft betrachtet hatte. In diesem Album klebten Fotos von Solveig und ihrer Mutter, die Solveig noch nie gesehen hatte. Eines zeigt den Vater mit Solveig auf dem Arm, neben ihm steht Ragnhild, beide schauen verzückt auf ihr Kind. Das Foto verrät nichts davon, dass die Eltern einander nicht hätten lieben, das Kind nicht hätte gezeugt werden sollen. Nur die deutsche Uniform erinnert an all das, was Beziehungen wie diese schon damals schwierig machte und in den meisten Fällen auch scheitern ließ. Klaus und Solveig waren so großzügig, mir dieses sehr private Bild zu überlassen, das Sie übrigens bereits kennen: Es ist das Titelbild dieses Buches.

*

Wenn Erinnerungsstücke wie Fotos, Briefe und ähnliches für die Wehrmachtskinder so außerordentlich wichtig sind – warum beschließt dann jemand, das alles zu vernichten? Als Elna ihren Adoptivvater nach Thereses Anruf zur Rede stellte, gestand er ihr, dass er und seine Frau von Therese »Dokumente und Fotos sowie Namen und Adressen meiner Eltern bekommen hatten, aber er hatte das alles nur ein Jahr zuvor, nach dem Tod meiner Mutter, verbrannt«. Was löst das bei jemandem aus, der gerade erfahren hat, dass er im Grunde nichts über seine Herkunft weiß? Es sind ja oft ausgerechnet jene Menschen, die das Kind wirklich lieben und aufrichtig sein Bestes wollen, die ihm seine familiäre Vergangenheit vorenthalten.

Und das ist natürlich der Grund: Sie wollen sein Bestes, darum verstecken und vernichten sie alle Erinnerungsstücke. Elnas Vater begründete seine Entscheidung mit dem herzzerreißenden Hinweis auf die Behandlung, die die Kinder der Deutschen durch die norwegische Gesellschaft erfahren haben – er wollte sein Kind vor der Wahrheit seiner Identität schützen. Solche Ängste waren begründet, man kann sie weder als billige Rechtfertigung noch als den Versuch einer privaten Geschichtsklitterung vom Tisch wischen.

Dass Arthur und Marie die Bilder und Dokumente so lange aufbewahrten, beweist allerdings, dass sie Elna eines Tages die Wahrheit sagen wollten. Nicht jetzt, später einmal. Aber irgendwie schien der Zeitpunkt nie richtig, und je länger sie es hinausschoben, um so schwieriger wurde es, das entscheidende Gespräch noch zu führen. Als Marie starb, müssen Arthur der Mut und die Hoffnung verlassen haben, dass dieser richtige Moment noch jemals kommen würde. Zugleich wuchs die Angst, dass Elna nach seinem Tod den Umschlag finden und so die Wahrheit erfahren könnte. Also vernichtete er ihn und hoffte, damit nicht nur seine geliebte Tochter, sondern auch sich und seine verstorbene Frau zu schützen.

Der Plan von Augustas Mutter sah anders aus. Sie übergab ihrer Tochter den kostbaren Karton mit der fast beiläufigen Bemerkung: »Ich dachte, wenn ich tot bin, wird Wim ihn dir geben. Aber ich kann ihn dir ebensogut selbst geben.«

Kinder nutzen die Abwesenheit der Erwachsenen gern aus, um in verbotenen Schränken und Schubladen zu kramen, manchmal finden sie selbst einen solchen Karton – und immer kommt etwas zum Vorschein, was nicht in die offiziellen Familiengeschichten passt. Dann beginnt eine Ahnung, manchmal sogar schon das Wissen, wie es sich mit der eigenen Herkunft wirklich verhält. Darüber aber können sie mit keinem reden, jedenfalls mit keinem Erwachsenen, denn um zu fragen, müssten sie preisgeben, woher sie ihr Wissen haben – und dann käme heraus, dass sie »unartig« waren und in verbotenen Schubladen gekramt haben.

Per Arne Löhr Meek erinnert sich genau an den Sommertag zwischen seinem ersten und dem zweiten Schuljahr, als er – unerlaubt, natürlich – auf dem Speicher in einer alten Kommode herumkramte. »Zwischen vielen Papieren fand ich eines, auf dem ich meinen Namen erkannte. Per Arne stand da. Ich wurde neugierig und buchstabierte mich langsam durch den maschinengeschriebenen Text: ›Taufurkunde. Sohn Per Arne Meek, geboren 19. März 1944. Mutter, Dienstmädchen Liv Meek. Vater, Flieger Heinz Löhr, Deutschland.‹ Ich begriff sofort, dass diese Worte wichtig waren. So wichtig, dass mir ganz schwindelig wurde. Ich begriff natürlich nicht in letzter Konsequenz, was ich da entdeckt hatte, aber dass ich ein großes Geheimnis gefunden hatte, das wusste ich mit Sicherheit.«

Er wagte es, das Papier einzustecken und es seinem Großvater zu zeigen, dem einzigen Menschen, dem er genug vertraute. Und der sagte zu dem Jungen: »Er trug eine blaugraue Uniform und auf der Jacke waren goldgelbe Kragenspiegel. Hier steht es ja: Er war Flieger.« Daraus schuf sich Per Arne ein Phantasiebild des Vaters, der, wie er sicher glaubte, bald kommen und ihn holen würde.[4]

Die zehnjährige Janne* fand, als sie das Schloss von Mutters geheimem, im Schuppen versteckten Kästchen aufgefummelt hatte, neben verschiedenen Dokumenten und Bildern einen Schatz, der ihr Leben prägen sollte: zwanzig leere Umschläge, vom Vater an sich selbst adressiert. Die Großmutter sagte ihr, sie solle dem Vater schreiben – und das tat sie. Sie schrieb ihm dreißig Jahre lang, ohne eine Antwort zu bekommen, davon fast zwanzig Jahre lang, ohne auch nur zu wissen, ob er ihre Briefe überhaupt bekam.

Manchmal finden sich erst im Nachlass der Mutter Hinweise auf den Vater, ein Foto, Briefe mit seinem Namen und vielleicht sogar seiner damaligen Adresse, manchmal andere Dokumente. Der Deutsche Josef Focks, der seit über fünfzehn Jahren norwegischen und dänischen Wehrmachtskindern unentgeltlich bei der Suche nach ihrem Vater und ihren deutschen Familien hilft, kennt viele skurril anmutende Geschichten wie die, dass »eine völlig ahnungslose Tochter nach dem Tod der Mutter zufällig hinter dem sich auflösenden Handtaschenfutter eingenäht einen Zettel mit dem Namen eines deutschen Soldaten fand, außerdem eine Taufurkunde mit einem anderen Namen als Vater der Tochter, auch er deutscher Soldat. Auf der offiziellen Taufurkunde, die sich die Tochter für ihre Hochzeit besorgt hatte, stand als Vater ein dritter Name – auch er ein Deutscher. Diese neue ›offizielle‹ Urkunde war vom selben Pfarrer ausgestellt worden wie die erste Taufurkunde, aber erst Ende der fünfziger Jahre. Die Mutter war in seiner Kirche Organistin!«

Wehrmachtskinder, die so wenig über ihren Vater wissen, so wenig erfahren dürfen, die um jedes bisschen Information kämpfen müssen, werden über jemanden wie Inga vermutlich geradezu verzweifeln. »Als ich gezeugt wurde, war meine Mutter in Nordfinnland, sie hatte irgendwie mit dem Krieg zu tun. Mein Vater war bei den Pionieren (oder etwas in dieser Art). Er hatte Familie im Ruhrgebiet, erzählte mir meine Mutter, als ich zu fragen anfing. Sie nannte mir auch seinen Namen, aber ich habe nie versucht, ihn aufzuspüren.« Sie hat sich bisher auch wenig dafür interessiert, was ihre Mutter nach Lappland führte. »Ich fürchte, ich weiß überhaupt nicht, was meine Mutter in Lappland tat. Vielleicht hat sie es mir erzählt, aber ich erinnere mich nicht. Ich besitze die Korrespondenz zwischen ihr und ihrer Mutter, die möglicherweise einiges klären könnte, aber ich bin noch nicht dazu gekommen, sie zu lesen. Ich will es natürlich, aber ich vermute, dass die Lektüre anstrengend und zeitintensiv werden könnte, und ich hatte keine Eile damit.«

Sie kennt also nicht nur den Namen ihres Vaters, sie besitzt auch ein ganzes Bündel Briefe ihrer Mutter, in denen sich möglicherweise weitere Hinweise auf ihn und auf ihre Beziehung finden ließen – und interessiert sich nicht sehr dafür. Ich selbst kenne viele Wehrmachtskinder, die sich nichts sehnlicher wünschen, als auch nur einen Bruchteil davon ihr eigen zu nennen.

Einen Bruchteil davon. Wie jener Norweger, der mit über sechzig Jahren zum ersten Mal nach Deutschland reiste und im Gepäck ein, nein, *das* Foto seines im Osten gefallenen Vaters hatte. Nahezu verstohlen zeigte er es dem deutschen Reisebegleiter und fragte ihn, ob er erkennen könne, welchen Dienstgrad der Vater habe. Auf der Rückseite stand etwas geschrieben, aber was die Zeilen bedeuteten, wusste der Sohn bis zu diesem Moment gar nicht. Es war eine Liebes- und Treueerklärung des Vaters an seine Freundin.

Auch auf der anderen, der deutschen Seite der Familie finden Hinterbliebene im Nachlass ihrer Ehemänner oder Väter Beweise für ein Kind, von dem sie bislang nichts ahnten. Als eine Witwe nach dem Tod ihres Mannes das zu groß gewordene Haus ausräumte, um in eine Wohnung umzuziehen, fand sie im Weinkeller hinter den teuersten Flaschen Rotwein einen dicken Packen Briefe. Sie stammten von einem Sohn ihres Mannes. Die beiden standen offenkundig seit vielen Jahren in Verbindung und hatten sich häufiger getroffen. Nach Rücksprache mit ihren Kindern schrieb die Witwe an den »verlorenen« Sohn und nahm ihn sehr liebevoll in die Familie auf.

Sowohl Elnas Vater als auch Augustas Mutter übten Zensur aus, Augustas Mutter aber wusste, dass der Inhalt des Kartons nicht ihr allein, sondern auch ihrer Tochter gehörte. Also bewahrte sie ihn für sie auf, wollte sich aber eigentlich deren Fragen nicht stellen und sich nicht rechtfertigen müssen. Dennoch fragte sie nun Augusta, was sie denn wissen wolle. Nichts wollte sie wissen, denn »sie sah die Entschuldigungen voraus, die Rechtfertigungen, Beschönigungen, die Lücken, die Erniedrigung am Tag der Abrechnung, das Selbstmitleid, die Versicherung, dass sie Augusta so geliebt hätte, sie sah alle Lügen voraus, die Menschen zu Hilfe rufen, um ihre Selbstachtung nicht zu verlieren«.

Elnas Vater tilgte mit den Dingen, die die leibliche Mutter Therese ihm und seiner Frau gegeben, nein: ihm für ihre gemeinsame Tochter *anvertraut* hatte, symbolisch auch ihre Ursprungsfamilie. Und er »vernichtete« jenen Aspekt ihrer Lebensgeschichte, der sich gravierend von anderen nichtehelichen und adoptierten Kindern unterscheidet: Das Leben der Wehrmachtskinder ist unmittelbar und untrennbar an das historische Schicksal ihrer Nation gekettet.

Man nennt sie auch »Kriegskinder«, weil sie ihr Leben dem Zweiten Weltkrieg verdanken. Aber das ist nichts Besonderes, ja, es ist geradezu banal. Zahllose Menschen wären ohne den Krieg nie geboren worden, weil sich ihre Eltern nie kennengelernt hätten. Millionen von Menschen bewegten sich zwischen 1939 und 1945 über ganz Europa – manche zogen Tausende von Kilometern, um für Hitler zu kämpfen, andere wurden von den Deutschen in Konzentrationslager verschleppt oder mussten Zwangsarbeit leisten. Einige flohen innerhalb Europas, andere bis in die USA, nach Palästina oder Australien; Hunderttausende verloren alles und suchten eine neue Heimat. Und dann waren da noch die Familien, die nur ein paar Kilometer weiterzogen – aus dem bombardierten Frankfurt am Main in die Sicherheit einer oberhessischen Kleinstadt oder 1945 vom linken, nun wieder französischen Rheinufer hinüber ans rechte. Und überall fanden sich Paare, die sich sonst nicht einmal gesehen hätten.

Was die Wehrmachtskinder aber von allen unterscheidet, ist, dass sie Feindeskinder sind. Sie haben den »falschen« Vater, mit dem ihre Mutter gar nichts hätte zu tun haben dürfen.

Für die, die den »Karton« der eigenen Vergangenheit erst in vorangeschrittenem Alter öffnen (oder öffnen müssen), bricht nicht nur das Konstrukt der eigenen Lebensgeschichte zusammen. Fotos und Briefe passen auch nicht im geringsten zu dem, was sie bisher über den Krieg und die Besatzung ihres Heimatlandes wussten. Typisch ist Elnas spontane Reaktion auf die Eröffnung, ihr Soldatenvater habe ein geradezu liebevolles Verhältnis zu Therese und deren Familie gehabt. »Du liebe Güte. Die ganze Familie hatte ihn liebgewonnen, hatte sie gesagt – diesen deutschen Soldaten. Hier im Land hatte doch Krieg geherrscht. Hatte sie das vergessen?«

Freundschaften und Tändeleien zwischen Besatzern und Zivilbevölkerung passen nicht zu dem, was man in Norwegen und in Europa über den Krieg weiß. Da lautet die erste (und meist einzige) Wahrheit, dass sich jeder anständige Mensch von den Deutschen fernhielt; wer sich nicht der Widerstandsbewegung anschließen konnte, agierte zumindest im Rahmen der eigenen Möglichkeiten nationalbewusst. Geschichtsbücher, Museen und Gedenktagsreden feiern eine heroische Nation, in der aufrechte Patrioten einem verschwindend kleinen Grüppchen finsterer Kollaborateure gegenüberstanden (zu denen auch »diese Frauen« gehörten).

Dieser verbreitete und äußerst populäre Besatzungsmythos wurde und wird an allen europäischen Schulen gelehrt und erlaubt es jedem Kind, das eigene Land, das Verhalten der eigenen Landsleute wie der eigenen Familienangehörigen in einer strikten Entweder-oder-Variante gegen das nationalsozialistische Regime abzugrenzen.[5] Ohne ins Detail zu gehen, kann man sagen, dass bei dieser holzschnittartigen Darstellung der Kriegsrealität so ziemlich alles unberücksichtigt bleibt, was den konkreten Alltag in diesen Jahren ausmachte.

Wer es nicht besser wusste, zählte selbstverständlich und stolz die eigene Familie zu den »Guten«, die durch ihre patriotische Gesinnung einen kleinen, aber wichtigen Beitrag dazu leistete, dass die Nazis schließlich besiegt und erniedrigt das Land verlassen mussten. Wer nun erfährt, dass die eigene Mutter auf der »falschen Seite« und der eigene Vater ein Vertreter ebendieses nationalsozialistischen Regimes war, muss nicht nur die eigene Biographie, sondern auch die Feindbilder der nationalen Geschichtsschreibung völlig neu überdenken. Wer ist ein Kollaborateur? War meine Mutter wirklich eine Feindin ihres

Landes? Waren wirklich alle Männer, die eine deutsche Uniform trugen, Barbaren, Sadisten und Mörder?

In einigen ehemals besetzten Ländern Nord- und Westeuropas hat eine junge Historikergeneration angefangen, die alten Bilder einer kritischen Revision zu unterziehen. Ihnen geht es nicht darum, deutsches Unrecht und deutsche Verbrechen zu relativieren, sondern sie interessieren sich dafür, ob und wie Unternehmen, staatliche Organe, aber auch Privatpersonen zur Stabilisierung der nationalsozialistischen Besatzung beigetragen haben.

Diese Forschungen lassen die früher scharfe Demarkationslinie zwischen »den Guten« und »den Verrätern« verschwimmen. Das macht es heute (nur in den genannten Regionen, nicht in Ost-, Süd- und Südosteuropa) etwas einfacher, sich der schockierenden Wahrheit eines Wehrmachtsvaters zu stellen, als noch vor zehn oder fünfzehn Jahren, als kaum jemand die Besatzungsmythen anzweifelte.

Für die Generation der Mütter, Verwandten und Adoptiveltern kommt die historische Neubewertung zu spät. Sie haben die Kriegs- und die Nachkriegsjahre mit ihren harten Urteilen und Verurteilungen erlebt und verinnerlicht. Diejenigen, die Beweise für den schweren »Fehltritt« einer jungen Frau vernichteten und alle Spuren des »Feindesvaters« tilgten, taten dies im Schatten des Besatzungsmythos und vollzogen im Privaten jene Säuberungen nach, die nach dem Kriegsende im großen nationalen Maßstab stattgefunden hatten. Es blieben – in der Nation wie im Fotoalbum – nur die vorzeigbaren Bilder. So ist das, wenn Menschen alles »zu Hilfe rufen, um ihre Selbstachtung nicht zu verlieren«.

*

Viele erwachsene Wehrmachtskinder wehrten sich dagegen, dass sie zu jenem Teil des Bildes gehörten, an dessen Vorzeigbarkeit manche meinten, herumschnippeln zu müssen – wenn sie nicht gleich ganz der Zensur zum Opfer fielen. Besonders bitter aber ist es, wenn jemand, der sich beharrlich gegen diese Geschichtsverdrehungen gewehrt hat, feststellen muss, dass er – oder in diesem Fall: sie – völlig unbewusst selbst daran mitwirkt und sie fortführt. Die Dänin Henriette, Tochter der »kleinen geliebten Irma«, erfuhr mit sechzehn Jahren von ihrem deutschen Vater. Diese Herkunft empfand sie intuitiv als etwas, was man besser nicht groß herumerzählte. Sie erzählte es dem Mann, den sie heiratete, seinen Eltern nicht. Das Verschweigen des Vaters war ihr so in Fleisch und Blut übergegangen, dass sie irgendwie »vergaß«, ihren eigenen Töchtern davon zu erzählen, obwohl sie niemals bewusst beschlossen hatte, das nicht zu tun.

Eines Tages besuchte sie mit ihren beiden Töchtern das Grab der Mutter, als eine der beiden fragte, wo eigentlich der Großvater begraben sei. Henriette erschrak. Erst da begriff sie, dass sie ihren Kindern niemals etwas über diesen Großvater erzählt hatte. In ihren Lebenserinnerungen kommentierte sie das Versäumnis, das ihr selbst gar nicht aufgefallen war, mit einem klugen »Schweigen ist erblich«.

Also erzählte sie den beiden Mädchen von ihrem deutschen Vater und auch, dass sie ihn als Zwanzigjährige in Deutschland besucht habe, er aber mit ihr nichts zu tun haben wollte. »Da fragten sie: ›Er wollte nichts mit uns zu tun haben?‹ und guckten mich mit großen, ungläubigen Augen an, wie Kinder das eben tun. Ich blieb ihnen die Antwort schuldig.«

Henriette hatte das Beschämende intuitiv verschwiegen, weil sie das Verschweigen internalisiert hatte. Und meist verhalten sich auch die Mitwisser am Schicksal eines Kindes, also Familie, Nachbarn, Freunde, loyal mit den Eltern beziehungsweise der Mutter. Welche Last, ja Qual eine solche Loyalität bedeuten kann, verdeutlicht Lotte Tarps Gespräch mit dem Vater ihrer Mutter Åse.

Lotte war bei ihren Großeltern aufgewachsen und nannte ihren Großvater »Vater«, obwohl sie schon wusste, dass er das nicht war. Um ihn auszufragen, unternahm sie eines Tages den Versuch, ihn betrunken zu machen. Als erstes bat sie ihn, sein Hörgerät ganz laut zu stellen.

»Er drehte am Knopf, bis es schrill aufheulte.

›Vater, kannst du mir nicht sagen, wer mein richtiger Vater ist?‹

Es tat mir in der Seele weh zu sehen, wie schlecht ihm wurde. Er fingerte nervös am Hörgerät herum, das ein lautes Pfeifen von sich gab. Seine Augen flackerten, er schüttelte traurig den Kopf.

Vater und ich hatten niemals eine solche intime Vertrautheit miteinander gehabt, und das Thema war nie zuvor angeschnitten worden.

Ich erklärte vorsichtig, dass mich diese Frage sehr beschäftigte und dass sie nun, nachdem ich selbst ein Kind bekommen hatte, noch drängender geworden war.

Ich sah ihm an, dass er mit sich kämpfte. Er putzte sich die Nase, trocknete sich die Augen und schüttelte den Kopf.

›Nein, niemals. Niemals.‹

Ich musste ihm etwas entgegenkommen. Ich erzählte ihm, dass Åse erzählt hatte, dass mein Vater Widerstandskämpfer gewesen und in einem deutschen Konzentrationslager gestorben sei.

Vater schniefte in sein Taschentuch.

Ich erzählte ihm auch, was mir Anders und Tante über meine Kindheit erzählt hatten, und das wenige, das ich mir aus Bruchstücken von Gesprächen und vielsagendem Schweigen selbst zusammengereimt hatte.

Vater schob die Unterlippe vor. Wir saßen eine Zeitlang schweigend zusammen. Sein Kinn zitterte. Es war fast unerträglich, seinem Dilemma zuzusehen.

›Ich glaube, ich lege mich ein bisschen hin.‹

Vater ging ins Schlafzimmer. Ich hätte laut schreien mögen.«

Es ist eine Binsenweisheit, dass niemand völlige Kontrolle über das haben kann, was im eigenen Leben und in dem anderer geschieht. Wer eine »weiße« Lüge ersonnen hat, kann nicht damit rechnen, dass sich diese Geschichten nicht irgendwann als Zeitbomben erweisen werden.

Das Streichholz an der Lunte, die das Lügengebäude von Lotte Tarps Mutter Åse zum Einsturz brachte, war eine Verwandte, die wegen beginnender Demenz ausplauderte, was sie nicht hätte ausplaudern sollen. Und so wie diese Verwandte gibt es fast immer jemanden, der mit seinem Wissen auf Dauer nicht hinter dem Berg halten kann. Das kann ebenso aus liebevoller Sorge um das Kind wie aus Bosheit oder Wichtigtuerei geschehen. Klatsch ist immer ein zuverlässiges Streichholz! »Eine beachtliche Anzahl der Wehrmachtskinder erfuhr die Wahrheit über ihren richtigen Vater nicht von ihren Müttern oder irgendwelchen Behörden, sondern durch Klatsch – diesen wunderbaren und völlig unterschätzten historischen Geigerzähler. Je tiefer das Schweigen, um so lauter das Ticken!«[6]

Neben vorhersehbaren »Gefahren« wie jene Menschen, die die Wahrheit schon deswegen kennen, weil sie seit jeher in derselben Straße oder demselben Dorf wohnen, oder wie der Pfarrer, der Elna geradeheraus fragt, ob sie adoptiert sei, gibt es Funken, die ganz und gar unvorhersehbar sind. So werden Elnas Eltern nach vier Jahrzehnten sicher nicht mehr damit gerechnet haben, dass die leibliche Mutter plötzlich auftaucht und sich als solche zu erkennen gibt. Niemand kann auch nur geahnt haben, dass im Frühjahr 2004 eine Deutsche nachmittags den Fernseher anschalten und in einer Talkshow Wehrmachtskinder sehen würde, die ihre deutschen Verwandten suchen. Dass sie sich fragen würde, ob der norwegische Sohn ihres Vaters, von dem sie bereits seit dessen Tod Anfang der siebziger Jahre wusste, vielleicht auch seine Familie suchte, und dass sie sich daranmachen würde, ihn zu suchen. Sie fand den zweiundsechzigjährigen Martin, der sonst niemals erfahren hätte, dass der Ehemann seiner Mutter nicht sein leiblicher Vater ist.

Es können Dienstvorschriften revidiert und neue Gesetze verabschiedet werden, die den Wehrmachtskindern den Zugang zu bislang gesperrten Akten gewähren, deren Inhalt ihnen mehr enthüllt, als sie jemals hätten wissen sollen. So konnte der Dänische Kriegskinderverband Ende der neunziger Jahre erkämpfen, dass nichtehelich Geborenen Einblick in ihre Vaterschaftsakten gewährt werden muss. 1986 wurde in Norwegen das Adoptionsgesetz radikal geändert, nun hatten Adoptierte das Recht, die Identität ihrer leiblichen Eltern zu kennen. Das war eine gravierende Veränderung der bisherigen Rechtslage, denn wenn früher der abgebenden Mutter und den Adoptiveltern garantiert wurde, dass jeder Hinweis auf die Herkunft des Kindes gelöscht werden würde, galt nun das Umgekehrte: Adoptierte durften die Namen, die Geburtsdaten und die damaligen Adressen der Eltern erfahren, auch wenn der Mutter bei der Adoption zugesichert worden war, dass das Kind sie niemals und unter gar keine Umständen würde aufspüren können.

Einige staatliche Stellen legten das neue Gesetz überdies dahingehend aus, dass nicht nur Adoptierte, sondern *alle* Menschen das Recht haben, ihre leiblichen Eltern zu kennen. Welche weitreichenden Folgen das für einen Teil der norwegischen Wehrmachtskinder haben würde, hätte selbst der aufmerksamste Beobachter kaum ahnen können. Die Lawine kam ins Rollen, als im Februar 1986 einer der ersten Antragsteller im Osloer Reichsarchiv von diesem Recht Gebrauch machte: Es war jene Turid, die auf dem Speicher ihres Elternhauses ihren Kinderwagen vermisst hatte. Sie war das erste europäische Wehrmachtskind, dessen Lebensgeschichte als Buch erscheinen sollte.

Im Reichsarchiv in Oslo lagern heute fast komplett die Dokumente, die die Arbeit der Abteilung Lebensborn in Norwegen minutiös belegen. Dass die Unterlagen nahezu vollständig erhalten sind, ist keine Selbstverständlichkeit. Im April und Mai 1945 waren die Angestellten der Lebensbornverwaltung in Deutschland tagelang damit beschäftigt, Unterlagen mit den unwiederbringlichen Daten der leiblichen Eltern sowie der Pflege- und Adoptivfamilien zu vernichten. Doch in Norwegen ordnete der bisherige Leiter der Abteilung Lebensborn »nach der deutschen Kapitulation zusammen mit einigen anderen Lebensbornangestellten bis weit in den Herbst hinein unter anderem jene Teile des Lebensbornarchivs, die die Akten der einzelnen Kriegskinder umfassten«.[7]

Turid war an diesem Februartag 1986 in den Lesesaal des norwegischen Reichsarchivs gekommen, um die Akte des Lebensbornkindes Nummer 2022 einzusehen. Es war ihre eigene. Sie erfuhr die Namen ihrer leiblichen Eltern. Deren Zeitbombe explodierte wenig später, als Turid sie aufspürte und versuchte, mit ihnen Kontakt aufzunehmen – beide lehnten das ab.

Sie erfuhr auch, dass sie zwischen ihrem zweiten und sechsten Lebensjahr in Deutschland gelebt hatte, zunächst in einem Kinderheim, dann – von Oktober 1944 bis Februar 1948 – in einer Pflegefamilie. An diese ersten sechs Jahre ihres Lebens hatte sie nicht die geringsten Erinnerungen. Daher reiste sie einige Wochen später mit der Journalistin Veslemøy Kjendsli (die Turids Geschichte unter dem Titel *Kinder der Schande* veröffentlichte) nach Deutschland und besuchte alle Orte, an denen sie laut Lebensbornakte gelebt hatte. Die erhofften Erinnerungsblitze stellten sich allerdings nicht ein.

Dank ihrer großen Findigkeit und mit etwas Glück gelang es Kjendsli noch während der Reise, Turids damalige Pflegeeltern, die Familie Schneider, ausfindig zu machen. Sie waren überglücklich, dass ihre *Elke* wieder da war, so hieß Turid als ihre Tochter. Auch sie hatten ihren Kinderwagen nicht. Aber im Fotoalbum der Schneiders klebten viele Fotos von ihr, die sie nicht kannte und zu denen sie wunderbar banale Geschichten hörte, die vermutlich etwa folgendermaßen klangen: »Hier steht der Papi mit dir vor dem Haus, wo wir in München gewohnt haben. Das Kapuzenmäntelchen, das du trägst, hat Tante Julchen für dich genäht.«

9. *Kapitel*
WAISENTRÄUME: DIE KINDHEIT
DER WEHRMACHTSKINDER

Ob sie ihn persönlich kennen oder nicht: Wenn die erwachsenen Wehrmachtskinder überhaupt etwas über ihren Vater wissen, erwähnen sie in aller Regel eher früher als später, dass er kein Nazi gewesen sei. Er habe den Krieg gehasst, aber wegen der Wehrpflicht keine andere Wahl gehabt. Er musste Soldat werden. Nicht wenige werden mit den Worten zitiert, dass sie Hitler nicht ausstehen konnten, oder gar, dass er verrückt sei und Deutschland ins Unglück stürze. Und erstaunlich häufig begründen Wehrmachtskinder die Versetzung ihres Vaters an die Ostfront mit seiner allzu deutlichen Kritik am Nationalsozialismus und an Hitler.

So gelingt es, ihn sowohl zu entpolitisieren als auch zu heroisieren und gegen die *echten* Nazis abzugrenzen, die das besetzte Land und seine Bevölkerung gepeinigt hatten. Der Vater war kein Feigling und kein Mitläufer, er hat gewagt, was kaum ein Deutscher wagte. Dabei geht es nicht um militärisches Heldentum. Das würde ihm, der ja trotz und vor allem deutscher Soldat war, im ehemals besetzten Land als das genaue Gegenteil, nämlich als Beweis der Teilhabe an deutschen Verbrechen, ausgelegt werden. Aber dass er »sich nicht duckte« – das ist das Heldentum der aufrechten Gesinnung und der Zivilcourage.[1] Dergleichen rückt den deutschen Vater auf einer unbewussten Ebene in allernächste Nähe zu den Landsleuten des Wehrmachtskindes, die in der Widerstandsbewegung kämpften, zu den Partisanen, zur Résistance, auch wenn vermutlich kein Wehrmachtskind das jemals sagen oder auch nur denken würde.

Diese Argumentation entspricht dem, was die damaligen Geliebten der Soldaten sagen. Sie nahmen »den Feind aus von den anderen«, wie es die junge Frau in Marguerite Duras' *Hiro-*

shima mon amour formuliert. Sie hätten sich überhaupt nicht in einen *Soldaten* verliebt, sondern in einen Mann, in diesen speziellen Mann, der außerdem ein »anständiger Mensch« gewesen sei. Beide, Frauen wie Kinder, geben sich die allergrößte Mühe, den Mann von der deutschen Uniform zu trennen, denn wo andere nur Uniformierte sahen, sahen sie »Otto« und »Herbert« und »Friedrich«. Sie trennten ihn von der gesichtslosen Masse der »Grünen«, wie die Wehrmachtssoldaten in den besetzten Ländern genannt wurden, verliehen ihm persönliche Züge und Eigenschaften, machten ihn zu einem *Individuum*. Er war *anders* als die anderen Soldaten, vor allem war er völlig anders als jene Barbaren, die plündernd und mordend durch Europa gezogen waren. Mit diesen Nazis, so die Überzeugung der zurückgelassenen Freundinnen und Kinder, hatte er im Grunde nur eines gemeinsam, und das wurde ihm überdies zum Verhängnis: Seine Nationalität.

Manche Soldaten waren ja nicht einmal im strengen Sinne *Deutsche*. »Man wusste, dass die österreichischen Soldaten den Norwegern gegenüber eine besonders positive Einstellung hatten und wenig hitlerfreundlich waren. Im Sommer 1940 kamen viele österreichische Alpenjäger nach Korgen [Ort in Nordnorwegen, *dr.*] Wir hatten viel Kontakt mit ihnen, von denen war kaum einer ein Nazi«,[2] sagte ein Norweger, denn auch unter den einheimischen Männern begannen viele rasch, zwischen »den Nazis« einerseits und »meinem Freund Otto, der kein Nazi ist«, andererseits zu unterscheiden. Ich kann mir den Hinweis nicht verkneifen, dass die Patrioten nach dem Krieg die Beziehungen der einheimischen Männer zu »meinem Freund Otto, der kein Nazi ist«, weitaus milder bewerteten als bei den einheimischen Frauen.

Das reine Bild der deutschen Soldaten, das deren Nachkommen im europäischen Ausland zeichnen, entspricht auf gespenstische Weise dem der deutschen Kinder- und Enkelgeneration. Eine Forschergruppe um den Essener Soziologen Harald Welzer, die sich mit Erinnerungs- und Gedächtnisforschung beschäftigt hat, konnte 2002 nachweisen, »dass die Kinder- und

Enkelgenerationen in deutschen Familien eine starke Tendenz zeigen, ihre Eltern und Großeltern zu Helden des alltäglichen Widerstands zu stilisieren«.[3]

Es gab sie natürlich, die Deutschen, die gegen Hitler waren und nachweislich gegen ihn kämpften. Einer von ihnen war Heinz, der sich in Kopenhagen der dänischen Widerstandsbewegung angeschlossen hatte. Dort lernte er Kathrine kennen, bei der er wohnte, bis man die beiden im April 1944 auf offener Straße verhaftete. Sie wurde zu einem Jahr Zuchthaus verurteilt, weil sie Heinz versteckt hatte, zur Verbüßung der Strafe brachte man sie in das Frauenlager Bützow-Dreibergen. Da sie schwanger war, wurde die Strafe im November 1944 auf zwei Jahre ausgesetzt, sie durfte nach Hause zurückkehren.[4] Ende 1945, inzwischen war ihre Tochter Kyra* fast ein Jahr alt, erfuhr sie, dass Heinz im Mai 1944 wegen Fahnenflucht zum Tode verurteilt worden war.

Es ist kein Wunder, dass Kathrine aus ihrer Beziehung zu diesem Deutschen kein Geheimnis machte. Die lupenreine antifaschistische Biographie ihrer Eltern sollte Kyra indes wenig helfen – sie wurde trotzdem als Wehrmachtskind gehänselt und schikaniert.

Wie Kyra, die mit einem regelrechten Vaterkult groß wurde und sehr stolz auf ihn war, lebte auch Hanne mit ihren Träumen vom Vater, obwohl sie, als die Mutter heiratete, »alles über meine unglückliche Herkunft vergessen« sollte. Das tat sie nicht, im Gegenteil: »Ich vergaß nicht eine Sekunde. Papa war immer bei mir wie eine großen Trauer und Sehnsucht, die ich mein ganzes Leben mit mir getragen habe. Kleine Bruchstücke über meinen Vater konnte ich gelegentlich aus meiner Mutter herauslocken, und ich trug sie in meinem Herzen wie einen großen und kostbaren Schatz.« Sie nahm die wenigen Erinnerungsstücke, die die Mutter vom Vater besaß, an sich, »versteckte und trug alles, einerseits als eine große Trauer, andererseits als einen Ballast, um durchs Leben zu kommen. Scham fühlte ich nie, eher einen gewissen Stolz, obwohl Deutschland und Deutsche in Dänemark sicher nicht beliebt waren.«

Die allermeisten Kinder aber erfuhren selten Konkretes über ihren Vater und waren daher allen Behauptungen und Verleumdungen über ihn (und auch über ihre Mutter) schutzlos ausgeliefert. Die Französin Edwige war schon dreizehn Jahre alt, als ihre Mitschülerinnen ihr auf gehässigste Weise mitteilten, ihr Vater sei Deutscher. Doch dabei ließen sie es nicht bewenden. »Da ich nicht genau Bescheid wusste, konnten mir meine Mitschülerinnen alles mögliche erzählen. Auch alle möglichen Unwahrheiten – was mir erst sehr viel später klar wurde. Aber dies verschlimmerte meine Komplexe. Die Mädchen behaupteten zum Beispiel, mein Vater habe zahlreiche Widerstandskämpfer erschießen lassen. Sie zeigten mir sogar jene Mauer, an der er angeblich die Männer hatte töten lassen. Alles Lügen, wie sie von Kindern damals erfunden wurden.«[5]

Diese Lügen basierten allerdings auf dem, was in den befreiten Ländern über die Wehrmacht im allgemeinen und die deutschen Soldaten im besonderen erzählt wurde und oft genug der Wahrheit entsprach.

Die Frage, was der Vater als Soldat im Krieg *wirklich* getan hat, wird das Kind zunächst nicht sehr beschäftigt haben. Er war ja sowieso – das gaben ihnen andere Kinder und oft genug auch Erwachsene deutlich zu verstehen – ein Verbrecher. Ein »Nazi« eben. Ein Kind muss recht alt sein, um intellektuell zu begreifen, was ein »Nazi« überhaupt ist, aber dass es etwas furchtbar Schlechtes war, einen »Nazivater« zu haben, erfassten sie natürlich sofort. Dennoch war der Papa, den sie sich erträumten, zunächst einmal nichts weiter als ein ganz normaler Mann. Ein Mann wie der Vater der besten Freundin, der lustige Lieblingsonkel, der Held aus einem Kinofilm. Und wie dieser Kinoheld wäre er auch zur Mutter liebevoller als der Stiefvater – wenn er nur da wäre.

Irgendwann kam bei vielen das Wort »Offizier« dazu – das hatte die Mutter gesagt oder andere, die ihn kannten, zum Beispiel die Großeltern. Es klang gut und passte auch zur Neigung eines verlassenen Kindes, den fehlenden Elternteil zu idealisieren, denn Offiziere sind (angeblich) ehrenhafter und tapferer und genießen ein höheres Prestige als ein »einfacher Soldat«. Auf einen solchen Vater konnte man zumindest insgeheim ein bisschen stolz sein.

Ein deutscher Offizier musste selbstverständlich weder an Hitler noch an den Nationalsozialismus glauben. Auch er war in eine strenge Hierarchie eingebunden, in der er »funktionieren« musste, der Grad der nationalsozialistischen Gesinnung war nicht zwingend am militärischen Rang abzulesen. Aber wer als Offizier für das nationalsozialistische Deutschland kämpfte, war exponierter als seine Untergebenen, er trug für das, was geschah, mehr Verantwortung und hatte sich, gelinde gesagt, vermutlich nicht durch allzu große Systemkritik hervorgetan.

Im Gegensatz zu dem Kind, das sie einmal waren, wissen die Nachkommen der Wehrmachtssoldaten als Erwachsene viel über den Nationalsozialismus und auch über militärische Hierarchien. Deswegen könnte man meinen, dass es nicht ganz einfach ist, den Hitlergegner und den Offiziersvater unter einen Hut zu bekommen. Es ist aber auch nicht unmöglich, denn es ist ein bekanntes Phänomen, dass ein Mensch durchaus Widersprüchliches für wahr halten kann, solange er es im Denken sorgfältig voneinander getrennt hält.

Da ich nur wenige persönliche Berichte von Wehrmachtskindern außerhalb von Nordeuropa kenne, weiß ich leider wenig über entsprechende Phantasien in jenen Ländern, in denen die Wehrmacht einen Vernichtungskrieg führte und in denen die gezielte Tötung von Zivilisten zur Kriegsführung gehörte. Vielleicht dachten die Heranwachsenden dort eher wie die Polin Hela:

> »Ich habe nicht gewusst, dass es in Polen noch mehr Kinder von Deutschen gab, und leugnete auch vor mir selbst, dass ich ein Deutschenkind war. Das waren gemischte Gefühle, Angst, dass jemand das erfahren könnte, und auch Scham. Ich hatte ja gehört, dass die Deutschen Barbaren sind, dass sie die Zivilbevölkerung und auch Kinder misshandelt hatten, in Filmen und auch in

der Schule wurden oft Konzentrationslager gezeigt. Wie konnte meine Mutter mit so einem zusammen sein? Ich hoffte, dass es nicht wahr war. Mein Vater wurde niemals erwähnt, es war, als existiere er gar nicht, und als ich wusste, wer er war, war mir das nur recht. Dann musste ich mir über ihn keine Gedanken machen.«

Diese Sorge um die Rolle des Vaters teilt Hela mit der deutschen Kindergeneration. Deutsche sehen immer einen engen Zusammenhang zwischen dem militärischen Rang des Vaters und seiner persönlichen Verantwortung für die Verbrechen der Nationalsozialisten. Sie fürchten natürlich, ihr Vater könne »ein Täter« gewesen sein, und sind in aller Regel sehr froh, wenn er »nur« ein kleiner Landser war. *Stolz* auf die militärischen Leistungen des Vaters verbietet sich von selbst.[6]

Für viele ausländische Nachkommen aber war die Vorstellung vom Vater als Offizier nicht nur ein Albtraum, sondern zugleich eine geheime, wenn auch vielleicht schuldbewusste Phantasie. Wenn sie heute erfahren, dass er ein ganz normaler Soldat war, wissen manche nicht, ob sie enttäuscht oder erleichtert sein sollen. Alle aber sind froh, dass er kein SS-Offizier war. Das, darin sind sich die meisten einig, *das* wäre das Allerschlimmste. Und war er es doch, wird es ihnen gehen wie jener Deutschen, die »deutliche Erleichterung darüber empfindet, dass er zwar bei der SS war, aber den ganzen Krieg bei einer dieser ›Champagner-Kompanien‹ in Frankreich zugebracht hat«.[7]

Aber wie man es auch dreht und wendet: Einige waren eben doch persönlich an dem Unrecht und den Verbrechen beteiligt. Vor Jahren brachte eine norwegische Tageszeitung in großer Aufmachung die Geschichte der Norwegerin Petra,* Tochter des berüchtigten »Gestapo-Müller«. Heinrich Müller war Chef der Gestapo in Berlin, ob er jemals in Norwegen war oder seine vermeintliche Geliebte in Deutschland, weiß ich nicht mehr, da ich den Artikel nicht mehr habe. Ich erinnere mich aber genauestens an die Schilderungen, wie schwer Petra dieses Wissen belastete. Doch nach langem inneren Ringen wusste sie: Ich liebe ihn. Er ist doch mein Vater.

Ich fand die Geschichte bemerkenswert, vielleicht sollte ich sagen, merkwürdig, jedenfalls prägte sie sich mir ein, und da ich sie hier richtig wiedergeben wollte, versuchte ich den Artikel aufzutreiben. So erfuhr ich, dass die Zeitung ebenso wie das schwedische Fernsehen, das Petra auf eine Recherchereise durch halb Europa begleitet hatte, den Phantasien eines psychisch schwer kranken Menschen aufgesessen waren. Sie wusste nur, dass ihr Vater ein deutscher Soldat war. Sie hatte als Kind einmal ganz kurz ein Foto von ihm gesehen, eine Tante meinte sich zu erinnern, dass er Müller oder so ähnlich geheißen haben könnte. Das genügte: Als Petra ein Bild von Gestapo-Müller sah, erkannte sie in ihm ihren Vater.

Die Geschichte wäre nicht der Erwähnung wert, wenn sich die Medien nicht mit solch unkritischer Bereitwilligkeit auf das Storyklischee »armes gemartertes Kind liebt Nazivater« geworfen hätten. Der Fall wirkt untypisch, ist es aber insofern nicht, als die Journalisten immer und überall – also nicht nur in Skandinavien – ausschließlich über extreme Schicksale berichten, so dass ein völlig verzerrter Eindruck davon entsteht, wie die überwiegende Mehrzahl der europäischen Wehrmachtskinder aufgewachsen ist und heute lebt.

Am Ende mussten die Medien zum Fall Petra übrigens nicht nur Dementis veröffentlichen, sondern ihrer Mutter auch eine hohe Wiedergutmachung zahlen. Sie hatte nämlich laut und vernehmlich gegen die ehrkränkenden Veröffentlichungen protestiert.

Aber es gibt auch »echte« Gestapoväter, selbst wenn sie nicht so berühmt sind wie Heinrich Müller, und in diesen Fällen fallen die Reaktionen ihrer Nachkommen deutlich anders aus. 2002 brachte eine dänische Boulevardzeitschrift die Geschichte von Margarete, der Artikel war auf der Titelseite mit deren Foto und dem Satz »Ihr Vater war Gestaposoldat« angekündigt. »Ihr langer Weg zum Glück«, so die Überschrift im Heft, spielt auf ein Leben voller Hindernisse an, zu denen eine alkoholkranke Mutter, deren alkoholkranker Ehemann sowie die Tatsache gehörte, dass Margaretes Vater bei der Sicherheitspolizei war und an der Deportierung der dänischen Juden mitgewirkt hatte. »Bis heute ist ein altes Foto von Wilhelm in SS-Uniform die einzige Erinnerung, die sie an ihren leiblichen Vater hat. Margarete empfindet für diesen Mann mit dem starren Blick ebensowenig wie für ihre Mutter. Denn Wilhelm entsprach nicht dem Traumbild, das ihre Mutter für sie geschaffen hatte.«

Diese hatte ihr erzählt, er sei ein netter, schöner Mann. Dass das nicht wahr sein kann, ahnt der Leser bereits, als erwähnt wird, dass dieser Mann nie Alimente gezalt hat, obwohl er dazu verurteilt worden war, und obendrein Bettelbriefe an die junge Mutter in Dänemark schrieb und fragte, ob sie ihm nicht Lebensmittel schicken könne, die Zeiten seien so schlecht. Der Artikel lässt offen, wann und wie Margarete diese Briefe fand oder warum sie angesichts dieser abstoßenden Charakterisierung überhaupt nach ihm zu suchen begann. Jedenfalls erfuhr sie, dass er 1975 gestorben war. Aber seine Kinder nahmen sie freundlich auf. »Meine deutschen Halbgeschwister haben mir erzählt, dass unser Vater ein Teufel gewesen sei, als er aus Polen zurückkam. Die Ehe wurde 1954 geschieden, nur einer von ihnen hatte in den letzten Jahren Verbindung mit ihm. Ich bin froh, dass ich meinen Vater nicht kennengelernt habe. Denn er war kein guter Mensch.«[8] Margarete ist das einzige mir bekannte Wehrmachtskind, das nach einer erfolgreichen Suche sagt, sie sei froh, den Vater nicht mehr lebend angetroffen zu haben.

Er war ein Teufel (aber erst, als er aus Polen zurückkam, was wohl heißt, dass er das in Dänemark, wo er vorher war, noch nicht war). Er hatte einen starren Blick und schrieb wehleidige Briefe, statt seinen materiellen und immateriellen Beschützerpflichten nachzukommen. Es überrascht nicht, dass Margarete die Geschichte ihres Vaters und ihrer Gefühle für ihn völlig anders erzählt als andere Wehrmachtskinder. Überraschend, ja bewundernswert finde ich im Grunde nur, dass sie sie überhaupt öffentlich erzählt, bestätigt sie doch die schlimmsten Befürchtungen, die ein europäisches Wehrmachtskind haben kann, wenn es sich auf die Suche nach dem Vater macht: Er ist einer der Täter. Er ist der hässliche Nazi.

Die Begegnung mit ihren warmherzigen deutschen Geschwistern hat Margarete sehr beruhigt, denn erst da konnte sie ganz sicher sein, dass sich das Naziböse des Vaters nicht an seine Kinder vererbt hatte, eine Furcht, die Margarete lange gequält hatte.

*

Wer einen Elternteil nicht kennt, beschäftigt sich oft stark mit der Frage, worin er (oder sie) ihm ähneln könnte. Auch für Wehrmachtskinder gilt, was Polly Toynbee über Adoptierte sagt: »All die adoptierten Kinder, mit denen ich sprach, überbewerten den Einfluss von genetischen Faktoren auf ihren Charakter.« Das reicht vom Aussehen über Talente, Neigungen und Alltagsangewohnheiten, die sie an sich ungewöhnlich finden, bis hin zu der Tatsache, dass viele sich als »Deutsche« bezeichneten (und noch bezeichnen), selbst wenn sie noch nie in Deutschland waren.

Auf diese Weise haben sie die Ächtung ihrer frühen Jahre, in denen man sie als »Deutschenkind« beschimpfte und ausgegrenzt hat, internalisiert und ins Positive gewendet. Was früher als Last empfunden wurde, worüber sie sich früher einmal schämten, erfüllt sie nun mit Stolz. Sie sprechen von ihrer »deutschen Seite« oder sogar, wie die Enkelin eines französischen Wehrmachtskindes, von ihrem »deutschen Blut«. Diese begründete ihre Suche nach ihrem Großvater mit den Worten, sie sei ja doch auch ein bisschen deutsch, in ihren Adern fließe doch ein Viertel deutsches Blut.[9]

Die Dänin Margarete hat mit der tiefen Enttäuschung über den Charakter ihres Vaters ihren Frieden gemacht: »Es hat keinen Sinn, sich darüber zu grämen, dass mein Vater nicht meinem Traum von dem gutaussehenden Soldaten entsprach, der kommen und mich retten würde. Aber ich habe ihn all die Jahre so furchtbar vermisst. Und er hat nie an mich gedacht. Nicht eine Sekunde.«

Auch die Litauerin Zita verzehrte sich nach dem fernen Vater: »Wenn mich die Kinder geärgert und gehänselt haben und ich echt böse war, da habe ich zu mir selbst gesagt – so gedacht: ›Wartet nur! Irgendwann einmal kommt mein Vater zu mir, und ich werde mit ihm über die Straße gehen, ganz stolz! Ärgert mich nur nicht, ihr werdet mich noch beneiden!!‹ Das wünschte ich mir sehr.«[10]

Das ist eine klassische Besatzungskinderphantasie. Der Vater würde seine Tochter oder seinen Sohn retten vor den quälenden Kindern, dem schlagenden Stiefvater, dem sadistischen Heimpersonal, vor einem Leben, in dem sie von niemandem in ihrer Einzigartigkeit gesehen werden. Aber die anrührend tapfere Vorstellung, eines Tages die Peiniger in die Schranken zu weisen, indem man stolz den »richtigen« Vater als Beschützer vorzeigen kann, teilen sicher alle einsamen und schikanierten Kinder der Welt – nicht nur Besatzungskinder. Für Elna, die Kinder von Besatzungssoldaten auf der ganzen Welt kennt, könnte »die Frau, die das gesagt hat, von überall sein. Ich kenne solche Sätze von Kriegskindern in Norwegen, ich kenne ihn aus Vietnam, Kenia, Bosnien – sie sagen alle das gleiche.«

Diese Errettungsphantasie ist an eine zweite geknüpft, die ihr ursächlich zugrunde liegt, der verzweifelten Hoffnung nämlich, dass das eigene Leben nicht nur als Zufallsprodukt von Gleichgültigkeit oder Gewalt entstanden ist. Die Litauerin Meile beispielsweise sagt: »Wegen ihrer Freundschaft [zu dem Vater] hat Mutter mich vielleicht Meilute, Liebchen, genannt oder Meile, Liebe. Damals gab es hier einen solchen Vornamen wie ›Liebchen‹ nicht. Den hat sich meine Mutter ausgedacht. Sie hat Vater geliebt, ich glaube, sie hat ihn wirklich geliebt.«[11]

Wie Meile teilen alle die Phantasie, »Vater und Mutter haben sich geliebt. Er sehnt sich seit Jahren nach ihr zurück. Er weiß von mir oder wird von mir erfahren, sobald er zurückkommt. Er wird glücklich sein, dass es mich gibt. Alles wird gut.« Aber am Ende, wir wissen es, wurde für die wenigsten alles gut.

Andere Kinder hatten weniger passive Träume, sie beschlossen schon früh, etwas *zu tun*. Der Franzose Victor war ein einsames Kind, er las viel, und als er acht Jahre alt war, »war mein Entschluss gefasst, ich würde später einmal nach Afrika gehen und der schwarzen Bevölkerung helfen, wie der Arzt Albert Schweitzer in Lambarene. Und ich hatte noch ein zweites Vorhaben, und das war, den Vater zu finden, der meine Träume heimsuchte.« Die Kombination dieser beiden Vorsätze klingt rührend, aber er machte »später einmal« beides wahr: Er arbeitete als Landwirtschaftsexperte in Afrika, und er fand seinen Vater.

*

Manche Väter reisten nach dem Krieg dorthin zurück, wo sie ihre Freundin mit dem Kind zurücklassen mussten. Sie wollten ihr Versprechen einlösen und sie holen, was in zahllosen Fällen misslang. Manchmal suchten auch beide nacheinander. Kyras Mutter schrieb in den fünfziger Jahren an Ämter und Behörden in Deutschland, um zu erfahren, wann und wo Heinz hingerichtet worden war. Sie ahnte weder, dass er begnadigt worden war, noch, dass er nur wenige Zugstunden entfernt in Hamburg lebte und in den fünfziger Jahren mehrfach nach Kopenhagen gereist war, wo er sie suchte und nicht fand.

Der Vater kam nicht, die Sehnsucht nach ihm blieb über Jahrzehnte lebendig. In dem Maße, wie die Kinder zu Erwachsenen wurden, veränderte sich die Art ihres Sehnens und ihres Interesses, unverändert blieb allerdings die positive Grundhaltung ihm gegenüber. Ich habe beispielsweise nie gehört, dass einer von ihnen, wenn er als Erwachsener die Zusammenhänge der eigenen Biographie besser erfasste, den Soldatenvater in irgendeiner Weise für sein Leid verantwortlich gemacht hätte. Viele begannen, den Vater zu suchen, weil sie wissen wollten, welche Krankheiten und genetischen Belastungen sie von ihm geerbt haben könnten. Für die Finnin Inga, die an sich keinerlei Neigung verspürt, in Deutschland auf »Spurensuche« zu gehen, wäre dies der einzig vorstellbare Grund: »Ich wüsste gern etwas über die andere Hälfte meiner genetischen Herkunft, Ärzte fragen oft nach Krankheiten in der Familie. Aber irgendwie ist das keine sehr große Sache.«

Wer sich als Kind nach ihm sehnte, behielt diese Sehnsucht. Doch sie veränderte sich, die Sehnsucht der Erwachsenen galt nicht mehr dem ersehnten Beschützer. Nun wollten sie etwas über den Menschen erfahren, der ihr Vater war. So schreibt die Ehefrau eines französischen Wehrmachtskindes in ihrem ersten Brief an die WASt, es sei für ihren Ehemann unerträglich, nichts über seinen Vater zu wissen.

> »Mein Mann hat immer sehr unter der Leere gelitten, die dort ist, wo der Vater sein sollte, und er leidet auch heute noch darunter. Daher würde ich ihm so gern das Geschenk eines Vaters machen, damit er ihm und unseren Kindern und Enkeln nicht völlig unbekannt bleibt.
> Wie hat er gelebt?
> Wie ist er gestorben?
> Gibt es Geschwister?
> Ist es möglich, ein Foto zu bekommen?«

Sie schließt den Brief mit der Versicherung, sie und ihr Mann wollten keineswegs »in das Leben dieser Menschen eindringen, sondern nur eine Antwort auf diese Fragen haben. Aber wir würden es selbstredend nicht ablehnen, falls ein Nachkomme Verbindung mit uns aufnehmen möchte.«

Wie hier sind die geäußerten Wünsche an den Vater und die Familie, die er vielleicht hat, oft herzzerreißend bescheiden. Vielleicht ist das die Folge ihrer Kindheits- und Jugendjahre, in denen die Wehrmachtskinder ständig an der kurzen »Informationsleine« gehalten wurden. Vielleicht mussten sie zu oft erleben, dass ihre Fragen und Bitten ins Leere gingen oder sogar Strafe nach sich zogen, dass es besser war, Hoffnungen nicht auszusprechen oder vielleicht erst gar nicht aufkeimen zu lassen.

Wer weiß oder vermutet, dass der Vater bereits verstorben ist, möchte, wie es diese Ehefrau schreibt, wissen, ob er weitere

Kinder hat, wie er gelebt hat, wie er gestorben ist und wo er begraben liegt.

»Ich hatte eine Phantasie von einem wehmütigen, ein wenig romantischen und vielleicht naiven Ende meiner Suchaktion, falls sich herausstellen sollte, dass mein Vater wirklich tot war«, schreibt der Norweger Per Arne Löhr Meek traurig und mit milder Selbstironie, als er erfährt, dass sein Vater vermisst ist und darum kein Grab hat. »Ein Besuch auf einem stillen Friedhof irgendwo in Europa. Der suchende Gang vorbei an Reihen alter, stummer Grabsteine, bis mein Blick auf sein Grab fiel: *Hier ruht* ... Ich würde mich neben den Stein setzen. Lange dasitzen und meinem Vater alles erzählen, über die schmerzlichen Erinnerungen, die Sehnsüchte, die Tränen. Aber ich würde ihn auch an dem Guten teilhaben lassen, das mir widerfahren war. Ihm von meinen Kindern erzählen, seinen einzigen Enkeln. Und die ganze Zeit würden meine Finger leicht über die Buchstaben des Grabsteins gleiten.« Er hatte ihm auch sagen wollen, dass er sich in den dunkelsten Momenten seines Lebens immer in die Phantasie geflüchtet hatte, »dass du zu mir kommen, mich wegholen würdest, weg von dem Mobbing und der Hoffnungslosigkeit«.

Solche Phantasien fände die Finnin Inga vermutlich befremdlich. Damit ist sie nicht allein, denn keineswegs alle Wehrmachtskinder interessieren sich für ihren unbekannten Vater. Über sie und über ihre Motive wissen wir wenig, weil sie sich nicht öffentlich zu Wort melden. Wir können nur sagen, dass offenbar viele niemals unter »der Leere dort, wo der Vater sein sollte«, litten, niemals diesen Drang, ja geradezu Zwang verspürten, nach ihm zu suchen. Die Leerstelle in ihrem Stammbaum scheint ihnen wenig Kummer zu bereiten. Wenn dennoch einige von ihnen eine Suche nach dem Vater einleiten (was einige tun) und an den DRK-Suchdienst oder an die WASt schreiben, dann begründen sie dies mit einer unspezifischen Neugier oder damit, dass das jetzt so viele tun. Andere versichern apodiktisch, sie würden sich niemals auf die Suche nach ihrem leiblichen Vater machen, weil sie nicht einsähen, warum sie sich um ihn kümmern sollten, schließlich habe er sich auch nicht um sie gekümmert. Sicher gibt es Wehrmachtskinder, die ihrem Vater niemals verzeihen, dass er sie allein gelassen hat. Dass ich persönlich keines kenne, erstaunt mich dabei nicht, denn sie gehören mit Sicherheit zu den vielen, die mit ihrer Geschichte nicht an die Öffentlichkeit gehen.

Noch nie habe ich allerdings gehört, dass sich jemand aus Rachegelüsten auf die Suche gemacht hätte, oder auch nur, dass ein Wehrmachtskind mit ungemildertem Hass an seinen Vater denkt, selbst wenn erwiesen ist, dass er Mutter und Kind vorsätzlich verraten hat. Darum finde ich das Lied »Der Talisman« von Franz Josef Degenhardt bemerkenswert. Es könnte von der Wahrheit, wie ich sie sehe, nicht weiter entfernt sein. Degenhardt beschreibt die Begegnung zwischen dem erwachsenen Deutschenkind Germaine, jetzt Hure, und ihrem Vater, der aus nostalgischen Gründen Paris besucht und zufällig ihr Freier wird. Als er sich entkleidet, erkennt sie ihn an einem sehr ungewöhnlichen Talisman, den ihre Mutter ihm 1942 in Paris geschenkt hatte. Die Tochter sagt zum Vater: »Der Mutter schwor ich auf der Totenbahr, zu rächen Not und ausgerissnes Haar als Strafe, weil sie ein Feindesliebchen war. Jetzt wird meine Rache wahr« – dann erschlägt sie ihn.[12]

Auch das Oberkommando der Wehrmacht lag mit diesbezüglichen Prognosen geradezu absurd daneben. 1943 begann es eine Reihe von Veröffentlichungen, in denen »Fragen unseres völkischen Lebens behandelt werden sollen, die den kämpfenden Soldaten angehen«. Am drängendsten beschäftigte diesen offenbar das Problemfeld »Der deutsche Soldat und die Frau aus fremdem Volkstum«, denn diesem Thema war das erste Heft der Reihe gewidmet. Darin heißt es: »Aus den mit einer Frau aus fremdem Volksgut gezeugten Kindern entwickeln sich erwiesenermaßen sehr oft die größten Deutschenhasser.«[13]

Nichts davon stimmt. Im Gegenteil. Die erwachsenen Kinder haben eine unendliche Langmut, eine unglaubliche Bereitschaft, zu verzeihen und zu verstehen. Das gilt für alle, auch für jene, die den Vater noch lebend antrafen und mit der bitteren Wahrheit fertig werden mussten, dass er nicht kam, um sie zu holen, dass er sich niemals mehr um sie gekümmert, dass er sie in seinem »deutschen« Leben verschwiegen hat. Dass er sie wirklich, wirklich im Stich gelassen hat.

Wer sich auf die Suche nach dem deutschen Soldatenvater macht, hat beschlossen, das Rätsel seines Verbleibs zu lösen. Er (oder sie) will sich der Realität stellen und das Wagnis eingehen, dass sich die vielen alten Träume ebenso wie die bestehenden Erwartungen rund um den Unbekannten als naive Kinderphantasien erweisen könnten. Dazu bedarf es der inneren Stärke.

Wer sich auf die Suche nach dem deutschen Soldatenvater macht, hat auch beschlossen, hinter jener Wand hervorzutreten, hinter der er sich als dessen Kind bislang versteckt hat. Nun ist die Scham vorbei, er wird über seine Herkunft nicht mehr schweigen. »Ich wollte kein Geheimnis mehr sein«, schreibt die Dänin Lotte Tarp. »Ich wollte wie andere Menschen auch über meine Kindheit erzählen können, ohne lügen zu müssen.«

Einer, der über sein Leben und seine Herkunft auch nicht mehr lügen mochte, ist der französische Filmschauspieler Richard Bohringer. 1994 veröffentlichte er unter dem Titel *Le bord intime des rivières* autobiographische Skizzen von hoher poetischer Dichte. In der folgenden Passage spricht er über den Waisenkummer des zurückgelassenen Kindes, seine Phantasien, seine Tapferkeit, vor allem aber über seine wilde Sehnsucht, den Vater bedingungslos und hingebungsvoll so lieben zu dürfen, wie er ist. Wenn er nur da wäre.

> »Papa, hallo, bist du da?
> Du fehlst mir schon. Ich hätte viel zu bereden mit dir, wenn du da wärst. Ist 'n bisschen heikel. Du sagst vielleicht, Paulo sei ja da. Der kann alles, weiß alles. Unschlagbar. Und hat irgendwo tief drinnen eine klitzekleine Blume sitzen, die alles hell macht, wenn's zu finster wird. Eine Seele von Bruder. Und ein Sturkopf.
> Papa, du, wir hätten Drachen steigen lassen. Unser Leben lang. Wärst in allem ein As gewesen, hätte ich dich

218

grenzenlos bewundert. Wärst ein Versager gewesen, hätte ich deinen Rasierwassergeruch am Morgen gemocht. Wenn du frisch rasiert angeblich zur Arbeit gegangen wärst. Getan hättst als ob. Weil ohne Job. Ich hätte dich gemocht, ich hätte dich beschützt, ich hätte dich verstanden.

Papa, du, ich hätte dich jeden Abend um Mama herumstreichen sehen, scharf auf sie und verliebt wie vor dreißig Jahren.

Bist nicht mehr da. Warst nie da. Oder so weit weg, dass ich nen Turbo gebräucht hätte, um dein Gesicht zu lesen die paar Mal, wo wir uns über den Weg gelaufen sind. Ich bin nicht traurig.

Ich wär der Sohn des Indianers gewesen. Wo du gar kein Indianer warst. Warst Soldat. Deutscher Soldat. Wir haben uns gründlich verpasst. Ich gab vor, die Deutschen nicht zu mögen. Ein richtig dummer Junge, der seinen Waisenkummer kultivierte.

Irgendwann werden wir da oben tun, was wir hier unten nicht getan haben. Manchmal halt ich's kaum aus, dass du nicht da bist. Papa. Irgendwas ist verdammt schiefgelaufen bei unserer Geschichte. Vielleicht ist es auch sehr gut so. Erinnerung an dich. Cooles Augenzwinkern: was soll's. Wie alle, die ihre Theorien durchgezogen haben. Papa, du, bist du da?

Zu spät geliebt. War schon erwachsen. Sohn des Besatzers. Foto vom Vater in deutscher Offiziersuniform ganz hinten auf dem Wohnzimmerbuffet. Hab's stundenlang angeschaut, ob irgendwo der Unmensch zum Vorschein kommt. Aber war nichts. Ein Nazisohn kann ich nicht gewesen sein. Hab geweint, Paulo. Hab bloß die Bahngeleise unterm Mond gehabt als Trost. Hab Ersatz gefunden für dich. Mehrfach. Ja, Söhne sind süchtig.

Ein bisschen oberhalb, gegen den Wald hin, gab's einen Hügel mit einer großen Wiese voller Wind, ich weiß noch gut. Der Vater hat gelacht, der Sohn flog mit seinem Drachen davon. Ich hab nur gelacht, wenn es mein Bruder tat. Man sagt, mein Vater habe mich gemocht. Das Leben ist idiotisch. An dem Tag war's schön. Ich weiß noch gut. Der Waldrand, die kühle Frische. Unser Atem, den man gehen hörte. Mein Vater, dieser Mann. Und mein Bruder. Ich mochte ihn, meinen Bruder. Unangepasst. Unabhängig.

Er ist in seiner Kiste verbrannt. Unter einem Lastwagen. Auf einer Straße in aller Herrgottsfrühe. In meinen Ohren klackt die Folie meines Drachens.«[14]

Elnas Geschichte (VII)

Ich lag in einem fremden Bett und konnte nicht schlafen. Die Anspannung saß mir zwischen den Schulterblättern. Was wollte ich eigentlich hier?

Ich fand keine befriedigende Antwort auf meine Frage, ich wusste nur, dass ich hier sein wollte, hier sein musste. Ich spürte ein tiefes Bedürfnis, diesen Menschen kennenzulernen, auch wenn ich für dieses Gefühl keine Worte fand. Die kamen erst später. Ich dachte an die ambivalenten Gefühle, die ich vor der Begegnung mit Therese hatte, an meinen Drang, von ihr Rechenschaft über ihre damaligen Entscheidungen zu fordern. Hier und jetzt spürte ich von alldem gar nichts, ich war nur (an)gespannt und offen − weit offen für alles, was kommen würde. So etwas macht auch verletzbar.

Der nächste Vormittag. Maria hatte die morgendliche Pflege erledigt. Auch ihre Mutter wohnte bei ihnen, ein Spatz von einer Frau, fast neunzig Jahre alt. Der Pflegedienst und der Krankengymnast waren dagewesen, wir hatten gefrühstückt. Ich durfte nichts tun − als ich darauf bestand, ließ sie mich wenigstens abwaschen. Während Otto ruhte, machte ich in der Stille des Morgens einen kleinen Spaziergang. Ottos Heimatdorf war sehr idyllisch, es war von grünen Hügeln umgeben, am Horizont standen Laubbäume. Hier war er also aufgewachsen, mein Vater. Hier hatte er seine Kindheit und seine Jugend verbracht. Das hätte auch die Welt meiner Kindheit werden können, wenn die Welt damals eine andere gewesen wäre.

Alles hier war anders − anders als zu Hause und anders als das Deutschland, das ich mir vorgestellt hatte. Mein Bild von Deutschland hatte aus Industrie bestanden, aus Autobahnen, Großstädten mit gewaltigen Bauwerken aus unterschiedlichen Epochen − und Verschmutzung. Was ich hier sah, war eine kleinbürgerliche, ländliche Idylle. Und sie war schön.

Ich ging zurück und erzählte von meinen Eindrücken. »So schön wie Norwegen ist es aber nicht«, sagte Otto.

»Du idealisierst Norwegen einfach«, sagte Maria, und zu mir gewandt: »Heute nachmittag kommen unsere Kinder, mit denen machen wir einen Ausflug, damit du sehen kannst, wie schön es hier ist.«

Dann wandte sie sich wieder ihren vielen Aufgaben zu. Mit kleinen, gezielten Bewegungen erledigte sie den endlosen Kreislauf ihrer zahllosen Pflichten. Sie stand oder saß nie völlig still.

Ich setzte mich zu Otto und wollte zuhören, erzählen, ihn anschauen, angeschaut werden. Ich erzählte ihm von meinen wunderbaren Söhnen, seinen Enkeln, die zweiundzwanzig und zwanzig Jahre alt waren, von meiner viel zu frühen Heirat, der Scheidung. Wie ich Kjell traf, einen Witwer mit zwei Kindern, wie wir eine richtige Großfamilie wurden, wie wir unseren vier Kindern Eltern und Stiefeltern waren. Otto hörte zu, seine Mimik war lebhaft und seine Gesichtsfarbe frisch. Besonders markant an diesem Gesicht war ein ausgeprägtes, kantiges Kinn mit einem Grübchen. Sein Ausdruck spiegelte, was ich ihm jeweils erzählte.

»Du hast meine Augen, Gisela«, unterbrach er mich plötzlich. »Ich habe mir so sehr gewünscht, dass wir uns begegnen. Du warst ein Teil meines Lebens, unseres Lebens – immer.«

Ich versuchte, den Kloß im Hals herunterzuschlucken. »Ich wusste ja nicht …«

Ich nahm seine Hand, und er begann zu erzählen, bestätigte, ohne es zu wissen, alles, was Therese gesagt hatte, auch wenn sein Blickwinkel natürlich etwas anders war. Und alles, was er sagte, klang völlig richtig – und wahr.

»Ich kam gleich am Anfang des Krieges nach Norwegen. Erst war ich nördlich von Oslo, in der Gegend von Hamar. In Bergen war ich auch«, sagte er mit einem Lächeln. »Aber am längsten war ich in Nordnorwegen, in Mosjøen und in Sandnessjøen. Das war eine sehr gute Zeit. Ich hasste den Krieg, hasste das System, das Militär und den Nationalsozialismus – aber die Zeit in Norwegen war wundervoll, vielleicht die beste meines Lebens. Als ich in Sandnessjøen stationiert war, lernte ich The-

rese kennen. Aber das weißt du ja! Ich sah sie morgens auf dem Weg zur Arbeit an der Mittelschule vorbeigehen und fand sie so schön. Ich wollte sie kennenlernen, aber ich konnte sie schlecht einfach auf der Straße ansprechen, das wäre nicht gegangen. Also kam ich auf die Idee, mit dem Fahrrad, das vor der Schule stand, einen kleinen Unfall vorzutäuschen. Leider wurde der etwas ernster als geplant. Therese wurde verletzt, sie blutete und hatte sich ihre Kleidung zerrissen. Ich war ziemlich entsetzt.«

»Therese weiß immer noch nicht, dass du sie absichtlich angefahren hast«, sagte ich.

»Jetzt darfst du es ihr erzählen«, sagte Otto mit einem Blitzen in den Augen.

Wir waren allein, darum sprachen wir norwegisch miteinander. Er erzählte liebevoll und lebhaft von Thereses Mutter, die eine einzigartige Frau gewesen sei, von einer Hochzeit und einer Taufe, an denen er teilgenommen hatte, und von einem Tanzvergnügen weit oben in den Bergen, zu dem Thereses Brüder ihn einmal mitgenommen hatten. Sie hatten gewettet, dass er sich nicht trauen würde. Er borgte sich von Hilmar eine Strickjacke und eine Hose. Bei diesem Tanzvergnügen herrschten rauhe Sitten. »Ich habe nicht gewagt, den Mund aufzumachen, ich hatte Todesangst, dass die merken, dass ich Deutscher bin«, sagte Otto. »Aber die Wette habe ich gewonnen!«

Und Otto sprach von Thereses Bruder Hilmar, mit dem er lange Wanderungen gemacht und viele lange Gespräche geführt hatte, bei denen es oft um Weltanschauliches gegangen sei. »Ich bin ein gläubiger Mensch«, sagte er, »das war ich damals auch. Aber ein guter Katholik war ich nie.«

Es war ein wenig seltsam für mich, dass er, der in Deutschland lebte, über meine norwegischen Verwandten soviel mehr wusste als ich. Dann fragte er mich, was aus ihnen geworden sei. Darüber wusste ich ja nicht viel, aber ich konnte ihm wenigstens sagen, dass Hilmar jung gestorben war. »Wir kommen alle in der Himmel hinein«, zitierte ich Therese. Otto amüsierte sich über die norwegische Variante seines früheren Lieblingsspruchs, dann sagte er: »Nun, da sehen wir uns ja dann wieder.«

»Dann kam ich an die Ostfront, das war grauenvoll. Ich wurde am Fuß verletzt und bekam Heimaturlaub. Aber ich wollte nicht nach Hause, ich wollte zurück zu Therese und meinem Kind. Ich habe mir vorgestellt, dass wir zusammen nach Schweden fliehen könnten. Wir hatten darüber gesprochen, dass das eine Alternative sein könnte, falls sie nicht hierher umsiedeln könnte oder wollte.

Ich kam bis Dänemark, das war Anfang 1944, und drückte mich in Fredrikshavn am Hafen herum, weil ich hoffte, dort auf ein Schiff nach Norwegen zu kommen. Da haben sie mich verhaftet. Der Urlaub war abgelaufen. Ich sollte mit dem nächsten Transport nach Deutschland und da wegen Fahnenflucht vor Gericht. Wie das für mich ausgehen würde, war klar.

Als der Transport noch in der Nähe der dänischen Grenze war, konnte ich fliehen. Aber mir waren zwei Gestapomänner dicht auf den Fersen, es kam zu einer Schlägerei, einen konnte ich k.o. schlagen, dann rannte ich los. Der andere folgte mir und schoss auf mich, ich zählte mit, ich wusste, dass die Walther sieben Schuss hat. Als das Magazin leer war, kam ich aus meinem Versteck, stellte mich mit einem großen Stein in der Hand ganz dicht vor ihn, nahm die leere Waffe und sagte, dass ich ihn erschlagen würde, wenn er nicht augenblicklich verschwand. Er begriff, dass es mir damit ernst war, und ging tatsächlich. Weißt du«, sagte Otto, der sich jetzt so aufregte, dass er auf deutsch weitersprach, »ich hätte ihn wirklich umgebracht. Aber jetzt war ich Freiwild und musste sehr vorsichtig sein. Ich ging nach Trier zurück.«

Ich dachte, ich hätte das nicht richtig verstanden. »Du bist von der dänischen Grenze zu Fuß nach Trier gegangen?« fragte ich ungläubig.

»Ja, ich ging nachts, und tagsüber habe ich mich versteckt. Wenn sich die Gelegenheit bot, habe ich etwas zu essen gestohlen, aber meist habe ich gebettelt. Ich habe vor allem bei kleinen Bauern gefragt, und die Leute haben das bisschen, was sie hatten, mit mir geteilt. Damals herrschte eine unglaubliche Armut. Ich weiß nicht mehr, wie lange ich brauchte, es waren auf jeden

Fall viele Wochen. Aber am Schluss kam ich tatsächlich zu Hause an. Den ganzen restlichen Krieg verbrachte ich in meinem Elternhaus. Hin und wieder kamen mal Soldaten ins Dorf, dann versteckte ich mich im Kartoffelkeller, bis sie wieder weg waren. Davon abgesehen habe ich hier ganz offen gelebt und gearbeitet.«

»In Norwegen wurdest du gesucht«, sagte ich. »Therese musste mit ihrer Schwester und ihrem Schwager zum Verhör.«

»Das habe ich mir gedacht, darum habe ich nicht gewagt zu schreiben. Hier haben sie mich nie gesucht.«

»Nach dem Krieg war ich ein Jahr lang in französischer Gefangenschaft. Da herrschten furchtbare Zustände. Ich lernte einen Norweger kennen, Askevold hieß er, und als er nach Hause fuhr, bat ich ihn, Therese eine Nachricht zukommen zu lassen, dass ich den Krieg überlebt hätte und dass es mir gutgehe.«

»Therese hat diese Nachricht bekommen«, sagte ich.

»Ich wusste, dass dieser Askevold ein guter Kerl war«, antwortete Otto.

*

Elke und Eduard kamen mit ihren Familien. Mein Bruder war rotblond, sommersprossig, kräftig gebaut. Er hatte eine kräftige Stimme, war munter und sehr schlagfertig. Er sah seinem Vater ähnlich, hatte aber nicht dessen Grübchen im Kinn. Das hatte meine Schwester geerbt. Ansonsten war sie klein, zierlich, dunkelhaarig mit haselnussbraunen Augen, ganz die Mutter. Sie war zurückhaltend und nachdenklich. Sie erzählten von sich – Elke und ihr Mann waren beide Sozialarbeiter, sie hatten sich im Studium kennengelernt und wohnten mitten in Trier. Eduard arbeitete und wohnte auf dem Bauernhof seiner Freundin und hatte eine halbe Stelle an der Uni in Trier. Mein ältester Bruder Rudolf rief an, hieß mich in Deutschland willkommen und bedauerte, dass er nicht bei uns sein konnte. Die anderen erzählten, dass er ein sehr erfolgreiches Innenarchitekturbüro betreibe und nie Zeit habe.

»Hast du Elna von deinem langen Spaziergang erzählt?«
fragte Eduard.

»Da kannst du sicher sein«, sagte er, und alle lachten – diese
Geschichte gehörte offensichtlich zum festen Repertoire.

Es war ein lebhaftes Gespräch, aber für mich war die Sprache
natürlich ein Problem. Diese deutsche Sprache ist verdammt
schwierig, wenn alle so schnell reden! Otto übersetzte so gut er
konnte – und das tat auch Maria. Weil sie wegen des fehlenden
Kehlkopfs langsamer sprechen musste, verstand ich sie viel
besser. »Das habe ich noch nie erlebt«, sagte sie zu mir. »Dass
ausgerechnet ich am leichtesten zu verstehen bin.«

Otto war in Hochform, er saß im Bett und genoss es sichtlich,
seine Familie um sich zu haben. Er redete und er sang – er sang
norwegische Lieder! Trinklieder und Soldatenlieder. Die anderen baten mich um eine Übersetzung. Aber dazu reichten meine
Sprachkenntnisse nicht aus, und ich hätte mich vielleicht auch
nicht getraut – sie waren recht gewagt. Otto lachte und sagte,
ich solle es bleibenlassen.

Er erzählte Geschichten aus Norwegen und von seinen vielen
Reisen in Holland und Deutschland. Er beherrschte drei Fremd-
sprachen, darauf war er stolz. Als junger Mann war er wie sein
Vater Viehhändler gewesen, dann hatten Maria und er viele
Jahre ein Gasthaus gehabt, aber als Maria krank wurde, war
das zu anstrengend. Sie verkauften es, danach hatte Otto noch
ein paar Jahre lang ein anderes Lokal. Dann kam der Schlaganfall und kettete meinen Vater, diesen lebensfrohen und le-
bensstarken Mann, für den Rest seines Lebens ans Bett. Wenn
ich daran dachte, zog sich mein Herz zusammen.

*

Nach dem Mittagessen ging Maria mit mir spazieren. Sie zeigte
mir Ottos Elternhaus und dann ihr eigenes. Sie erzählte mir von
dem Leben mit Otto als Ehemann. Er und sie hätten sich schon
immer gekannt, sagte sie, aber da sie zehn Jahre jünger sei als er,
hätten sie einander erst »gesehen«, als er aus dem Krieg zurück-

kam. Da war sie schon verwitwet, ihr Mann war als Flieger über
Berlin abgeschossen worden. Otto und sie heirateten 1948. Ich
merkte, dass sie über die Geschichte, die sie mir erzählte, genau
nachgedacht hatte. Sie wollte offensichtlich vermeiden, dass ich
mit einem geschönten Bild nach Norwegen zurückkehrte.

Sie hatte es nicht leicht gehabt. Otto war viel auf Reisen ge-
wesen, und er war ein lebensfroher Mann. Das hatte ihr nicht
gefallen. Die Verantwortung für die Familie und die Kinder
hatte er ihr überlassen. Sie hatten eine Wohnung in Ottos
Elternhaus, der Schwiegervater war ein liebevoller und guter
Mensch, aber die Schwiegermutter sei ein Drachen gewesen,
böse und hinterhältig, »ich war nur froh, dass ich meine eigene
Mutter in der Nähe hatte«. Aber als sie ein eigenes Haus gebaut
hatten, wurde es einfacher für sie. Dieses Zuhause liebte sie
nach wie vor, und auch über die Arbeit im Gasthaus sprach sie
mit Begeisterung. »Das waren sehr gute Jahre. Wir haben
zusammengearbeitet, aber eigentlich war das meine Idee ge-
wesen«, sagte sie stolz. Und fügte gleich hinzu: »Otto hat die
Familie immer vorbildlich ernährt.«

Ich fragte sie, ob mein Besuch schwierig für sie sei. Nein, das
sei er nicht, antwortete sie mir. Aber es sei ihr schwergefallen,
diesen Brief an mich zu schreiben. Sie habe ja immer von mir
gewusst und wollte mich sehr gern kennenlernen, »aber dass
alle Nachbarn erfahren würden, dass du Ottos Tochter aus
Norwegen bist, das war mir nicht so recht«.

»Das verstehe ich gut«, antwortete ich.

Und dann sagte sie: »Aber ich hätte niemals so handeln
können wie Therese.«

Nein, dachte ich bei mir. Wer kann das schon.

*

Auch Elke machte einen Spaziergang mit mir, sie wollte über
Otto als Vater sprechen. Hinter diesem Tagesablauf ahnte ich
die Sozialarbeiterin, und ich war ihnen sehr dankbar, dass sie
mit mir und mit sich selbst so sorgsam umgingen. Sie hatten

offenbar darüber nachgedacht, was sie mir erzählen sollten und was mich ihrer Meinung nach interessieren würde.

Otto, sagte sie, sei ein sehr verspielter Vater gewesen, immer zu Spaß und Unfug aufgelegt. Als Kind habe sie ihn vergöttert. Maria zog die Grenzen – und zu ihr gingen ihre Brüder und sie selbst, wenn sie Probleme hatten. »Ich war vielleicht zehn oder elf Jahre alt, als ich erfuhr, dass ich in Norwegen eine Schwester habe. Ich hatte immer Angst, dass sie eines Tages kommen und mir meinen Vater wegnehmen könnte«, sagte Elke und lächelte mich an.

Am Abend kam Ottos Bruder Albert zu Besuch. Er war viel jünger, höflich und reserviert. Wir saßen alle um Ottos Bett und unterhielten uns über diese neue Situation, über ihre, meine, Thereses und auch die meines Adoptivvaters. Ich gab mir große Mühe, ihnen verständlich zu machen, wie wichtig es für mich und meinen Seelenfrieden war, dass ich sie alle kennenlernen konnte, vor allem natürlich Otto und Therese, und wie glücklich ich darüber war, dass mich alle so herzlich aufgenommen hatten.

Albert wollte wissen, ob ich rechtliche Ansprüche an die Familie stellen wolle. Das war rasch geklärt. »Ich bin rechtsgültig adoptiert, ich habe keinerlei Ansprüche zu stellen, und das will ich auch nicht.« Danach war er deutlich entspannter und beteiligte sich am Gespräch. Er gab mir einen großen Umschlag. Er enthielt mehrere kleine Briefumschläge, die in Thereses Handschrift an Otto adressiert waren. In einem lag das Kinderbild von mir, das mein Vater an Therese geschickt hatte, als ich krank war. Albert hatte die Briefe in einem Schrank gefunden, den er von seiner Mutter geerbt hatte. Otto hatte sie noch nie gesehen, jetzt konnte er sie wegen des Schlaganfalls nicht mehr selbst lesen. Wir alle waren sehr empört. Sie sagten, ich solle die Briefe lesen und für sie übersetzen. Das lehnte ich ab. Sie waren zu persönlich.

Aber als wir am nächsten Tag allein waren, gab ich sie Otto und las sie ihm vor. Therese schrieb, wie sehr sie ihn vermisse, wie sehr sie sich nach ihm sehne. Sie plauderte ein wenig über ihren Alltag und über mich. Sie erzählte von ihrem Kummer darüber, dass sie nichts von ihm höre und nicht wisse, ob er krank, verwundet oder vermisst sei. Im letzten Brief schrieb sie, dass sie mich weggegeben habe. »Ich glaube, dass wir uns nie wiedersehen werden, und ich schicke Dir das Bild von Gisela, als Erinnerung an Deine Tochter.«

Während ich las, legte sich hin und wieder ein Schatten auf Ottos Gesicht, und sein Mund bebte ein wenig. Ob sein Schmerz vor allem dem Betrug seiner Mutter galt oder seiner verlorenen Liebe, weiß ich nicht.

*

Der Abschied rückte heran. Wir versprachen einander, in Verbindung zu bleiben. Ottos Traum, noch einmal nach Norwegen zu reisen, würde sich nicht mehr erfüllen, aber ich lud die anderen nach Bergen ein. Ich wünschte mir sehr, dass sie meine Familie kennenlernen würden.

Der Besuch hatte uns allen viel gegeben, aber er hatte sie und mich auch sehr aufgewühlt. Jetzt hatten wir das Bedürfnis, zu unserem Alltag zurückzukehren und die vielen Eindrücke, die wir voneinander und miteinander gehabt hatten, in Ruhe zu verarbeiten. Sowohl Otto als auch Maria sagten zum Abschied: »Wir reisen in Gedanken mit dir.« Ich hatte ganz stark das Gefühl, dass sie das wirklich taten.

10. Kapitel
DIESER WEISSE FLECK:
DIE SUCHE NACH DEM VATER

Warum suchen Menschen überhaupt nach ihren »Wurzeln«? Alle Suchenden beteuern (und ich bin sehr bereit, ihnen zu glauben), dass es ihnen nicht um finanzielle Ansprüche oder eine mögliche Erbschaft gehe, auch wenn das von seiten der deutschen Familien oft vermutet wird. Diese Befürchtung, die ja auch Elnas Onkel Albert äußerte, ist schon darum unbegründet, weil nach deutscher Rechtslage nichtehelich Geborene nur erbberechtigt sind, wenn sie nach dem 1. Juli 1949 geboren wurden.[1] Da waren die Wehrmachtskinder alle schon lange auf der Welt. Da das aber nur wenige Menschen wissen (woher auch?), blocken manche Verwandte jede Kontaktaufnahme sofort ab, weil sie fürchten, der Fremde, der vorgibt, mit ihnen verwandt zu sein, wolle an ihr Geld.

»Vehement abgelehnt werden Anfragen aus der ehemaligen UdSSR«, sagte mir die Angestellte einer der großen deutschen Behörden, die von Suchenden eingeschaltet werden. In vielen Berufsjahren habe sie immer wieder erlebt, dass die von ihr angeschriebenen Deutschen den Verdacht äußerten, der (oder die) Betreffende lüge und wolle lediglich nach Deutschland ausreisen und Geld bekommen. »Ich muss aber leider auch sagen«, fügte sie nach einigem Zögern hinzu, »dass wir tatsächlich einige solcher Betrugsversuche erlebt haben. Einmal hat jemand behauptet, der Sohn eines sehr berühmten deutschen Adligen zu sein. Er hat gleich das Fernsehen eingeschaltet. Das hat in der Familie einen solchen Wirbel verursacht, dass eine alte Dame einen Herzanfall bekam. Es hat aber nichts gestimmt, da passte gar nichts zusammen.«

Eine geringfügig mildere Form des Misstrauens erlebte die Dänin Jette, die ohne Anmeldung an der Haustür des (ihr unbekannten) Sohnes ihres (verstorbenen) Vaters klingelte. Als eine Frau öffnete, stellte sie sich als Halbschwester des Hausbesitzers vor und fügte wahrheitsgemäß hinzu, dessen Vater Wilhelm habe mit ihrer Mutter nicht ein Kind – eben sie –, sondern deren drei. Daraufhin erkundigte sich die Frau in der Tür eingehend nach der Arbeitslosigkeit in Dänemark. Sie wollte vor allem wissen, ob Jette oder eines ihrer Geschwister arbeitslos seien. Erst als das zufriedenstellend geklärt war, gab sich die Deutsche als die Witwe des Halbbruders zu erkennen und bat ihre neue Schwägerin ins Haus.

Wenn es also nicht um Materielles geht – worum dann? Warum macht sich ein Wehrmachtskind als Erwachsener, manchmal bereits als Mensch im Rentenalter, auf die Suche nach dem eigenen Vater (oder der Mutter)? Arne Øland, Leiter des Dänischen Kriegskinderverbands, sagt, er habe auf diese Frage einfach keine Antwort – keine andere als die, dass dieser Wunsch ein außerordentlich starkes Gefühl sei, wie Verliebtsein oder eine tiefe Trauer es sind. Die Frage tauche auf, und dann müsse man ihr einfach nachgehen.

Will wirklich jedes Wehrmachtskind wissen, woher es kommt, von wem es abstammt, wer seine Verwandten sind? Das Vertrackte an solchen Fragen ist, dass man in aller Regel nur die fragen kann, die suchen. Denn nur wer sucht, wird irgendwie sichtbar. Daher lerne ich selten ein Wehrmachtskind wie die Finnin Inga kennen, die nie auf den Gedanken käme, sich überhaupt als »Wehrmachtskind« zu bezeichnen. Sie hat auch kein Interesse daran, ihren Vater aufzuspüren. Als ich sie bat, mir zu erklären, warum das so ist, sagte sie: »Weil ich nicht glaube, dass es mir viel mehr über mich selbst sagen könnte. An mir ist absolut nichts ›exotisch‹, ich hatte nie das Gefühl, anders zu sein als die Familie meiner Mutter.«

Die Vermutung, dass der Vater ihr nicht »viel mehr über mich sagen könnte«, steht in eklatantem Widerspruch zur tiefsten Überzeugung derer, die suchen. Für sie ist der unbekannte Vater ein wichtiger Teil, ja ein Pfeiler ihrer Identität. Sie sprechen von einer tiefen Sehnsucht, ihre *Wurzeln* zu finden, und es ist symptomatisch, dass die Mitgliedsblätter beider skandinavischer Verbände *Wurzeln (Røtter* beziehungsweise *Rødder)* heißen.[2]

*

Als Elna Johnsen ihren Vater Otto zu suchen begann, kannte sie dessen richtigen Namen und eine Adresse aus Kriegszeiten. Damit ging sie in das Telegrafenamt ihrer Heimatstadt und schlug in den deutschen Telefonbüchern nach, die dort auslagen. Binnen anderthalb Stunden hatte sie das erste und zugleich entscheidende Ziel ihrer Suche erreicht: Sie kannte die aktuelle Adresse ihres Vaters. Sie schrieb ihm, er lebte noch, sie traf ihn. Das kommentiert sie mit den Worten: »Heute weiß ich, wieviel Glück ich hatte.« Das kann man getrost als gewaltige Untertreibung bezeichnen.

Als Per Arne Löhr Meek seinen Vater Heinz zu suchen begann, kannte er dessen richtigen Namen und möglicherweise seine Heimatstadt, nicht aber dessen damalige Adresse. Auch für Per Arne begann die Suche mit deutschen Telefonbüchern. Dafür musste er ins Telegrafenamt nach Oslo reisen, wo er in mühsamster Arbeit alle »Löhr« heraussuchte. Er schrieb alle an, was er als »geradezu verzweifelten Schritt« bezeichnet: Es waren über dreihundert. Die »Jagd auf den Vater« entwickelte sich für ihn und seine Frau zum Ganztagsjob. Sie wurden zu Detektiven in Per Arnes Vergangenheit und schickten insgesamt siebenhundertfünfzig Briefe an Privatpersonen und Institutionen in Norwegen, Deutschland, Österreich, den USA, Frankreich, England, Italien und der Sowjetunion.

Nach geraumer Zeit antwortete einer der angeschriebenen Deutschen, der gesuchte Heinz Löhr sei vermutlich ein entfernter Verwandter, Monate später schickte er auch ein Foto. Per Arnes Mutter bestätigte, dass der Mann auf dem Bild ihr ehemaliger Geliebter sei. Nachdem Per Arne und seine Frau fast zwei Jahre lang, vom 15. Oktober 1984 bis zum 9. Juni 1986, wie er präzise notiert, wenig anderes getan hatten als suchen, war er am Ziel. Aber er erfuhr auch, dass Heinz Löhr Anfang 1945 abgeschossen worden war.[3]

Elna und Per Arne begannen ihre Suche mit einem großen Vorteil: Ihre Mütter hatten ihnen den richtigen und vollständigen Namen des Vaters genannt. Das ist durchaus nicht selbstverständlich. Viele Mütter verweigern jede Auskunft über den Vater, viele andere, die ihrem Kind gern helfen würden, kennen den Namen ihres damaligen Geliebten tatsächlich nicht oder nur in Annäherung. Nun wirft es, unserer Meinung nach, ein ziemlich schlechtes Licht auf die Ernsthaftigkeit einer Beziehung und den Lebenswandel einer Frau, wenn sie mit einem Mann schläft, ja, ein Kind von ihm bekommt, und seinen Namen nicht kennt. Doch dafür gibt es durchaus andere Gründe als ihre Liederlichkeit oder seine Verlogenheit.

In der ehemaligen UdSSR schrieb man kyrillisch, in Griechenland griechisch. Welche Probleme allein das aufwirft, muss man niemandem erklären, der einmal als Tourist versucht hat, in einer fremden Schrift ein Straßenschild oder eine Speisekarte zu entziffern. Es erstaunt also nicht, wenn gerade bei Anfragen aus der ehemaligen UdSSR »der angegebene Name oft dermaßen verdreht ist, dass wir leider gar nichts machen können«, wie eine Angestellte des DRK-Suchdienstes in München bedauernd sagte.[4] Und auch die Tochter eines französischen Wehrmachtskindes ist in ihrem Brief an den DRK-Suchdienst nicht sicher, wie ihr Großvater heißt: »Die Schreibweise des Namens des Soldaten ist nur ungefähr, sie ist nach der Aussprache rekonstruiert, an die sich meine Mutter erinnert. Aber sie ist sich überhaupt nicht sicher.«

Auch ohne solche Hürden war das mit dem Schreiben nicht so einfach. Die geschriebene Sprache hatte im Leben vieler einen relativ niedrigen Stellenwert. Die allermeisten (aber wahrlich nicht alle) Menschen in Europa hatten lesen und schreiben gelernt. Sie lasen vielleicht die lokale Tageszeitung, aber ihr Alltag als Bauer oder Handwerker, Hausmädchen oder Fabrikarbeiterin basierte weitestgehend auf der gesprochenen Sprache. Beredtes Zeugnis dafür sind die Feldpostbriefe der Soldaten, die in vielen Familien immer noch aufbewahrt werden (vor allem, wenn der Schreiber aus dem Krieg nicht zurückkehrte). Die mühsame Schrift verrät ebenso wie die gewählten Themen und Formulierungen, wie fremd den Männern diese Form der Kommunikation war, ja, dass sie ihnen geradezu Unbehagen bereitete.

Hinzu kam das Problem, dass verschiedene Sprachen gleiche Laute verschieden schreiben. Mir liegen zwei Suchanfragen an die WASt vor, die erste aus dem Jahr 1964, die zweite von 1969. Sie stammen von Mutter und Sohn und sind außergewöhnlich, weil sie, soweit bekannt, die bislang einzigen Anfragen aus Italien sind. Die Italienerin schreibt, sie habe einen achtzehnjährigen Sohn und bitte »im Namen des Knaben« um Hilfe bei der Suche nach dessen Vater. Sie erläutert, wann er bei welcher Kompanie gewesen sei, und legt auch ein Foto des Gesuchten bei, dessen Nachnamen sie mit *Eungharlard* angibt. Nun hatte offenbar keiner der damaligen WASt-Angestellten den geringsten Schimmer von Italienisch, keiner wusste, wie eine Italienerin diesen skurril wirkenden Namen aussprechen würde. Sonst hätten sie nämlich auf einen Blick erkannt, dass das eine italienische Annäherung an den Namen »Engelhardt« ist. Sie hatten also genau das gleiche Problem wie die Italienerin, nur sozusagen spiegelverkehrt!

Jedenfalls schickten sie das Foto mit dem Bescheid zurück, niemanden mit diesem Namen gefunden zu haben. Fünf Jahre später hatte der Sohn, er trägt den gleichen Vornamen wie der gesuchte Herr Engelhardt, die korrekte Schreibweise in Erfahrung gebracht und wandte sich erneut an die WASt. Dabei bezeichnete er den Gesuchten interessanterweise nicht, wie seine Mutter fünf Jahre zuvor, als seinen Vater, sondern als »einen Freund von uns«. Vielleicht befürchtete er, dass das Wort »Vater« die Hilfsbereitschaft der Behörde eher bremsen als befördern könnte. Ob er mit seiner Anfrage mehr Erfolg hatte als seine Mutter, weiß ich leider nicht.

Wenn (ein frei erfundenes Beispiel) eine Polin einen Deutschen namens Luitger Hüppelshäuser kennenlernte, der ihr erzählte, dass er in Lörrach im Dreiländereck zu Hause sei, wird das alles für sie eher eine interessante fremde Klangfolge als ein typographisches Bild gewesen sein, was sie vermutlich wenig störte. Denn er war ja hier, wozu musste sie also wissen, wie man seinen Namen buchstabierte? Zum Abschied schenkte er ihr aber ein Foto von sich und schrieb auf die Rückseite seinen Namen und sogar seine Adresse – allerdings in Sütterlin, was sie schon gleich gar nicht lesen konnte. Falls nun alle, auch sie, diesen Luitger »Luis« nannten, wird seine polnische Geliebte ihrem Sohn nichts sagen können, was diesem helfen könnte, seinen Vater in Deutschland oder Österreich zu finden.

Aber bevor jemand mit der Suche in Deutschland beginnt, wird er (oder sie) erst einmal versuchen, in den Archiven des eigenen Landes fündig zu werden. Selbst wer gar nicht nach seinen deutschen Verwandten suchen will, möchte wissen, was in diesen Archiven an Informationen über die Mutter, den Vater und – natürlich – den Suchenden selbst lagert.

Mögliche Quellen sind Kirchenbücher, unter Umständen die (landesüblichen Entsprechungen der) Einwohnermeldeämter sowie die Stadt-, Landes- und Staatsarchive. Allerdings wurde in den vergangenen Jahrzehnten bereits sehr viel Material vernichtet, zudem blieben und bleiben manche Archivbestände grundsätzlich geheim, was in besonderem Maße für die osteuropäischen Länder galt und möglicherweise noch gilt.

Der Vatername vieler Wehrmachtskinder steht in deren Geburts- und Taufurkunde beziehungsweise in den Akten zur Feststellung der Vaterschaft. Aber auch in solchen offiziellen Dokumenten müssen Name und Adresse des Vaters nicht immer stimmen. Eine Norwegerin befürchtete, man werde ihr Kind, falls sie früh sterben sollte, automatisch zu den Großeltern nach Deutschland verfrachten. Um dem vorzubeugen, erfand sie einfach einen Namen (obwohl sie den richtigen kannte).

Üblicher war, dass der Name, warum auch immer, versehentlich falsch geschrieben wurde. Geringfügige, ja lächerliche Abweichungen wie die, dass ein dänischer Standesbeamter als Vater nicht Kazimir Kurzynski,* sondern Kasimir Kursinski eintrug, können den Namen in den entscheidenden Listen und Karteien unauffindbar machen. Verständlich, wenn alle, die mit den europäischen Suchenden arbeiten, Akten wie die des Lebensborn schätzen, die mit größter Akribie geführt wurden.

Nun sind diese Unterlagen, obwohl für die Feststellung des Vaters und eine weitere Suche nach ihm wichtig oder gar unverzichtbar, oft aus unterschiedlichsten Gründen für die Betreffenden nicht zugänglich. So kann ihnen die Einsicht verwehrt werden, weil – um nur einen gängigen bürokratischen Grund zu nennen – dadurch die Rechte Dritter, zum Beispiel ihrer Mutter, verletzt würden. Das kann durch die Vollmacht der Mutter (oder anderer betroffener Personen) umgangen werden. Aber wenn die Mutter diese Vollmacht nicht gibt oder wenn man gar nicht weiß, wer die eigene Mutter ist, weil die einzige Möglichkeit, ihre Identität zu erfahren, das Studium genau jener Akten wäre, die man nicht sehen darf, bleibt das Archiv verschlossen.

Die Auslegung solcher Bestimmungen liegt indes meist im Ermessen des zuständigen Beamten. So konnte es geschehen, dass eine Norwegerin im Archiv einer kleineren norwegischen Stadt ihre komplette Lebensbornakte einsehen durfte. Was sie zu lesen bekam, hätte sie im Reichsarchiv in Oslo möglicherweise nicht zu sehen bekommen, weil man dort der Ansicht gewesen wäre, dass wesentliche Teile der Akte die Persönlichkeitsrechte der Mutter berühren: Sie war von drei Deutschen und zwei Norwegern vergewaltigt worden. Als die Tochter das erfuhr, erlebte sie eine Zeit schwerster psychischer Krisen. Das Wissen half ihr aber zu verstehen, warum ihre Mutter sie nach der Geburt an eine entfernte Verwandte gegeben und sich nie mehr um sie gekümmert hatte. Daher sei sie, wie sie sagte, schließlich doch froh gewesen, die Wahrheit erfahren zu haben.

Viele Menschen beantragen keine Einsicht in irgendwelche Akten, weil sie nie auf den Gedanken kämen, dass dort etwas anderes stehen könnte als in den Dokumenten, die sie selbst besitzen. Eine Tschechin entdeckte das durch Zufall und schrieb deswegen 2001 an die WASt. Sie habe bisher den Namen ihres Vaters nicht gekannt, aber dann wollte ihr Sohn heiraten:

»… beim ausfüllen des Fragebogens war seine Geburtsurkunde schlecht ausgefüllt. Da musste ich zum Amt
wo mir gesagt wurde, ich hätte beide Urkunden, geburts
und Eheurkunde falsch. Ich beantragte gleich um neue.
Beim abolen der beiden neuen Urkunden war ich erstaunt, da war der Name meines Vaters eingetragen.
Darum wende ich mich an Euch mit der bitte: helfen Sie
mir meinen Vater zu finden.«

Der Name und auch das Geburtsdatum des Vaters waren korrekt, die WASt konnte der Tschechin mitteilen, dass ihr Vater
erst 1995 gestorben war.

Wie in diesem Fall führen viele Suchen in deutschen Archiven
vergleichsweise schnell zum Erfolg, wenn man den Namen, das
Geburtsdatum, vielleicht sogar die Kriegsadresse des Vaters
vorlegen kann. Dabei ist die Erfolgsrate für die nord- und west-
europäischen Länder *erheblich* höher als für alle anderen besetzten Länder, wo die Registrierung der Vaterschaft und der
Geburten aus unterschiedlichsten Gründen mangelhaft, vorsätzlich falsch oder überhaupt nicht geschah. Als Beispiel möchte ich an den Ukrainer Henrik erinnern, dessen Geburtsurkunde
gezielt gefälscht wurde, um ihn und seine Mutter vor der Deportation nach Sibirien zu bewahren.

Wer nicht nur etwas über sich selbst erfahren, sondern darüber hinaus den Vater finden möchte, ist allerdings ziemlich
spät dran. Denn wer erst jetzt sucht, hat kaum noch Chancen,
ihn lebend anzutreffen. Hätten nicht wenigstens die, die ihre
Herkunft schon immer kannten oder in jungen Jahren davon
erfuhren, schon längst die Suche aufnehmen können? Warum
haben so viele bis jetzt gewartet?

Das hat zunächst viel mit der »Logistik« des Suchens zu tun,
denn tatsächlich haben viele Wehrmachtskinder aus Nord- und
Westeuropa schon einmal, meist in den sechziger oder siebziger
Jahren, zu suchen begonnen, manche fanden den Vater und
wurden liebevoll aufgenommen, andere erlebten brüske Zu-
rückweisungen. Für diese Jahrgänge war das gerade die inten-

sivste Phase von Berufstätigkeit und Kindererziehung, die wichtigen Dinge lagen nicht in der Vergangenheit, sondern in der Zukunft. Im Trubel des Lebens wurde die Frage nach dem unbekannten Vater übertönt, sie wurde als weniger drängend empfunden.

Viele gaben damals, vor dreißig oder vierzig Jahren, nach kürzester Zeit entmutigt auf, weil sie sich den praktischen Anforderungen der Aufgabe nicht gewachsen sahen. Denken Sie nur daran, wie Per Arne Löhr Meek vor zwanzig Jahren nach Oslo reisen und sich dort durch etwa sieben Meter deutsche Telefonbücher kämpfen musste. Heute würde er die Telefon-CD mit allen deutschen Einträgen in seinen heimischen Computer schieben und hätte binnen Sekunden eine Liste aller »Löhrs« im deutschen Telefonbuch. Auch das Internet erleichtert es, die ersten Rechercheschritte alleine durchzuführen. Aber damit ist es selten getan, denn anders als bei Elna müssen die meisten, um den Vater (oder seine Familie) zu finden, das eigene Heimatland zumindest schriftlich verlassen und in Deutschland suchen – wie Per Arne das tat.[5]

Das erste Problem ist natürlich die Sprache. Die wenigsten beherrschen Deutsch, sie brauchen Hilfe für jedes Wort, das sie schreiben, für jede Antwortzeile, die sie lesen wollen. Dergleichen lässt sich organisieren, ist allerdings oft schwieriger, übrigens auch psychisch schwieriger, als es scheint. Nicht nur muss man jemanden finden, der Deutsch kann und eine solche Aufgabe übernehmen mag. Es liegt auch bei Gott nicht jedem Wehrmachtskind daran, seine Suche oder gar intime Details dieser Suche an die große Glocke zu hängen, so dass Nachbarn, Kollegen und sogar Verwandte schon aus diesem Grund als Übersetzer nicht in Frage kommen.

Das nächste Problem ist, dass sie sich mit der deutschen Bürokratie nicht auskennen und nicht wissen, wo sie auf die Mauer des deutschen Datenschutzes treffen werden (und wie sie sie vielleicht umgehen können). Da sie (wie im übrigen die meisten Deutschen auch) vom deutschen Familienrecht keine Ahnung haben, sind sie meist unangenehm überrascht, wenn sie erfahren, dass sie mit ihrem leiblichen Vater juristisch nicht verwandt sind und daher bei Behörden, Archiven und so weiter kein Recht auf Auskünfte über ihn haben. Viele Beschäftigte der deutschen Behörden und Archive möchten den Suchenden wirklich helfen und legen ihre Vorschriften so weit aus, wie es ihnen irgend möglich ist. Das aber ist kein Recht, das die Suchenden haben, sondern ein ganz persönliches, zwischenmenschliches Entgegenkommen, das ebenso verweigert werden kann.[6]

Die ausländischen Suchenden wissen auch nicht, wo sie überhaupt etwas finden können, was und wer ihnen weiterhelfen könnte, welche Stellen, Behörden und Archive sie anschreiben müssen oder könnten. Sie kennen vielleicht die Heilsarmee, den DRK-Suchdienst, eventuell auch die WASt, aber sie wissen nichts über die kirchlichen Suchdienste für die Ostgebiete, die Bundesarchive in Freiburg, Aachen und Koblenz oder das SS-Archiv in Berlin, um nur einige wichtige Anlaufstellen zu nennen. Niemand weist ihnen den Weg zu den richtigen Standesämtern, Einwohnermeldeämtern und Kirchen, sie ahnen nichts von der Existenz alter Adressbücher oder dass sie über Friedhofsämter, Krematorien oder die Todesanzeigen einer Lokalzeitung Nachkommen des Vaters finden könnten. Und selbst wenn sie all das wüssten: von Tallinn oder Bordeaux aus können solche Quellen nicht konsultiert werden.

Um in dem für sie fremden Land ans Ziel kommen zu können, brauchen die Suchenden also Hilfe in Deutschland, und zwar von privater und/oder behördlicher Seite. Offizielle Stellen wie beispielsweise die WASt und der DRK-Suchdienst müssen bei ihrer Suche strikte Regeln befolgen, bekommen aber zu geschützten Daten leichter Zugang als Privatpersonen. Diese hingegen haben mehr Freiheiten als die Behörden, ihre Suchwege können auch einmal ein bisschen krumm sein.

Wenn man neben dem Namen und Geburtsdatum des Vaters noch seine Einheit kennt und weiß, wo er stationiert war, als das Kind gezeugt wurde, sind die Chancen gut, ihn oder Verwandte von ihm in relativ kurzer Zeit aufzuspüren. Manche wissen allerdings über ihren Vater wenig mehr als nichts. Ein Franzose bat die WASt um Hilfe, obwohl er nur wusste, dass sein Vater »Max« hieß wie er selbst. Dieses kleine bisschen habe ihm seine Großmutter kurz vor ihrem Tod zusammen mit der Neuigkeit enthüllt, dass sein Vater ein deutscher Soldat gewesen sei, an mehr habe sie sich aufgrund ihres hohen Alters nicht erinnern können. Seine Mutter verweigere jede Auskunft, »jetzt ist sie alt, und ich mache mir keine Illusionen: sie wird niemals etwas gestehen und ihr Geheimnis mit ins Grab nehmen.«

Das ist eine denkbar schlechte, ja fast aussichtslose Ausgangssituation. Kann sie dennoch gelingen? Ich habe Josef F., der nach etwa tausend Fällen auch vor den kniffligsten Herausforderungen nicht zurückscheut, gebeten, mir möglichst detailliert zu beschreiben, was er täte, um diesem Max zu helfen. Seine Antwort vermittelt einen kleinen Eindruck, wie kompliziert eine Suche sein kann und wieviel Erfahrung dafür nötig ist.

Das Wichtigste sei, den Familiennamen zu finden. Dafür müsse man beim Zeitpunkt und dem Ort der Zeugung anfangen.

> »Mit dieser Information bittet man das Bundesarchiv-Militärarchiv in Freiburg um eine Kopie der Karte mit der Dislozierung der Wehrmachtsverbände im betreffenden Raum zum betreffenden Zeitpunkt. Damit kann man den Verband identifizieren, bei dem der Gesuchte gewesen sein kann, vorausgesetzt, man kann eine solche Karte lesen. Diese Information findet sich auch in einem sechzehnbändigen Kompendium über die Wehrmachtsverbände, dem sogenannten Tessin.
> Wenn man den Verband (beziehungsweise die Verbände) und die Feldpostnummer hat, ist der nächste Schritt die deutsche Dienststelle (Wehrmachtsauskunftsstelle/WASt) in Berlin. Sie prüft, ob dort eine Liste der Angehörigen dieses Verbandes archiviert ist. Falls das der Fall ist und es sich um einen seltenen Vornamen handelt, kommt er vielleicht nur ein- oder zweimal vor. Nun muss man versuchen, mit diesen Personen in Kontakt zu kommen. Das ist nicht so einfach, denn die

WASt darf nur die Personendaten des Vaters herausge-
ben, die anderen können aber von WASt-Mitarbeitern
angeschrieben und um Auskunft gebeten werden.
Dieser Weg ist sehr mühsam und zeitaufwendig. Bei
›Max‹ könnte er vielleicht klappen, bei Vornamen wie
Karl oder Willi wäre er aussichtslos. Natürlich ist die
Suche erheblich vielversprechender, wenn man den
kompletten Namen des Soldaten kennt.«

Bei dem Franzosen Max gelang die Suche übrigens nicht.

Nun halten manche die Lösung ihrer Suche in Händen, ohne
es zu wissen, denn das vorhin erwähnte Foto mit der Sütterlin-
adresse gibt es wirklich, auch wenn der Soldat nicht Luitger
hieß und seine Geliebte nicht Polin war. Das Porträt war im Besitz eines Norwegers, doch erst ein Deutscher, der selbst noch
Sütterlin gelernt hatte, konnte die nahezu unleserliche Schrift,
halb Latein, halb Sütterlin und obendrein winzig, mit einer
Lupe entziffern. Rasch fand sich ein Mann gleichen Namens in
diesem österreichischen Dorf, er entpuppte sich als der Sohn des
Gesuchten, der Vater war tot. Der Sohn wusste von seinem
Halbbruder: »Mein Vater wollte ihn holen, er war deswegen
selbst mal in Norwegen. Da haben ihm die Eltern gesagt, unsere
Tochter bleibt hier, und das Kind bleibt auch hier.«

Egal, wie professionell, beharrlich oder findig jemand vorgeht, viele Suchen blieben ohne Ergebnis, wenn es nicht den un-
schätzbaren, aber leider ganz und gar unberechenbaren Helfer
gäbe, den man bei der Polizei »Kommissar Zufall« nennt.

Aud,* auch sie Norwegerin, suchte Hans Block.* Er war
Marinesoldat im westnorwegischen Bergen gewesen, sein Name
stand auf ihrem handgeschriebenen Taufschein. In den fünfzehn
Jahren ihrer Suche hatte sie alle seriösen und – als sie damit
durch war – eine ganze Reihe weniger seriöse Wege beschritten.
Alles vergeblich.

Dann strahlte das norwegische Fernsehen einen Film über
die Besetzung Norwegens aus, zu den interviewten Zeitzeugen
gehörte ein ehemaliger Marinesoldat namens Hans Block, der

in Bergen gewesen war! Aud schickte ihm (über die Fernsehanstalt) einen Brief, in dem sie sagte, sie sei vermutlich seine Tochter. Seine Antwort kam rasch: Das sei sie mit Sicherheit nicht, aber gleichzeitig mit ihm habe es in Bergen einen Marinesoldaten namens Hans *Bloch** gegeben, den er persönlich kennengelernt habe, weil ihre Post ständig vertauscht worden sei. Er versprach, ihn für Aud zu suchen, was er auch tat. Hans Bloch war verstorben, aber Hans Block schickte ihr die Adresse und Telefonnummer von dessen Witwe, die der Tochter ihres Mannes sofort alle Türen öffnete. Hans Block und Aud freundeten sich übrigens an, er und seine Frau kamen sogar nach Bergen, um sie zu besuchen.

Manche Väter jedoch bleiben trotz aller Bemühungen unauffindbar. Die WASt konnte den Vater des Franzosen Max nicht finden, weil er mit so wenigen Informationen nicht auszumachen war; in anderen Fällen erweist sich eine mit großen Mühen über Jahre verfolgte Spur als Irrweg, weil man beispielsweise nach dem Falschen gesucht hat (wie bei der Namensähnlichkeit Block/Bloch); manchmal findet sich nie eine Spur, die man verfolgen könnte. Hinzu kommen äußere Hindernisse, den Datenschutz erwähnte ich bereits. Bis zur deutschen Wiedervereinigung war es ein nahezu hoffnungsloses Unterfangen, einen in der DDR wohnenden Vater aufspüren zu wollen, weil von den dortigen Behörden keine Hilfe kam, sondern nur massive Behinderungen. Und bis in die frühen neunziger Jahre hinein war die Suche aus den Ländern Osteuropas nicht möglich.

Aber wenn es solche äußeren Hindernisse nicht gibt, wenn man im Grunde jederzeit suchen könnte – was ist dann der Auslöser, die Suche wirklich anzupacken? Per Arne Löhr Meek hatte fünfundzwanzig Jahre lang mit dem Wunsch gelebt, seinen Vater zu suchen, aber erst in seiner zweiten Ehefrau fand er endlich den Menschen, der sein Sehnen ernst nahm und ihn stützte. Bei dem Dänen Franz war es die Ehefrau, die ihn energisch zur Suche antrieb, weil sie fand, er schulde seinem Sohn Klarheit über seine deutschen Wurzeln. Die Norwegerin Jorunn, damals vierzig Jahre alt, half ihrer Tochter bei den Hausarbeiten, sie sollte einen Stammbaum zeichnen:

> »Als wir fertig waren, sah ich plötzlich diesen leeren Fleck. Da fragte ich mich zum ersten Mal, ob ich wegen meines Vaters etwas unternehmen sollte. Er hatte sich nie gemeldet – sollte ich nun anfangen ihn zu suchen? Darüber musste ich sehr lange nachdenken. Aber meine Wurzeln wurden mir immer wichtiger, und ich fand auch, dass ich es meinen Kindern schuldete, etwas über ihn herauszufinden.«

Josef F. fand die Familie schnell, der Vater war bereits vor längerer Zeit verstorben, aber Jorunn weiß jetzt viel über ihn, und sie kennt nun ihre Halbgeschwister. Ihr Stammbaum ist komplett, doch für sie ist erheblich mehr passiert: »Das hat wirklich alles verändert. Ich hatte mich immer, bis ich fast fünfzig war, geschämt, Deutsche zu sein. Nun schäme ich mich nicht mehr.«

*

Die *Kinder* der Wehrmachtskinder mussten ihre eigenen Erfahrungen damit machen, was es bedeutet, mit einem Elternteil aufzuwachsen, der sich seiner Herkunft schämt. Der 1969 geborene Norweger Henning sagte, in seiner Familie habe es immer etwas Unausgesprochenes gegeben, eine Leerstelle, die er gespürt, aber nicht habe benennen können. Besonders schlimm sei dies am Nationalfeiertag gewesen, ein Tag, an dem sich der Patriotismus der Norweger geradezu überschlägt. Seine Mutter habe diesen Tag nie feierlich begangen. Sie habe im Gegenteil emotional instabil gewirkt, fast so, als erwarte sie eine Todesbotschaft. Deswegen habe er bis heute ein getrübtes Verhältnis zum Nationalfeiertag. Seine Schwester und er hätten sich oft darüber unterhalten, aber mit der Mutter sprach er zum ersten Mal darüber, als er schon fast zwanzig war.

Henning bekam auch selbst zu spüren, dass er »falsches Blut«

hatte, denn noch Ende der siebziger Jahre beschimpften ihn die Großeltern seiner Spielkameraden als »Nazibastard« und »Judenhasser« (was er damals überhaupt nicht begriff). Erst bei einem Klassentreffen lange nach dem Abitur erzählten ihm diese Freunde, auch für ihre Eltern sei Henning immer »das Nazikind« gewesen, selbst wenn sie ihn nur in seiner Abwesenheit so nannten und ihn bei seinen Besuchen immer freundlich behandelt hatten.

Inzwischen nehmen manche Kinder und Kindeskinder der Wehrmachtsnachkommen die Suche selbst in die Hand. Eine Französin erklärte in ihrem Suchantrag an den DRK-Suchdienst München, ihre Mutter habe ihr erst kürzlich gestattet, die Suche nach deren deutschem Vater aufzunehmen, was eine längere Diskussion zwischen Tochter und Mutter vermuten lässt. Viele Enkel sind neugierig auf die unbekannten deutschen Verwandten, vor allem die Jüngsten finden einen ausländischen Opa »ziemlich spannend«. Das gilt übrigens auch für die deutsche Seite, der Norwegische Kriegskinderverband erhält in den letzten Jahren vermehrt Briefe von Enkeln deutscher Soldaten, die ihre norwegischen Verwandten suchen.

Aus den ehemals besetzten Ländern kommen unterschiedlich viele Suchanfragen, doch die Zahl der Suchenden generell steigt. Die Gründe dafür liegen nicht nur in der individuellen Lebenssituation, sondern auch im Alter der Wehrmachtskinder: Zum einen werden die »Kinder« jetzt Rentner, der Wechsel vom Berufsleben in den Ruhestand verändert das Tempo ihres Alltags. Sie schauen häufiger zurück, überdenken ihr Leben, ziehen Zwischenbilanz. Ihnen wird klar, dass es sie immer noch tief schmerzt, den Vater nicht zu kennen, gleichzeitig haben sie mehr Zeit, sich einer möglicherweise verschlungenen Suche zu widmen.

In ihrer Suchanfrage an die WASt schildert eine Französin, wie schlecht sie als »Bochebastard« von ihrer Familie behandelt wurde und wie einsam sie als Kind war. Sie habe sich immer nach dem Vater gesehnt. Der Brief schließt mit den Worten: »Die Abwesenheit, der Mangel wurden erst in der Pubertät spürbar und kehrten in schmerzhaften Phasen meines Lebens zurück. Nach der Pensionierung vor zwei Jahren ist die Leere immens geworden, die Wunde schmerzt.«

Zum anderen stirbt die Generation der Eltern, viele Wehrmachtskinder haben das Gefühl, erst jetzt, nach dem Tod der Mutter, des Stiefvaters oder der Adoptiveltern, mit der Suche beginnen zu können, weil sie diese geliebten Menschen zu Lebzeiten damit verletzt hätten.

Andere sichten den Nachlass ihrer Mutter oder ihrer Adoptiveltern und erleben bestürzende Überraschungen, sei es, dass plötzlich alle Informationen vor ihnen liegen, um die sie jahrzehntelang gefleht haben, sei es, dass sie überhaupt erst erfahren, wessen Kind sie »wirklich« sind. Vielen geht es wie dem Polen, der nach dem Tod seiner Mutter das Foto eines deutschen Soldaten fand, dem sein eigener Sohn so ähnlich sieht. Im Frühjahr 2004 wurde im holländischen Fernsehen ein Film ausgestrahlt, der ein Geschwisterpaar bei ihrer Suche nach dem gemeinsamen deutschen Vater zeigte. Seinen Namen hatten sie nach dem Tod der Mutter in einem verschlossenen Schrank gefunden.

Nachdem der Film ausgestrahlt worden war, erhielt der Sender zahllose Anrufe und allein in der ersten Woche über fünfzig E-Mails; die WASt in Berlin verzeichnete eine sofortige Zunahme der Anfragen aus den Niederlanden. Teun van der Vaart, der Vorsitzende des »Holländischen Verbandes der Kinder deutscher Soldaten«, sagte mir im Sommer 2004, es vergehe keine Woche, ohne dass ihn jemand anrufe, der (oder die) das Thema der eigenen Herkunft zum ersten Mal angehe. Es ist also für die Wehrmachtskinder eines Landes von größter Bedeutung, wenn »einer wie sie« das Schweigen bricht und unumwunden sagt: »Ich bin das Kind eines deutschen Soldaten.«

Gerade in den letzten Jahren kam für viele der letzte Anstoß zur Suche durch die Medien: ein Fernsehfilm, eine Rundfunksendung oder ein Buch wie das über die französischen Wehrmachtskinder, das im Frühjahr 2004 in Frankreich erschien und viel Aufsehen weckte. Als die Verfasser Jean-Paul Picaper und

Ludwig Norz in Frankreich per Zeitungsanzeigen Betroffene für Interviews suchten, meldete sich kein einziges der schätzungsweise zweihunderttausend französischen Wehrmachtskinder, auch im Internet fanden sie keinen Lebensbericht, der von dem Kind eines »boche« verfasst worden wäre.[7] Nun hat sich aufgrund eines Fernsehfilms sowie ihres Buches das öffentliche Interesse quasi über Nacht gedreht, und die Schattenkinder der letzten sechs Jahrzehnte werden ins Rampenlicht der Medien geschoben. Wie in anderen Ländern zuvor zeigt man sich erstaunt über die große Zahl der Kinder und entsetzt über die Leidensgeschichten, die sie erzählen.

Genauso begann es vor Jahren auch in den skandinavischen Ländern. 1986 hatten in Norwegen zwei Wehrmachtskinder – erst Per Arne Löhr Meek, dann Turid – den Schritt in die Öffentlichkeit gewagt. Etwa zehn Jahre danach veröffentlichte die Schauspielerin Lotte Tarp ihre Autobiographie, sie war nicht das erste dänische Wehrmachtskind, das sich zu seiner Herkunft bekannte, aber aufgrund ihrer Berühmtheit wurde sie dennoch zu einer Wegbereiterin.[8]

Wehrmachtskinder in beiden Ländern bestätigen, dass ihnen diese spektakulären »Coming-outs« den Mut gaben, sich ebenfalls zu ihren deutschen Wurzeln zu bekennen. Manche sagen sogar, dass sie vorher dachten, sie seien der/die einzige mit einem deutschen Soldatenvater – mit einem solchen Makel. Diese Isolation ist etwas, was die Wehrmachtskinder deutlich von anderen stigmatisierten Randgruppen unterschied. Sie *wussten* sehr lange gar nicht, dass sie überhaupt zu einer »Gruppe« gehörten. Das war, schrieb ein Norweger, fast das Schlimmste in seiner Kindheit: »Als Kriegskind hatte man überhaupt keine Gemeinschaft. Nicht einmal die eigene Familie sprach über das Furchtbare, im Gegenteil, auch in der Familie war man anders und stand am Rand. Man wurde von verschiedenen Seiten indoktriniert, sich zu schämen [...] In meiner Realität als Kriegskind gab es einfach überhaupt niemanden, mit dem ich dieses Furchtbare hätte teilen können.«

Die Pioniere lösten eine Lawine aus, immer mehr Wehr-

246

machtskinder lüfteten in der Presse, manchmal auch nur am häuslichen Kaffeetisch das bisher schamhaft verschwiegene Geheimnis. Heute bedarf es in den skandinavischen Ländern keines allzu großen Mutes mehr, sich zu dieser Herkunft zu bekennen, die so viele Jahrzehnte lang verfemt war. Sie wissen, dass jeder von ihnen »nur« einer von vielen ist. Der Norweger, der die mangelnde Gemeinsamkeit in seiner Kindheit und Jugend beklagte, findet sie nun endlich im Kriegskinderverband und in dessen vierteljährlich erscheinendem Mitgliedsblatt: »Die geschilderten Schicksale geben mir ein Gefühl der Zusammengehörigkeit, das für mich persönlich von sehr großem Wert ist.«

Man braucht keine hellseherischen Talente, um vorherzusagen, dass sich die Zahl der suchenden Franzosen jetzt drastisch erhöhen wird, denn je mehr Menschen sich auf die Suche begeben und davon berichten, um so mehr Menschen mit einer vergleichbaren Geschichte werden sich fragen, ob sie das nicht auch versuchen sollten. Tatsächlich erhält die WASt seit Erscheinen des Buches von Jean-Paul Picaper und Ludwig Norz deutlich mehr Anfragen aus Frankreich, nicht zuletzt, weil jedem Buch ein Zettel mit der Adresse der Dienststelle beiliegt.

Je mehr Wehrmachtskinder an die Öffentlichkeit gehen, desto sichtbarer und »normaler« werden sie als Gruppe, je mehr über sie und ihre Suche berichtet wird, um so mehr werden suchen. Man könnte also etwas überspitzt behaupten: »Nur wer (schon) sichtbar ist, sucht.« Das beweist die Zunahme von Suchanträgen, die auf entsprechende Bücher und Medienberichte folgen. Ein »negativer« Beweis ist, dass aus Staaten, in denen die Existenz der Wehrmachtskinder bis zum heutigen Tag verschwiegen wird, auch kaum Suchanträge eingehen. Was ist zum Beispiel mit Italien? Dort werden Liebesbeziehungen zwischen deutschen Besatzungssoldaten und einheimischen Frauen immer noch ebenso strikt tabuisiert wie die schiere Existenz von Kindern aus solchen Verbindungen. Es gibt diese Kinder – aber wo sind sie? Was fühlen sie? Sollte wirklich nur der Sohn des Herrn »Eungharlard« seinen Vater vermisst haben?

Während die WASt allein im ersten Halbjahr 2004 aus Frankreich zweihundert Anfragen erhielt, sind Anfragen aus den osteuropäischen Ländern äußerst selten. Zwischen 2000 und dem Sommer 2004 gingen aus diesem Teil Europas in Berlin folgende Anfragen ein: eine aus der Ukraine, drei aus Litauen, sechs aus Polen, drei aus Tschechien, eine aus Jugoslawien, eine aus Slowenien und eine aus Ungarn. Der Suchdienst des Roten Kreuzes hat, wie dessen Leiter sagte, aus der ehemaligen Sowjetunion über die Jahre etwa drei- bis vierhundert Anfragen erhalten.[9]

Die Osteuropäer suchen nicht, auch wenn sie sich vermutlich kaum weniger als die West- und Nordeuropäer danach sehnen, ihre Väter zu finden. Aber wer in der Sowjetunion und deren Einflussgebieten aufwuchs, hat von Kindesbeinen an mit der Angst vor Verfolgung gelebt und vermeidet es, sich sichtbar zu machen.

Die russische Publizistin und Historikerin Irina Scherbakowa hat viele Biographien auf Tonband festgehalten, die das Eindringen des sowjetischen Staatsapparats in persönliche Schicksale dokumentieren. Sie bestätigte mir, dass es lebensgefährlich war, von einem Deutschen ein Kind zu haben. Diese Geschichten würden absolut verheimlicht, auch wenn jeder davon wisse. Vor allem in den Dörfern habe man den Mantel des Schweigens über alles gebreitet und die Kinder niemals als »Deutsche« bezeichnet, in den Städten sei die Verfolgung durch den KGB schlimmer gewesen. Allein einen deutschen Namen zu tragen sei furchtbar gewesen. Im Verlauf ihrer eigenen umfangreichen Recherchen habe sie nie jemanden getroffen, der ihr sagte, er sei das Kind eines deutschen Soldaten.[10]

Angesichts dieser Situation ist es äußerst schwierig, in Osteuropa jemanden zu finden, der sich als Nachkomme eines Deutschen zu erkennen gibt, zu schweigen davon, dass er (oder sie) die eigene Geschichte in ein Mikrophon oder gar vor einer laufenden Kamera erzählen würde. Um so bemerkenswerter, wenn jemand wie der Filmemacher Hartmut Kaminski es schafft, gleich mehrere ukrainische und litauische Wehrmachtskinder dazu zu bewegen, sich in seinem Fernsehfilm *Liebe im Vernichtungskrieg* ausführlich zu äußern.[11]

Als Kaminski Ende der neunziger Jahre in Weißrussland, der Ukraine und den baltischen Staaten die ersten Recherchen für seinen Film machte, wiesen offizielle Stellen seine Behauptung, Litauerinnen hätten Liebesbeziehungen mit deutschen Soldaten gehabt, empört zurück. Daraufhin konnte er erreichen, dass die größte litauische Tageszeitung *Lietuvos Rytas* einen ganzseitigen Artikel über seine Recherche veröffentlichte. Das führte dazu, dass sich mehrere Litauer bereit erklärten, in seinem Film mitzuwirken, und das litauische Fernsehen sendete eine Live-Talkshow mit Kaminski und einigen litauischen Wehrmachtskindern, bei der neben Vertretern der beiden Kirchen auch die damalige Kulturministerin anwesend war. Alle zeigten sich entsetzt über das, was die »Kinder« erzählten, die Ministerin entschuldigte sich sogar an Ort und Stelle für das Unrecht, das Litauer mit deutschem Vater erlitten hatten. In den Monaten nach der Talkshow schilderte die Tageszeitung jede Woche jeweils ein Schicksal. Kaminskis Erfolge in Litauen beweisen, dass überall ein großes Interesse daran besteht, mehr über die Nachkommen der Wehrmachtsangehörigen zu erfahren, und dass es überall Kinder deutscher Väter gibt, die mehr über ihren Vater und ihre deutschen Verwandten wissen möchten.

Dieser Wunsch kann zu einer Sehnsucht, ja zu einer Besessenheit werden, der man nachgehen *muss*. Ein Däne, der trotz intensivster, ja verzweifelter Bemühungen seinen Vater nie fand, räumte selbstkritisch ein, dass seine »beiden Söhne Gefahr liefen, ihren Vater zu verlieren, weil der so beschäftigt damit war, seinen eigenen zu suchen«.[12]

Wenn die Suche nach diesen Wurzeln scheitert, weil man sie nicht gefunden hat oder weil man nicht angenommen wurde, ist ein lebenskluges Vergessen oder das bewusste Betrauern des Unmöglichen nötig, um in Frieden weiterleben zu können. Aber es ist schwer, zu erkennen, wann eine Suche keine Aussicht auf Erfolg mehr hat und beendet werden sollte. Es ist schwer, sich endgültig damit abfinden zu müssen, dass die Leere und der

Schmerz bleiben werden. Der gutgemeinte, aber möglicherweise auch schon etwas genervte Rat von Familie und Freunden: »Jetzt hör doch auf. Du musst loslassen, das wird nichts mehr« ist schwer zu befolgen, besteht doch immer die Hoffnung, dass ein allerletzter Versuch ans ersehnte Ziel führen könnte.

Manche – viele! – Wehrmachtskinder müssen damit leben lernen, dass sie niemals erfahren werden, wer ihr Vater ist. Damit ihren Frieden zu machen fällt den meisten unendlich schwer. Eine Frau, selbst Wehrmachtskind, die auf privater Basis vielen Wehrmachtskindern bei ihrer Suche geholfen hat und noch hilft, erzählte mir, sie habe den Eindruck, dass sie es niemals wirklich verwinden. Sie suchen immer weiter, verfolgen neue Ideen, bitten weitere Menschen um Hilfe. Für einige wenige wird die Sehnsucht nach den eigenen Wurzeln zur Obsession, zum einzigen Lebensinhalt. Sie sind bei allen, die Suchenden helfen, geradezu gefürchtet.

Eine solche fast manisch wirkende Beharrlichkeit ist vielleicht weniger erstaunlich, wenn man an Per Arne Löhr Meek denkt, der ja fünfundzwanzig Jahre lang suchen *wollte*, bevor er es wagte. »Ich hatte Angst, enttäuscht zu werden. Angst, dass nichts dabei herauskommen würde. Aber die allergrößte Angst hatte ich doch davor, dass ich meinen Vater vielleicht wirklich finden könnte und er dann mit mir nichts zu tun haben will. Dann war es doch besser, mit dem Traum des unbekannten Vaters weiterzuleben.«

Bei den allermeisten Wehrmachtskindern gehen der eigentlichen Suche gründliche Überlegungen und auch Befürchtungen voraus, ob man sich auf all das überhaupt einlassen soll. Und während für viele die anhaltende Sehnsucht letztlich den Ausschlag gibt, fällt die Bilanz für andere ganz anders aus: Sie scheuen konkrete Schritte, weil sie, wie Per Arne lange Zeit Angst haben: Angst, mit der Mutter nicht loyal zu sein und ihr lebenslanges Verbot zu missachten, aber auch davor, den Vater zu treffen, ihn zu lieben. Hinzu kommen bei vielen alte und geheime Ängste wie die, erneut abgewiesen zu werden, weil man nicht gut genug ist, weil man den Ansprüchen der fernen (und unbekannten) Verwandten in Deutschland nicht genügt, weil man persönlich, der Ehemann und die Familie, das Haus und die Lebensumstände nicht so sind, wie man das als erstrebenswert oder ideal ansieht.

Solche Befürchtungen sind oft genug nicht nur Ausdruck von Minderwertigkeitskomplexen, sondern die Folge von Lebenserfahrungen, da Wehrmachtskinder es als uneheliches Kind *und* als Kind eines Deutschen oft auch in ganz konkreten Dingen schwerer hatten als die Gleichaltrigen. Wer allein mit der Mutter lebte, wuchs unter wirtschaftlich schwierigen Bedingungen auf, nicht zuletzt, weil Mutter und Kind vom deutschen Vater keinen Unterhalt erhielten und daher häufig auf staatliche Unterstützung angewiesen waren. Dergleichen wurde als stigmatisierend erlebt, und das sollte es auch sein: In Dänemark mussten ledige Frauen die Identität des Vaters angeben, es sei denn, sie war wohlhabend genug, um auf staatliche Unterstützung zu verzichten.

Armut wirkt sich auf alle Bereiche des Lebens aus. Aufgrund der Geldknappheit konnten nur die wenigsten eine weiterführende Schule besuchen. Darauf legten allerdings viele auch keinen besonders großen Wert, denn nach den Schikanen durch Mitschüler und die unverhohlene Benachteiligung durch Lehrer wollten sie die Schule möglichst schnell verlassen. Sie erlernten also Berufe, die in aller Regel weder zu Wohlstand noch zu sozialem Aufstieg führen.

Wer es dennoch »schaffen« wollte, begab sich auf einen steinigen Weg. Diese Menschen stießen trotz Begabung und Zähigkeit häufig auf Grenzen, die dazu angetan waren, ihr Ohnmachtsgefühl zu bestärken. Eine solche Grenze war, dass ihnen wegen ihrer anrüchigen Herkunft und auch, weil sie keine angesehene Familie mit entsprechenden Beziehungen zu anderen angesehenen Familien im Rücken hatten, so manche Tür zur »besseren Gesellschaft« verschlossen blieb. Victor, der mit acht Jahren beschlossen hatte, erstens wie Albert Schweitzer zu werden und zweitens seinen Vater zu finden, ließ sich nicht entmutigen, er verfolgte seine Ziele mit größter Klarheit. Mit siebzehn sei er »davon besessen gewesen, gesellschaftlich Erfolg zu haben, ich wollte, dass ich mich an dem Tag, an dem ich meinen Vater fand, sehen lassen konnte«.

Aus Osteuropa ist mir ein Fall bekannt, in dem der Sohn eines Deutschen wegen seiner Herkunft zeitlebens von den Behörden beobachtet und benachteiligt wurde. Richard war der Sohn des SS-Manns Alois Fischotter und der Polin Ursula B., deren außergewöhnliche Geschichte im zweiten Kapitel ausführlich erzählt wurde. Während Richard von der wahren Identität seines Vaters nichts ahnte, wurden ihm vom polnischen Staat Reisebeschränkungen auferlegt, obwohl er Vertreter eines großen Staatsbetriebs war. Selbst Ursulas Sohn aus einer zweiter Ehe mit einem Polen bekam das staatliche Misstrauen noch zu spüren: Ihm wurde nach der Polizeiausbildung die Einstellung verweigert.

Erst ein Jahr nach dem Tod der Mutter bekam Richard durch ihre Schwestern die ersten Hinweise, dass sein Vater keineswegs nur »ein deutscher Soldat« gewesen war. Als er weitergrub, erfuhr er, dass SS-Hauptsturmführer Fischotter für die Bekämpfung des polnischen Widerstands zuständig gewesen war, was den Sohn verständlicherweise sehr schockierte. Wer sich also auf die Suche macht, will nicht nur die Wahrheit herausfinden – er ist auch bereit, sie zu ertragen, einschließlich aller Konsequenzen, die sich daraus ergeben könnten.

Per Arne war irgendwann klar, dass nichts, was er auf der Suche erfahren konnte, für ihn schlimmer sein könnte als ein Leben in Ungewissheit. Vermutlich wüsste er heute die Frage nicht zu beantworten, was er getan hätte, wenn er den richtigen Heinz Löhr nicht gefunden hätte.

Ingas Begründung, warum sie zu ihrer deutschen Familie keinen Kontakt sucht, würde er kaum nachempfinden können: »Ich sehe nicht ein, warum ich diese deutsche Familie stören soll. Ich halte es für sehr unwahrscheinlich, dass sie sich freuen würden, von mir zu erfahren. Mein Vater wusste vielleicht von mir, jedenfalls glaube ich, dass meine Mutter mir das sagte (aber sie könnte mir auch die Antworten gegeben haben, die ich ihrer

Meinung nach hören wollte). Aber es ist eher wahrscheinlich, dass er zu Hause davon nichts erzählt hat.«

Wie viele denken wie Inga? Eine Minderheit? Die Mehrheit? Wie viele würden sich der Meinung einer Norwegerin anschließen, die sagt, sie wolle nicht als »Wehrmachtskind« bezeichnet werden, denn die so genannt würden, hätten doch nichts gemeinsam außer der Tatsache, dass ihre Väter Deutsche sind? Wie viele begrüßen es, dass Geschichten über »Leute wie sie« jetzt an die Öffentlichkeit geholt (oder doch: gezerrt?) und von den Medien ausgebreitet (oder doch: durchgehechelt?) werden? Wenn wir von den vielen hunderttausend europäischen Wehrmachtskindern nur die sehen, die sich selbst ins Licht stellen – wie viele bleiben im Schatten, weil sie keine andere Wahl haben, wie viele, weil sie das *wollen?*

Wer sich zu Wort meldet, erklärt sich dadurch. Wenn jemand schweigt, kann das alles mögliche bedeuten.[13]

Elnas Geschichte (VIII)

*Langsam kehrte mein Alltag zurück. Ich musste mich wieder
dem zuwenden, was mein Leben ausmachte oder zuvor aus-
gemacht hatte, und es erneut in Besitz nehmen, meine Arbeit,
meine Familie, meine Freunde. Ich musste versuchen, dieses
verstörende und ereignisreiche halbe Jahr hinter mir zu lassen.
Das war fast unmöglich. Der Einschnitt war zu hart und zu tief
gewesen. Mein Leben wurde nie mehr ganz wie vorher. Ich wurde nie mehr ganz wie vorher. Früher war ich verschlossen und
reserviert gewesen, hatte mein Privatleben abgeschirmt. Jetzt
redete ich nahezu manisch von nichts anderem als davon, was
mir passiert war.*

Man nennt das wohl Verarbeiten. Es dauerte lange.

*Ich fing an, Deutsch zu lernen. Ich las alles, was ich über
Deutschland und Soldaten, Deutschenmädchen, Wehrmachtskinder und Adoptivkinder finden konnte. Ich empfand meinen
Mangel an Wissen und Informationen immer noch als Problem;
über den Lebensborn beispielsweise hatte ich keine Silbe finden
können. Auch über Wehrmachtskinder gab es praktisch nichts.
Immerhin breitete gelegentlich eine Zeitung in einem Artikel
oder einem Interview dieses oder jenes furchtbare persönliche
Schicksal aus. Ein Verband war gegründet worden. Er hieß
»Norsk Krigsbarnforbund« – Norwegischer Kriegskinderverband. Ich bekundete mein Interesse, merkte dann aber, dass das
nichts für mich war.*

*Aber meine Adresse war in der Verbandskartei, und so wurde
ich zu einem Treffen in Bergen eingeladen. Ich war verhindert.
Es kam die Einladung zu einem weiteren Treffen. Da ging ich
hin.*

*Eine Frau erzählte freudestrahlend, dass sie just an die-
sem Tag über das Rote Kreuz Kontakt zu einer Schwester in
Deutschland bekommen habe. Sie erzählte auch, dass sie einige
Monate zuvor beim Kaffeetrinken mit ihrem Mann und den*

Kindern gesagt habe, sie wolle nach Deutschland reisen, um ihren Vater zu suchen. Es habe sich eine tiefe Stille über den Kaffeetisch gesenkt. Das Thema sei seither in der Familie nicht mehr erwähnt worden.

Ein Mann erzählte, dass er seine deutsche Familie wohl niemals finden werde. Seine Mutter weigere sich, ihm auch nur den geringsten Hinweis zu geben.

Eine Frau erzählte, dass sie ihren Vater schon seit über zehn Jahren vergeblich suche, aber sie werde nicht aufgeben.

Eine andere hatte gerade in einer Lokalzeitung erzählt, wie furchtbar ihre Kindheit gewesen war. Ich dachte: »Das ist unglaublich mutig« und sagte es auch.

Andere sagten kaum etwas.

Sie wurden meine Freunde, sie alle. Wir fühlten uns sehr eng verbunden und sehr nah.

*

Dieser Nachmittag war der Beginn meines jahrelangen Einsatzes und meiner Arbeit für die Kinder von Besatzungssoldaten und deren Sache, im Verband und außerhalb. Diese Arbeit öffnete mir Türen zu Informationen sowohl persönlicher wie allgemeiner Art, und das ist auch heute noch so. Anfangs ging es nur um die norwegischen »Kriegskinder«, wie wir uns hier nennen. Später gründete ich mit anderen das War and Children Identity Project, dem es um die Kinder von Besatzungssoldaten auf der ganzen Welt geht.

Der Norwegische Kriegskinderverband wurde 1986 gegründet und ist der älteste und größte Kriegskinderverband Norwegens. Ich war mehrere Jahre im Vorstand, damals beschäftigte uns vor allem der Zugang zu Archiven, die Suche nach Angehörigen sowie die Aufklärung der Öffentlichkeit. Diese Prioritäten ergaben sich von allein. Wir waren keine homogene Gruppe, kamen aus verschiedenen sozialen Schichten, hatten verschiedene Berufe und Interessen. Es gab nur eine Gemeinsamkeit: Unsere Väter waren deutsche Besatzungssoldaten, und wir wollten alles über sie, unsere Mütter und uns selbst wissen.

Ich kannte mich mit Verwaltung und Bürokratie aus, daher war es naheliegend, dass ich den Bereich »Zugang zu Archiven« übernahm. Die Entscheidungen darüber, wem der Zugang gewährt wurde und wem nicht, erschien mir damals völlig willkürlich. Ich ging das Problem an, indem ich mich in Bergen an die zuständige Behörde wandte und Einsicht in meine eigene Lebensbornakte beantragte. Ich war gespannt, um nicht zu sagen angespannt, als ich einem Beamten gegenübersaß, der in einem dicken Ordner vor- und zurückblätterte (wobei er sich unablässig die Nase putzte) und immer nur murmelte: »Das dürfen Sie nicht sehen, das nicht, das nicht, das auch nicht.«

Ich wurde wütend. Da saß ein fremder Mann, der in meinem Leben herumblätterte und sagte, ich dürfe es nicht sehen! Dabei wusste ich ja schon viel über meine Familie. Ich konnte mir kaum vorstellen, wie diese Arroganz auf jemanden wirkte, der über seine Herkunft und seine engsten Verwandten gar nichts wusste. Ich war erschüttert. Aber ich schluckte meine Wut herunter, denn ich saß auch in diesem Raum, weil ich eine Aufgabe übernommen hatte. Daher bat ich um eine Begründung, warum mir die Akteneinsicht verwehrt wurde – schriftlich.

Ich erhielt folgende Auskunft, die sich an den geltenden Adoptionsgesetzen orientierte: Mit einer Vollmacht der Mutter wurden Einsicht und Kopien genehmigt. War die Mutter tot, wurde die Einsicht nicht genehmigt. Man konnte auch schriftliche Fragen einreichen, die würden dann daraufhin geprüft, ob der Datenschutz und andere Erwägungen eine Beantwortung zuließen.

Mir erschien es völlig absurd, zu verlangen, dass jemand zu Unterlagen, die er nicht kannte, vernünftige Fragen formulieren sollte. Das war ebenso absurd wie die Forderung, dass man sein Recht auf Akteneinsicht beweisen müsse, wenn sich der Beweis in den Akten befand, die man nicht einsehen durfte.

Meine persönliche Lösung war eine Vollmacht von Therese.

*Sie bescherte mir eine stille Stunde in einer Amtsstube, die zu
einer neuen Reise wurde. Es war eine Reise in Zeit und Raum,
ein neue Begegnung mit meinen Eltern als jungem Paar. Ich
fand alles bestätigt, was sie mir erzählt hatten. Hier aber bekamen ihre Erzählungen eine zusätzliche politische Dimension.*

*In der Akte lagen: Fragebögen von meiner Mutter und mei-
nem Vater mit Fotos, außerdem auch Auskünfte über meine
Großeltern. Ich fand die Abrechnung für Thereses Reise von
Oslo ins Lebensbornheim Geilo und zurück, ein juristisches
Formular, mit dem Otto die Vaterschaft anerkannte, Schriftstücke rund um ihre Heiratspläne, darunter auch ihr Gesuch,
aber keine Antwort darauf. Ich fand auch eine Erklärung von
Ottos Vater in Deutschland, dass Therese in seiner Familie
leben und arbeiten kann.*

*Eine Anfrage der SS an Therese, ob sie das Kind zu sich holen
könne. Da war ich vier Monate alt und konnte nicht mehr im
Entbindungsheim bleiben. Reiseunterlagen für mich vom Entbindungsheim in Geilo zum Kinderheim in Stalheim. Ich fand
auch zwei Fotos von mir als Baby und einen Vermerk über
mich, als ich elf Monate alt war.* » Wirkt intelligent, kann stehen
und hat 8 Zähne.«

*Es gab auch zwei Fahndungen nach Otto aus Deutschland
und mehrere Anfragen von Therese, ob Otto gefallen oder
vermisst gemeldet sei. Sie wurden nicht beantwortet. Es gab
ein Telegramm, dass die Kindesmutter jetzt nach Deutschland
übersiedeln könne. (Da wurde bereits nach Otto gefahndet.)
Aber das wollte Therese nun nicht mehr.*

*Therese schrieb an die deutschen Behörden und bat um
Genehmigung, mich privat zur Adoption geben zu dürfen. Das
wurde am 15. Februar 1945 vom Lebensborn abgelehnt. Da
lebte ich bereits bei Arthur und Marie – das ist das letzte Schriftstück in meiner Akte.*

*Ja – diese Akte war ein präzise Abbild dessen, was die Orga-
nisation Lebensborn in Norwegen gewesen war: Wohlfahrts-
organisation und Machtapparat.*

Vor solchen Akten sollten die Wehrmachtskinder also »ge-

schützt« werden. *Unsere Behörden begriffen einfach nicht, wie wichtig es für einen Menschen ist, etwas über die Umstände seiner Geburt und Kindheit zu erfahren, wenn die Eltern darüber nichts erzählen können oder wollen. Es wurde zu einer der wichtigsten Aufgaben des Kriegskinderverbandes, den Beamten das klarzumachen. Für die Wehrmachtskinder, die sich diese Akteneinsicht erstritten, war das ein notwendiger Schritt, der sie aber durchaus nicht immer glücklich machte. Was sie aus den Akten über ihre Herkunft und ihre Eltern erfuhren, war manchmal sehr belastend. Gerade in solchen Fällen war die Gemeinschaft im Verband sehr wichtig.*

Erheblich schwieriger war es für die vielen, die im Lebensbornarchiv nicht verzeichnet waren. Für sie wurde die Suche nach Informationen ein oft demütigender Gang durch die Archivsysteme von Staat, Gemeinden und Kirche, wobei die Hilfsbereitschaft der jeweils Zuständigen stark variierte. Aber oft waren sie entgegenkommend, und in dem Maße, wie im Lauf der Jahre das Verständnis für die Lage der Kriegskinder wuchs, verbesserte sich auch die Einstellung der Behörden.

Nach jahrelanger Korrespondenz mit dem Sozialministerium erreichten wir 1994, dass besondere Umstände vorliegen mussten, um dem Betroffenen bestimmte Schriftstücke oder Informationen aus der eigenen Lebensbornakte vorzuenthalten.

*

Präzise Informationen waren eine Voraussetzung für die Suche nach Verwandten, unsere zweite große Aufgabe. Es war sehr schwierig, im Gestrüpp einer unbekannten Bürokratie und in einer fremden Sprache so persönliche, ja intime Nachforschungen anzustellen. Einzelne hilfsbereite Menschen taten ihr möglichstes, das Rote Kreuz tat sehr viel. Aber von einer Systematisierung der Suche konnte erst die Rede sein, als Josef Focks auftauchte. Er hatte die Angehörigen eines unserer Mitglieder gesucht und gefunden, diese Frau hatte ihn mit dem Vorstand des Verbandes bekannt gemacht.

258

Josef Focks war ein Geschenk des Himmels. Er war deutscher Offizier, hatte mehrere Jahre in Norwegen gelebt und sprach fließend Norwegisch. Er war mit der deutschen Bürokratie vertraut und hatte – oder knüpfte – die richtigen und nötigen Kontakte. Mit Fleiß, Eifer und Geduld spürte er die deutschen Familien auf, dann brachte er mit seinem bescheidenen und gewinnenden Wesen die Menschen zusammen, die zusammengehören. Die Bedeutung seiner Arbeit kann gar nicht hoch genug veranschlagt werden.

Wichtig und spannend war auch, Wissen über alles zusammenzutragen, was uns als Wehrmachtskinder irgendwie betraf, und es den Mitgliedern zugänglich zu machen. Wir luden Leute ein, auf unseren Jahrestreffen Vorträge zu halten. Wir spürten Menschen auf, die im Krieg mit uns zu tun gehabt hatten, seien es Mütter, seien es Angestellte norwegischer Behörden, der Lebensbornverwaltung, der Kinderheime und so weiter. Wir sprachen mit ihnen und berichteten dann in unserem Mitgliedsblatt Røtter [Wurzeln] darüber. Wir verfielen jedesmal in Hochstimmung, wenn wir wieder jemanden gefunden hatten, der uns etwas über uns erzählen konnte, was wir noch nicht wussten. Ich selbst führte viele solcher Gespräche. Einmal traf ich eine Norwegerin, die in mehreren Lebensbornheimen die Kinder betreut hatte. Sie war in Geilo gewesen, als ich dort war. »Elna«, sagte sie, »du hast sicher oft auf meinem Schoß gesessen, und ich habe dich gefüttert.«

Erst danach begann sich die Forschung für das Thema Wehrmachtskinder zu interessieren, erst danach schrieb Kåre Olsen sein Buch Krigens barn *[Kinder des Krieges, die deutsche Übersetzung trägt den Titel* Vater: Deutscher*], das zum Standardwerk wurde. Was davor über uns und die historischen Fakten geschrieben worden war, war meist unseriös und voller journalistischer Sex-and-crime-Verzerrungen. Immer wieder traf ich auf die »Zuchtanstalt Lebensborn«, die wie ein Bordell betrieben wurde und in der norwegischen Bergwelt am laufenden Band arische Kinder produzierte. Ich wusste sehr gut, dass das nicht stimmte, aber es verletzte mich, dass andere das glaubten*

259

und dass sie auch glaubten, ich sei das Ergebnis einer solchen Produktion.

Mit der Zeit wurde »Lebensborn« für mich zum Symbol für die Lügen und das Schweigen, das die Schuldgefühle und die Scham verdecken sollte. Er blieb in jenem unbekannten Land, das meine Vergangenheit war, lange die letzte uneinnehmbare Festung.

Irgendwann stieß ich auf einige norwegische Artikel über den Lebensborn. Sie stammten von Helge Paulsen, der im norwegischen Reichsarchiv das umfangreiche Archiv betreute, das der Lebensborn e.V. in Norwegen hinterlassen hatte. Ich weiß nicht, warum es so lange dauerte, bis ich auf die Artikel aufmerksam wurde, denn sie waren bereits einige Jahre zuvor erschienen. Für mich waren sie jedenfalls brandaktuell. Hier fand ich zum ersten Mal umfassende und seriöse Informationen über den Lebensborn und dessen Wirken in Norwegen, Deutschland und anderen von den Deutschen besetzten Ländern.

Mehrere Jahre danach lernte ich Helge Paulsen persönlich kennen. Ich dankte ihm für seine Artikel und versuchte ihm zu erklären, wie außerordentlich wichtig sie für mich persönlich gewesen waren. Ich bin nicht sicher, ob er verstand, was ich zu sagen versuchte. Aber das wäre vielleicht zuviel verlangt.

So konnte ich für mich auch dieses Kapitel abschließen. Ich wusste nun, dass der Lebensborn eine furchtbare Organisation mit einem unmenschlichen und rassistischen Wertesystem gewesen war, und ich hatte verstanden, wie all die Mythen rund um die Organisation entstanden waren. Ich verstand, warum die Menschen, die für den Lebensborn gearbeitet hatten, darüber nicht sprechen wollten, solange sie nicht absolut sicher waren, dass ihre Anonymität gewahrt blieb. Wenn sie zu erzählen begannen, berichteten sie von einer Arbeit, bei der es immer und ausschließlich darum ging, Frauen und Kindern zu helfen, die sich in einer schwierigen Situation befanden. Ich habe keinen Grund, an diesen Erzählungen zu zweifeln, und ich glaube ihnen auch, wenn sie sagen, dass sie niemals, weder damals noch heute, mit nationalsozialistischen Ideen sympathisiert haben.

260

Es ist einfach, sich zum Richter über Politik, Besatzung, Kriegsverbrecher und Verrat zu machen. In der direkten Begegnung mit jenen, die das damals erlebt haben, wird das schwieriger. Vor allem, wenn es Menschen sind, die man liebt.

11. Kapitel
GEHEIME ERINNERUNGSWELTEN:
DAS LEBEN DER VÄTER
NACH DEM KRIEG

Bei der Beerdigung seines Vaters wollte der Deutsche Arnim,* damals schon weit über vierzig, von der Schwester des Vaters wissen, wie dieser aus dem Krieg zurückgekommen sei. Sie antwortete: Verroht.

Verroht kehrten viele aus einem Krieg zurück, dessen sie schon lange müde waren, manche erlebten danach noch schwerste Jahre als Kriegsgefangene. Sie hatten Unaussprechliches gesehen und getan. Viele waren schuldig geworden und fühlten sich doch als Opfer, sie sprachen bis zu ihrem Tod davon, dass der Krieg ihnen »ihre besten Jahre« geraubt habe. Über das erlebte Grauen schwiegen sie ebenso wie über die Ängste oder Sehnsüchte jener Zeit.

Ihr Land erkannten sie kaum wieder, sie waren wie Fremde: Die Städte zerstört, die alten sozialen Strukturen wenn nicht zerschlagen, so doch zerrissen, die Frauen selbständiger, als sie es erwartet hatten und als besiegte Männer ertragen konnten, ihre Kinder – wenn sie Kinder hatten – an ein Leben ohne den Vater gewöhnt, dem sie nun jenen Respekt und jene Unterordnung versagten, die er von ihnen einforderte. Manche standen bei der Rückkehr vor dem völligen Nichts, sie konnten nicht in die ehemalige Heimat zurück oder hatten durch die Bomben ihre Angehörigen verloren und alles, was ihr Leben vor dem Krieg ausmachte. Von Traumatisierung redete natürlich niemand – auch wenn damals vermutlich die ganze Nation mehr oder weniger traumatisiert war.[1]

Wer 1945 (oder später) aus dem Krieg zurückkam, wollte nur eines: Normalität und Stabilität. Die Männer wollten ihre Ruhe. Sie wollten möglichst schnell und möglichst umfassend alles vergessen, was zur Kapitulation geführt hatte. Die Demütigung hinter sich lassen. Die Todeserlebnisse verdrängen. Die erlebte Verletzlichkeit des menschlichen Körpers leugnen. Die Verrohung, wenn nicht rückgängig machen, so wenigstens übertünchen.

So mancher Junggeselle, der noch an seiner ausländischen Geliebten hing, begriff sehr schnell, dass sich Mangel, Not und Elend besser ertragen ließen, wenn er nicht allein war. So wichtig Liebe und Romantik gerade in Zeiten der Düsternis sind, so wichtig war auch die pragmatische und unsentimentale Einsicht, dass der Alltag zu zweit einfacher zu bewältigen war. Er wird die bittere Realität erkannt haben, dass eine Ausländerin (mit Kind) im harten alltäglichen Überlebenskampf eher zu einer zusätzlichen Belastung statt zu einer Hilfe für ihn werden würde. Außerdem ging es Mutter und Kind dort, wo sie waren, zumindest in materieller Hinsicht, also was Wohnung, Kleidung und Lebensmittel anging, vermutlich besser als in Deutschland. Und es ging auch um Stolz: Seine ganze Lebenssituation war beschämend. Er konnte ihr nichts mehr bieten, denn er war niemand mehr, und er hatte nichts mehr.

Nun war ein unverheirateter Mann angesichts des Frauenüberschusses ein »begehrtes Objekt«, und sosehr der Heimkehrer in seine Ausländerin verliebt sein mochte, so sehr werden sich die meisten nach einer Frau hier und jetzt gesehnt haben, nach dem Körper einer Frau, nach Sex. So kam es (erneut) zu manchen ungeplanten Schwangerschaften, die ihrerseits zu überstürzten Ehen führten, weil, anders als in den besetzten Ländern, einer Heirat nichts im Wege stand und weil der angehende Vater, auch das anders als in den besetzten Ländern, möglicherweise einem viel stärkeren sozialen Druck durch seine eigenen Verwandten und sein Umfeld ausgesetzt war, »das Mädel nicht sitzenzulassen«.

Denkbar, dass das manchem ganz recht war, denn alle Soldaten, ob verheiratet oder ledig, hatten in der Ferne den Traum von dem »normalen Leben« geträumt, das sie nach dem Krieg führen würden. Im Mittelpunkt dieser Wunschphantasien stand die eigene Familie; Ehefrau und Kinder symbolisierten Selbstbestimmung, Privatheit, Geborgenheit und vor allem geregelte Verhältnisse. Dieses Leben wurde ihnen durch eine ungewollte Schwangerschaft nun sozusagen »aufgezwungen«.

In manchen Geschichten, von denen nur Bruchstücke bekannt werden, lassen sich Gewissenskonflikte erahnen: Ein deutscher Arzt schrieb seiner französischen Geliebten seit 1943 Dutzende von Briefen. Im Januar 1951 brach sie die Korrespondenz ab, der Grund dafür ist nicht bekannt. Sicher ist, dass er der Französin (und Mutter seines Sohnes) verheimlicht hatte, dass er seit 1948 mit einer Deutschen verheiratet war und bereits ein Kind mit ihr hatte. Seiner Ehefrau allerdings hatte er vor der Heirat von der Beziehung zu der Französin und dem gemeinsamen Sohn erzählt.

So formte sich langsam eine fragile Normalität, in der den ehemaligen Soldaten zunächst die Kraft und die Reserven fehlten, um sich um anderes zu kümmern als um das, was hier und jetzt von ihnen verlangt wurde. Auch deswegen verbat sich zunächst jeder Blick zurück, auch deswegen rückten für viele die ausländische Geliebte und das gemeinsame Kind immer weiter fort. Auch seine Eltern versuchten oft, die Entscheidung ihres Sohnes in diese Richtung zu beeinflussen, die wenigsten waren von der Vorstellung begeistert, eine Ausländerin zur Schwiegertochter zu bekommen.

In der Zeit dieser langsamen Abwendung von den Kriegsjahren – also in den allerersten Nachkriegsjahren – reiste manchmal die ausländische Freundin an und stand unangemeldet vor der Tür jenes Mannes, mit dem sie sich verlobt (oder gar verheiratet!) wähnte – oder auch, wenn dieser nicht auffindbar war, vor der Tür seiner Verwandten. Die Deutsche Marianne* schrieb mir: »Meine Mutter berichtete mir erst kürzlich, dass sie von ihrer Schwägerin, der älteren Schwester meines Vaters, irgendwann mal erfahren habe, dass 1946 eine Norwegerin plötzlich vor deren Tür gestanden haben muss und behauptet habe, sie sei mit meinem Vater verheiratet. Warum meine Tante diese Frau damals weggeschickt hat, weiß ich nicht. Meine Mutter stellte daraufhin meinen Vater zur Rede, und der erzählte ihr, dass dies ein Papiertiger sei, er habe sie im Gefangenenlager kennengelernt und seinen Namen als Lediger zur Verfügung gestellt, damit sie aus dem Lager entlassen werden konnte. Eine etwas undurchsichtige Geschichte, wie ich meine.«

Was immer an dieser konkreten Geschichte dran sein mag, sicher ist, dass aufgrund der langen Besatzungszeit enge Beziehungen entstanden waren und die Trennung vielen Paaren schwerfiel. »Der Führer des Sonderkommandos 7b der Sicherheitspolizei und des SD bei der 4. Armee in Ostpreußen meldete Anfang 1945 besorgt, dass Wehrmachtsangehörige ›in Briefen an fremdvölkische Frauen (Russinnen, Polinnen) würdeloses Liebesgestammel zum Ausdruck bringen‹.«[2] Einige in Osteuropa stationierte Soldaten versuchten im Chaos der letzten Kriegsmonate, ihre Freundinnen mit den deutschen Flüchtlingen in den Westen zu bringen. Das könnte der Grund gewesen sein, warum die schwangere Polin Helena* Ende Januar 1945 in Gotenhafen (Gdingen) zusammen mit vielen tausend anderen Flüchtlingen auf die *Wilhelm Gustloff* ging, um nach Westen zu fliehen. Die *Gustloff* wurde torpediert, und Tausende von Flüchtlingen ertranken zwölf Seemeilen vor der Küste. Helena wurde gerettet und brachte in Dänemark ihre Tochter Hela zur Welt. Diese vermutet, dass ihr Vater, der vermutlich Hans Geisler hieß, seine Freundin Helena zu dieser Flucht gedrängt hatte. Sie sahen sich nie wieder, Helena starb zwei Jahre später, von Hans Geisler fehlt jede Spur.

Glücklicher schien die Geschichte des Deutschen Otto und der Ukrainerin Sinaida auszugehen. Sinaida schloss sich im Oktober 1944 einem Treck Richtung Westen an und kam tatsächlich bis in Ottos Heimatstädtchen an der Oder, wo die beiden bereits im August 1945 heirateten. »Als sich Sinaida um eine Dolmetscherstelle bei der Stadtverwaltung bewarb, wurde sie von zwei NKWD-Offizieren verhaftet. Sie war im dritten Monat schwanger. Otto sah seine Frau nie wieder.«

Sie wurde wegen angeblichen Landesverrats zu zehn Jahren Haft verurteilt. Im November 1946 erhielt Otto einen aus dem

Gefängnis geschmuggelten Brief von ihr, sie habe im September einen Sohn bekommen. Sinaida kam mit dem Kind nach Sibirien, ihr Sohn starb im Lager. Erst dreizehn Jahre später heiratete sie einen Landsmann aus dem Straflager. Die DDR-Behörden gaben Otto keinerlei Auskünfte über das Schicksal seiner Frau und seines Sohnes; auch er wartete zwölf Jahre, bevor er wieder heiratete.[3]

Dort, wo es die Heiratsverordnung der Wehrmacht erlaubte, hatten einige – vielleicht nicht Mariannes Vater, aber wer weiß? – noch im Krieg geheiratet; deren Ehefrauen lebten allerdings bei der Kapitulation meist schon in Deutschland. In mindestens einem Fall wurde dem offenbar schwach ausgeprägten Ehewunsch eines SS-Mannes sogar von allerhöchster Stelle – nämlich von Himmler persönlich – nachgeholfen. Im Februar 1943 schrieb dieser an den in Stavanger stationierten Heinrich Vierke, dessen Braut mache einen ausgezeichneten Eindruck und sei seit Januar im neunten Monat schwanger.

> »Sie haben Ihr Heiratsgesuch Mitte November eingereicht. Ihr Verhalten erscheint mir rücksichtslos und unritterlich. Dass Ihre Braut von Ihnen ein Kind erwartet, wussten Sie viele Monate vorher. Die Einreichung des Gesuches dann so zu verzögern sehe ich als eine Handlung an, die eines SS-Mannes unwürdig ist. Ich ersuche Sie nunmehr, durch eine anständige und ritterliche Eheführung die begangene Rücksichtslosigkeit gutzumachen.
>
> Heil Hitler!
>
> gez. H. Himmler«[4]

Andere Soldaten heirateten (vermutlich aus freien Stücken) sofort nach Kriegsende, noch bevor sie das Land verließen. Bereits am 14. Mai, also keine Woche nach der Kapitulation, war in Norwegen ein General der Gebirgsjäger wegen der vorliegenden Heiratsanträge besorgt: »Der Grund ist in den meisten Fällen der, dem zu erwartenden Kinde den Schutz der Familie zu geben, aber auch die Norwegerinnen vor Diffamierungen durch die eigenen Landsleute zu schützen. Ich bin der Auffassung, dass bei den augenblicklichen Verhältnissen Heiraten mit Norwegerinnen unerwünscht sind. Das Deutsche Reich kann diesen Frauen den erwarteten Schutz nicht geben.«[5]

Doch diese Eheschließungen ließen sich ebensowenig verhindern wie die mit Finninnen, von denen es heißt: »Die Heiratsgenehmigung muesste jedoch von genauer Pruefung des weibl. Ehepartners hinsichtlich Vorlebens und sonstigen Ehetauglichkeit anhaengig gemacht werden. Minderwertigen Personen darf die Genehmigung nicht erteilt werden.«[6]

Der deutsche Befehlshaber der Zone Trondheim erinnerte im Juli 1945 daran, man müsse unter allen Umständen verhindern, »dass Heiratsgesuche unterstützt werden, bei denen die Norwegerin nicht den Anforderungen entspricht, die an eine deutsche Frau gestellt werden müssen. Ein Kind allein braucht nicht als zwingender Grund für eine Heiratsgenehmigung betrachtet zu werden.«[7]

In Norwegen fanden im Sommer 1945 Massentrauungen statt, bei denen zehn, zwanzig, ja dreißig Paare heirateten.[8] Auch Bjørg und Georg, die monatelang umeinander herumgestrichen waren, bevor sie das erste Wort miteinander gewechselt hatten, heirateten im Sommer 1945. Sie reisten zusammen nach Deutschland, doch bei seinen Eltern in Dresden waren sie wenig willkommen.

Georg: »Meine Frau hat dann hier in Deutschland kein Gutes gehört von den Schwiegereltern, meinen Eltern. Sie wurde dann als – Herrgott ... als mürrisch, als Ausländerin betrachtet von meinen Eltern. Das war bitter.«
Bjørg: »Nicht nur als Ausländerin, auch als Straßenmädchen. Ja, ich wurde eben nicht gut aufgenommen. Ich wurde nicht geduldet, und ich hatte meine Tochter, die war in Norwegen geboren, 1946, sie war sieben Monate, wo wir nach Deutschland kamen. Sie wurde

nicht anerkannt, da hieß es, die hätte ich im Straßen-
graben gefunden. Wie gesagt, ich hatte eine sehr, sehr
schwere Zeit.«

Schwer natürlich auch, weil *alle* in Deutschland es schwer-
hatten, viele jungverheiratete Ausländerinnen waren über die
Wohnungsnot, den Hunger und das allgemeine Elend völlig
verzweifelt und versuchten, in ihre Heimat zurückzukehren.

Andere waren bereits im Krieg nach Deutschland gereist,
sei es, dass sie ihrem Liebsten nah sein wollten, sei es, dass sie
bereits mit ihm verheiratet waren. Diese Reisen nach Deutschland nahmen nicht immer ein glückliches Ende. Manche wurden nach kürzester Zeit Witwe, andere konnten nicht bei ihrem
Mann bleiben, weil sie feststellten, »dass sie einander fremd
geworden waren oder einander nicht mehr liebten, die Schwiegereltern setzten der unerwünschten Fremden zu, einige Frauen
ertrugen das entbehrungsreiche Leben nicht oder litten furchtbar unter Heimweh. Und für viele erfüllten sich die Hoffnungen, die sie mit ihrer Reise verbanden, aus anderen Gründen
nicht: Manche fanden weder den Mann noch seine Familie –
sei es, weil sie aufgrund des Krieges nicht mehr zu finden waren,
sei es, weil er ihr bewusst eine falsche Adresse gegeben hatte.
Manche fanden zwar seine Familie, erfuhren jedoch, dass er
gefallen oder vermisst war, und waren als ausländische Freundin des Abwesenden nicht willkommen, wollten vielleicht auch
nicht allein unter Fremden bleiben. Manche Männer waren verheiratet, an eine andere gebunden oder wollten einfach nichts
mehr von ihr wissen. Und einige hatten ihre Heirat vermutlich
schon wieder bereut und die Scheidung eingereicht.«[9] Die meisten dieser Frauen hatten mindestens ein Kind und/oder waren
schwanger.

Doch auch jene Männer, die allein zurückkehrten, ihre
Treueschwüre in Deutschland unverändert ernst meinten und
sich nicht anderweitig banden, die ihre Freundin und das gemeinsame Kind nach Monaten oder sogar einem Jahr immer
noch zu sich holen wollten, hatten zahlreiche Schwierigkeiten

zu überwinden (zu schweigen von der Möglichkeit, dass sie im Sommer 1945 wider Erwarten nicht nach Hause entlassen wurden, sondern in Kriegsgefangenschaft kamen).

Der erste Schritt musste sein, mit der Freundin in Verbindung zu kommen. Dass daran bei Orten in Osteuropa nicht einmal mehr zu denken war, stellte sich sehr schnell heraus, aber auch die westlichen Länder, sogar Deutschlands direkte Nachbarn, waren damals sehr, sehr weit weg.

Reisen waren praktisch ausgeschlossen. Zu reisen war in jenen Jahren ein äußerst aufwendiges Unterfangen, und das nicht nur, weil den meisten die finanziellen Mittel dafür fehlten. Man brauchte für alle Länder Einreisegenehmigungen, die einem ehemaligen deutschen Besatzungssoldaten nicht immer gewährt wurden, die erforderlichen Devisen waren schwer zu beschaffen.[10] Für die Menschen in der sowjetisch besetzten Zone, die Bürger der späteren DDR, konnte von Reisen oder unzensierter Korrespondenz sowieso nicht die Rede sein.

Zur Überbrückung der geographischen Entfernungen blieben also nur Briefe. Aber normale Postverbindungen mit Norwegen wurden beispielsweise erst im Frühjahr 1946 wiederaufgenommen, bis dahin musste man offenbar über das Rote Kreuz schreiben. Zensiert wurde Post allerdings viel länger. Noch im Februar 1947 schrieb der Vater eines dänischen Wehrmachtskindes namens Lotte* an deren Mutter: »Solltest Du in der Lage sein, mir ein Bild von Lotte senden zu können, wäre ich Dir sehr dankbar. Ich glaube bestimmt, dass solche Bilder durch die Zensur ohne Bedenken gehen.« Eine Korrespondenz konnte auch daran scheitern, dass die Kriegsadressen nicht mehr stimmten oder dass die Briefe, warum auch immer, ihren Empfänger nicht erreichten. Dann war es fast unmöglich, den Grund für das Schweigen des anderen zu erfahren, denn Telefonieren war nahezu ausgeschlossen.

Arnold, dem mit seiner jungen Freundin Ragnhild ein »Malheur« passiert war, hatte während des Krieges mit ihr und dem Töchterchen ein geradezu idyllisches Familienleben geführt, bis er schließlich kurz vor Kriegsende doch noch versetzt worden war. Aber kaum war er in Deutschland, wollte er die beiden zu sich holen. Dazu musste er mit ihr in Verbindung kommen, doch schon dieser erste, alles entscheidende Schritt wollte nicht gelingen.

Ende 1945, Anfang 1946 schrieb er in gutem Norwegisch an Verwandte seiner Verlobten: »Könnt Ihr mir schreiben, wie es Ragnhild und meiner Tochter Solveig geht? Ich habe seit langem nicht von ihnen gehört. Ihr kennt sicher Ragnhilds Adresse. Ich sehne mich so nach meiner Tochter und Ragnhild, ich denke Tag und Nacht an sie und kann nicht ruhig schlafen. Ich habe schon oft an die alte Adresse geschrieben, aber ich bekomme keine Antwort. Schreibt schnell, ich warte mit Sehnsucht.«[11] Alle seine Briefe, auch dieser, wurden von Ragnhilds Mutter beiseite geschafft.

Am 18. April 1946 schrieb Ragnhild auf deutsch an Arnolds Eltern:

> »Liebe Eltern. Heute kann ich endlich zu Euch schreiben. Immer bin ich mit meine gedanken bei Euch. Ich hoffe von ganzen Hertzen das es euch gut geht und das Ihr noch gesund seid. Solveig ist schon gros geworden. Jeden Tag ruft sie Pappi ich komme bald zu Dir, glaubst Du Mutti dass Papi hören wenn ich rufe laut, fragt sie mir.
> Wie ist das mit Arnold?
> Ist Er zu Hause? Ich hoffe das Arnold gesund sind und ich warte mit Sehnsucht auf Post von euch alle.
> Das ist einen traurige seid geworden ohne Post und nachrichten von Euch. Solveig ist meine einsige Trost geworden inn dieses traurige seid. Ich mußt täglich ja stündlich an Arnold und Euch denken. Ich könnte den Tag herbei ziehen an dem wir uns sehen können. Was ich für eine Sehnsucht habe nach Arnold das glaubt Ihr gar nicht aber es ist wirklich so, ich habe für nicht interesse.«

Nach einer weiteren derartigen Seite an die Eltern verabschiedet sie sich sehr liebevoll von ihnen, die Seite ist mit großen Abständen locker beschrieben.

Dann, so wirkt es jedenfalls, überfiel sie die Verzweiflung. Am äußersten unteren Rand des Papiers beginnt sie an Arnold zu schreiben. Es sind alles in allem nur drei Zeilen, eine am unteren Rand des Blattes, die beiden anderen am äußersten oberen Rand der noch freien Rückseite, die ansonsten völlig leer bleibt: »Lieber Arnold, ich warte mit sehnsücht auf Brief von Dir schreib bitte bald zu mir. Tausenmal geküsst, deine Ragnhild und Solveig.« Alle ihre Briefe, auch dieser, wurden von Arnolds Mutter beiseite geschafft.

Es war also jene Situation eingetreten, die Arnold 1942 in einem Brief an seine Eltern »gar nicht zum Ausdenken« gefunden hatte: Ragnhild lief in ihrer Heimat mit einem unehelichen Kind von einem deutschen Soldaten herum. Wenigstens war sie nicht heimatlos, denn ihre Eltern hatten sie nicht verstoßen.

1946 heiratete Arnold eine Frau aus seinem Heimatort Mainz und bekam zwei Kinder. Als seine Frau 1954 starb, reiste er nach Norwegen, um Ragnhild und seine Tochter zu holen – was sein deutscher Sohn Klaus unsentimental damit kommentiert, dass er als Witwer mit zwei kleinen Kindern unbedingt eine neue Frau brauchte. Aber inzwischen war auch Ragnhild verheiratet, das Kind vom Stiefvater adoptiert. Damit, so Klaus, »war die Angelegenheit für ihn offenbar erledigt«. Er heiratete ein zweites Mal, wieder eine Deutsche, und bekam weitere Kinder. Alle in der Familie kannten die Geschichte von Vaters unglücklicher Norwegenliebe, »aber geredet wurde nicht darüber«. Erst zwanzig Jahre später, nach dem Tod seiner Eltern, fand Arnold die Liebesbriefe, die Ragnhild ihm 1945/46 geschrieben hatte. Wie die Mutter von Elnas Vater Otto, hatte auch Arnolds Mutter die Briefe seiner norwegischen Freundin sorgfältig versteckt aufbewahrt.

Ende der achtziger Jahre sah Klaus im Fernsehen einen Film über die norwegischen Wehrmachtskinder. Er fragte seinen

Vater, ob er nicht seine Tochter suchen wolle, doch dieser winkte ab. Klaus glaubt, den Grund dafür zu kennen: Der Vater war querschnittsgelähmt. So hilflos wollte er sich seiner Tochter und der Frau, die er einmal geliebt hatte, nicht zeigen.

Wie Arnold und der Widerstandskämpfer Heinz, dessen Freundin Kathrine zu Zuchthaus verurteilt worden war, weil sie ihn versteckt hatte, suchten auch andere in den fünfziger Jahren ihre Freundin, und wie diese mussten viele ohne sie nach Hause fahren, sei es, weil sie – wie Kathrine – fortgezogen war, sei es, weil sie – wie Ragnhild – geheiratet hatte. Manchmal wollten die Eltern nicht, dass ihre ledige Tochter mit dem Enkelkind nach Deutschland auswanderte und belogen den Suchenden. Nachbarn und Verwandte »wollten sich nicht einmischen« und hielten den Mund. Behörden mochten ihm, dem zurückgekehrten Deutschen, nicht helfen. Und wenn er sie fand, konnte es immer noch sein, dass sie ihm nicht folgen wollte.

Auch die Regierungen der befreiten Länder hatten wenig Interesse daran, das getrennte Paar zusammenzubringen. In Frankreich durften Deutsche und Französinnen bis 1947 nicht heiraten. Niederländische Behörden boykottierten in einem mir bekannten Fall die Heirat einer Holländerin um mehr als ein Jahr. Sie lebte mit ihrer Tochter bereits bei dem Verlobten in der französischen Besatzungszone, deren Vertreter die Heirat ebenfalls zu hintertreiben suchten.

England verbot nach Kriegsende jede Korrespondenz zwischen den Bewohnern der Kanalinseln und den deutschen Soldaten, die als Kriegsgefangene nach Großbritannien gebracht worden waren. Das betraf natürlich auch – oder vor allem? – Briefe zwischen diesen und ihren zurückgelassenen Freundinnen. Manche Paare benutzten Deckadressen in der Schweiz, aber die ein- und ausgehende Post wurden von der britischen Regierung kontrolliert, abgefangene Briefe von der Zensur sofort vernichtet. Hundertdreiunddreißig dieser Briefe wurden für einen Bericht aufbewahrt, darunter der folgende, den eine Frau aus Guernsey im August 1945 an ihren Freund schrieb:

»Ich weiß nicht, wie ich diesen Brief beginnen soll oder ob er Dich je erreichen wird. [...] Dein Sohn ist gewachsen, seit Du ihn zuletzt gesehen hast, und er wiegt jetzt sechzehn Pfund.«[12]

Der Plan, das Paar zu trennen, glückte meist. Wenn ihre Briefe unbeantwortet blieben, fühlten sich die Frauen ebenso wie die Männer betrogen und verraten. Außerdem wussten sie nicht, ob der andere überhaupt noch lebte, denn selbst im Sommer 1945 kamen noch viele zu Tode – in den befreiten Ländern starben nach der Kapitulation viele Wehrmachtssoldaten, weil sie zum Minenräumen eingesetzt wurden, eine unbekannte Anzahl von Frauen wurde wegen ihrer Beziehungen zu den Deutschen ermordet oder verschleppt.

Selbstverständlich kamen manche Paare dennoch zusammen, dann zogen sie aber meist nach Deutschland. Nur die allerwenigsten blieben im Heimatland der Frau. Wie feindselig die Stimmung dort sein konnte, sahen wir ja bereits an dem Schicksal jenes deutsch-französischen Paares, das Bundeskanzler Schröder im Sommer 2004 in seiner D-Day-Rede erwähnte (siehe 5. Kapitel).

Für andere schien sich zunächst alles gut anzulassen, sie hielten ihre Beziehung durch Briefe aufrecht. Dann aber nahm ihr oder sein Leben eine Wende, die sich nicht so einfach erklären ließ. Man entfernte sich auch innerlich vom fernen Liebsten, fand aber nicht den Absprung, hielt den Anschein einer Beziehung aufrecht, obwohl man sich schon anders orientiert hatte, oder unterbrach den Kontakt unvermittelt und ohne weitere Erklärungen. Außerdem waren nicht wenige Liebhaber und Väter bereits während des Krieges verheiratet gewesen, viele hatten auch Kinder. Neben jenen Ehemännern, die nicht einmal im Traum daran gedacht hätten, wegen einer solchen »Eskapade« ihre Ehe aufs Spiel zu setzen, gab es andere, die sich von ihrer Familie entfremdet hatten und ihre Kriegsliebe heiraten wollten.

Doch was aus der Ferne machbar schien, sah vor Ort oft ganz anders aus: Er wurde als Ehemann und Vater gebraucht, er hatte für die Kinder eine Verantwortung, der er sich in diesen extremen Zeiten weder entziehen konnte noch wollte. Es mögen sogar Gewissensbisse in ihm aufgekeimt sein, als ihm klar wurde, unter welchen Umständen seine (inzwischen) ungeliebte Frau sich und die Kinder durch Bombenhagel und Hunger hatte bringen müssen, während er sie betrog. Vielleicht glaubte er, sich in die Notwendigkeiten des Augenblicks fügen und die geplante Trennung auf später verschieben zu können. Doch die als Provisorium gedachte Lösung stabilisierte sich, und »später« geschah meist nur eines: Zu den alten Gewissensbissen wegen seiner Untreue gesellten sich neue, weil er nun auch seine Geliebte und sein jüngstes Kind verriet.

Wie viele deutsche Ehefrauen ahnten die geheimen Fluchtpläne ihres Mannes? Wie viele erfuhren wenigstens von dem Kind, das er im Ausland gezeugt hatte, als sie schon miteinander verheiratet waren?

In Abwandlung eines bekannten Satzes galt für viele Heimgekehrten: Worüber man nicht reden will, darüber wird man schweigen. Das heißt nicht, dass einige der ehemaligen Soldaten, die zu solchem Schwadronieren neigten, nicht abschätzig von Schürzenjägern und ehebrecherischen Kameraden berichtet hätten, mit denen sie es im Krieg zu tun gehabt hatten, während andere Schwänke über ihre Chancen »bei der holden Weiblichkeit« erzählten oder sich gar über das angeblich nuttige Verhalten der einheimischen Frauen mokierten.

Wie üblich solche Prahlereien waren, verrät ein Artikel, der 1948 in der allerersten Ausgabe des *Stern* erschien. Die nur »Jo« genannte Autorin verbittet sich, dass deutsche Männer anmaßend über deutsche Frauen urteilen, die sich mit einem alliierten Soldaten zusammengetan haben: »Wir fänden es passend, wenn derselbe Mann, der in allen Ländern Europas (trotz résistance) mit unverkennbarem Stolz weibliche Eroberungen machte, sich nicht darüber entrüsten würde, wenn seinen Geschlechtsgenossen von ›der anderen Seite‹ ähnliche Erfolge in Deutschland beschieden sind.«[13]

Vielleicht sollten die Prahlereien der Besiegten ebenso wie ihr Schweigen all das ungeschehen machen und verharmlosen, was ihnen ein schlechtes Gewissen bereitete, denn viele Väter hatten anfangs keineswegs so rüde reagiert, im Gegenteil. Sie hatten sich zunächst ganz offensichtlich über ihr Kind gefreut, erkannten – vielleicht sogar ein bisschen stolz – die Vaterschaft an, gingen mit Mutter und Kind zum Fotografen und erkundigten sich in Briefen zärtlich nach dem Wohlergehen des Kindes. So schrieb Hardi im März 1943 an seine dänische Freundin Ellen »und an meine kleine süse Tochter« und fragte: »Wie wollen wir denn nun unser Kind mit Namen nennen?« Er plädierte für Kirsten und wollte auch wissen, ob das Kind katholisch oder evangelisch getauft werde, aber »ich bin evangelisch und da muss doch unser Kind auch so sein nicht wahr?!«

Diese liebevolle Zuwendung in den Kriegsjahren steht in eklatantem Widerspruch zu dem Desinteresse, das die Männer in ihrer überwiegenden Mehrheit nach 1945 an den Tag legten. Wer ein Kind zeugt, setzt eine Biographie in Gang, aber nicht jeder Mann will dafür auf Dauer Verantwortung übernehmen. So besitzt auch Hardis Tochter Kirsten von ihrem Vater nichts als diesen einen Brief, den ihre Mutter einem dänischen Gericht vorlegte, als dieses über die Vaterschaftsanerkennung entscheiden sollte.

Obwohl Arnold nach Nordnorwegen gefahren war, um Frau und Kind zu holen, wollte er den Kontakt zu seiner Tochter danach offensichtlich nicht aufrechthalten – sei es, dass er schweren Herzens auf sie verzichtete, um ihr Verhältnis zum Stiefvater nicht zu belasten, sei es, dass er meinte, nun seiner Vaterpflichten entbunden zu sein.

Um die Entscheidungen, die diese Männer damals trafen, richtig einordnen zu können, muss man bedenken, dass sich die soziale wie die emotionale Rolle des Vaters in den letzten fünfzig Jahren verändert hat. »Der Familienvater« der fünfziger Jahre trug zwingend für Ehefrau und Kinder Verantwortung, er musste sich um sie kümmern und sie ernähren.

Diese Pflichten endeten aber offenbar mit der Trennung eines Paares, sehr oft verschwand ein Vater spurlos, wirklich spurlos aus dem Leben seiner Kinder, sei es, dass die Mutter es so bestimmte, sei es, dass er selbst es wollte. So schrieb 1944 ein dreißigjähriger Soldat an seine Eltern, er bete, dass sie die Bombardierungen unbeschadet überstünden, außer ihnen habe er doch »auf der ganzen Welt keine Menschenseele«. Seine achtjährige Tochter aus einer früheren Ehe hatte er offenbar völlig vergessen.

Andere Männer wollten ihr Kind nicht aus ihrem Leben verlieren, und auch damals gab es Paare, die zwischen ihrer gescheiterten Beziehung einerseits und dem Vater-Kind-Verhältnis andererseits zu unterscheiden versuchten. Auch von den ehemaligen Soldaten bemühten sich einige intensiv, aber vergeblich um Verbindung zu ihrem Kind.

Manche Männer bekamen allerdings nach dem Krieg Post, mit der sie nicht gerechnet haben dürften: eine Aufforderung zur Unterhaltszahlung. In Norwegen waren die Unterhaltszahlungen für die Dauer des Krieges vom Lebensborn geleistet worden, davon konnte natürlich nach Mai 1945 nicht mehr die Rede sein.[14] Norwegen ist vermutlich das einzige Land, das versucht hat, auf dem offiziellen Behördenweg von den Vätern Alimente einzutreiben. Wegen des außerordentlich komplizierten Verfahrens erhielten letztlich nur etwa tausendfünfhundert norwegische Wehrmachtskinder Unterhaltszahlungen.[15] Viele Väter beriefen sich darauf, dass es ihnen wirtschaftlich zu schlecht gehe, um bezahlen zu können, andere schrieben, sie wollten sich nicht entziehen, baten aber um Herabsetzung des Betrags, weil sie nur eine kleine Rente hätten. Und »nicht nur die norwegischen Mütter hatten oft Angst vor der Reaktion ihrer Familien, wenn diese erführen, dass sie von einem deutschen Soldaten ein Kind bekommen hatten. Auch so mancher deutsche Vater wollte unter allen Umständen sein norwegisches Kind vor seiner Ehefrau verheimlichen. Ein Vater, der sich 1953 bereit erklärte, den Unterhalt zu bezahlen, betonte wiederholt, dass seine Frau nichts wissen dürfe. Andere Väter gingen offen mit der Situation um, wollten, dass ihr ›norwegisches‹ Kind‹ sie in Deutschland besuchte, oder baten um Fotos.«[16]

Herbert verheimlichte seine Tochter Anne Lise nicht, aber er zahlte an seine norwegische Freundin Lillemor auch keine Alimente, im Gegenteil. Im Oktober 1947 schickte Lillemor ihm, der mit seiner deutschen Frau gerade eine weitere Tochter bekommen hatte, »eine Büchse Babymehl und eine gute Seife. Es ist für das Kind.« Sie war mit dieser Situation völlig versöhnt, denn es war ihre Entscheidung gewesen, im Sommer 1945 nicht mit Herbert nach Deutschland zu gehen, obwohl dieser sie bedrängt hatte. In dem Brief von 1947 bat sie ihn (in fehlerfreiem Deutsch) lediglich darum, für die norwegischen Behörden seine Vaterschaft schriftlich zu bestätigen (»Sie meinen, ich könnte sonst jemanden als Vater angeben ...«). Sie schloss den Brief mit: »Ich glaube, es ist besser, wenn wir nicht miteinander in Verbindung stehen. Deiner Frau würde es wohl auch komisch vorkommen. Ich möchte nur die Bestätigung, weiter verlange ich nichts. Ich habe ja auch nichts zu verlangen, weil ich es ja selbst so gewollt habe.«

*

Für manche Kinder erfüllte sich sogar der »Waisentraum« vom Vater, der zurückkam – nicht unbedingt, um sie mit nach Deutschland zu nehmen, wohl aber, weil er auf seinem Recht bestand, *ihr Vater* zu sein.

Der Norweger Terje, gerade zehn Jahre alt, fand beim Stöbern in verbotenen Schubladen das Foto eines Unbekannten sowie ein offizielles Schreiben. Darin hieß es, das Sorgerecht für Terje Rekdal Karger sei nun endgültig der Mutter Elsa Olsen,* geborene Rekdal, und nicht dessen deutschem Vater Kurt Karger* zugesprochen worden, der es mehrfach beantragt hatte. Terje wuchs bei seiner Mutter und seinem norwegischen Vater Ole Olsen* auf. Von diesem Kurt Karger, dessen Nachnamen er zu seiner Überraschung offenbar trug, hatte er noch nie etwas gehört. Er begriff dennoch sofort, was das bedeutete, behielt aber alles für sich. Sechs Jahre später passierte folgendes:

>»Im Juli 1958 saß ich in meinem Zimmer im ersten
Stock und sah, wie ein blauer Käfer den engen Weg auf
unser Haus zufuhr und vor dem Gartentor hielt. Ich
sah das ausländische Nummernschild und merkte, wie
mein Puls zu rasen begann, mein Kopf fast explodierte.
Dann sah ich einen Mann aussteigen und wusste sofort:
›Terje, das ist dein richtiger Vater.‹ Es war der Mann
auf dem Foto in der Schublade.
Mir war schwindelig, nie vorher oder nachher habe ich
ein solches Herzrasen, Schweißausbruch, Hilflosigkeit,
Anspannung erlebt.
Ich hörte es an der Eingangstür klopfen, meine Mutter
(die aus der Küche die Straße nicht sehen konnte) öffnete. Aus meinem Zimmer hörte ich, wie die beiden
deutsch miteinander sprachen. Sie standen lange im
Flur, dann rief meine Mutter: ›Terje, komm doch mal
herunter.‹
Ich nahm meinen ganzen Mut zusammen und ging die
Treppe hinunter. ›Sag guten Tag‹, sagte Mamma.
›Terje‹, sagte ich mit zitternder Stimme. Ich wusste
genau, dass das mein richtiger Vater war.
›Du er blitt en stor Junge‹, sagte mein Vater in gebro-
chenem Norwegisch. [Du bist ein großer Junge geworden.]«

Danach besuchte Terje den Vater und dessen Familie regelmäßig. Beim ersten Mal erklärte Kurts Ehefrau (die Terje übrigens
Mutti nannte) einer Nachbarin den Besucher mit den Worten:
»Das ist Kurts Sohn aus Norwegen.« Dass sie das einfach so gesagt habe, sei ein unbeschreibliches, ein ganz und gar wunderbares Gefühl gewesen.
    Auch Anne Lises Vater Herbert war ein solcher engagier-
ter Vater. Seine norwegische Freundin Lillemor hatte ihn nicht

heiraten wollen, weil sie unter gar keinen Umständen mit einem Kleinkind ins zerbombte Frankfurt umsiedeln wollte. Herbert heiratete Ende 1946 eine andere Frau. Ihr hatte er schon bei einem der ersten Rendezvous von seiner Tochter in Norwegen erzählt. Falls er weitere Kinder bekäme, werde sie ihnen gleichgestellt sein. Und so war es. Anne Lise hatte mit ihm Verbindung, mit siebzehn kam sie zu ihm und seiner Familie, um in Frankfurt zu bleiben. Nach anderthalb Jahren war sie wieder daheim im Haus am Fjord – sie war vor Heimweh schier krank geworden.

Kurt und Herbert sind Ausnahmen. Nur sehr wenige waren ihren Kindern auch sozial ein Vater, selbst wenn viele das Kind im Ausland nicht völlig verheimlichten. Eine Dänin, die den Namen ihres Vaters auf einer Telefon-CD fand, rief ihn an, es meldete sich eine ältere Frau. Kaum hatte die Dänin gefragt, ob Herr F. im Krieg in Dänemark gewesen sei, rief die Frau am anderen Ende in den Raum hinein: »Komm mal her, hier ist deine Tochter aus Dänemark.«

Diese Tochter lebte mit ihrer Mutter noch immer im selben Ort bei Kopenhagen, der Vater hätte sie also finden können, wenn er gewollt hätte. Nun aber lud er sie zu einem Besuch ein. Als sie sich zum ersten Mal gegenüberstanden, begrüßte er sie gerührt mit den Worten: »Du bist das Kind meiner Liebe.« Sie sagte bitter: »Von dieser Liebe habe ich nichts gespürt.«[17]

Haben all die anderen Männer die Menschen, die ihnen einmal soviel bedeutet hatten, schlicht vergessen? Da sie über sich und ihre Erfahrungen sowieso kaum sprechen konnten oder wollten, ist diese Frage nicht zu beantworten. Sicher ist nur eines: Die allermeisten Wehrmachtssoldaten haben sich nach dem Krieg nie wieder bei ihren »Kriegskindern« und deren Müttern gemeldet. Es kam indes vor, dass sich diese bei *ihnen* meldeten – und zwar nicht, weil sie eines Tages vor der Tür gestanden oder sie angerufen hätten, sondern weil die Erinnerung die Männer nicht losließ.

Irgendwann werden sie Bilder jener Nachkriegstribunale und

Lynchszenen gesehen haben, bei denen Deutschenmädchen von ihren Landsleuten geschoren und misshandelt wurden, weil sie sich der Liebe zu einem wie ihnen schuldig gemacht hatten. Was sie in solchen Momenten dachten, werden sie sehr selten laut ausgesprochen haben. Und ich frage mich, ob sie die Gedanken an ihre eigene Kriegsliebe und ihr eigenes »Besatzungskind« davor bewahrten, jene deutschen Frauen und Kinder zu diskriminieren, die nun wegen ihrer Nähe zu anderen Besatzungssoldaten als Amiflittchen und Franzosenbalg beschimpft wurden.[18]

Vielleicht war es ihnen aber auch in den dunklen Momenten ihrer Ehe mit einer anderen Frau ein Trost, an die Geliebte ihrer jungen Jahre zu denken. Vielleicht sahen sie ihre »deutschen« Kinder an und fragten sich im stillen, wie ihr »ausländisches« Kind nun aussehen und wie es ihm gehen mochte. Eine ganz eigene, ganz geheime Erinnerungswelt hatte sich der Vater jenes Martin geschaffen, der erst mit zweiundsechzig Jahren von seinem »wahren« Vater erfuhr. Als Martin geboren wurde, war sein Vater in Deutschland verheiratet und hatte bereits zwei Kinder, denen er unmittelbar vor seinem Tod im Jahr 1972 von dem norwegischen Sohn erzählte. Seine Tochter Heide* sagte wörtlich: »Er konnte nicht sterben, ohne es sich von der Seele geredet zu haben.« Dazu rief er seinen deutschen Sohn zu sich ans Sterbebett und vertraute ihm an, was allerdings, wie sich dann herausstellte, offenbar die gesamte Verwandtschaft einschließlich der Ehefrau längst wussten.

Dreißig Jahre später nahm seine Witwe wieder einmal das Kriegsalbum ihres Mannes in die Hand, das sie sehr gut kannte. Als sie es öffnete, rutschen mehrere Fotos heraus, die sie noch nie gesehen hatte. Sie zeigten die norwegische Freundin des Vaters sowie seinen Sohn Martin, auf der Rückseite eines Bildes standen der Name des Jungen sowie Ort und Tag seiner Geburt. Als sie das Album näher untersuchte, begriff sie, dass im Laufe der Zeit der Leim des Einbands spröde geworden war. Dadurch hatte sich das Papier, mit dem er innen verkleidet war, gelöst – und dort, zwischen Karton und Papier, waren die Fotos jahrzehntelang versteckt gewesen. In dem Fotoalbum, das die ganze Familie nur zur Genüge kannte, steckte sein geheimes Fotoalbum, das ihn an das Leben erinnerte, das er nicht hatte führen können. Seine Witwe zeigte ihrer Tochter Heide die Bilder der jungen Frau und des kleinen Kindes, und Heide konnte Martin dank der Informationen auf dem Babybild ausfindig machen.

Der Vater von Heide und Martin hatte diese junge Frau offenbar bis an sein Lebensende geliebt. Von den Wehrmachtssoldaten werden so viele und so wenige ihre ausländischen Freundinnen »wirklich« geliebt haben wie unter anderen Umständen Männer ihre Freundinnen auch lieben. Allerdings hat kaum je einer von ihnen seine ausländische Geliebte als »die Liebe seines Lebens« bezeichnet, was die verlassenen Frauen umgekehrt sehr häufig tun. Das mag daran liegen, dass Männer bekanntlich sowieso weniger von Liebe reden. Es mag (auch) daran liegen, dass die Frauen den erheblich größeren Tabubruch begangen hatten und gravierendere Folgen ertragen mussten und dass sie deswegen dringend des einzigen schützenden Arguments bedurften, das beides rechtfertigen könnte: jene sprichwörtliche Himmelsmacht, der wir alle angeblich wehrlos ausgeliefert sind. Und falls sie ein Kind von ihm hatten und falls sie überhaupt mit diesem Kind über seinen Vater sprachen – dann sollte dieses Kind doch wissen, dass es seinen Eltern ernst war miteinander.

Aber die Liebe, wir wissen es, kann launisch sein. Findet sie ein neues »Objekt«, wendet sie sich diesem zu, Schwüre hin, Gewissensbisse her. Als sich der Däne Åge Jensen* zum ersten Mal bei seinem Halbbruder Philipp in Deutschland meldete, war Philipp über diesen Jensen aus Dänemark zutiefst verwirrt, hatte er doch wenige Tage zuvor einen Brief von einem Jansen in Norwegen erhalten, der sich ebenfalls mit den Worten eingeführt hatte, er sei ein Sohn seines Vaters. Bald stellte sich heraus, dass der Vater erst Jensen und dann, nach seiner Versetzung nach Norwegen, auch Jansen gezeugt hatte. Und Åge Jensen begriff, warum die Briefe seines zunächst Hals über Kopf verliebten Vaters an seine Mutter nach dessen Versetzung von Dänemark nach Norwegen mit den Monaten immer seltener wurden und schließlich völlig ausblieben.[19]

Eine Dänin, die ihren Vater in Thüringen gesucht hatte, fand ihn schließlich in Dänemark, knapp hundert Kilometer von ihrem Wohnort entfernt. Er hatte nach dem Tod seiner deutschen Ehefrau seine dänische Kriegsfreundin geheiratet – und das war nicht die Mutter dieser Tochter.

Wie er besannen sich einige der Väter und Liebhaber nach Jahrzehnten, oft nachdem sie Witwer geworden waren, auf die Frau in der Ferne und machten sich ein halbes Jahrhundert später auf die Suche nach ihr. Seit den neunziger Jahren trudeln bei manchen Botschaften und Konsulaten Bitten ehemaliger Soldaten ein, man möge für sie diese oder jene Frau aufspüren. Ich selbst wurde unlängst von einem weit über Achtzigjährigen angerufen, den zwei Sorgen plagten: Zum einen wollte er wissen, ob und wo seine damalige Geliebte lebte und ob das Kind, das sie vor über sechzig Jahre erwartete, sein Kind sein könnte. Zum anderen hatte er panische Angst, dass seine Frau etwas von dieser Suche erfahren könnte.

*

War der fehlende Kontakt in den Nachkriegsjahren noch oft eine Frage des Könnens oder vielmehr des *Nicht*-Könnens, wurde er ab den fünfziger Jahren immer mehr zu einer Frage des Wollens – oder eben des *Nicht*-Wollens. Die objektiven Bedingungen wurden von Jahr zu Jahr besser, in den sechziger, siebziger, achtziger Jahren hätte der Suche des Vaters nach seinem Kind zumindest in den Ländern, in die man damals reisen durfte, überhaupt nichts mehr im Weg gestanden.

Überhaupt nichts außer der Tatsache, dass dieses Kind seit Jahrzehnten in seinem Leben keinen Platz mehr hatte. Es hatte nichts mehr mit den Mann zu tun, der er geworden war, nichts mit seiner Gegenwart und nichts mit seiner Zukunft. Das Kind und seine Mutter waren Teil einer Vergangenheit, die er sogar –

ja vor allem – vor jenen Menschen verheimlichte, denen er am rückhaltlosesten vertrauen sollte. Er ließ sein Wehrmachtskind hinter sich, es gehörte zu seiner ganzen übrigen, als Ballast empfundenen, verdrängten und nicht verarbeiteten Vergangenheit. Allein die Existenz des Kindes erinnerte ihn unerbittlich daran, dass er nicht mehr jenem Codex von Anständigkeit genügte, an den er als junger Mann einmal geglaubt hatte.

Wie viele der schweigenden Väter hatten Schuldgefühle wegen ihres Verrats? Beim Nachdenken über all das kehre ich immer wieder zu einem Nietzsche-Zitat zurück: »›Das habe ich getan‹, sagt mein Gedächtnis. ›Das kann ich nicht getan haben‹, sagt mein Stolz und bleibt unerbittlich. Endlich – gibt das Gedächtnis nach.«

Es ist für Wehrmachtskinder von großer Bedeutung, wenn sie als Erwachsene ihre deutschen Familien finden und dann erfahren, dass sie wenigstens in der Erinnerungswelt des Vaters existierten. Dass die Väter sich nach dem Krieg bemühten, sie zu finden, und sie aufgeben mussten, sei es, weil sie sie nicht fanden, sei es, weil die Geliebte es nicht wollte oder weil es für ein »Happy-End« einfach zu spät war. Dass sie trotz der gescheiterten Beziehung zur Mutter die Nähe zu ihrem Kind anstrebten und pflegten. Dass sie an das Kind dachten, sogar liebevoll an es dachten, wenn sie nicht wussten, wo es nun lebte, oder nicht zu ihm konnten.

Es ist unendlich wichtig, ob sie ihren Familien von dem Kind und seiner Mutter erzählten oder ob sie sie verschwiegen. Ob sie, wie Martins Vater, das zurückgelassene Kind bis zu ihrem Tod als geheime Schuld mit sich trugen. Und ob sie ihr Kriegskind, wenn es Jahrzehnte später an ihre Tür klopfte, aufnahmen oder jeden Kontakt ablehnten und es damit ein weiteres Mal allein ließen.

Manche Kinder mussten erleben, dass sich ihr Vater an sie erinnerte und sie gleichwohl zurückwies. Eine geradezu bizarre Variante einer gleichermaßen bewahrten wie vertuschten Erinnerung an das ausländische Kind erwartete die Norwegerin Turid. Nachdem es ihr gelungen war, ihren leiblichen Vater in der DDR aufzuspüren, lehnte dieser jede Verbindung zu ihr ab und ließ ihr durch Nachbarn ausrichten, er habe nicht das geringste Interesse an irgendeinem Kontakt.[20] Dank ihrer Beharrlichkeit konnte sie aber in Erfahrung bringen, dass sie mehrere Halbgeschwister hat und dass die älteste Schwester, die unmittelbar nach dem Krieg geboren wurde, Turid heißt.

12. *Kapitel*

VÖLKISCHER STOLZ UND RASSISCHE TREUEPFLICHT[1]

Hitler soll gesagt haben, wenn der deutsche Mann als Soldat bereit sein solle, bedingungslos zu sterben, müsse er auch die Freiheit haben, bedingungslos zu lieben.[2]

Er sagte »Liebe« und meinte natürlich den Sexualtrieb der vielen Millionen Männer, die als Soldaten fast ganz Europa besetzten. Nun ist die Sexualität der Soldaten für jede Armee der Welt ein potentieller Störfaktor, dem große Aufmerksamkeit geschenkt wird. Während sich Prostitution und sexuelle Gewalt weitestgehend lenken und somit kontrollieren lassen, gefährden privat gefärbte Beziehungen zur Zivilbevölkerung im allgemeinen und den Frauen im besonderen die Disziplin der Truppe. Sie sind folglich allen Generälen der Welt seit jeher ein Dorn im Auge, die deshalb bemüht sind, solche Beziehungen zu verbieten (meist vergeblich), vor allem aber, die Soldaten vor Geschlechtskrankheiten zu warnen und, soweit möglich, zu schützen.

Auch die Nationalsozialisten kämpften gegen Geschlechtskrankheiten und auch sie versuchten, die Sexualität ihrer Soldaten zu kontrollieren. Dazu richteten sie in einigen besetzten Ländern, so in Norwegen, Frankreich, Polen und den »besetzten Ostgebieten«, für ihre Soldaten und Offiziere Bordelle ein, die von der Wehrmacht betrieben wurden.[3] In anderen Ländern wie Dänemark gab es aufgrund der besonderen Besatzungssituation keine Wehrmachtsbordelle.[4]

Viele Frauen, die in diesen Bordellen arbeiteten oder versklavt wurden, entsprachen nicht dem, was die Nationalsozialisten als »arisch« bezeichnet hätten. Himmler hieß das sogar ausdrücklich gut, diese Art der »Rassenmischung« geschehe jenseits von persönlichen Bindungen und Fortpflanzung, dort gehe es nur um die Befriedigung des Sexualtriebs.[5]

Nun konnten die Bordelle in keinem besetzten Land verhindern, dass die Soldaten vergewaltigten und auch persönlichen Bindungen jenseits des Sexualtriebs suchten.[6] Sie taten, was Besatzungssoldaten seit jeher tun: Sie nahmen Kontakt zu den einheimischen Frauen auf, schliefen mit ihnen, manche verliebten sich.

Was die Sexualität ihrer Soldaten anging, unterschieden sich die Nationalsozialisten in einem Punkt dramatisch von anderen Besatzungsarmeen der Welt. Diese interessierten (und interessieren) sich nicht für die Frauen des Feindes, mit denen ihre Soldaten schliefen (es sei denn als Gefahr für Geschlechtskrankheit oder Spionage), und kümmerten sich noch weniger um die Kinder, die diese im besetzten Land zeugten. Die Deutschen im Zweiten Weltkrieg waren vermutlich die einzige Besatzungsmacht der Welt, die den unehelichen Kindern ihrer Besatzungssoldaten von Kriegsbeginn an intensiv und systematisch Beachtung schenkte, in manchen Ländern sogar als Teil der Besatzungspolitik.[7] Die Nationalsozialisten gedachten sich einiger Kinder »anzunehmen«, soweit sie »guten Blutes« waren. Keinesfalls wollten sie dieses kostbare »Menschenmaterial« den ledigen Müttern und der feindlichen Nation überlassen.

Sie sahen diese Kinder als mögliche »Habenposten« in ihrer rassenpolitischen Buchführung. Vor allem die SS mit Heinrich Himmler an der Spitze hatte Pläne mit ihnen, über ihren Wert und ihren sozialen Platz in der nationalsozialistischen Neuordnung Europas war bereits entschieden, noch bevor sie geboren waren. Das war die Folge der nationalsozialistischen Rassenpolitik, die »nicht nur auf der Vernichtung aller rassisch und sozial ›Minderwertigen‹ durch Sterilisation, ›Euthanasie‹ und Völkermord [beruhte], sondern auch auf der Begründung einer rassischen Elite, die in ihrer letzten Konsequenz die traditionelle Sozialordnung aufgehoben hätte«.[8]

Die deutschen Soldaten galten in der Regel als rassisch unbedenklich. Daher entschied in erster Linie die rassische Beurteilung der Frau darüber, ob der Geschlechtsverkehr mit ihr erwünscht, geduldet oder streng verboten war – und folglich auch, ob ein Kind aus einer solchen Verbindung »erwünscht« war. *Erwünscht* war es nur, wenn es der »Höherentwicklung der germanisch-nordischen Rasse« diente. Und so war jedem Kind nicht erst mit seiner Geburt, sondern im Grunde schon vor seiner Zeugung – weil ja der »Wert« des möglichen Elternpaares ausschlaggebend war – ein fester Platz in der »völkischen Neuordnung Europas« zugedacht. Sie umfasste »eine Geburtenordnung, eine sexuelle Ordnung und eine Tötungsordnung«.[9]

Nach diesen Ordnungen teilte sich das besetzte Europa für die »Rasseexperten« auf. Da waren zum einen die Länder mit »arisch reiner« Bevölkerung: Dänemark, Norwegen, die Niederlande, Belgien, die Kanalinseln sowie die Grenzgebiete Nord- und Ostfrankreichs. Hier waren Kontakte zur Zivilbevölkerung erlaubt, sexuelle Beziehungen wurden geduldet. Die Frauen der »arischen Brudervölker« Norwegen, Dänemark und Holland waren als Mütter arischer Kinder sogar so hochwillkommen, dass sie aus dem generellen Heiratsverbot für Wehrmachtssoldaten ausgenommen wurden, wie es in der »Heiratsverordnung für die Dauer des besonderen Einsatzes der Wehrmacht« vom 7. Mai 1940 festgelegt war, wonach den Soldaten eine Heirat mit einer Ausländerin grundsätzlich verboten war.

Vidkun Quisling, Parteivorsitzender der norwegischen Nazipartei »Nasjonal Samling«, protestierte dagegen, er sah die Norwegerinnen rassisch diskriminiert, die offenbar »gut genug sind, um die Geliebte eines Deutschen, nicht aber, um dessen Ehefrau zu werden«.[10] Als Folge wurde »nach der Besetzung Dänemarks, Norwegens, Hollands und Belgiens die Heiratsverordnung durch einen Erlass des Führers dahingehend verändert, dass gegen eine Eheschließung von Wehrmachtsangehörigen mit rassisch verwandten Personen der germanischen Völker nichts einzuwenden sei«.[11]

Jeder Antrag musste von Hitler persönlich genehmigt werden, neben den genannten Nationalitäten kamen auch Frauen des »germanischen Nachbarvolks« Schweden in Frage sowie »rassisch verwandte Fläminnen und Finninnen, falls diese außer ihrer arischen auch ihre germanische Abkunft nachweisen können«.[12] Ein generelles Heiratsverbot für die Finninnen war schon aus politischen Gründen wenig ratsam, da mit Finnland bis Ende 1944 eine »Waffenbrüderschaft« bestand. Die Genehmigung für eine Heirat mit einer Finnin war aber sehr schwierig zu bekommen und Ehen daher selten. Die italienischen Verbündeten genügten den arischen Ansprüchen der Nazis nicht.[13]

*

Ende 1940, Anfang 1941 kamen in Europa die ersten unehelichen Wehrmachtskinder zu Welt, was bei der Wehrmacht zu Überlegungen führte, ob (und von wem) in Nord- und Westeuropa Unterhalt für sie gezahlt werden sollte. Aus besatzungspolitischem Interesse schlug das Oberkommando der Wehrmacht Anfang 1941 vor, dass Mütter unehelicher Kinder deutscher Soldaten in Norwegen, den Niederlanden, Belgien, Frankreich und den britischen Kanalinseln ihre Ansprüche bei Wehrmachtsgerichten geltend machen könnten. Das lehnte Hitler ab: »Wir wollen uneheliche germanische Kinder schützen und betreuen; an Franzosen haben wir rassenpolitisch kein Interesse.«[14] Erst im Juli 1942 erließ er schließlich die »Verordnung über die Betreuung von Kindern deutscher Wehrmachtsangehöriger in den besetzten Gebieten«, die aber nur Norwegen und die Niederlande betraf, Dänemark musste ausgeklammert werden. Dort konnten die Deutschen nicht frei agieren, wie sie es gern gewollt hätten, weil »die Dänen seit der Besetzung ihre staatliche Souveränität unter einer eigenen Regierung formal hatten aufrechterhalten können«.[15]

Wie viele »erwünschte« Wehrmachtsnachkommen während des Krieges und unmittelbar danach in den Ländern Nord- und Westeuropas geboren wurden, ist nicht zweifelsfrei zu ermitteln. Viele Frauen hatten kein Interesse daran, dass ein Deutscher als Vater ihres Kindes bekannt wurde, bei Verheirateten galt juristisch immer der Ehemann als Vater.

Hier die *geschätzten* Zahlen. Ich halte sie jeweils für das Mini mum: Finnland 700 bis 1000, Norwegen 12 000, Dänemark 6000 bis 8000, Niederlande 12 000 bis 16 000, Kanalinseln 800; Zahlen für Belgien und Luxemburg sind nicht bekannt.[16] In diesen Ländern (mit Ausnahme der Kanalinseln) versuchten der Lebensborn oder die Nationalsozialistische Volkswohlfahrt (NSV), die Schwangeren beziehungsweise die ledigen Mütter und ihre Kinder zu betreuen, für die »rassisch verwandten Fläminnen« wurde im März 1943 ein Lebensbornheim bei Lüttich eröffnet.

Die allermeisten besetzten Länder auf der »zweiten Hälfte« der rassenpolitischen Europakarte kamen für eine »Aufnordung der arischen Rasse« nicht in Frage. Im Gegenteil, Nachkommen waren unerwünscht, ihr »Erbgut« galt als Gefahr für die Deutschen: »Blut verderben ist schlimmer als Blut verlieren.«[17] Unter diesem Aspekt völlig unakzeptabel war Osteuropa. Auf den sexuellen Verkehr mit Frauen in den »besetzten Ostgebieten« standen schwerste Strafen, die aber, wie die Historikerin Birgit Beck nachweisen konnte, nur selten wirklich verhängt wurden. Üblich waren vielmehr weniger schwere Disziplinarmaßnahmen oder völliges Ignorieren.

Nun kümmerten sich die Soldaten allerdings nicht sehr darum, wie die Frau, mit der sie es gerade zu tun hatten, auf der Rassenskala der Nationalsozialisten eingestuft wurde, was weitaus folgenreicher ist, als es auf den ersten Blick scheint. Diese Soldaten sind nämlich jene Landser, die sich später auf ihren damaligen Befehlsnotstand beriefen. In Sachen Sex handelten sie oft genug selbstbestimmt – also befehlswidrig. Das kann meines Erachtens nur zweierlei bedeuten: Entweder steckten sie mit ihren Vorgesetzten (pardon!) unter einer Decke oder sie nahmen die Gefahr einer Bestrafung offenen Auges in Kauf.

Wie gleichgültig ihnen »völkischer Stolz und rassische Treuepflicht« waren,[18] zeigt bereits ein Blick in ihre alten Fotoalben. Aus fast jedem Land, in dem sie stationiert waren, gibt es auffallend viele Fotos von jungen Frauen, die schüchtern blickend oder freundlich lachend neben Wehrmachtssoldaten stehen (von denen keiner schüchtern guckt).

Diese Frauen haben – auf ihre Weise – auch in deutschen Archiven sehr sichtbare Spuren hinterlassen, denn sie sind Gegenstand zahlreicher besorgter Aktennotizen, Berichte, Anordnungen und Führerbefehle. Die Sorge galt dem erwähnten Umstand, dass sich der Mann in deutscher Uniform als ungehorsam erwies, sobald er sich von rassisch unerwünschten Frauen fernhalten sollte. Es kümmerte offensichtlich viele, *sehr* viele überhaupt nicht, dass die Bürgerinnen der besetzten Länder den Anforderungen der Rassenexperten in Berlin nicht entsprachen.

Das galt übrigens nicht nur für die Soldaten in Ost- und Westeuropa. Auch in Skandinavien, das wegen der Samen im Norden nicht ganz so idealtypisch arisch war wie ursprünglich angenommen, trafen sie häufig zielsicher die falsche Wahl. Sie verliebten sich in die »mongolischen« Saminnen, bekamen Kinder mit ihnen und wollten sie sogar heiraten. Und noch im Juli 1945, der Krieg war verloren, Hitler und Himmler hatten sich durch Selbstmord der Verantwortung für ihre Taten entzogen, warnte der »Wehrmachtsbefehlshaber Norwegen« vor Laxheiten, vor allem bei Heiraten zwischen Deutschen und Finninnen dürfe »minderwertigen Personen die Genehmigung nicht erteilt werden«.

Beim Überfall auf Polen im Herbst 1939 wurde jeder Kontakt mit Polinnen wegen ihres »minderwertigen slawischen Blutes« strengstens verboten. Das interessierte jedoch selbst SS-Angehörige wenig, obwohl ein Befehl von Himmler den Geschlechtsverkehr zwischen SS- und Polizeiangehörigen und Polinnen »grundsätzlich als militärischen Ungehorsam« bewertete.[19]

Vergebens. »Bei einer Tagung der SS- und Polizeigerichte ging man davon aus, dass mindestens 50 Prozent der SS- und Polizeiangehörigen gegen den Befehl Himmlers verstießen.« Sogar hochgestellte NS-Persönlichkeiten wie der Generalgouverneur Hans Frank unterhielten in Polen lange und enge Beziehungen zu Polinnen.[20] Wurden solche Verhältnisse ruchbar, bekamen die Polinnen von ihrem Freund, falls er einflussreich genug war, »volksdeutsche Ausweispapiere oder sie galten als Konfidenten deutscher Sicherheitsorgane«.[21]

Solche Beziehungen konnten sehr eng werden. »In den besetzten Gebieten des Ostens lebten viele SS-Männer in einer sogenannten Ostehe«, so dass sich »vielfach fast die Einrichtung eines Kebsweibs herausgebildet hat«, mit der Folge, dass »viele Männer die Gelegenheit, ihre Familien nach hier nachzuziehen, nicht wahrnehmen, um nicht mit ihren polnischen Geliebten Schwierigkeiten zu bekommen«.[22] Für die Angehörigen der Zivilverwaltung war es allerdings Pflicht, die Ehefrauen nachzuholen, »was weitgehend auch geschah. Doch zu diesem Zeitpunkt lebten bereits viele Männer mit ihren polnischen Geliebten in der Wohnung, so dass die Ehefrauen oftmals unter unwürdigen Umständen ihre Behausung mit der polnischen Geliebten teilen mussten.«[23]

Auch die »normalen« Wehrmachtsangehörigen missachteten die Direktive, zu polnischen Frauen und Mädchen Abstand zu halten. »In einem Merkblatt für das Verhalten des deutschen Soldaten gegenüber der polnischen Bevölkerung vom 12.2.1943 heißt es: ›Es zeugt von mangelnder Zurückhaltung, wenn sich der deutsche Soldat mit polnischen Frauen und Mädchen oder gar Dirnen auf öffentlichen Straßen und Plätzen zeigt oder mit ihnen Lokale aufsucht.‹«[24]

Ich habe die Beweise für die vielen deutsch-polnischen Beziehungen so ausführlich dargestellt, weil wir über die Kinder, die solche Paare bekommen haben müssen, praktisch nichts wissen. Es gibt keine Unterlagen aus Kriegstagen, ein Bericht von Juni 1944 erwähnt im Wartegau zweitausend uneheliche Kinder von deutschen Männern mit polnischen Frauen, es ist aber unklar, ob die Väter Wehrmachtssoldaten waren.[25]

Im heutigen Polen kommen die Nachkommen von deutschen Soldaten nicht vor, das Polnische hat nicht einmal ein spezielles (Schimpf-)Wort für sie. Der Polenkenner Michael Foedrowitz dazu: »Die Kinder wurden ›getarnt‹ (mit polnischen Vätern), und das Tabu war sehr wirksam – darüber wurde nicht gesprochen, auch nicht in verächtlicher Weise. Für die Frauen, die sich mit den Deutschen eingelassen haben, gab es die Bezeichnungen *szwabska kurwa* oder *szwabksa dziwka*, beides bedeutete »Deutschenhure«, sie waren wohl eher in Warschau anzutreffen, in Masuren oder Schlesien wurden derartige Begriffe vermutlich nicht verwendet.«[26]

Das Thema ist immer noch strikt tabu, auch wenn sich in den letzten Jahren einige wenige Polen als Wehrmachtskind zu erkennen gegeben haben, darunter der berühmteste polnische Schauspieler Boguslaw Linda. Foedrowitz meint, die Anzahl der deutsch-polnischen Kinder lasse sich nicht einmal grob schätzen. Erstaunlich sei allerdings, dass es seitens des Reichsführers keine speziellen Richtlinien gegeben habe, wie mit den Kindern aus deutsch-polnischen Beziehungen zu verfahren sei. Polinnen, die von einem Deutschen ein Kind erwarteten, genossen keinen besonderen Status. Wenn sie bestimmte Rassenuntersuchungen erfolgreich absolvierten und als »eindeutschungsfähig« angesehen wurden, schickte man sie nach Deutschland. Sogar der Lebensborn hatte einige Kinder aufgenommen, deren Mutter Polin und deren Vater ein deutscher SS-Mann oder ein Soldat waren.[27]

Foedrowitz' Beobachtung, dass der Mangel an »Direktiven« erstaunlich sei, ist treffend, da die Deutschen im polnischen Volk generell ein großes »Potential« für ihre rassenpolitischen Pläne sahen. Sie setzten sie verbrecherisch um, indem sie bis zu zweihunderttausend Kinder polnischer Eltern raubten, weil sie diese Kinder als »eindeutschungsfähig« einstuften. Die Aktionen fanden 1943/44 unter Leitung des Lebensborn statt; die Kinder wurden zunächst, wie es die Nationalsozialisten nannten, »rassisch gesiebt« und im Falle eines »positiven« Urteils nach Deutschland verschleppt, wo sie in Heimen oder in Adoptivfamilien aufwuchsen.[28] Wie viele von ihnen heute in Deutschland leben, ohne ihre Herkunft zu kennen, oder aber, falls sie sie kennen, jemals ihre leiblichen Eltern finden zu können, ist völlig ungewiss.

Paradox ist auch, dass sich Himmler und viele andere, bis hinauf zu Hitler, nicht um die Nachkommen der Wehrmachtssoldaten mit Polinnen kümmerten, während sie sich über die Kinder mit *sowjetischen* Frauen selbst dann noch den Kopf zerbrachen, als große Teile der besetzten Gebiete (in denen diese Kinder lebten) bereits in der Hand der Roten Armee waren.[29] Diese Beobachtung erstaunt vor allem deswegen, weil die unehelich gezeugten Kinder in den »besetzten Ostgebieten« bereits 1941 als rassisch unerwünscht erklärt worden waren.[30]

Am Beginn der immer schriller werdenden Überlegungen zur Erfassung und »Nutzbarmachung« dieser Kinder stand ein Vorschlag, den der Oberbefehlshaber der 2. Panzerarmee, Generaloberst Rudolf Schmidt, im September 1942 Hitler vorgelegt hatte. Danach stünden sechs Millionen Soldaten im Osten, drei Millionen verkehrten mit russischen Frauen. Bei anderthalb Millionen werde der Verkehr nicht ohne Folgen bleiben. »Der Vorschlag geht nun dahin, die dadurch jährlich anfallenden 750 000 deutsch-russischen Knaben und ebenso viele Mädchen zu erfassen als wertvoller Ersatz für die kriegsbedingt ausgefallenen Geburten.«

Abschließend regte er an, ihnen neben ihren russischen Vornamen noch die Namen »Friedrich« beziehungsweise »Luise« zu geben. Dieser Gedanke bezog sich offenkundig darauf, dass 1939 alle Juden und Jüdinnen gezwungen worden waren, ihrem Namen die Vornamen Israel beziehungsweise Sara hinzuzufügen. Für mich verdeutlicht dieser gleichsam beiläufig erwähnte Vorschlag auf geradezu gespenstische Weise, dass die Ermordung der europäischen Juden und die Registrierung der europäischen Wehrmachtskinder zwei untrennbare Seiten der nationalsozialistischen Rassenpolitik waren.

Generaloberst Schmidts Darlegungen überraschen, und zwar nicht nur durch ihre rechnerische Schlichtheit – jeder zweite Soldat hat Geschlechtsverkehr, jede zweite Frau wird schwanger, zur Welt kommen zur Hälfte Jungen, zur Hälfte Mädchen. Verblüffender ist, dass ein Armeeoberbefehlshaber an der Ostfront – nur fünfzehn Monate nach dem Beginn des Krieges gegen die Sowjetunion – Hitler in einer Tischvorlage wie selbstverständlich mitteilt, jeder zweite deutsche Soldat habe »außerehelichen Verkehr mit Angehörigen fremden Volkstums«.[31] Immerhin waren die Truppen in den »besetzten Ostgebieten« angewiesen, »stärkste Zurückhaltung zu üben. Männer, die mit russischen Frauen verkehrten, mussten hohe Strafen befürchten. Geschlechtskranken Wehrmachtsangehörigen drohte eine Urlaubssperre.«[32]

Hitler fand an Schmidts Vorstellung spontan Gefallen, und auch Heinrich Himmler als fanatischster Rassenhüter der Nation nahm an dem millionenfachen »unerwünschten sexuellen Verkehr der Soldaten mit ›rassisch minderwertigen Frauen‹« keinen Anstoß. Er dämpfte die Erwartungen zwar und reduzierte die Zahl der Kinder auf »einige hunderttausend«, schloss sich aber dem Vorschlag prinzipiell an und konkretisierte ihn: Grundsätzlich müsse man »minderwertiges Blut auslöschen«, nur die »rassisch wertvollen« Kinder der Wehrmachtssoldaten sollten nach Deutschland gebracht werden, die »schlechtrassigen« seien zu töten.[33] Das Ostministerium sah allerdings selbst zehntausend Kinder noch als zu hoch gegriffen an.[34]

Im Oktober 1943 unterzeichnete Hitler einen Erlass über die Betreuung der unehelichen Kinder von Deutschen in den »besetzten Ostgebieten«, also im Baltikum, der Ukraine und Weißrussland. Dieser Erlass sah lediglich die Erfassung und strenge rassische »Auslese« der Kinder vor. Zu den Überlegungen im Umfeld dieses Erlasses gehörte auch, ob die Kinder den Nachnamen der Mutter oder des Vaters tragen – oder anders ausgedrückt: welcher Nation sie angehören sollten.[35]

Als nichtehelich Geborene hatten die Kinder die gleiche Staatsbürgerschaft wie ihre Mütter. Die Deutschen behielten sich allerdings das Recht vor, alle Wehrmachtskinder, die sie »haben wollten« (und nur die), aufgrund ihres »deutschen Blutes« als »Deutsche« zu reklamieren. Damit setzten sie die Regel außer Kraft, wonach ausschließlich die »legitimen« Kinder eines Mannes als seine Kinder galten und zu seiner Familie zählten, während illegitime Kinder bei der Mutter und deren Familie blieben. Dieser Streit um die Nationalität der Kinder wurde während des Krieges auch in Norwegen ausgefochten, die Vertreter der nationalsozialistischen Quisling-Regierung versuchten den Deutschen die Zuständigkeit für die Kinder streitig zu machen.

Das änderte sich im Moment der Kapitulation, als bei der Wehrmacht zumindest in diesem Punkt eine »Normalität« einkehrte. Nun orientierte man sich an dem damaligen Rechtsverhältnis zwischen dem Vater und seinem illegitimen Kind: Er konnte es (vereinfacht gesagt) nach Belieben anerkennen oder hinter sich lassen, und die Autoritäten seines Heimatlandes nahmen nur sein legitimes – das von ihm durch Heirat legitimierte – Kind zur Kenntnis, dem entsprechende staatsbürgerliche Rechte zugestanden wurden.

1945 kehrte die Wehrmacht mit ihren Soldaten (also auch: den Vätern) nach Deutschland zurück; sie überließen das illegitime Kind, um das sie sich nicht mehr zu kümmern gedachten, der Mutter und dem befreiten Land. Ausgerechnet nun pflichteten die Vertreter der neuen norwegischen Regierung – gerade noch die erbittertsten Gegner der Deutschen – mit Nachdruck der Auffassung bei, die die deutschen Nationalsozialisten fünf Jahre lang vertreten hatten: Alle Nachkommen von deutschen Soldaten seien »Deutsche« und müssten daher samt und sonders nach Deutschland deportiert werden. »Es bleibt der Eindruck, dass die Kinder *entweder* nur Deutsche *oder* nur Norweger werden mussten, etwas dazwischen wurde offenbar als problematisch erlebt.«[36]

Der französische Staat hingegen sah »seine« Wehrmachtskinder »als Teil einer demographischen Belebung des Landes. Da sie von einer französischen Mutter auf französischem Boden geboren waren, gehörten diese Kinder der Nation.«[37]

*

Der Führererlass vom Oktober 1943 erwies sich als undurchführbar, und zwar nicht nur, weil die Wehrmacht in diesen Gebieten bereits auf dem Rückzug war und für weitere Schritte wirklich alles – Personal, Infrastruktur, Mittel – fehlte. Seine

Umsetzung wäre auf jeden Fall gescheitert. Man hätte die Kinder nur finden und erkennen können, wenn ihre Mütter sie gemeldet hätten. Dazu hatten diese aber keinen einzigen triftigen Grund. Sie wurden, anders als zum Beispiel in Norwegen, aufgrund ihrer Schwangerschaft und Geburt nicht bevorzugt behandelt, sie erhielten keine materiellen Hilfen für das Kind und hatten auch keine Unterhaltsansprüche gegen den deutschen Vater.[38] Verheiratete Frauen, die allein lebten, weil ihre Männer als Soldaten oder Zwangsarbeiter fort waren, konnten ihr Kind nicht diskret entbinden und danach zur Adoption geben. Kurz, ein »offizielles« Besatzungskind hätte seiner Mutter nicht den geringsten Vorteil gebracht, im Gegenteil: Angesichts der vorrückenden Roten Armee riskierten sie mit einem deklarierten Feindeskind schwerste Strafen, ja den Tod.

So musste Himmler am 9. Juli 1944 konstatieren, dass aus dem Baltikum und Weißrussland bisher lediglich fünfhundert Kinder gemeldet worden seien, kaum mehr als hundertfünfzig entsprächen seinen rassischen Kriterien. Aus der Ukraine, Russland und anderen Ländern fehlen Zahlen, die Vorstellung von anderthalb Millionen Kindern jedenfalls war völlig illusorisch.[39]

Zusammenfassend bedeutet das, dass es zur Zeit nicht einmal vage Anhaltspunkte dafür gibt, wie viele Wehrmachtskinder in Osteuropa leben. Dieser entmutigende Wissensstand wird sich vermutlich ändern, sobald die Historikerin Regina Mühlhäuser ihre Arbeit über die »Kinder von deutschen Männern und ›fremdvölkischen‹ Frauen in den ›besetzten Ostgebieten‹ 1939–1945« abgeschlossen haben wird. Sie steht mit einer russischen sowie einer polnischen Historikerin in Verbindung, und es gibt erste Anläufe, in diesen Ländern Forschungsprojekte einschließlich lebensgeschichtlicher Interviews zu initiieren, so dass wir mit der Zeit etwas darüber erfahren könnten, wie das Leben der Wehrmachtskinder dort verlief.

*

Als drittes Beispiel für den Umgang mit den Wehrmachtskindern möchte ich mich Frankreich zuwenden. In Frankreich waren zwischen vierhunderttausend und eine Million deutsche Soldaten im Alter zwischen zwanzig und vierzig Jahren stationiert, während gleichzeitig bis zu zwei Millionen Franzosen im gleichen Alter fehlten. Das waren günstige Bedingungen für sehr private Begegnungen zwischen deutschen Soldaten und Französinnen. Die Wehrmacht versuchte anfangs, solche »privaten« Kontakte streng zu reglementieren, ja völlig zu unterbinden. Als »flankierende Maßnahme« wurden spezielle Bordelle für Soldaten und SS-Leute eingerichtet.[40]

Aber auch hier missachteten die Deutschen die Anordnungen so massiv, dass Beziehungen mit Französinnen schließlich toleriert werden mussten. »Tolerieren« hieß aber keineswegs gutheißen oder gar fördern. Soldaten, die sich hartnäckig weigerten, ihre französische Freundin aufzugeben, wurden versetzt, mitunter sogar an die Ostfront. Offizielle deutsche Stellen hatten es auf Französinnen, die mit Deutschen Kontakt hatten, häufig geradezu abgesehen: »Da Kontakte jenseits der Prostitution nicht eingeschränkt werden konnten, verfolgte der Wehrmachtssanitätsdienst deutsch-französische Liaisons generell. Vor allem bei der Wehrmacht als Bürokräfte, Putzfrauen und Küchenhilfen beschäftigte Französinnen gerieten unter Generalverdacht sexueller Freizügigkeit, vor allem dann, wenn ihre Ehemänner in deutscher Kriegsgefangenschaft saßen.«[41]

Wie viele Paare sich dennoch fanden, beweisen die neuesten Forschungsergebnisse des französischen Historikers Fabrice Virgili, der seit Ende der achtziger Jahre das Schicksal der Geliebten der Wehrmachtssoldaten und ihrer Kinder erforscht. Er veranschlagt die Gesamtzahl der französisch-deutschen Kinder auf zweihunderttausend. Das seien etwa 10 Prozent aller Geburten während der gesamten Besatzungszeit, was, so Virgili, den Schätzungen für andere europäische Länder entspreche.

Obwohl Hitler kategorisch gesagt hatte, er habe an den Kindern aus Frankreich keinerlei Interesse, begann Himmler sich für sie zu interessieren. »Im April 1942 machte er in Hitlers

Tischrunde den bereits erwähnten Vorschlag, ›alljährlich einmal unter der germanischen Bevölkerung Frankreichs einen blutmäßigen Fischzug‹ durchzuführen«, was Hitler zustimmend damit kommentierte, es sei »ein schwerer Schlag für Frankreich, wenn seiner Führungsschicht der germanische Nachwuchs entzogen würde«.[42] Damit waren aber zunächst nicht die Kinder der Wehrmachtssoldaten gemeint. Himmler dachte wohl an die Verschleppung von Kindern französischer Eltern, wie sie in Polen durchgeführt wurde, getreu seiner Ankündigung aus dem Jahr 1938, »germanisches Blut in der ganzen Welt zu holen, zu rauben und zu stehlen«, wo er nur könne.

Ob Zufall oder nicht, bereits knapp zwei Monate nach der Tischrunde bei Hitler im April 1942 wies Reichsgesundheitsminister Leonard Conti Himmler auf »das Problem der Soldatenkinder« hin. »Bis jetzt seien ca. 50 000 von Französinnen geboren worden, die meist nicht schlechter seien als die, die von Norwegerinnen zur Welt gebracht worden seien.« Wenn man sich nicht um sie kümmere, gingen sie Deutschland verloren, daher müsse sich der Lebensborn dieser Kinder »energisch annehmen«.[43]

Dazu kam es nicht. Trotz verschiedener Überlegungen in dieser Richtung wurde von deutscher Seite weder versucht, die Kinder zu erfassen, noch nahm sich der Lebensborn der Kinder »energisch« an. Im Februar 1944 wurde das erste (und einzige) Lebensbornheim in Frankreich eröffnet, das für die Gesamtsituation der französischen Wehrmachtskinder keine Rolle spielte.[44]

*

Auf der Landkarte der Wehrmachtskinder bleiben große weiße Flecken, über die wir nichts wissen: die Slowakei, Rumänien, Ungarn, Serbien, Albanien, Montenegro, Kroatien, Griechenland, Italien und, ja, auch Nordafrika. Über die möglichen Wehrmachtsnachkommen in diesen Gebieten existieren keine Dokumente der Nationalsozialisten. Aber vielleicht wurden sie nur noch nicht gefunden, weil sich bisher noch niemand darangemacht hat, nach ihnen zu suchen. Wir wissen weder, wie viele Nachkommen es dort geben könnte, noch, wie ihr Leben nach dem Krieg verlaufen ist. Ihre Existenz blitzt bestenfalls anekdotisch auf. So lernte eine Schweizerin Mitte der sechziger Jahre in der algerischen Wüste einen blonden und blauäugigen Nomaden kennen, der ihr sagte, er sei der Sohn eines deutschen Offiziers und einer Ägypterin.

»Der deutsche Mann kam im doppelten Sinne des Wortes ›ungeschoren‹ davon, wenn er dem Landserlied entsprechend ›in einem Polenstädtchen mit einem Polenmädchen‹ verkehrt hatte«[45] – oder mit anderen Mädchen an anderen Orten. Er, der Geliebter und Vater gewesen war, kehrte nach Hause zurück, und was immer ihn dort erwarten mochte, er wurde von seinen Landsleuten wegen der Kontakte zu den Frauen der besetzten Länder weder verfemt noch bestraft, und er musste nicht mit der Schmach eines unehelichen Feindeskindes leben. Er konnte sich auf seine Verantwortung für sein Kind besinnen, wenn er wollte – oder tun, als sei nichts geschehen. Und so war es ja vielleicht auch für viele: Es war gar nichts geschehen.

Zum Abschluss eine Passage aus Dieter Schenks Dankesrede, die er 2003 anlässlich der Verleihung des Fritz-Bauer-Preises hielt:

»Einblicke in die Strukturen der Nichtverfolgung von NS-Tätern in den Reihen der Polizei erlangte ich erstmals in den sechziger Jahren durch meine Bekanntschaft mit dem Leiter der Sonderkommission zur Verfolgung von NS-Verbrechen beim Hessischen Landeskriminalamt. Über ihn beschaffte ich mir die Akten des Verfahrens Oskar Christ. Den Leiter der Wiesbadener Schutzpolizei – ein Herrenreiter in Polizeiuniform auf der sonntäglichen Wiesbadener Wilhelmstraße – holte die Vergangenheit ein, denn der ehemalige SS-Hauptsturmführer fungierte als Kompanieführer des berüchtigten Polizeibataillons 314, das in der Sowjetunion an Massenexekutionen von Juden beteiligt war. Im März 1942 soll Christ in Charkow seinem ›Burschen‹ befohlen haben, eine russische Tänzerin des Stadttheaters, die von Christ schwanger war, zu erschießen. Anstatt wegen der ruchlosen Tat Beweisketten zu knüpfen, suchte das Wiesbadener Schwurgericht solche Ketten zu sprengen und sprach den Polizeioberrat frei. Dass solche Gerichtsentscheidungen kein Zufall waren, sondern Methode hatten, lernte ich erst später genauer zu beurteilen.«[46]

13. Kapitel

ANKOMMEN:
AM ZIEL DER SUCHE

Eine erfolgreiche Suche endet, könnte man meinen, wenn der Suchende den Vater (oder einen nahen Verwandten) gefunden hat.[1] Er ist endlich am Ziel, es fehlt nur noch die erste direkte Kontaktaufnahme, der man seit geraumer Zeit mit größter Freude und Nervosität entgegengefiebert. Genauer: mit Freude, Nervosität und *Angst,* denn der fremde Mensch, mit dem man nun in Verbindung treten muss, wird darüber entscheiden, ob man als illegitimes, aber »richtiges« Kind anerkannt und akzeptiert wird.

Daran kann alles zerbrechen, und auch jetzt hängt vieles vom Zufall ab: Hätte Reidun* nicht an den Sohn, sondern an die Tochter ihres Vaters geschrieben, wäre die folgende Geschichte anders ausgegangen.

In ihrem Brief an Tom* stellte Reidun sich kurz vor, zitierte aus der eigenen Geburtsurkunde den Namen des Vaters, legte zwei Fotos von ihm als jungem Soldaten bei, erläuterte den Verlauf der bisherigen Suche und schrieb: »Ich erlaube mir, mich an Sie zu wenden, um mich zu vergewissern, ob ich die richtige Familie gefunden habe. Nach reiflicher Überlegung hielt ich es für das beste, mit diesem Anliegen an Sie heranzutreten anstatt an Ihren Vater Hans Ludwig Fröhlich,* um Ihren Vater, der ja nun ein älterer Herr ist, nicht unnötig zu beunruhigen.« Sie ließ den Brief ins Deutsche übersetzen und sorgte zudem dafür, dass jemand ihn in Deutschland einwarf, da er dann »weniger Aufsehen erregen wird, als wenn er eine norwegische Briefmarke trüge«.

Die vorsichtigen Formulierungen und die tastende Annäherungsweise verraten, dass sich Reidun in einem Zustand von höchster Anspannung, Angst und Verletzlichkeit befand. Dem

Empfänger fehlte dafür das Gespür (oder vielleicht fühlte er seinen Seelenfrieden oder sein familiäres Gleichgewicht oder sich selbst als Sohn durch diesen Brief so bedroht, dass er alles nur brüsk abwehren konnte). Sie erhielt keine Antwort und wandte sich nach einem Jahr oder länger erneut an Herrn Fröhlich junior, in dem sie ihren Halbbruder vermutete. Zwei Jahre nach Erhalt des ersten Briefes verfasste dieser eine Antwort, in der es unter anderem hieß:

»Ich war schon sehr darüber verwundert, dass sich plötzlich nach 57 Jahren ein Mann aus Norwegen bei mir meldet, der behauptet, mein Halbbruder zu sein. Beweisen wollen Sie diese Behauptung mit zwei alten Photographien und der Darstellung des Textes aus Ihrer angeblichen Geburtsurkunde, in der Ihr Vater den Namen Hans Ludwig Fröhlich trägt. Dies dürfte ja wohl eine äußerst dürftige Beweislage für eine solch schwerwiegende Behauptung sein.« Abschließend erwähnte er, der Vater sei in der Tat schwer herzkrank und ein Brief an ihn könne »seinen Gesundheitszustand auf das äußerste gefährden. Aus all diesen Gründen möchte ich Sie daher bitten, auf weitere Kontaktaufnahmen zu verzichten.«[2]

Tom schickte diese harsche Zurückweisung ab, seinem Vater erzählte er nichts. Danach trug er den ersten Brief seines vermeintlichen Halbbruders Reidun (der eine Schwester ist, was er aber aufgrund des fremden Vornamens nicht wusste) drei Jahre oder länger in der Brieftasche mit sich herum, was Reidun, die sich völlig zurückzog, natürlich nicht wissen konnte.

Er lehnte den Kontakt ab. Wer weiß, warum. Vielleicht war ihm das Ganze unangenehm, vielleicht störte es sein Vaterbild, vielleicht befürchtete er materielle Ansprüche, vielleicht, vielleicht ... Aber danach trug er den Brief – entschuldigen Sie diese sentimentale Formulierung – jahrelang auf dem Herzen. Es stellt sich mir die ebenso schlichte wie unbeantwortbare Frage: Was mag im Sohn des Hans Ludwig Fröhlich vorgegangen sein?

Auch die Väter verhalten sich mitunter rätselhaft. Hier ein – ganz eindeutig panischer – Brief, mit dem der Vater eines

Franzosen die Anfrage der WASt zurückwies, ob er Kontakt mit seinem Kind wünsche:

»Auf Ihre Anfrage, ob ich der Weiterleitung meiner Anschrift zustimme, muss ich Ihnen erklären, dass ich dieses strikt ablehne.
Ich hatte während des letzten Krieges eine Beziehung zu der Madame S.
Aus dieser Beziehung ging ein Kind hervor.
Ich hatte jedoch begründeten Anlass anzunehmen, dass die Mutter noch im Krieg ums Leben gekommen war.
Es freut mich, dass dieses nicht der Fall ist.
Ich bitte jedoch um Verständnis dafür, dass ich zu diesem Menschen keinen Kontakt aufnehmen möchte.
Ich bin seit siebenundvierzig Jahren glücklich verheiratet.
Aus dieser Ehe gingen Kinder hervor, die mittlerweile erwachsen sind.
Meine Kinder wissen nichts von der damaligen Beziehung und den Folgen.
Der Gesundheitszustand meiner Frau und von mir ist sehr angegriffen. […]
Ein Kontakt mit Madame S. würde uns zuviel Aufregung bereiten, wodurch wir bestimmt gesundheitlichen Schaden erleiden würden.
Unser Leben würde auf jeden Fall aus den geordneten Bahnen geworfen werden, wobei ich auch auf unser gehobenes Alter hinweisen möchte.«

Mit ihrer Notiz zu dem Brief bescherte mir die Sachbearbeiterin der WASt eine Überraschung: »12 (!) Jahre später, nach dem Tod seiner Frau, hat sich der Vater liebevoll an sein Kind gewandt und wünscht es zu treffen!« Wie oft mag er in diesen Jahren Anlauf genommen haben, sich seiner Frau mitzuteilen? Ob er nach deren Tod seine »deutschen« Kinder ins Vertrauen gezogen hat? Ob sie ihm vielleicht sogar zu diesem Schritt geraten haben?

Ebenso unentschlossen reagierte ein Hochbetagter, der einem deutschen Fernsehjournalisten per Anwalt mit rechtlichen Schritten drohte, als er erfuhr, dass dieser einen Film über ihn und seine ukrainische Tochter drehen wollte. Der Filmemacher hatte ihr bei der Suche nach dem Vater geholfen. Der Mann war fraglos ihr Vater, hatte aber seit Kriegsende keine Verbindung mehr zu ihr und ihrer Mutter gehabt und fürchtete um seinen Ruf in der Kleinstadt, in der er es zu etwas gebracht hatte. Schließlich lenkte er ein: Das Team durfte nicht drehen, aber er lud seine Tochter ein, so dass sie ein Visum zur Einreise in die Bundesrepublik erhielt und ihn in seiner Heimatstadt besuchen konnte. Beim Abschied steckte er ihr einen Umschlag zu, in den er neben mehreren Fotografien, die sie für ihre Mutter erbeten hatte, einen nennenswerter Geldbetrag gesteckt hatte.[3]

Diese beiden letzten Väter gehören zu einer Vätervariante, die ich als *reuige Zauderer* bezeichne. Sie reagieren mit einer Art Schockstarre, wenn ihr bereits in die Jahre gekommenes Kind auftaucht, denn diese Neuigkeit zählt »nicht zu jener Art von Überraschungen, die Männer besonders schätzen«:[4] Die sehr konkrete Folge ihrer Jahrzehnte zurückliegenden sexuellen Wonnen taucht auf und beabsichtigt vielleicht sogar, wer weiß, emotionale oder materielle Ansprüche an sie zu stellen. Eigentlich hatten sie mit ihrer Kriegsvergangenheit längst abgeschlossen – und nun droht man sie für etwas zur Rechenschaft zu ziehen, was sie vor vielen Jahrzehnten getan haben?

In dieser Situation brauchen sie Zeit, bevor sie sich letztlich doch noch ehrenwert verhalten. Das tun viele früher oder später, die meisten sogar eher früher als später, denn nicht wenige alte Männer reagieren heute zugewandt. Bei ihnen löst dieser fremde Mensch, der sich als »sein Fleisch und Blut« vorstellt, angenehme Erinnerungen an die »helle« Seite ihres Krieges aus, an eine Zeit, als sie ein sexuell aktiver und erfolgreicher junger Mann waren, und oft auch an eine Frau, die ihnen einmal viel bedeutet hat. Im günstigsten Fall freut sich der Vater über sein Kind, nicht selten hat er sich ja schon einmal als dessen Vater erlebt und sich zu ihm bekannt, als es noch sehr klein war.

Viele verhalten sich ihrem – vermeintlichen – Sproß gegenüber selbst dann freundlich, wenn sie bislang von dessen Existenz gar nichts wussten, sei es, dass die Beziehung zu dessen Mutter zu kurz gewesen war, sei es, weil der Soldat versetzt wurde, bevor seine Freundin von der Schwangerschaft wusste, und die beiden danach keinen Kontakt mehr miteinander hatten. Er schließt also »das Kind meiner Liebe« liebevoll und gerührt in die Arme, zumal dieses Kind ihm meist auch Enkel, manchmal sogar Urenkel »schenkt«. Eine versöhnliche Reaktion scheint um so wahrscheinlicher, je älter der Vater ist. Manche Männer werden mit dem Alter milder und sentimentaler.

Diese Akzeptanz lässt schnell vergessen, dass der Vater nicht mehr derselbe Mann ist wie einst der Liebhaber der Mutter. Das beginnt bei Trivialitäten wie dem Aussehen. In den Zügen des Sechzig-, Siebzig- und (falls man ihn erst jetzt findet) weit über Achtzigjährigen lässt sich das junge Gesicht auf dem alten Foto nur mit Mühe wiederfinden. Es kann im ersten Moment verwirren, *wie* fremd er aussieht – auf der Straße hätte man ihn niemals erkannt. Vielleicht erinnert das daran, dass dieser Mann ja tatsächlich ein Fremder *ist*.

Das Entscheidende ist: Sie *wissen,* dass er ihr Vater ist. Das macht den Augenblick, in dem sie ihm zum ersten Mal bewusst gegenüberstehen, spannend, unvergesslich und gut. So jedenfalls beschreibt es der Norweger Paul, der sich auf seiner Internetseite nicht nur mit seinem Namen vorstellt, sondern auch als »Deutschenbastard Lebensborn Nr. 8330« (unter dieser Nummer wurde er nach seiner Geburt im Lebensbornfolianten registriert). Paul erhielt am 23. Juli 1999 den Anruf seiner (bisher unbekannten) Schwester aus Berlin, am 24. Juli (!!!) flog er von Nordnorwegen nach Oslo und reiste mit dem Zug weiter nach Berlin, am 29. Juli kam er endlich »zu dem altem Mann in den Schaukelstuhl. Es war einen unvergesslichen, schrecklichen, gefährlichen, spannenden und dabei einen guten (ja, ich weiß nicht was) Augenblick, da zu stehen und Die Große Frage zu stellen, und die Antwort: ›Ja, – das ist lange seitdem‹ zu kriegen. Endlich, nach 54 Jahre habe ich meinen eigenen Vater gesehen und gesprochen.«

Was diese Zusammenkunft für ein Wehrmachtskind bedeutet, das sich jahrzehntelang nach dem Vater gesehnt und vielleicht schon lange nach ihm gesucht hat, lässt sich kaum wiedergeben. Großes Glück macht zunächst meist stumm, und zu allen Versuchen, dieses Glücksgefühl zu beschreiben, gehören die Worte, es sei »einfach unbeschreiblich«. Gleichgültig, ob sie den Vater, die deutschen (oder österreichischen) Verwandten oder nur noch das Grab des Vaters finden, viele sagen, dadurch hätten sie endlich ihre innere Ruhe, ihren Frieden gefunden. »Ich habe den Bruder in die Arme geschlossen«, schwärmt eine Dänin, »so ein Gefühl – das war so tief, das hat mich so aufgewühlt. Ich habe zwei Kinder zur Welt gebracht, aber so ein Gefühl habe ich nie erlebt.«

Nun weiß man zwar, wen man sucht, kann aber nicht wissen, wen man finden wird. Und so gibt es neben dem Zauderer und dem beglückten alten Mann, der seinem Kind so gern noch Vater sein möchte, auch jene, die nichts mehr mit dem netten jungen Mann gemein haben, dem die Mutter einst ihr Herz schenkte.

Im ungünstigsten, zum Glück seltenen Fall entpuppt der Gesuchte sich als menschlich und sozial gescheitert, als unfreundlicher alter Widerling, der diesen dahergelaufenen Ausländer vehement ablehnt und der Lüge bezichtigt. Noch schlimmer ist die Erfahrung, die die Dänin Margarete machen musste, die einen Vater suchte und einen Täter fand. Ihre deutschen Geschwister bezeichneten den verstorbenen gemeinsamen Vater, der aktiv an den Verbrechen der Nationalsozialisten beteiligt war, gar als »Teufel«. Solche Enthüllungen sind jedoch die Ausnahme. Die allermeisten lernen, persönlich oder durch Erzählungen ihrer Halbgeschwister, einen »ganz normalen Mann« kennen, und spätestens – allerspätestens – dann fällt auch die lauernde Angst von ihnen ab, dass er ein »echter Nazi«, ein Kriegsverbrecher gewesen sein könnte.

Nun kann es natürlich passieren, dass man einem Menschen begegnet, der »ganz normal« ist, aber irgendwie unsympathisch: weltanschaulich inakzeptabel, zu kontrollierend, oberflächlich oder wichtigtuerisch – die Liste der möglichen Gründe ist endlos. Wenn man beim Kennenlernen feststellt, dass man ihn als Menschen nicht besonders schätzt, dann dämmert einem vielleicht, dass ein Leben mit diesem Mann als *anwesender* Vater auch nicht ganz einfach gewesen wäre.

Und dann gibt es leider noch die Ablehner. Sie lassen sich durch nichts erweichen, weisen unerbittlich ab, verweigern sich, stellen sich tot. Egal, wie man sich ihnen nähert oder wer zu vermitteln versucht, sie bleiben hart. Sie antworten auf Briefe nicht, legen grundsätzlich sofort den Telefonhörer auf oder drohen gar mit dem Anwalt.

Wie lange kann ein Wehrmachtskind nach einer Ablehnung warten, ohne aufzugeben, ohne den Mut zu verlieren? – Lange. Zwölf Jahre, wie der Franzose, der aber vermutlich nicht wartete, weil er nicht wissen konnte, dass der Vater doch noch zu ihm kommen würde. Oder mehr als dreißig Jahre, wie Janne, ein zugegebenermaßen extremer Fall.

Ihr Vater hatte im Mai 1945 einen Stapel Kuverts bei seiner Freundin zurückgelassen, damit sie ihm auch wirklich schreiben würde. Janne war vielleicht zehn oder zwölf Jahre alt, als sie, übrigens auf Drängen ihrer Großmutter, damit anfing, dem Vater in diesen Kuverts Briefe zu schicken, obwohl das Rote Kreuz der Mutter mitgeteilt hatte, er sei vermisst oder gefallen. Janne wusste nicht, ob der Vater ihre Briefe überhaupt bekam, denn er antwortete nie. Das sei, sagte sie, ziemlich verzweifelnd gewesen, dennoch schrieb sie (inzwischen wohl mit anderen Kuverts) ungerührt weiter, bis ihr, da war sie schon Ende Zwanzig, aufging, dass ihre Briefe nicht zurückkamen – irgend jemand nahm sie also entgegen! Sie schickte einen Einschreibebrief, und als sie die Bestätigung mit seiner Unterschrift erhielt, wusste sie, dass er ihre Briefe erhalten hatte.

Ein einziges Mal schickte er ihr eine Postkarte, um ihr zu sagen, sie möge ihn in Ruhe lassen. Das tat Janne nicht, im Gegenteil, mehr als dreißig Jahre nach ihrem ersten Brief stand sie eines Tages unaufgefordert vor seiner Tür. Lakonisch begründete sie den Schritt damit, dass man Briefe einfacher ignorieren könne als einen Menschen, der vor einem stehe.

Auch da wollte der Vater sie noch abwimmeln, erst als ein Deutscher sich vermittelnd einschaltete und an ihn appellierte, das sei vermutlich seine letzte Chance, diese Sache noch in Ordnung zu bringen, stimmte er einem Treffen zu. Als er und seine Frau am folgenden Tag auf Janne zugingen, sah sie zwei alte, schwache, von einem harten Leben gezeichnete Menschen. Janne empfand tiefes Mitleid und dachte: »Mein Gott, wovor habt ihr nur solche Angst?« Dann ging alles gut, einige Tage später reiste sie ab, da weinte nicht nur der Vater, sondern auch seine Frau.

Dreißig Jahre lang erhielt er Briefe von seiner Tochter, las sie, reagierte nicht darauf – was mag in all diesen Jahren in *ihm* vorgegangen sein? Aber auch: Was geht in einer Tochter vor, die dreißig Jahre lang darauf beharrt, dass dieser Mann nicht nur ihr Erzeuger ist, sondern dass er sie als *Vater* zur Kenntnis nehmen soll?[5]

*

Ein Traum, vielleicht sogar ein Lebenstraum ist in Erfüllung gegangen. Da, wo bisher in der Seele das Sehnen wohnte, wo die Sucherei die Tage und Abende füllte, sind nun die Freude und die Erschütterung über das glückliche Ende der Suche. Aber wer während des Suchens zu große Erwartungen an das hegte, was er danach an dauerhaftem Glück und an Erfüllung erleben würde, Erwartungen an die Nähe zum ersehnten Vater, die Heilung der emotionalen Wunden, eben die Erfüllung der alten Waisenträume, könnte tief fallen. Wenn das Erhoffte ausbleibt, droht eine Leere, die im schlimmsten Fall zur Depression werden kann. Daher ist der Augenblick des Ankommens auch *schreck-*

lich und *gefährlich*. Die Spitze des Berges ist nur ein Umkehrpunkt, sagt Reinhold Messner. Der muss es wissen.

Nicht alle sind sich darüber im klaren, dass sie, endlich angekommen, Dinge erleben und erfahren könnten, die sie sehr schmerzen werden – andere Dinge als die, von der deutschen Familie nicht als richtiges Kind anerkennt zu werden, was für alle die mit Abstand größte Angst ist. Nachdem er mit seiner Frau zwei Jahre fast nichts anders getan hatte, als seinen Vater zu suchen, stürzte für Per Arne Löhr Meek eine Welt ein, als er erfuhr, dass dieser seit dem Frühjahr 1945 tot war: »Der Papa, nach dem ich als Kind so oft verzweifelt gerufen hatte, war gestorben, bevor ich meinen ersten Geburtstag gefeiert hatte.«[6]

Nun muss jeder, der nach dem Vater sucht, auch einmal die Möglichkeit in Erwägung gezogen haben, dass er tot sein könnte. Ihn wird diese Nachricht also traurig machen, aber nicht völlig unvorbereitet treffen. Andere Wehrmachtskinder bekommen aber vernichtende Antworten auf Fragen, die sie nie gestellt haben, weil sie sie geklärt wähnten. Ganz unsinnig zum Beispiel wäre ja die Frage »Wo lebt mein Vater?«, wenn man von der Mutter weiß, dass er tot ist. Deren Annahme, dass ihm etwas zugestoßen sein müsse, stützte sich meist allein auf die unbestreitbare Tatsache seiner Abwesenheit, untermauert durch seine Briefe aus Kriegstagen, in denen er die erzwungene Trennung beklagte und seine baldige Rückkehr versprach. Eine offizielle Bestätigung für seinen Tod hatte die Mutter allerdings in den seltensten Fällen. Die Wehrmacht unterrichtete nur die engsten Angehörigen, wenn ein Soldat gefallen oder als vermisst gemeldet war. Eine Geliebte zählte keinesfalls dazu, selbst wenn sie ein Kind von ihm hatte und mit ihm praktisch verlobt gewesen war. Sie kam in den offiziellen Akten nicht vor, zu schweigen davon, dass es sie in den vielen Ländern, in denen den Soldaten der Umgang mit den einheimischen Frauen verboten war, ja gar nicht hätte geben dürfen.

Zahllose verlassene Frauen in Europa waren felsenfest davon überzeugt, dass »er zurückgekommen wäre, wenn er noch lebte«. Doch als die Kinder anfingen, ihre eigene Vergangenheit – und damit die Gegenwart ihrer Väter – aufzudecken, mussten manche ihren Müttern mitteilen, dass der Tote ein langes, normales Leben geführt hatte – ohne sie, der er seinerzeit ewige Liebe und Treue geschworen hatte. Die Dänin Hanne schrieb mir: »Das mein vater alle diese Jahren gelebt hat – und sie in stick gelassen hat – das hat meine Mutter sehr tief getroffen. Hat sie viel schmerz gemacht.«

Nicht nur die Mutter, auch Hanne war am Boden zerstört. Ihre Mutter hatte ihr schon sehr früh gesagt, ihr Vater sei ein deutscher Soldat und er sei tot. »Ich akzeptierte es, ich hatte einen Vater, aber er war tot. Dann begann ich, mit den Träumen über meinen Vater zu leben. Wie wäre er gewesen, was hätte er getan, was gesagt, ja alle die Gedanken, die sich ein Kind in seiner Einsamkeit macht. Es wurde für mich eine natürliche Sache, das Kind eines Deutschen und anders zu sein. Ich lernte deutsche Lieder, die meine Mutter ab und zu sang. Es war eine große Trauer für mich, dass Papa tot war, dass ich ihn nie sehen und kennenlernen sollte. Ab und zu tröstete ich mich mit dem Gedanken, dass, wenn ich einmal sterben sollte und in den Himmel kam, ich ihn dort treffen würde. Ach ja.«

Ihre Mutter wusste aber, dass Hannes Vater einen Neffen gehabt hatte. Hanne begann ihn zu suchen, da sie »wenigstens einen aus der Familie meines Vaters« treffen wollte. Im deutschen Telefonbuch gab es nur zwölf passende Einträge. »Allein schon diesen Zettel in der Hand zu halten, zwölf Personen mit demselben Nachnamen, vielleicht meine Familie, erschütterte mich zutiefst, und ich war anfangs völlig ratlos.« Sie schickte allen den gleichen Brief. Es kam eine Antwort, in der stand: »Ich war die Frau von Erwin P.«

»Als ich den Satz las, fror alles in mir zu Eis, und für eine Sekunde stand die Erde still. Dann flogen mir die Gedanken durch den Kopf: Nein, das muss jemand anderer mit demselben Namen sein, nicht mein Vater. Nicht das. Nicht dass er all die Jahre gelebt hat, ohne dass ich es gewusst habe – ohne dass er mich aufgesucht hat. Und ich konnte nur weinen und weinen.

Es war der größte Schock meines Lebens. Die Enttäuschung und die Trauer, die Wahrheit doch nicht gekannt zu haben, meinen Vater bekommen und in derselben Sekunde wieder verloren zu haben, das war einfach zuviel für mich.«[7]

Der Vater war schon – oder erst – 1982 gestorben. »Ich war einfach zutiefst schockiert! Ich hatte immer gesagt, wenn jemand mich fragte, ob ich nicht meinen Vater suchen wolle, dass mein Vater tot sei, und falls das völlig Unvorstellbare eintreffen sollte, dass er nämlich lebte, dann würde ich ihm niemals verzeihen, dass er mich allein gelassen hat. Aber ich war mir doch *so* sicher!«[8]

Dennoch gelang Hanne die innere Versöhnung mit dem Abtrünnigen: »Meinen Vater, dem ich niemals hatte verzeihen wollen, sehe ich inzwischen etwas anders. Auch für die Deutschen war es nach dem Krieg sehr schwer, und aus diesem Grund kann ich ihn besser verstehen.« Es half ihr sehr, von Karola, der Witwe des Vaters, zu erfahren, dass er ihr vor der Heirat von seinem Kind erzählt hatte, und er habe auch »nach dem Krieg nach Odense an eine Behörde geschrieben, aber keine Antwort bekommen. Das war's, wir haben nie wieder darüber gesprochen.«

Wenn ihre eigene Mutter von dem unehelichen Kind ihres Zukünftigen gewusst hätte, fügte Karola noch hinzu, hätte sie nicht zugelassen, dass ihre Tochter einen so unmoralischen Mann heiratet.

Die Ehefrauen der Väter spielen in den Begründungen vieler Ablehnungen eine wenig rühmliche Rolle, und es stimmt, dass manche es ihrem Ehemann und seinem »Bastard« wirklich schwergemacht haben. Sie haben das Kind strikt abgelehnt, ja geradezu verfolgt, manche haben eine sehr geringe Meinung über die Mütter der Kinder, die sich, wie sie finden, leichtfertig auf ein Abenteuer eingelassen hatten. Sie sehen in ihnen nicht mehr als »sein Kriegsflittchen«.

Wie der bereits ausführlich zitierte Zauderer begründen Väter ihre Ablehnung oft mit der Rücksicht auf ihre Ehefrau. Sie wisse nichts von dem Kind, und nun könne man ihr solche

Eröffnungen nicht mehr zumuten. Dass diese Männer eher sich selbst vor unliebsamen Komplikationen und allzuviel Unruhe schützen wollen, beweisen viele Ehefrauen, die bei der Begegnung mit dem verheimlichten Kind ihres Mannes ausgesprochen warmherzig und realitätstüchtig reagieren. Ein oft gehörter Satz ist: »Das Kind kann doch nichts dafür.«

Hanne lernte Karola kennen, als ihr Vater bereits siebzehn Jahre tot war. Ihren ersten Brief an sie schloss sie mit: »Liebe Frau Karola, ich wollte einen Cousin finden, und ich fand Sie, und trotz allem ist mir das eine sehr, sehr große Freude. Ich hoffe nur, dass ich Sie in keiner Weise verletzt habe, und bitte Sie inständig zu schreiben und zu erzählen.«

Darauf antwortete Karola, der Brief habe ihr nicht weh getan, sie aber »in solch ein Erstaunen versetzt«. Sie erzählt zwei eng getippte Seiten lang von ihrem Mann und darüber, wie gut das Leben mit ihm war: »Hoffentlich habe ich durch meinen Bericht Dir nicht zu weh getan, weil wir glücklich und zufrieden waren und Du darauf gewartet hast, von Deinem Vater zu hören. Ich bin überzeugt, wenn er von Dir gehört hätte, er wäre glücklich gewesen.« Ihr Verhältnis zueinander wurde sehr herzlich, auch Elna und Ottos Ehefrau Maria wurden ja nach dessen Tod Freundinnen.

Als ich Hanne per E-Mail zu ihrer Lebensgeschichte befragte, antwortete sie mir zu meiner Überraschung auf deutsch. Wie viele Wehrmachtskinder hatte auch sie angefangen, Deutsch zu lernen beziehungsweise die vernachlässigten Schulkenntnisse aufzupolieren, um sich mit ihren deutschen Verwandten unterhalten zu können. Die Geschichte, dass der Vater sie habe finden wollen, findet sie übrigens nicht ganz überzeugend: »Das sprechen von suchen, ja, etwas stimmt nicht. Denn mein vater wusste doch, wo meine mutter wohnte, hat er immer gewusst, warum hat er das plötzlich vergessen? Er hat sicher seine grunde, wie das zusammenhängen will ich nie erfahren.«

Sie will die Zusammenhänge nicht erfahren, denn sosehr sie darüber nachgrübeln würde, *seine* Wahrheit wird sie nie wissen. Aber ich höre noch etwas anderes heraus, was mir sehr vertraut ist: die Verständnisbereitschaft, mit der Wehrmachtskinder auf die Versäumnisse der Väter reagieren. Diese alten »Kinder« sind die nachsichtigsten Menschen unter der Sonne, selbst wenn der Vater sie (und die Mutter) schändlich verraten hat.

Das heißt nicht, dass sie ihn nicht, wenn sich die Gelegenheit ergibt, zur Rede stellen. Elna fragte ihren Vater, warum er sich nicht um sie gekümmert habe, aber als sie sah, dass er darüber nicht sprechen konnte, ließ sie das Thema fallen. Eine Dänin fragte ihren Vater, einen Mann aus bester Familie mit hohem gesellschaftlichem Ansehen, bei der ersten Begegnung, warum er sich seinerzeit sowenig ehrenhaft verhalten habe: Er hatte sich bei seiner Freundin mit einem erfundenen Namen vorgestellt und dies nie korrigiert. Der alte Herr machte daraus keinen Hehl, ganz so, als sei es ein charmantes Kavaliersdelikt, eine ahnungslose junge Frau, mit der man sich auf die Gefahr einer unehelichen Schwangerschaft einlässt, vorsätzlich zu täuschen. Seine Tochter verzieh ihm.[9]

Es ist eine lebenskluge Entscheidung, nach sechzig Jahren darüber nicht mehr zu Gericht sitzen zu wollen. Möglich aber auch, dass alte Ängste – Verlassensängste – sie daran hinderten, auf einer Antwort (oder gar einer Entschuldigung) zu beharren. Sehr viele Wehrmachtskinder haben in früher Kindheit und Jugend gelernt, dass allzu intensives Fragen sehr negative Folgen haben kann. Die Mutter weinte. Die Mutter wurde böse. Die Mutter drohte: »Wenn du so fragst, will ich nichts mit dir zu tun haben.« So etwas verlernt man nur schwer. Und vielleicht gilt auch für diese alten Kinder noch, was für kleine Kinder gilt: Wie wir aus Märchen lernen, *wollen* sie ihre Eltern lieben. »Nach allen schlimmen Erfahrungen kehren Hänsel und Gretel gesund heim – nichts im Sinn, als zu verzeihen. Kinder haben die Fähigkeit, bedingungslos zu lieben.«[10]

Eine Angestellte der WASt, die seit vielen Jahren Wehrmachtskinder und ihre deutschen Familien zusammenzuführen versucht, sagte mir, eine solche Nachsicht sei auch für jene typisch, die abgelehnt werden. Zu ihrer Arbeit gehört, ihren »Schützlingen« mitzuteilen, dass sie mit ihrer Suche zwar Erfolg hatte, also den Vater und/oder andere Angehörige gefunden hat, diese aber einen Kontakt ablehnen. Alle, sagte sie mir, ausnahmslos alle nähmen diese Entscheidung ohne jede Rebellion oder Empörung hin, sie zeigten immer tiefstes Verständnis. »Sie idealisieren den Vater weiterhin, auch wenn er sie ablehnt. Sie wollen nicht, dass jemand ihr Bild von ihm zerstört, sie nehmen ihn in Schutz, sie signalisieren, wie gut sie verstehen, dass er nicht will, dass ein Fremder in sein Leben eindringt.«[11]

Vielleicht geht es wirklich um den Traum vom »guten Papa«. Ebenso wichtig scheint mir, dass sie auf diese Weise die furchtbare Erniedrigung und Enttäuschung wegen seines Desinteresses und seiner Zurückweisung erst einmal psychisch abfedern und erträglicher machen können. Anderenfalls bliebe ihnen nur die ebenso naheliegende wie grausame Erklärung, dass sie ihm schlicht gleichgültig (gewesen) sein könnten. Aber es gibt auch klare, selbstbewusste Reaktionen: Als die zwanzigjährige Henriette 1962, vom Vater zurückgestoßen, nach Dänemark zurückfuhr, fand sie, dass er keinen Grund für die Ablehnung hatte, sondern dass sie ihm im Gegenteil mit ihrem bisherigen Leben jeden Grund gegeben hatte, sehr stolz auf seine Tochter zu sein. Die Zurückweisung verletzte sie tief, aber sie räumte ihrem Vater nicht die emotionale Macht ein, ihr Selbstwertgefühl zu zerstören.

Eine solche Zurückweisung ist immer ein Schlag, selbst wenn man die Suche ausdrücklich nur mit dem Wunsch begonnen hat, mehr darüber zu erfahren, wer der Vater war, wie er aussah, wo er gewohnt hat, woran er gestorben ist, was für eine Familie er hat, ob es Erbkrankheiten in der Familie gibt. Die Wehrmachtskinder wollen eine Antwort, egal welche, damit die innere Unruhe aufhört. Meist verbirgt sich hinter einer solchen klar begrenzten Herangehensweise jedoch ein »Zweckpragmatismus«, mit dem sich die Suchenden selbst schützen wollen. Die meisten haben lange nachgedacht, ob sie überhaupt suchen sollen, sie haben viele innere Sperren überwunden und auch auf praktischer Ebene sehr viel leisten und sich einfallen lassen müssen, um so weit zu kommen. *Die Suche* – das ist ja kein Monolith, sie besteht aus kleinen Abschnitten und bewegt sich von einem »Zwischenfund« zum nächsten. Jeder Schritt ist von Hoffnung, Ängsten und vorauseilender Resignation begleitet, jeder Fund ein Erfolg, über den man sich freut, der die Zuversicht anfacht, dass ein glückliches Ende möglich, vielleicht sogar in greifbarer Nähe ist. Man muss lernen zu warten, und um Enttäuschungen vorwegzunehmen, werden die Ziele, und damit die Hoffnung, parzelliert: »Wenn mich die Geschwister nicht akzeptieren wollen«, steht in einem Brief an mich, »möchte ich meinen Vater sehen, wenigstens ein Bild von ihm.« Auch eine Französin sagt, sie wolle ihren Vater nicht stören. »Aber ich möchte ihn sehen. Nur einmal.«[12]

Am Anfang steht die – lange bekannte, zufällig gefundene oder schwer erkämpfte – »Wahrheit« über die eigene Identität: Nun weiß ich, wer mein richtiger Vater ist. Dann finden sie Dokumente über die eigene frühe Geschichte, den korrekten Namen des Vaters, seine Adresse oder die von Verwandten. Das alles kann einen Tag oder ein Leben lang dauern.

Große Funde können beispielsweise sein: Gewissheit über die Identität des Vaters zu erlangen; eine positive Antwort von der WASt; die Stimme des Bruders am Telefon; der erste Blick auf den Vater – oder auch, wenn nichts anderes bleibt, ein Spaziergang durch die Straßen seiner Kindheit oder der Besuch seines Grabes. Manchmal kann eine rastlos vorangetriebene, extrem aufwendige Suche sogar mit dem Foto seines Grabsteins zu einem glücklichen Ende kommen, auf dem der Name sowie die Geburts- und Todesdaten des Vaters stehen.

Vielen wird aber dieses erste Gespräch mit dem Bruder oder dieser erste Blick auf den Vater verwehrt. Endlich stehen sie vor der richtigen Tür, nun wird ihnen nicht geöffnet. Bei vielen, die vom Vater selbst abgelehnt wurden, wandeln sich die anfängliche Tapferkeit und Nachsicht mit der Zeit in Groll und Verbitterung darüber, dass er sie erneut verraten hat. Besonders schlimm ist, dass alle Erklärungen und Entschuldigungen für sein bisheriges Verhalten, die mit dem Krieg und den Nachkriegsjahren zusammenhängen, für seine aktuellen Lebensumstände nicht mehr gelten. Nicht einmal mehr die (in vielen Fällen gerechtfertigte) Annahme, er habe sich schon deswegen nicht um sein ausländisches Kind kümmern können, weil er von dessen Existenz nichts ahnte, kann noch als Rechtfertigung herhalten. Jetzt besteht an der Freiwilligkeit seiner Entscheidung kein Zweifel mehr.

Es ist also keineswegs so, dass alle, die finden, froh werden. Von der ABBA-Sängerin Anni-Frid Synni Lyngstad wird sogar behauptet, die Begegnung mit ihrem Vater habe sie depressiv werden lassen (wobei man bei solchen Behauptungen immer die Erfindungsfreude der einschlägigen Medien bedenken muss). Sicher ist zumindest, dass sie ihren Vater nicht *suchte,* sondern *fand* – oder vielleicht sollte man sagen: Sie legte, bewusst oder unbewusst, alles bereit, damit er sie finden konnte, denn in einem *Bravo*-Interview erwähnte sie 1977 seinen Namen, Alfred Haase. Eine Verwandte dieses Alfred Haase las das, was letztlich dazu führte, dass Haase (der sie als Kind nie gesehen hatte) seine berühmte Tochter traf. Diese wollte sicher sein, dass es sich bei ihm wirklich um ihren Vater handelte, woran es wohl keinen Zweifel gab, denn auf den Fotos, die *Bravo* nach dem ersten Treffen der beiden veröffentlichte, haben sie identische Nasen.

Anni-Frid Synni Lyngstad erlebte die Begegnung angeblich als schwierig. Sie habe, sagte sie, keine Verbindung zu ihm finden und ihn auch nicht so lieben können, wie es sicher der Fall gewesen wäre, wenn er in ihrer Kindheit dagewesen wäre. Es wäre sicher anders verlaufen, wenn sie sich getroffen hätten, als sie noch ein Kind oder ein Teenager war.[13] Danach brach sie den Kontakt mit ihm ab, weil sie ihm nicht verzeihen konnte, dass er von ihr gewusst und sich dennoch weder um sie noch um ihre Mutter bemüht hatte.

Widerspricht das nicht der Behauptung, dass Wehrmachtskinder trotz aller Enttäuschungen immer Entschuldigungen für ihre Väter finden? Nein, denn Anni-Frid hatte ihren Vater nicht gesucht und war nicht durch seine Ablehnung gedemütigt worden. Aufgewühlt hat sie die Begegnung offenbar dennoch.

*

Elna erwähnt, sie habe es in gewisser Weise als ihr moralisches Recht empfunden, in das Leben ihres leiblichen Vaters Otto einzubrechen – ein Recht, das sie sich seiner Familie gegenüber ausdrücklich *nicht* zugestand. So klar diese Trennung theoretisch ist, so schwierig ist sie vermutlich in der Praxis. Wie soll man als Suchender, der mit dem Erfolg der Suche vielleicht sogar sein Lebensglück verknüpft, auf eine Zurückweisung reagieren, die mit der Rücksicht auf die Gesundheit und die Seelenruhe anderer (wildfremder) Menschen begründet wird? Hat man ein moralisches Recht, seine Ursprungsfamilie kennenzulernen? Kann man von biologischen Halbgeschwistern einfordern, dass sie sich wie Halbgeschwister *benehmen?* Karolas Tochter beispielsweise reagierte auf Hannes ersten Brief äußerst misstrauisch, sie riet ihrer Mutter, ihn nicht zu beantworten. Wäre Hanne erst an die Tochter ihres Vaters und nicht an seine Witwe geraten, wäre sie vermutlich abgewiesen worden.

Es wäre ihr ergangen wie Reidun, die ja auch von ihrem Halbbruder Tom abgeschmettert wurde. Die naheliegende Reaktion auf eine solche schallende Ohrfeige ist Flucht. Man gibt die Suche auf, es bleiben kaum andere Alternativen. Manche, die in den sechziger oder siebziger Jahren ihren Vater oder Verwandte gefunden hatten und abgelehnt worden waren, wagten nach zwanzig, dreißig oder mehr Jahren doch noch einen neuen Vorstoß – wie die Französin Marie Claire, die von 1970 bis 2004 brauchte, um sich von einem eisigen Brief zu erholen, der angeblich von der Mutter ihres Vaters verfasst war. Solche Zeitspannen beweisen, wie demütigend und verletzend sie die Zurückweisung erlebten. Der Mut, es nach Jahrzehnten ein zweites Mal zu versuchen, beweist, wie existentiell ihre Sehnsucht nach den deutschen Verwandten ist und wie sehr ihr innerer Friede daran hängt, die Suche doch noch zu einem glücklichen Ende zu bringen.

Von einem ausgesprochen »männlichen« Happy-End – einem gemeinsamen Besäufnis nämlich – erzählte mir die Finnin Inga. Sie selbst, die wenig Interesse daran hat, den Vater oder Verwandte zu suchen (es aber, wie ich vermute, nicht ablehnen würde, gefunden zu werden!), beteuerte in unserer Korrespondenz immer wieder, wie langweilig ihre Lebensgeschichte sei (während ich sie, nebenbei gesagt, außerordentlich aufregend finde, eben *weil* Inga zu der schweigenden Mehrheit der Wehrmachtskinder gehört, die sich in der Öffentlichkeit nie äußern). Um mich für diese vermeintliche Langeweile zu entschädigen, erzählte sie mir eine Geschichte, die sie »viel interessanter« fand und die ich hier ungekürzt wiedergebe, weil in ihr noch einmal einige Aspekte dieses Buches aufscheinen, von denen schon die Rede war: das Paar, das Kriegsgeschehen, die Nachkriegszeit, die Begegnung zwischen Sohn und Vater, die Einstellung seiner Familie.

»1997 war ich mit einer Gruppe in Nordnorwegen, und wir machten einen Tagesausflug zu einigen russischen Orten, die vor dem Krieg zu Finnland gehört hatten. Nach dem Ausflug erzählte mir Tuomo, ein anderes Mitglied der Gruppe, der 1945 geboren war, etwas über seine Herkunft, die im wesentlichen der meinen glich. Seine Mutter habe ihm immer gesagt, dass sein Vater tot sei, sonst nichts. Etwa 1995 (glaube ich) nannte Tuomos Mutter ihm den Namen seines Vaters, der nun doch nicht tot war. Die Geschichte war recht dramatisch: Als die Truppen Nordfinnland räumten, hatten die Soldaten nur wenige Stunden, um sich von ihren Freundinnen zu verabschieden, und da wurde Tuomo gezeugt. Auf dem Heimweg wurde das Schiff, auf dem Tuomos Vater war, torpediert, er wurde verletzt und gefangengenommen. Er überlebte und kehrte später in sein Heimatdorf in Österreich zurück. Da mag Tuomos

Mutter für ihn schon in einige Entfernung gerückt sein, jedenfalls heiratete er seine Jugendliebe.

Tuomo nahm Verbindung zu seinem Vater auf. Erst rief er an, nachdem er sich mit einigen Gläsern gestärkt hatte (›Guten Abend, ich glaube ich Ihrer Sohn bin‹, und so weiter). Später machte er irgendwo in Österreich Ferien, am allerletzten Tag fuhr er zur Familie seines Vaters. Er kam mit seinem Vater gut zurecht, sie leerten zusammen eine Flasche Cognac, und die Ehefrau seines Vaters war wirklich nett zu ihm, aber mit einem oder zwei seiner Geschwister war es nicht so einfach. Ich habe keine Ahnung, was danach passierte, denn ich habe Tuomo nie wieder getroffen.«

Schade. Man wüsste doch gern, wie es mit Tuomo und seinem Vater weiterging. Vielleicht ging es ja gar nicht weiter, denn es ist nicht so einfach für die »neuen« Verwandten, miteinander in Verbindung zu bleiben. Man ist geographisch getrennt, und selbst wenn Reisen innerhalb von Europa heute einfach und preiswert sind, sind sie für viele Menschen nach wie vor mit erheblichen Aufregungen verbunden, gesundheitliche oder finanzielle Probleme können eine Reise gar unmöglich machen.

Häufig haben die neuen Verwandten keine gemeinsame Sprache, manchmal beherrschen beide wenigstens ein halbwegs stolperndes Englisch, was eine Verständigung ermöglicht, einen differenzierten Austausch aber nicht befördert. Diese Sprachbarriere verhindert, dass ein wirklich enger Kontakt zwischen den Geschwistern (oder auch dem Vater und seinem Kind) entsteht. Wer seine Familie findet, wünscht sich immer, dass richtige »Familienbande« entstehen, aber ob das gelingt, hängt entscheidend von der Lösung dieses Sprachproblems ab. Viele, deren »Zusammenführung« schon länger zurückliegt, sehen in der mangelnden Verständigungsmöglichkeit den eigentlichen Grund dafür, warum die Kontakte immer seltener und immer kürzer werden. Martin beispielsweise, der erst so spät von seinem deutschen Vater erfuhr, zögerte bislang nur deswegen, seine Schwester zu treffen, weil er sich nicht vorstellen kann, wie sie sich miteinander verständigen sollen.

Manche machen sich nach dem ersten Kontakt ans Sprachenlernen, und es ist eine interessante Frage, wer das tut. Leider weiß ich nicht genug darüber, um vernünftige Schlüsse ziehen (oder über sie spekulieren) zu können, ich habe aber den Eindruck, dass eher die »Kinder« Deutsch lernen, während sich die deutschen Verwandten nicht in gleichem Maße um die (buchstäblich!) *Mutter*sprache ihres neuen Familienmitglieds bemühen.

Doch den neuen Verwandten fehlt vor allem eines: eine gemeinsame erlebte Vergangenheit mit gemeinsamen Erinnerungen. Sie haben zunächst einmal nur das Bewusstsein einer gemeinsamen Herkunft, was – trotz aller Anfangseuphorie – als Fundament kaum lange tragen wird, wenn nicht eine starke persönliche Sympathie hinzukommt. Denn der Mann, den man findet – falls man ihn findet –, wird doch immer der Vater bleiben, den man nicht hatte. Sein Kind wird man nie mehr werden können. Die neuen Geschwister können einem mehr ans Herz wachsen als die engsten Freunde. Man kann mit ihnen eine wunderbare, komplizierte, ambivalente, vielschichtige, von Liebe erfüllte Beziehung bekommen, die sich durch große spontane Nähe auszeichnet, aber für ein echtes Geschwisterverhältnis ist es zu spät.

Das berührt auch die Frage, wer sich um den betagten, möglicherweise pflegebedürftigen Vater kümmern soll. Inwieweit sind die ausländischen Geschwister verpflichtet, sich an diesen Aufgaben zu beteiligen? Ist es angemessen, dass sie, falls das nötig sein sollte, finanziell mit in die Bresche springen? Können deutsche Geschwister vielleicht sogar erwarten, dass das ausländische Kind den gebrechlichen Vater zu sich nimmt? Eine Norwegerin, die sehr mit sich kämpfte, ob sie das tun sollte, weil sie ihre Schwester als zu lieblos empfand, ließ sich schließlich von einer engen Freundin umstimmen. Ihr Vater habe sich über fünfzig Jahre nicht um sie gekümmert, nun stehe sie bei ihm nicht in der Pflicht. Diese Entscheidung könnte bei Wehrmachtskindern aus anderen Kulturen, in denen der Generationenzusammenhalt noch stärker ist als in den westlichen Ländern, durchaus anders ausfallen.[14]

Vielleicht ist es einfach zuviel erwartet, im Eiltempo Jahrzehnte von ungelebten Gefühlen aufzuholen. Vielleicht geht es gar nicht darum, den Beweis anzutreten, dass Blut in jedem Fall dicker ist als Wasser. Man muss ja seine Verwandten (die bisherigen wie die neu erworbenen) nicht lieben, es genügt zu wissen, dass sie da sind – vor allem aber: *wer* sie sind! Es genügt zu wissen, dass man zu ihnen gehört, dass der Stammbaum komplett ist, dass man wenigstens einige seiner Verzweigungen persönlich kennt und mit ihnen eine Familienvergangenheit und Familienähnlichkeiten teilt. »Ich habe ja nun ein ganz anders ›bild‹ von meinen vater«, gesteht Hanne. »Er war nicht, was ich mir vorstellte als kind, war nur ein mensch mit fehler wie alle anderen. Aber ich verstehe nun, von wer ich gewisse ›schwäche‹ geerbt habe!«

Wehrmachtskinder, deren Suche ans Ziel gekommen ist, können mit eigenen Augen sehen, wem sie ähneln – nein: *dass* sie jemandem ähneln. Die Norwegerin Ruth Niendorf* begann vor allem deswegen zu suchen, weil »unsere Tochter keinem aus der Familie ähnlich sah, auch ihrem kleinen Bruder nicht. Sie sah in den Spiegel und begann zu fragen (wie ich früher): ›Wem sehe ich ähnlich?‹« Ruth fand für ihre Tochter die Antwort – der Vater gab sie bei seinem allerersten Telefongespräch mit Ruth, und zwar ohne dass sie ihn danach gefragt hätte: »Ich habe dich doch im Arm gehalten. Das war direkt, bevor ich an die Ostfront versetzt wurde, und ich habe gleich gesehen, dass du eine echte Niendorf bist.« Was Ruth selig mit den Worten kommentierte: »Da hat er völlig recht. Er hat noch mehr Kinder, aber keines sieht ihm so ähnlich wie ich.«

Wer mit dreißig oder mit sechzig Jahren seinen Vater (oder seine Mutter) findet, kann die langen Jahre ohne sie nicht ungeschehen machen. Man ist ein reifer, erwachsener Mensch, man hat sein Leben mit Familie und Beruf, man weiß, wer man ist. Was also kann sich noch ändern, wenn man endlich bekommen hat, wonach man sich so lange sehnte? »Ich habe endlich meine innere Ruhe gefunden«, sagen viele. Andere sind beglückt über eine neugefundene innere Unruhe.

»Ich habe gemischte Gefühle. Irgend etwas ist mit meiner Identität passiert. Meine Identität war ein Teil meiner norwegischen Familie [...], all meine Freunde kennen mich als Mitglied dieser Familie. Es ist schwierig, in einer fremden Sprache über all diese Dinge zu schreiben! Also verstehe mich bitte nicht falsch, ich bin sehr glücklich, dass du mich gefunden hast, und ich hoffe, dich besser kennenlernen zu können. Zugleich bin ich mir nicht sicher, ob ich jetzt das Gefühl habe, dass ich meine Identität gefunden, verloren oder verändert habe. Das alles ist eigenartig, aber ich bin froh.«

Das schrieb Reidun, die Tochter von Hans Ludwig Fröhlich, nachdem es – trotz allem – für sie ein Happy-End gegeben hatte. Irgendwann hatte nämlich Tom, eher beiläufig, seiner Schwester Marianne von dem ärgerlichen Brief dieses Norwegers und seiner Antwort darauf erzählt. Marianne empfand die Reaktionsweise ihres Bruders sofort als unrecht, tat aber erst einmal nichts. Das Ganze schwärte in ihr, bis sie schließlich, ebenso gründlich überlegt wie letztlich impulsiv, die Initiative ergriff und Reidun – vorsichtig und über eine Mittelsperson, die Norwegisch sprach – eine Schwesterhand hinstreckte. Reidun reagierte zunächst distanziert, sie fürchtete sicher, dass sie trotz anderer Signale erneut zurückgewiesen werden könnte. Die beiden begannen, sich auf englisch E-Mails zu schreiben, und nach anfänglichem Zögern begann Reidun zu glauben, dass Marianne sie vorbehaltlos als Schwester »anerkannt« hatte. Da erst fasste sie den Mut, sich zu öffnen, sich mitzuteilen – sich zu freuen.

Wer gesucht und gefunden hat, beginnt erneut zu suchen: danach, was es bedeuten könnte, »auch Deutscher« beziehungsweise »auch Deutsche« zu sein. Nach Gemeinsamkeiten mit den

Verwandten, nach einer gemeinsamen Zukunft mit ihnen – nach einer würdigen Erklärung dafür, warum man abgelehnt wurde. Nach dem Mut, es nochmals zu versuchen. Wie Janne, die mit brennender Geduld dreißig Jahre lang durchhielt, bis sie endlich am Ziel war.

Elnas Geschichte (IX)

Im Nachkriegsnorwegen Kind zu sein war nicht immer leicht.
Es mangelte an Wohnungen, an Geld, eigentlich an fast allem.
Und es wurde nicht einfacher, wenn man einen deutschen Vater
hatte, denn dann war man als Kind weniger wert als die anderen. Dass der Vater Deutscher war, stand etwa auf einer Stufe
mit einem Vater, der Säufer oder Verbrecher war, und was die
Mütter anging, nun, das war im Grunde noch schlimmer, denn
sie waren ja »Deutschenhuren«. Das Gesetz der Straße war
damals gnadenlos, und es reichte weit über die Straße und
den Stadtteil bis hinein in die Klassenzimmer und die Welt der
Erwachsenen. Ich habe in meiner Kindheit viele solche Kinder
gekannt, habe gesehen, wie ihnen Minderwertigkeitsgefühle
und Scham eingeprügelt wurden, ohne dass mich das damals
sehr interessiert hätte.

Ich habe seither Wehrmachtskinder kennengelernt, denen
das nicht besonders viel ausmachte, und ich kenne Wehrmachtskinder, die darunter litten, dass sie wegen ihres deutschen Vaters diskriminiert, schikaniert und verprügelt wurden.
Viele von ihnen leiden heute noch unter der damaligen Ausgrenzung, den Scham- und Schuldgefühlen. Sie konnten sich davon
niemals befreien, das Gefühl, nichts wert zu sein, wird sie vermutlich bis an ihr Lebensende begleiten. Ich ahnte ja nicht, dass
ich selbst eine von ihnen bin.

Meine Eltern bewahrten mich davor, als Kind direkt und
brutal mit diesem Feindbild konfrontiert, dessen Opfer zu werden. Ich wurde beschützt und abgeschirmt. Dafür bin ich ihnen
sehr dankbar. Der größte Unterschied zwischen adoptierten
Wehrmachtskindern und den anderen Adoptierten bestand damals vermutlich darin, dass die Adoptiveltern fürchteten, ihr
Kind könne die angeblich fragwürdigen Charakterzüge seiner
leiblichen Eltern geerbt haben. Doch die damals weitverbreitete
Meinung, dass Wehrmachtskinder »minderwertiges Menschen-

material« seien, beeinträchtigte vor allem jene, die mit ihrer Mutter aufwuchsen, sei es allein mit ihr, sei es mit einem Stiefvater und Geschwistern. Ich kenne zahllose Geschichten von Kindern, die in solchen Familien vernachlässigt oder im Vergleich zu ihren Geschwistern systematisch benachteiligt wurden. Die Mütter, die nach dem Krieg selbst als minderwertig abgestempelt worden waren, schafften es oft nicht, sich eindeutig zu ihrem Kind aus der Kriegszeit zu bekennen. Das Kind wurde zum Symbol ihrer eigenen Schande. Und so ging in dem Verhältnis zwischen Mutter und Kind etwas unwiderruflich kaputt.

Die Kinder fanden Zuflucht im Traum vom unbekannten Vater in einem weit entfernten Land. Vielleicht würde er, über den nie gesprochen wurde, eines Tages kommen und sie holen.

Im Nachkriegsnorwegen aufwachsen hieß auch, mit den Deutschen als Feindbild und mit der Verdammung jener Frauen aufzuwachsen, die sich mit ihnen »eingelassen hatten«. Bevor ich von meiner »deutschen Seite« erfuhr, hatte ich nie etwas über Deutschland gehört, was mich mit dem geringsten Stolz darüber hätte erfüllen können, dorthin zu gehören. Ich wusste nichts über die schönen Landschaften, über Kunst- und Kulturschätze oder über die bemerkenswerten Männer und Frauen, die das Land so kurz nach dem Krieg wieder auf die Füße bekommen hatten. Und es hatte mir auch niemand erzählt, dass es immer und überall die Frauen sind, die für die Folgen sexueller Handlungen – ihrer eigenen wie die der Männer – verantwortlich gemacht und verdammt werden.

Dass meine eigenen Gefühle diese allgemeine Haltung widerspiegelten, erschreckte mich. Ich spürte sie deutlich an meinem starken Bedürfnis, Therese wegen der Entscheidungen, die sie im Krieg und direkt danach getroffen hatte, zur Rede zu stellen, ja zu verurteilen, während ich das Bedürfnis in meiner Beziehung zu Otto überhaupt nicht hatte. Wo war die Frauensolidarität, die mir angeblich so wichtig war? Auch Otto hätte sich anders verhalten können, jedenfalls als der Krieg vorbei war und er nicht mehr gesucht wurde. Er tat es nicht.

Bei einem unserer langen wöchentlichen Telefongespräche fragte ich ihn, warum er nicht versucht habe, den Kontakt zu Therese wiederaufzunehmen.

»Ich habe nie mehr etwas von ihr gehört, das hat mich verletzt.«

»Aber du hattest doch ein Kind. Hattest du nie das Gefühl, dass du Verantwortung hast? Oder den Wunsch, mit dem Kind Verbindung zu haben?«

Darauf bekam ich keine klare Antwort, und ich begriff, dass ich an verborgene Schuldgefühle gerührt hatte. Danach erwähnte ich das Thema nicht mehr.

Sie hatten sich beide für ein Leben ohne mich entschieden. Weder sie noch er waren sich damals offenbar darüber im klaren, dass ihre Entscheidung – wenn es denn eine bewusste Entscheidung war – zur Folge haben könnte, dass Gisela in ihren Gedanken bleiben, ihr Schuldgefühl wachhalten oder sie, wie Therese gesagt hatte, bis in ihr späteres Leben und ihre Familien hinein »verfolgen« würde.

Sie entschieden sich gegen mich. Mit diesem Gedanken habe ich mich seit langem ausgesöhnt, denn ich habe begriffen, dass ich die beiden, die mir das Leben schenkten, nicht verurteilen kann. Das wäre sinnlos.

Aber das war nicht einfach, denn anfangs glaubte ich, als Wehrmachtskind zur Sexualität meiner Eltern Stellung nehmen und mir überdies ein Urteil darüber bilden zu müssen, warum sich zwei Menschen, die in einem Krieg auf verschiedenen Seiten standen, ineinander verliebten. Hatten sie dabei weder an Landesverrat noch an mögliche Konsequenzen gedacht? Waren sie nur heißblütige junge Menschen gewesen, denen es bloß um ihre eigenen erotischen Bedürfnisse gegangen war, die die Kontrolle über sich verloren und das dann »Liebe« nannten?

Damals begriff ich nicht, dass allein schon solche Fragen eine Verurteilung waren. Ebensowenig begriff ich, dass ich damit meine eigene Entstehung verurteilte. Das einzige, was ich verstand, war das Resultat. Ich steckte in einem Morast aus Minderwertigkeitsgefühlen und Scham.

Therese hatte sich aus diesem Morast befreien können, sie war den Verurteilungen und dem Dasein als Deutschenflittchen entflohen. Aber letztlich entkam auch sie der Verdammung nicht ganz – sie holte sie ein, als sie achtzig Jahre alt war. Da starb Leif, mit dem Therese über vierzig Jahre lang verheiratet gewesen war. Als Kriegsveteran hatte Leif Anspruch auf eine Pension, und diese Pension wird normalerweise an die Witwe weiterbezahlt. Bei Therese jedoch war das nicht der Fall. In der Benachrichtigung der staatlichen Rentenkasse wurde das damit begründet, die Akteneinsicht habe ergeben, dass Therese »sich während des Krieges unnational verhalten« habe. Dafür sollte sie nun, fünfzig Jahre nach Kriegsende, offenbar bestraft werden. So sahen also das Verstehen, das Verzeihen und die Versöhnung aus, von denen ständig so laut geredet wurde.

*

Ich wurde gesucht, und ich habe selbst gesucht, ich kenne beide Seiten aus eigener Erfahrung. Beide Seiten haben ihre Probleme, eines dieser Probleme ist, dass man als Fremder in eine Familie einbricht und nahezu fordert, als Mitglied anerkannt und aufgenommen zu werden.

Nachdem ich mich vom allerersten Schock erholt hatte, war ich mir absolut sicher, dass ich Therese persönlich kennenlernen wollte, und ich wusste auch, dass ich mich auf die Suche nach Otto machen würde. Kjell und unsere Kinder unterstützten mich in diesen Entscheidungen, und auch Therese konnte auf ihre Familie rechnen.

Vor dem ersten Besuch bei Otto war meine Unsicherheit viel größer. Otto war mein Vater, ich fand, dass es mir moralisch zustand, in sein Leben einzubrechen. Seiner Frau und seinen Kindern gegenüber hatte ich allerdings kein solches Recht, und ich fühlte mich ihren Entscheidungen völlig ausgeliefert. Es war ja vorstellbar, dass sie mich ablehnen würden. Ich versuchte mich innerlich auf diese Möglichkeit einzustellen. Das bedurfte einigen Mutes.

Aber in Maria traf ich eine starke, selbstbewusste Frau, die sehr gut verstand, dass ich Otto treffen wollte – und er mich.

Die Zeit mit Otto war leider viel zu kurz. Er starb ein Jahr nach unserer ersten Begegnung, aber Maria benachrichtigte mich, und ich konnte mich von ihm verabschieden. Maria und ich blieben auch nach seinem Tod in Verbindung, und ich besuchte sie noch einige Male, bevor ihr Krebs erneut ausbrach und sie ihn nicht mehr besiegen konnte.

Der Kontakt zu meinen Geschwistern in Deutschland ist mit der Zeit eingeschlafen. Das liegt wohl an den Sprachproblemen und daran, dass wir weder gemeinsame Interessen noch eine gemeinsame Vergangenheit haben. Meinen Bruder Rudolf habe ich übrigens nie kennengelernt. Bei meinem ersten Besuch war er vierzig Jahre alt und hatte eine angesehene soziale Stellung, vielleicht gefiel es ihm nicht besonders, dass plötzlich eine unbekannte Schwester auftauchte.

Auch mein Vater Arthur ist tot. Er starb 1988 nach langer und schwerer Krankheit. Er hatte sich mit der neuen Situation nach und nach recht gut arrangieren können, und er hatte eingesehen, dass er in seiner Stellung als Vater und Großvater nicht bedroht war. Es erstaunte mich, dass er, wie übrigens viele Adoptiveltern, nicht mehr Vertrauen in die Stärke jener Bande hatte, mit denen er sein Kind an sich geknüpft hatte. Therese und er sind sich mehrere Male begegnet, und er hatte ein relativ gutes Verhältnis zu ihr. Aber mit Otto wollte er nichts zu tun haben.

Zu »Mutter Therese«, wie ich sie nannte, bekam ich über die Jahre ein sehr enges Verhältnis. Ich lernte diese Frau zu achten und zu lieben, die bis zu ihrem letzten Tag Freude um sich verbreitete. Sie starb im Sommer 2001.

Das wichtigste in meinem Leben ist und bleibt für mich meine Familie. Kjell und ich sind jetzt die älteste Generation. Unsere Enkelkinder besuchen uns oft. Und manchmal, wenn sie da zusammensitzen und sich unterhalten, schaue ich sie an, beobachte insgeheim, wie sich ihre Gesichter im Lauf des

Gesprächs verändern. Es kommt vor, dass ich plötzlich, für den Bruchteil einer Sekunde, Otto oder Therese in ihnen sehe. Dann wird mir bewusst, wieviel mir in meinem Leben fehlen würde, wenn ich nicht das große Glück gehabt hätte, die beiden kennenzulernen.

14. Kapitel

AUFRUHR DER GEFÜHLE:
DIE DEUTSCHEN GESCHWISTER

Die ausländischen Kinder der Wehrmachtssoldaten wuchsen in einer Welt auf, in der sie über vieles, was ihre persönlichste Existenz betraf, gezielt im unklaren gelassen oder in die Irre geführt wurden. Dieses Schweigen und die Lügen betrafen vor allem die Vergangenheit der Mutter und die Identität des Vaters.

Wenn die Wehrmachtskinder ihre deutschen Halbgeschwister kennenlernen, stellen sie fest, dass diese weder in der Schule noch zu Hause jemals etwas über die ausländischen Kinder der deutschen Besatzungssoldaten gehört haben. Sie existieren weder im kollektiven Gedächtnis der Deutschen noch im Gedächtnis der Familien. Überhaupt war in deutschen Familien über die Zeit zwischen 1933 und 1945 generell sehr viel und sehr beharrlich geschwiegen worden. In den ersten anderthalb Jahrzehnten nach dem Krieg entsprach dieses familiäre Schweigen und das daraus resultierende Unwissen getreulich der gesellschaftlichen Realität eines Landes, in dem niemand zurückblicken und erinnert werden wollte, in der es nur die Zukunft gab und keine Vergangenheit.

Als das Nachkriegsdeutschland sich daranmachte, das Land wiederaufzubauen, wurde »über den Krieg und so« nicht mehr gesprochen. Es begann die berühmte, die berüchtigte Stickigkeit und Sprachlosigkeit der fünfziger Jahre.

Dieses ohrenbetäubende Schweigen über das Dritte Reich endete in den sechziger Jahren mit dem Eichmannprozess in Jerusalem und den Auschwitzprozessen in Frankfurt. Nun wurde endlich über das millionenfache Leid und den Terror gesprochen, mit denen die Deutschen Europa überzogen hatten; seither beherrscht das Thema der deutschen Schuld in all ihren

Facetten die historische Forschung über das Dritte Reich und den Zweiten Weltkrieg. Was immer die Soldaten im Krieg außer töten und sterben noch getan haben mochten – sich verlieben, zum Beispiel –, es wurde nicht zum Thema. Das lag auch daran, dass in den ersten Nachkriegsjahrzehnten das Individuum und sein Schicksal in der historischen Forschung keinen Platz hatten. Erst in den siebziger Jahren wurde auch das Leben der »kleinen Leute« zum akzeptierten Forschungsgegenstand, aber auch darin blieb die Geschichtsschreibung der Täter-Opfer-Perspektive verhaftet. Wer auf dieser Skala nicht einzuordnen war, blieb unsichtbar, was auf dieser Skala nicht einzuordnen war, blieb unerzählt.

Viele Nachkriegsdeutsche haben bis heute eine außerordentlich verschwommene Vorstellung davon, was der eigene Vater im Krieg überhaupt gemacht hat. Das liegt natürlich im wesentlichen daran, dass sich die Väter über die Kriegsjahre und über ihre konkrete Rolle im Krieg ausschwiegen, von Gefühlen war gleich gar nicht die Rede. Nur die wenigsten Kinder erfuhren über den Kriegsdienst des Vaters mehr als jene Episoden von erfolgreichen Listen oder erlittenem Leid, die bald zur festen Form erstarrt waren und die in den Familien augenrollend mit »Papa erzählt vom Krieg« abgetan wurden.

Irgendwann war die Nachkriegsgeneration alt genug, um die Ungeheuerlichkeiten der jüngsten deutschen Geschichte zu begreifen. Ende der fünfziger, spätestens in den sechziger Jahren erfassten die inzwischen jungen Erwachsenen, dass »die Nazis«, die diese Verbrechen begangen hatten, nicht *irgend jemand*, sondern möglicherweise die eigenen Väter waren (für die braune Vergangenheit der Mütter interessierte sich die deutsche Nachkriegsgeneration erst viel später). Sie begannen, Fragen zu stellen, die zielten aus naheliegenden Gründen fast ausschließlich auf den Soldaten (also: den Vater!) als Täter und Mörder. Sie gingen streng und inquisitorisch vor, der Vater war der Angeklagte, der seine Verbrechen gestehen sollte. Nur wenige Kinder waren gewillt, von ihm etwas anderes als ein volles Geständnis zu akzeptieren, nur wenige beherzigten den

Grundsatz, wonach im Zweifel für den Angeklagten zu entscheiden sei.

Aber natürlich hatten die Eltern, die in der Nazizeit äußerst autoritär erzogen worden waren, auch nicht gelernt, dass es zwischen Generationen einen gleichberechtigten Austausch geben kann. »Nicht mit den Eltern über die Nazizeit reden zu können gehörte sozusagen zur familiären Grundausstattung der rebellischen Studenten. Aber [...] möglicherweise hatte das Kommunizieren von Anfang an nicht stattgefunden. Vielleicht wurde das Schweigen der Eltern doch nicht durch die Vorwurfshaltung der eigenen Kinder ausgelöst oder durch Scham- und Schuldgefühle, sondern es war schon vorher nie zu einem Dialog in den Familien gekommen.«[1]

Wie auch immer, die Kinder ernteten bestenfalls bockiges Schweigen. In die Enge gedrängt, wurden die Antworten des Vaters einsilbiger oder aggressiver, manchmal beides. Ein Gespräch konnte so nicht zustande kommen, es wurden klotzige oder auch subtile Barrikaden errichtet, von denen aus die Kombattanten die immer gleichen und verletzenden Repliken ins feindliche Lager schleuderten. Der Vater gab nichts preis, was den »Anfangsverdacht« des Familientribunals hätte enthärten können, wonach er »einer von denen« war. Und wenn er schwieg, so die Interpretation der Gegenseite, dann nur, weil er sich unaussprechlicher Verbrechen schuldig gemacht hatte.

Möglich, dass er im Sinne dieser Anklage wirklich unschuldig war und über das, was damals geschehen war, nur nicht sprechen konnte und wollte, zumindest nicht mit jemandem, der ihm sowieso nicht glauben würde. Vielleicht hatte er die Untaten, deren er verdächtigt, nein: beschuldigt wurde, tatsächlich begangen. Wie auch immer, eine ganze Generation zog sich auf das verstockte Totschlagargument »Du warst nicht dabei, du kannst das nicht beurteilen« zurück, auf das es keine konstruktive Antwort geben kann.

So dauerte es lange, bis wenigstens einige merkten, dass sie sich selbst jede echte, konstruktive Neugier auf den Vater und die Vätergeneration verboten hatten. Dann waren manche klug und mutig genug, ihren Vater doch noch auf eine Weise zu fragen, die ihm *wirkliche* Antworten ermöglichte. Und einige Väter waren klug und mutig genug, die Offenheit der Fragen und die Chance eines wirklichen Dialogs zu erkennen, die sie boten.

Einer meiner deutschen Gesprächspartner, der 1947 geborene Arnim, charakterisiert die Kommunikation in seiner Familie im allgemeinen und die Art der Vergangenheitsbewältigung im besonderen mit einem knappen: »Geredt wurd nix.« Er und seine Geschwister hätten den Vater manchmal damit aufgezogen, dass er im Krieg doch bestimmt Liebschaften gehabt hätte. Seine immer gleiche Antwort »Da war nichts« sei in der Familie geradezu zum stehenden Spruch geworden.

Mitte der siebziger Jahre war Arnim in der Ausbildung zum Psychiater. Besonders beschäftigte ihn die Angst bei Soldaten, über die, wie er fand, auffallend wenig gesprochen und geschrieben wurde (und wird). Er verabredete sich mit seinem Vater in einem Biergarten, um ihn nach seinen Kriegserlebnissen zu befragen. Die Art, wie er das tat, erlaubte es dem Vater, sich seinem jüngsten Sohn zu öffnen und die traumatischen Dinge zu schildern, die er als Chirurg in einem Lazarett auf der Krim gesehen und erlebt hatte. Vor diesem Gespräch hatte er seinen Kindern nie mehr gesagt, als dass es »die Hölle« gewesen sei.

Nun konnte Arnim ihn fragen, warum er immer melancholisch, ja leicht depressiv sei. Warum er – ein etablierter und angesehener Chirurg, einer der Honoratioren seiner Heimatstadt – immer wieder zum Hauptbahnhof gehe und sehnsüchtig den abfahrenden Zügen hinterherschaue. Warum er einige Jahre zuvor (vergeblich) versucht hatte, Arnim und dessen älteren Bruder zu einer gemeinsamen Krimreise zu drängen.

Da gestand er, dass auf der Krim sehr wohl »etwas gewesen war« – eine ukrainische Krankenschwester namens Maria. Er habe sie geliebt, und die Erinnerung an sie treibe ihn seit Kriegsende um. Dabei verfolge ihn die Sorge, dass sie, als er das Lazarett verlassen musste, schwanger war, seine allergrößte

Befürchtung aber sei, dass die Russen sie als Kollaborateurin umgebracht haben könnten, weil sie mit einem Deutschen – mit ihm – ein Verhältnis gehabt hatte.

Als Arnims Geschwister von diesem Gespräch erfuhren, bedauerten sie, nicht selbst den Mut dazu gehabt zu haben. Vielleicht war Arnim empfindsamer als sie für das, was »in der Luft lag«. Er habe schon als Kind gemerkt, dass seinen Vater etwas umtreibe. Etwas sei verheimlicht worden, habe dem Vater keine Ruhe gelassen, die Ehe seiner Eltern belastet.

Wie Arnim haben Kinder in manchen Familie »geahnt«, dass der Vater etwas Wichtiges verschweigt oder die Unwahrheit sagt. Doch selbst wenn manche von einem »diffusen Wissen« reden, sind die allermeisten völlig überrumpelt, wenn sie von Halbgeschwistern erfahren. Kaum einer war bislang offenbar ernstlich auf die Idee gekommen, dass dieses Unausgesprochene, dieses Schwere in der Ehe der Eltern etwas mit der Sexualität des Vaters zu tun haben, dass er nicht nur sie und ihre Geschwister, sondern weitere Kinder gezeugt haben könnte. Eine solche Naivität überrascht, da diese erwachsenen Menschen in aller Regel den Zusammenhang zwischen Geschlechtsverkehr und Zeugung überblicken, sie passt aber zur starken Abneigung der meisten Menschen, sich die eigenen Eltern als sexuell aktiv vorzustellen.

Neben solchen individuellen, psychischen blinden Flecken gibt es auch strukturelle Gründe, warum solche Gedanken so selten waren: Während die Wehrmachtskinder unentwegt mit Hinweisen auf das Objekt des Schweigens – den abwesenden Vater – konfrontiert waren, gab es in deutschen Familien kaum offene Hinweise auf Vaters (abwesendes) Wehrmachtskind.

Einen Schock von geradezu anekdotischer Skurrilität (solange man nicht selbst betroffen ist!) musste eine Wiesbadenerin verkraften, die erfuhr, dass ihr Vater mit einer verheirateten Dänin in knapp fünf Kriegsjahren drei Kinder bekommen hatte. Jette, eines der drei, hatte unangemeldet die Witwe ihres deutschen Bruders aufgesucht, die beiden hatten sich rasch gut verstanden und sich über diesen »überaus korrekten Mann«

amüsiert, der niemals das wenig korrekte Geheimnis dreier unehelicher Kinder gelüftet hatte.

Die 1934 geborene Halbschwester in Wiesbaden wird das spontan nicht lustig gefunden haben. Dennoch schrieb sie Jette einen langen und liebevollen Brief, in dem sie ihr erzählte, sie habe die Ehe ihrer Eltern nie als glücklich empfunden und könne gut verstehen, dass ihr Vater sich im Krieg verliebt habe. Sie fände es allerdings doch ganz unglaublich, dass er dieses Geheimnis all die Jahre mit sich herumgetragen habe und dabei nach außen immer so korrekt aufgetreten sei.[2]

Diese Reaktion ist typisch. Über die Tatsache, dass der eigene Vater ein uneheliches Kind hat, zeigt sich nahezu keines der »gefundenen« Halbgeschwister empört. Dafür ist das alles zu lang her, man selbst zu alt, unsere Zeit zu liberal. Aber es löst ein Gefühlstohuwabohu aus.

Sabine* schrieb in ihrem ersten Brief an Victor: »Ihr Brief öffnet eine Tür in meinem Leben und schließt vielleicht, hoffentlich auch eine Lücke. Und so bin ich gleichermaßen traurig, auch beschämt, und doch auch freudig erstaunt und neugierig über das, was geschieht.« Dabei wusste sie zumindest vorher schon, dass es diesen Sohn in Frankreich gab, während für viele der wirkliche Schock eben in der Entdeckung besteht, dass man den Vater (oder die Eltern, wenn die Mutter eingeweiht war) keineswegs so gut, ja lückenlos kannte, wie man das ohne großes Nachdenken bisher für selbstverständlich gehalten hatte.

Wie Maria,* aus deren erstem Brief an ihren Bruder Pierre* die folgenden Zitate stammen, sind sie – sei es erneut, sei es zum ersten Male überhaupt – gezwungen, sich jenem vertrauten Vater erneut, nun aber bewusst und mit kritischem Blick zu nähern: »Ich habe sehr viel Zeit damit zugebracht, mich mit dem Bild, das ich von meinem Vater habe, auseinanderzusetzen. [...] Ich habe ihn als guten Vater in Erinnerung. Deshalb ist es für mich unfassbar, dass er noch ein Kind gehabt hat, zu dem er keinen Kontakt hatte und sich auch nicht drum gekümmert hat. [...] Es widerspricht den Werten, nach denen ich erzogen wurde. [...] Ich hatte wohl ein idealisiertes Bild von meinen Eltern, und es ist dann schwierig, wenn dieses Bild wackelt.« Die Nachricht habe sie »natürlich in große gefühlsmäßige Verwirrung gebracht«. Dann schrieb sie noch: »Da ich auch nicht weiß, welche korrekte Anrede man in einem solchen Fall wählt, habe ich mich dann einfach für das Du entschieden«, eine Verwirrung, die sie mit Sabine teilt. Diese beginnt ihren ersten Brief an ihren Bruder Victor Meunier* mit: »Sehr geehrter Herr Meunier, lieber Bruder – die Anrede so zu schreiben ist schon ein seltsames Gefühl und spiegelt wohl die Situation wider, in der ich mich und wir uns befinden.«

Die Gefundenen müssen damit zurechtkommen, dass der meist schon verstorbene Vater ihnen etwas verheimlicht hat, was sie selbst für wichtig halten, und sie verstehen nicht, wieso er sich dem verheimlichten Kind und seiner Mutter gegenüber »nicht anständig« verhalten hat. Das passt so gar nicht zu ihrem »guten Vater«, zu diesem »korrekten Mann«. Noch schlimmer finden sie es, wenn sie erfahren, dass der Vater eine frühere Kontaktaufnahme des erwachsenen Kindes abgewehrt hat.

Henriette, jene Henriette, deren Töchter so ganz und gar nicht glauben konnten, dass der deutsche Opa nichts von ihnen wissen wollte, war bereits 1962 in den Heimatort ihres Vaters gefahren. Er hatte sich damals, in Abstimmung mit seiner Frau, weder vor seiner großen Familie (er hatte neun Geschwister mit jeweils mindestens drei Kindern, alle lebten am selben Ort) noch vor der Dorfgemeinschaft zu ihr bekennen wollen. Fünfunddreißig Jahre später, nach dem Tod seiner Frau, war er zur Begegnung mit dem Kind bereit, das er mit seiner »kleinen geliebten Irma« bekommen hatte.

Erst da erfuhr sein einziges »deutsches« Kind Anja* von ihrer älteren Schwester. Auf ihre Frage, warum die Eltern sie verschwiegen hatten, »bekam ich eine leise Antwort: ›Oma [ihre Mutter, dr.] und ich haben es so miteinander beschlossen, wir wollten es dir nicht sagen.‹ Das Gespräch war beendet. Eigentlich hätte ich noch viele Fragen an Opa gehabt, aber ich habe es nicht geschafft, die Stimmung war so bedrückend, ich hätte am liebsten losgeweint. Opa erschien mir von da an doch irgendwie erleichtert.«

Anja hingegen war am Boden zerstört: »In meinen Augen waren meine Eltern immer für mich ein Vorbild. Sie waren beide sehr moralisch, korrekt, hilfsbereit gegenüber allen soweit wie möglich. [...] Das Bild meiner so von mir geschätzten Eltern brach bei dem Gedanken über das, was in der Vergangenheit mit Dir geschehen war, in tausend Scherben. Ich fühlte nur noch eine große Leere in mir und habe für mich geweint. Das Weinen ging vorbei, aber die totale Leere blieb.«

Sie nahm ihre dänische Schwester und deren Familie herzlich auf, doch Henriette bemerkte, dass sie Gesprächen über die Vergangenheit mit einem munteren »Nun wollen wir die alten Sachen ruhen lassen« auswich. Das war im April. Ende November schrieb sie einen langen Brief an »meine liebe Schwester«. »Du hast Dich bestimmt schon oft gefragt, warum ich so über alles weggegangen bin. Das Ganze war nur Schein, in mir war etwas zerbrochen. [...] Wenn ich daran denke, wie bitter Du damals enttäuscht worden bist, dann kommen mir wieder die Tränen. Damals hätten sie eine andere Lösung finden müssen. Ich glaube, sie [ihre Mutter] war der Situation nicht gewachsen, sie muss in Panik gewesen sein, nur so kann ich es erklären. [...] Du merkst jetzt an mir, dass ich etwas zu entschuldigen suche, was Dir zu Unrecht widerfahren ist.«

In ihren Gesprächen vor seinem Tod gestand der Vater Henriette, er habe sich oft gefragt, ob er 1962 die richtige Entscheidung getroffen habe, und endlich, so Henriette, sagte er die erlösenden Worte: »Bitte verzeih mir.« Seine beiden Töchter verziehen ihm, aber Henriette nannte ihn nie anders als »Opa«. Die Anrede »Vater« hätte sie nach den Jahrzehnten seiner Vernachlässigung als unangemessen empfunden, denn ein Vater sei für sie jemand, der für das Kind, dem er mit zum Leben verholfen habe, Verantwortung übernehme und dem es Freude bereite, dessen Aufwachsen und Entwicklung zu begleiten.

Neben der tiefen (meist vorübergehenden) Verunsicherung darüber, wer der Vater »wirklich« war, kann die Begegnung mit

Vaters unbekanntem Kind in den »frischgebackenen« Halbgeschwistern eine ganze Skala weiterer Gefühle auslösen. In dem Brief, mit dem der Franzose Pierre sich Maria als Sohn ihres Vaters vorstellte, bedauerte er, dass sie diese Neuigkeit vermutlich schockieren werde, aber »weder Sie noch ich können etwas dafür«. Allein dieser Satz habe sie vor Schuldgefühlen bewahrt, für die sie, wie Maria mit feiner Selbstironie bekennt, außerordentlich anfällig sei. Und auch Sabine versichert, Victors Brief habe bei ihr und ihren Geschwistern natürlich Beschämung ausgelöst, »auch wenn keiner von uns Verantwortung für das Verhalten meines Vaters trägt«.

Aber viele andere versuchen nicht nur, wie Anja schrieb, »etwas zu entschuldigen, was Dir zu Unrecht widerfahren ist«, oder bitten an Vaters Statt um Entschuldigung (»Wie es in Deinem Herzen aussieht, kann ich nur ahnen, und ich hoffe, Du kannst Vater verzeihen«), sie haben durchaus das Gefühl, dass sie ihrem Bruder beziehungsweise ihrer Schwester etwas schulden. Gisela versicherte ihrer Schwester Marie Claire liebevoll: »Ich möchte versuchen, das wiedergutzumachen, was Ihnen Unrechtes angetan wurde. [...] Das ist für mich schwer zu verstehen. Das macht mich nach all den Jahren, die inzwischen vergangen sind, sehr traurig und wütend zugleich.«

Für Wut hatte Gisela einen besonders triftigen Grund, denn ihr Vater hatte sich seiner französischen Tochter gegenüber besonders schuftig verhalten. Diese hatte erstmals 1970 an ihren Vater geschrieben, die Antwort erreichte sie aus Bad Mergentheim. Absenderin war eine Schwester Kanter*. Der Brief hat folgenden Wortlaut:

> »Frau Seefeld* bat mich, Ihnen mitzuteilen, dass ihr
> Sohn nach Beendigung des Krieges im Osten verschollen
> ist. Da sich Frau Seefeld immer sehr aufregt, möchte ich
> Sie im Interesse der Gesundheit von Frau Seefeld bitten,
> keine weiteren Anfragen an sie zu richten.
> Hochachtungsvoll
>
> Schwester M. Kanter«

Wer sich vierunddreißig Jahre später ungeheuer aufregte, war Frau Seefelds Enkelin Gisela. Marie Claire hatte sich nämlich nach über drei Jahrzehnten noch einmal ein Herz gefasst und über die WASt versucht, wenigstens mit ihrer Halbschwester, von deren Existenz sie wusste, in Verbindung zu kommen. Das glückte, und als Gisela diesen alten Brief sah, begriff sie sofort, dass ihr Vater, der erst in den achtziger Jahren gestorben war, das Schreiben persönlich diktiert hatte, um Marie Claire loszuwerden: »Der Brief, den Sie 1970 von Schwester Kanter bekamen, war eine einzige Lüge. Mein Vater lebte noch, und der Brief wurde von unserer damaligen Kontoristin geschrieben und wie auch immer in Bad Mergentheim abgeschickt, obgleich wir in Dortmund wohnten. Da ich zu diesem Zeitpunkt mit in unserem Geschäft arbeitete, kenne ich diese Handschrift sehr genau.«[3]

Zu dem großen Gefühlsdurcheinander, das durch die Ankunft eines bislang unbekannten Geschwister»kindes« ausgelöst wird, gehört bei vielen auch eine Trauer über die kostbaren gemeinsamen Geschwisterjahre, die ihnen durch die Lügen und Geheimnisse unwiderruflich gestohlen wurden.

Kurz: Nicht wenige Deutsche finden sich unversehens in einer Situation wieder, die den meisten Wehrmachtskindern außerordentlich vertraut ist und die sie vielleicht überhaupt erst an die Türschwelle dieser deutschen Verwandten katapultiert hat: Ein Familiengeheimnis ist aufgeflogen, bisherige Sicherheiten, ja sogar die eigene Identität, geraten ins Rutschen.

Zum Glück waren wahrlich nicht alle Väter so verschwiegen – oder verlogen – wie die bislang Geschilderten. Sabine wusste »schon immer« von ihrem Halbbruder Victor in Frankreich, sie erinnert sich deutlich an die Angst, die sie als Kind hatte, dass eines Tages jemand kommt und – hier erwartete ich, dass sie sagen würde: »... mir den Vater wegnimmt«, aber sie sagte: »... und der Familie den letzten Groschen aus der Tasche zieht«, denn Sabines Familie lebte lange sehr karg. Als aber Victor nun über die WASt den Kontakt zu Sabine und ihren Geschwistern suchte (und fand), behaupteten zu Sabines Verblüffung sowohl ihr (deutscher) Bruder als auch ihre beiden Schwestern, von diesem Halbbruder keine Ahnung gehabt zu haben. Alle vier Geschwister nahmen das älteste Kind ihres Vaters in die Familie auf, was durch die Tatsache, dass zwei Schwestern fließend Französisch sprechen, außerordentlich erleichtert wurde.

Anders als Sabine, die nie den Wunsch verspürte, ihren Bruder zu finden, machte sich Klaus nach dem Tod des Vaters Arnold auf die Suche nach Solveig, Arnolds norwegischer Tochter, weil er »das Gefühl hatte, als Sohn seines Vaters etwas gutmachen zu wollen – oder zu müssen«.[4] Auch er wusste »schon immer«, dass sein Vater in Norwegen eine Tochter hatte und dass er deren Mutter auch geheiratet hätte, wenn sie während des Krieges wie geplant zu den Schwiegereltern nach Mainz gekommen wären.

Jahre nach dem Tod seines Vaters hatte Klaus von seiner Stiefmutter (Klaus' Mutter war schon 1954 gestorben) einen Stapel Fotos aus Norwegen, Arnolds Feldpostbriefe sowie Ragnhilds Briefe an Arnolds Eltern erhalten – jene Briefe, aus denen ich viel zitiert habe. Darin fand er Namen sowie alte Adressen von Verwandten, die ihn schnell ans Ziel führten: zu Ragnhild und seiner Halbschwester Solveig, die in einem kleinen Ort an der norwegischen Westküste wohnen. Und wie es mit den Zufällen so geht: Nur wenige Monate zuvor hatte Solveig Anlauf genommen, ihrerseits zu suchen, das aber schnell wieder aufgegeben, weil sie sich, statt an den DRK-Suchdienst in München oder die WASt in Berlin, die kostenlos helfen, an einen deutschen Anwalt gewandt hatte, der für seine Bemühungen viel mehr Geld verlangte, als Solveig dafür ausgeben konnte. Bei ihrem zweiten Treffen entdeckten die Geschwister einen weiteren Zufall, der sie verblüffte und amüsierte: Solveig wurde am 18. Februar 1953 von ihrem Stiefvater adoptiert, am folgenden Tag kam Klaus zur Welt.

Die Geschwister haben sich schon mehrfach mit ihren Familien getroffen. Klaus und seine Frau lernen Norwegisch, und da sie keine Kinder haben, freuen sie sich, dass sie mit Solveigs Kindern und Enkeln nun künftige Erben bekommen haben.

Klaus ist nicht der einzige, der sich in den letzten Jahren auf die Suche gemacht hat. Immer mehr Deutsche wollen ihre ausländischen Geschwister ausfindig machen. Eine Frankfurterin sagte mir, sie habe seit ihrer Kindheit die Phantasie, dass sie mit ihrem belgischen Bruder in einem Zugabteil sitze, ohne dass sie einander erkennen. In den letzten Jahren sei dieser Gedanke so stark und zu ihrem Erstaunen auch so beunruhigend geworden, dass sie nun beschlossen habe, ihn zu suchen.

Eine solche Suche aus Deutschland gestaltet sich oft schwierig, nicht nur, weil die Informationen über die damalige Freundin des Vaters und das Kind oft sehr lückenhaft sind. Sie tragen auch – durch Heirat oder Adoption – häufig einen anderen Namen als damals. Hinzu kommt, dass die Deutschen in aller Regel kein Recht auf Auskünfte haben, die dem Datenschutz unterliegen. Die wenigsten können Beweise für die Vaterschaft vorlegen, und selbst bei anerkannten Vaterschaftssachen hat *bestenfalls* das Kind ein Recht auf Information, dem Vater oder gar seinen anderen Nachkommen wird auf gar keinen Fall Akteneinsicht gewährt.

Heide, die Schwester des Norwegers Martin, der erst mit zweiundsechzig Jahren erfuhr, dass sein leiblicher Vater ein deutscher Soldat ist, wusste von dem Kind ihres Vaters. Eine Fernsehsendung über ein Wehrmachtskind hatte sie auf den Gedanken gebracht, dass Martin vielleicht vergeblich nach ihr suchen könnte, zugleich war ihr Wunsch nach der Suche geweckt, als sie im Fotoalbum des Vaters ein Babybild fand, auf dem Name und Geburtsdatum des Sohnes notiert waren. Das machte die Suche vergleichsweise einfach. Heide handelte in bester Absicht, sie wollte ihrem Bruder auf halbem Weg entgegenkommen. Heute fragt sie sich allerdings, ob das richtig war. Sie selbst habe zwar, sagte sie mir, dadurch ihre innere Ruhe gefunden, aber wenn sie geahnt hätte, dass Martin so völlig ahnungslos war, hätte sie vermutlich nicht gesucht.

Für Martin war die Wahrheit über seine Herkunft zunächst ein Schock. Inzwischen sieht er die neue Situation mit großer Lebensklugheit. Eigentlich, sagt er, habe sich in seinem Leben doch nichts verändert, er sei jetzt zweiundsechzig Jahre alt und habe es immer gutgehabt, für umwälzende Veränderungen sei es zu spät.

Die Geschichte von Heide und Martin illustriert meiner Meinung nach besonders eindrücklich ein ethisches Problem des Suchens und Findens, das allzu selten explizit thematisiert wird: Wer sucht, übernimmt nicht nur für sich selbst und das eigene Leben Verantwortung, sondern auch für den Menschen, den er sucht. Findet er ihn, wird dies auch dessen Leben unwiderruflich verändern.

Aber man kann es vorher einfach nicht wissen: Beim ersten Telefongespräch mit seiner Schwester Solveig im April sagte Klaus, er und seine Frau hätten für den Sommer eine Schiffsreise gebucht, die sie unter anderem nach Norwegen bringen werde, dann könne man sich, falls sie das auch wolle, persönlich kennenlernen. Das gefiel Solveig nicht: »Jetzt haben wir fünfzig Jahre gewartet, dass sich einer von euch bei uns meldet, jetzt warten wir nicht mehr.« Drei Wochen später landete sie mit ihrer Tochter Nora auf dem Frankfurter Flughafen. Solveig war, nebenbei bemerkt, dermaßen aufgeregt, dass sie sich auf dem Weg nach Mainz übergeben musste.

*

Außer Freude und Aufregung bringen die Wehrmachtskinder zur ersten Begegnung mit den deutschen Geschwistern einen ungeheuren Wissensdurst über den Vater mit. Sie hoffen, dass sie nun über ihn und sein Leben all das erfahren werden, was sie nicht wussten. Diese Unkenntnis hat sie geschmerzt, wie ein Schwamm saugen sie alle Details über ihn auf: seine Lebensgeschichte, seinen Charakter, seine Neigungen und Angewohnheiten, noch den banalsten Krimskrams, den ihre deutschen Geschwister kaum als »Wissen« über den Vater empfinden. So hören die Wehrmachtskinder also endlich all jene Dinge, von denen sie wussten, dass sie sie *nicht* wussten. Ihre tiefe Sehnsucht, mehr über den unbekannten Vater zu erfahren, können nur dessen Angehörige und insbesondere seine deutschen Kinder stillen. Das ist ein weiterer Grund, warum es für die Wehrmachtskinder schwer ist, wenn diese einen Kontakt ablehnen.

Auch die deutschen Kinder erfahren bei diesen Begegnungen Neues über den Vater, wobei es sich indes oft genug um Dinge handelt, von denen sie nicht einmal geahnt haben, dass sie sie nicht wussten. Denn selbst wenn ihre ausländischen Geschwister vielleicht nicht viel über den Vater berichten können, bringen sie doch Geschichten über einen *Mann* im Krieg mit, der nicht immer und unentwegt nur *Soldat* war – und in vielen Fällen auch noch nicht der Vater seiner deutschen Kinder.

Einige stellen erstaunt fest, dass sie ihr Leben lang klare Indizien vor Augen hatten, wenn nicht für die Existenz von Vaters Kind, so doch für die seiner Freundin, ohne sie richtig zu deuten oder auch nur als Indizien zu erkennen. Fotos spielen dabei eine große Rolle.

Als Jørgen* und Gustav* – ein Däne und ein Deutscher – das erste Mal zusammenkamen, lagen, wie bei diesen Treffen üblich, schon bald alte Fotoalben auf dem Tisch. »Jørgen machte große Augen, als er die alten Fotografien aus Varde, der Heimatstadt seiner Mutter, sah. Einige Bilder kannte er aus deren Fotoalbum. Er zog die Bilder vorsichtig aus ihren Ecken heraus – und bekam Gänsehaut, als er ihre Handschrift sah. Im Album der Mutter gab es Bilder von ihr, die während der Besatzungszeit in Varde auf einer Brücke aufgenommen worden waren. Jørgen hatte sich nie gefragt, *wer* sie aufgenommen hatte. Jetzt erfuhr er es, denn der Vater besaß Bilder von sich auf derselben Brücke.« Niemand (außer dem Paar) ahnte, dass auf kryptische Weise der beziehungsweise die heimliche Geliebte mit auf dem Bild war. Jørgen war ebensowenig wie Gustav oder eines seiner Geschwister auf den Gedanken gekommen, sich nach dem Fotografen der Bilder zu erkundigen. Dabei hätten sich ja vor allem die deutschen Kinder eines Besatzungssoldaten der Wehrmacht die Frage stellen können, wer mitten im Krieg diese offenbar entspannt privaten Schnappschüsse von ihm gemacht hatte – und in welcher Situation. Und hätten sie ihren Vater danach gefragt, vielleicht hätte er, wie Arnims Vater, tatsächlich geantwortet.

So geschieht bei diesen Treffen etwas, was mich zutiefst berührt: Die fremden Geschwister fügen bislang getrennte Teile einer Biographie zu einem vollständigeren Bild jenes Menschen zusammen, der ihr gemeinsamer Vater ist. Mancher Deutsche bemerkt dabei beschämt, wie lückenhaft sein Wissen über das Leben des Vaters ist.

Maria befasst sich seit Pierres Auftauchen intensiv mit der Tatsache, dass sie über das Leben ihres Vaters im Krieg und während seiner Gefangenschaft in Frankreich fast nichts weiß, sie bezweifelt sogar, dass sie ihren Vater überhaupt richtig kannte. Noch etwas anderes lässt ihr keine Ruhe: Sie hatte einen Bruder, der als Fünfzehnjähriger an einer schweren Krankheit starb, und ihr schien immer, als habe der Vater unter dem Tod des Sohnes – seines einzigen Sohnes, wie alle glaubten – besonders gelitten. Es seien ihm »nur« die beiden Töchter geblieben, während er doch in Wahrheit einen weiteren Sohn in Frankreich hatte, von dem niemand wusste – außer ihm selbst.

Nicht wenige machen Entdeckungen, die philosophische, ja existentielle Grübeleien auslösen können, schließlich verdankt so mancher sein Leben der Tatsache, dass der Vater seine Kriegsliebe nicht geheiratet hat. Klaus beispielsweise weiß erst jetzt, dass er niemals gezeugt worden wäre, wenn nicht die Intrigen zweier Frauen so perfekt geklappt hätten: Die Mutter seines Vaters hatte ebenso energisch wie Ragnhilds Mutter darauf hingearbeitet, die Ehe ihrer Kinder Arnold und Ragnhild zu vereiteln. Im Krieg kam Ragnhild nicht nach Deutschland, weil ihre Mutter sie im letzten Moment mit der Lüge zurückhielt, sie liege im Sterben und wolle sie und das Enkelkind ein letztes Mal sehen. Und nach dem Krieg kam Ragnhild nicht nach Deutschland, weil beide Mütter die Liebesbriefe ihrer Kinder unterschlugen. Verlassen, verletzt und frustriert heiratete Arnold statt dessen die Frau, die Klaus' Mutter wurde.

Und Ragnhild? Es hätte nicht viel gefehlt, und sie wäre Mainzerin geworden. Doch beide, Ragnhild und Solveig, sind heute mit jeder Faser ihres Herzens Norwegerinnen. Der Gedanke, dass sie als Deutsche in Deutschland leben könnten, sprengt ihre Vorstellungskraft.

Im Fall des betrügerischen Vaters von Gisela und Marie Claire mussten beide Tochtergeschichten zusammenkommen, um eine höchst unwillkommene Wahrheit über den Vater zu enthüllen, die beide kaum für möglich hielten und doch glauben müssen. Dergleichen löst neben der Ratlosigkeit und der Trauer, von der Maria spricht, auch Wut und Verzweiflung aus.

Es ist bewundernswert, wie viele »neue« Geschwister es fertigbringen, selbst schockierende Enthüllungen über den Vater zur Kenntnis zu nehmen, ohne ihre ausländischen Geschwister büßen zu lassen (oder sie gar der Lüge zu bezichtigen), dass diese sie zu einer so späten Revidierung des idealisierten Vaterbildes gezwungen haben.

Gerade an Gisela und Marie Claire lässt sich übrigens eine »Rollenverteilung« demonstrieren, die ich in den frühen Briefwechseln zwischen Geschwistern häufiger vorgefunden habe: Wenn die Deutschen die Versäumnisse des Vaters als gravierend einstufen und darauf ratlos, bestürzt, ja sogar, wie Gisela, wütend reagieren, plädieren die Ausländer wortreich um Nachsicht für den gemeinsamen Vater. So findet Marie Claire: »Die schreckliche Zeit, die er miterlebt hat, darf nicht vergessen werden«, erwägt dann, ob die »Schwester Kanter«-Geschichte nicht doch die Idee der Mutter gewesen sein könnte, und kommt zu dem Schluss: »Oft habe ich bemerkt, wie Eltern ihre Kinder unterdrücken können, besonders Mütter ihren Einzelsohn. Deshalb stelle ich diese Hypothese auf, die das Verhalten unseres Vaters zwar nicht völlig rechtfertigen, sondern erklären mag.«[5]

Doch dass deutsche und ausländische Geschwister voneinander Dinge erfahren, die sie aufbringen, ist selten. Sie tauschen im

Gegenteil viel Erfreuliches über den Vater aus. So manches in die Jahre gekommene Wehrmachtskind empfindet es als späten Trost, wenn es erfährt, dass es, ebenso wie seine Mutter, im Leben des Vaters doch noch einen Platz behalten hatte. Und so mancher in die Jahre gekommene Nachkriegsdeutsche schaut mit zärtlicher Rührung auf diesen jungen Mann, der bis über beide Ohren stürmisch verliebt war und so gar nichts von einem Nazimörder hatte.[6] Denn es ist doch traurig, dass beispielsweise Anjas Vater ihr in dem kurzen Gespräch absolut nichts davon hatte vermitteln können, wie sehr er Irma und Henriette damals geliebt hat. Vielleicht hätte es ihr geholfen, sein Schweigen nicht nur als Feigheit, sondern auch als Ausdruck von Kummer und Verlust zu deuten.

Ganz nebenbei und ohne es zu beabsichtigen erteilen sich die »neuen« Geschwister übrigens noch einen sehr persönlich gefärbten Geschichtsunterricht. Wenn sie sich erzählen, wie ihre Familien und sie gelebt haben, wie sie aufgewachsen sind, vermitteln sie Aspekte des Lebens der sprichwörtlichen kleinen Leute, die in der offiziellen europäischen Historie selten vorkommen. Wenn sie nach einem Grund suchen, warum sich der Vater nicht (mehr) um sein Kind gekümmert hat, beginnen sie zwangsläufig, über die konkrete Lebenssituation ihres Vaters beziehungsweise, bei den deutschen Kindern, ihrer Eltern während des Krieges und in der unmittelbaren Nachkriegszeit nachzudenken, und sie tun das mit der Lebenserfahrung und der Verständnisbereitschaft eines reifen Menschen.

Diese sehr persönlich motivierten Geschichtsbetrachtungen führen in aller Regel dazu, dass das Versäumnis des Vaters mit der außergewöhnlichen Situation begründet wird, in der er damals lebte. Dabei wird auf moralische Bewertungen meist verzichtet. So sagte Klaus auf die Frage, ob sein Vater seine Verlobte Ragnhild und die Tochter Solveig damals im Stich gelassen habe, es könne sein, dass sein Vater versagt habe, »aber ich kann mir nicht anmaßen, darüber zu urteilen. Ich weiß nicht, wie sich die Wirren der Nachkriegszeit ausgewirkt haben.« Und Heide, deren Vater während des Krieges schon verheiratet war und zwei Kinder hatte, findet es menschlich, dass man sich verliebt, um so mehr, als er damals auf einem Minensuchboot Dienst tat und jede Fahrt seine letzte hätte sein können. Sie wisse mit größter Sicherheit, dass er Martins Mutter sehr geliebt und ihretwegen zeit seines Lebens ein schlechtes Gewissen gehabt habe. Wenn er sie verlassen habe, dann aus Verantwortung für seine deutsche Familie, für die er immer dagewesen sei. Außerdem war er ehrlich und mutig genug, seiner Frau von dem Kind zu erzählen.

Doch obwohl ihre Mutter von dem Sohn weiß, wird Heide ihr nicht sagen, dass sie ihn nun gefunden hat, denn es täte der über neunzigjährigen Dame zu weh. Und auch Martin wird seiner siechen Mutter verschweigen, dass er doch noch erfahren hat, was sie so erfolgreich vor ihm (und vielleicht aller Welt) verheimlicht hatte. Heide versteht das, aber sie bedauert, dass die alte Dame vor ihrem Tod nicht mehr erfahren wird, dass dieser Soldat sie ein Leben lang innig geliebt hat.

*

Es gibt nur wenige Deutsche, die, wie Heide und Klaus, vom Kind des Vaters wissen und sich aktiv bemühen, es im Ausland aufzuspüren, aber wenn »Vaters Fehltritt«[7] vor der Tür steht, reagieren die allermeisten wie Sabine, Anja und Gisela: mit Überraschung, manchmal Bestürzung, Unbehagen und Schuldgefühlen – aber am Ende meist mit Akzeptanz, ja echter Freude.

Dass »die Wehrmachtskinder nun nicht mehr den Vater suchen, der vermutlich tot ist, sondern Geschwister oder andere Angehörige, hat die Suche weniger gefühlsbeladen gemacht«, schrieb mir Elna vor einiger Zeit. Die Wehrmachtskinder, jedenfalls die Norweger, mit denen sie sich auskenne, fänden, dass sie zwar ein Recht auf den Kontakt zu ihrem Vater gehabt hätten, nicht aber zu den Geschwistern oder anderen Verwandten. Da sei eher die Frage, ob sie Lust hätten, ihre fremden Angehörigen kennenzulernen.

»Es ist es schwieriger, diese Verwandten aufzuspüren, aber

man kommt einfacher mit ihnen in Kontakt als mit dem Vater oder der Mutter, als diese noch lebten. Bei den Gefundenen wie den Suchenden fehlt das ganze Gefühlsspektrum wie persönliche Verantwortung, Schuld, Scham oder Verrat. Und wenn der Vater oder die Mutter tot sind, fallen auch Loyalitätskonflikte und familiäre Schweigegebote weg. Jetzt ist man einfach neugierig aufeinander, offen und gespannt.«

Josef F., der norwegischen und dänischen Wehrmachtskindern bei der Suche nach ihren Angehörigen hilft und daher auch die deutsche Seite gut kennt, kann aus seiner Perspektive bestätigen, dass die deutschen Verwandten beim Auftauchen von Angehörigen aus Skandinavien vor allem freudig reagieren. »Die Nachricht von der Existenz eines Halbbruders oder einer -schwester überrascht zunächst, doch sie werden spontan mit offenen Armen und Herzenswärme angenommen. Wie häufig habe ich Tränen der Rührung erlebt, spontane Bezeugungen von Verbundenheit, von Herzen kommende Aufnahme in die Familie, die Aufforderung, sofort zu schreiben. Sie haben am selben Tag noch miteinander telefoniert, haben am selben Tag über E-Mail Fotos ausgetauscht.«

So reagieren viele, aber eben nicht alle. Wer für die Annäherung und die möglichen Beweggründe eines Menschen, der behauptet, ein Blutsverwandter zu sein, völlig unzugänglich ist, wer einen so scharfen Ablehnungsbrief formuliert wie der Sohn von Hans Ludwig Fröhlich oder auf eine Anfrage überhaupt nicht reagiert (auch Reidun musste ja nach einem Jahr oder länger einen zweiten Vorstoß machen, bevor er überhaupt an sie schrieb), wird sich wenig danach drängen, einem Fremden – zum Beispiel mir – davon zu erzählen. Die wahren Gründe kenne ich also nicht, noch weniger kann ich authentische Begründungen zitieren. Es bleiben Spekulationen über geordnete Leben, die nicht durcheinandergebracht, und materielle Regelungen, die nicht gefährdet werden sollen.

Wer abgelehnt wurde, mag darüber nicht sprechen. Die zahlreichen persönlichen Lebensberichte, die ich aus den norwegischen und dänischen Mitgliedsblättern der Verbände von

Wehrmachtskindern kenne, erwähnen eine Ablehnung meist äußerst knapp und ohne weitere Details: Der Vater drohte mit dem Anwalt, wenn ich mich noch einmal melden würde. Der Bruder wollte keinen Kontakt. Die Schwester schrieb mir, das müsse ein Irrtum sein. Dann folgt höchstens noch ein Satz wie: »Ich kann nicht sagen, wie bitter das war«, und das war's, obwohl eine solche demütigende Zurückweisung eine Flut von Gefühlen auslöst. Zu diesen Gefühlen gehört immer auch Scham – Scham, die vielleicht zu Wut wird, die aber zunächst in eine alte Kerbe trifft: Man ist nicht gut genug, man gehört nicht dazu, man wird ausgegrenzt. Scham macht stumm.

Auch Bande, die zwischen den Geschwistern schon geknüpft waren, können wieder reißen. Von Problemen wie der geographischen Entfernung und insbesondere der Sprachbarriere war schon die Rede, hinzu kommen unterschiedliche Interessen und Kulturen. Auch »richtige« Geschwister, die miteinander aufgewachsen sind, stehen sich als Erwachsene nicht unbedingt nahe, und die »neuen« Geschwister sind einander ganz und gar fremd. Da ist es normal, dass es zwischen manchen einfach nicht »klickt«, dass sie trotz bester Vorsätze nichts miteinander anzufangen wissen oder sich schlicht nicht leiden können. Und auch die ungleiche Verteilung von Geld kann eine Rolle spielen: Ein Wehrmachtskind, das in sehr bescheidenen Verhältnissen lebt, wurde von seinen deutschen Geschwistern herzlich aufgenommen. Aber die »neue« Schwester war vom Reichtum der Geschwister dermaßen überwältigt, dass sie sich geradezu verschreckt zurückzog.

*

Manchmal findet der Suchende weder den Vater noch Geschwister, sondern andere, entferntere Verwandte, die über das neue Familienmitglied sehr glücklich sind. Das kann zum Beispiel die hochbetagte Schwester des Vaters sein, die das Kind ihres im Krieg gefallenen Bruders mit größter Rührung in die

Arme schließt, weil sie von diesem Kind nichts wusste, das ihr nach so vielen Jahrzehnten den Bruder ein wenig zurückbringt.

Hanne fand die Witwe ihres Vaters, als dieser schon siebzehn Jahre tot war, sie wurde ihr eine enge mütterliche Freundin. Eine Holländerin fand – *nur,* wie sie bedauernd präzisierte – eine Adoptivtochter ihres verstorbenen Vaters, die aber, angeregt durch ihr Beispiel, nun ihrerseits nach ihren leiblichen Eltern sucht. Und der Norweger Fred* fand als einzige lebende Verwandte in Deutschland eine Cousine – die Tochter der Schwester seines Vaters. Diese Cousine, die so alt war wie er selbst, hatte bereits als kleines Kind die Mutter verloren und bis zu Freds Auftauchen geglaubt, dass sie keine lebenden Verwandten mehr habe. Die fünf Brüder ihrer Mutter waren alle im Krieg gefallen, keiner hatte Nachkommen. Bis Fred auftauchte.

Fred selbst hatte die Suche nicht gewagt, weil er fürchtete, seine Mutter damit zu verletzen. Sie hatte die Trennung von Freds Vater nie verwunden, aber sie hatte nie erfahren, dass er nicht kommen konnte, weil er bei Kriegsende in russische Gefangenschaft geraten und vier Wochen später bei einem Fluchtversuch erschossen worden war. Gesucht – und gefunden – hatte aus diesem Grund gar nicht Fred selbst, sondern dessen Sohn Arne.*

Auch die Französin Céline, die sich im Sommer 2004 an den DRK-Suchdienst wandte, ist eine Enkelin. Sie sucht einen Karl, der 1944 in Lesquin war, »er war groß und hatte die schwarzen Haare. Er ist mein Großvater. Ich habe keine andere Information. Es scheint, dass mein Vater viel Karl ähnelt. Bedürfnis von Photos. vielen Dank mir zu helfen bitte.«

Arne, Céline und andere Enkel suchen, weil ihr Vater oder ihre Mutter das nicht in Angriff nehmen wollen oder können, andere interessieren sich für Familienforschung allgemein und für ihre deutschen Wurzeln. Denn sechzig Jahre nach Kriegsende gibt es ja nicht nur Wehrmachtskinder, sondern Wehrmachtsenkel und, da auch sie bereits Kinder haben, sogar Wehrmachtsurenkel. Das heißt, dass viele Millionen Europäer, ob sie es wissen oder nicht, in ihrem Stammbaum einen Deutschen haben, der, wenn es nach dem Willen der Kriegsherren (und mancher anderer) gegangen wäre, dort gar nicht sein dürfte. Es heißt auch, dass Millionen von Deutschen, ob sie es wissen oder nicht, nicht nur mit einem Ukrainer, einer Italienerin, einem Griechen oder einer Lettin, sondern mit ganzen Familien dort blutsverwandt sind. Für sie alle ist die Rede von den europäischen Brüdern und Schwestern keine Metapher, sondern sehr konkrete Wirklichkeit.

Am Ende unseres Gesprächs fragte ich Arnim, was es für ihn bedeute, dass er möglicherweise irgendwo im Osten einen Bruder oder eine Schwester habe. Na ja, sagte er, als die Grenze aufging, hat man gewartet, fast neugierig, ob da jetzt jemand kommt.

Und wenn jemand gekommen wäre – hätte er die Tür geöffnet?

Er lachte: Klar. Man ist eben neugierig.

Das ist herzlich unsentimental. Da ist nicht von der Stimme des Blutes, von Geschwisterliebe oder Schuldgefühlen die Rede. Dabei sind Neugier, Offenheit und Respekt vermutlich nicht die schlechtesten Annäherungsweisen an Vaters fremdes Kind: Respekt vor seinem Sehnen und davor, wie dieser Mensch sein nicht immer einfaches Leben gemeistert hat. Offenheit für seine Geschichte und für die Gefühle, die sie in einem selbst auslöst. Neugier ebenso auf den Menschen wie auf das, was man von ihm über den gemeinsamen Vater, über sich selbst und die blinden Flecken der eigenen Wahrnehmung lernen kann.

In unseren Familien, sagte Maria zu ihrem Bruder Pierre, ist genug geschwiegen worden.

Elnas Geschichte (X)

Seit jenem Freitagabend im Jahr 1985, der mein Leben so sehr veränderte, sind zwanzig Jahre vergangen. Seither habe ich mich intensiv mit Besatzungskindern befasst – mit ihnen persönlich, aber auch mit vielen theoretischen Fragen, die sie betreffen.

Dass ich meine leiblichen Eltern kennenlernen konnte, gab mir meinen Seelenfrieden zurück, dass ich sie und ihre Familien liebgewann, war eine unerwartete Zugabe. Und es war sehr wichtig für mich, dass ich mich nun einem Land und einer Landschaft zugehörig fühlen kann, über die ich früher praktisch nichts wusste. Diese Begegnungen nahmen mir das Gefühl von fehlender Identität und persönlicher Geschichtslosigkeit.

Ich glaube, dass es das ist, wonach sich alle Besatzungskinder sehnen, aber nicht allen ist ein solches Geschenk vergönnt. So verschieden ihr sozialer Hintergrund und ihre persönlichen Ressourcen sein mögen, alle sind glücklich, wenn sie jenen Ort auf der Welt finden, wo ihre Wurzeln sind. Es ist diese Zugehörigkeit, die jenen fehlt, die noch suchen – diese Zugehörigkeit und ihre Familie.

Es dreht sich immer um die Frage der Identität – wer war meine Mutter, wer mein Vater, wer bin ich? Und wenn ich bedenke, was ich bei mir und anderen Wehrmachtskindern über die zentrale Stellung der Identität gelernt habe, finde ich es erschreckend, dass man anonyme Ei- und Samenspenden zulässt und so mit der modernen Technologie den absurden Gedanken weiterführt, anonyme Kinder zu produzieren.

*

Das Problem der Wehrmachtskinder und der Besatzungskinder ist nicht auf Europa oder den Zweiten Weltkrieg und die Jahre danach begrenzt. Eine große andere Gruppe solcher Besat-

zungskinder sind die Nachkommen der amerikanischen Solda-
ten in Vietnam und auf den Philippinen, man nennt sie Amera-
sier. In Ländern wie Kambodscha, Ruanda, Ost-Timor, Bos-
nien und Kosovo leben Besatzungskinder, die wirklich noch
Kinder sind. Egal, wo ein Krieg herrscht oder gerade einer zu
Ende ging – rund um den Globus werden Tag für Tag weitere
Besatzungskinder geboren.

Dieser internationale Aspekt der Besatzungskinderproble-
matik hat mich mit den Jahren immer stärker beschäftigt, be-
sonders interessiert mich, welche Gemeinsamkeiten und welche
Unterschiede es bei den verschiedenen Völkern und Volksgrup-
pen gibt. Dabei lerne ich Probleme kennen, die ich mir bisher
nicht vorstellen konnte; das gravierendste ist, dass es Gegenden
der Welt gibt, wo Kinder, die keinen Vater haben, als Staaten-
lose gelten. Den Staatsbürgern vorbehaltene Rechte wie Ge-
sundheitsfürsorge, Krankenhausversorgung und der Schulbe-
such sind an den Vater gebunden, und wenn er fort oder un-
bekannt ist – wie das bei Besatzungskindern der Fall ist –, hat
das betreffende Kind keinen Anspruch auf solche Leistungen.
So ist die Scharia, aber es gilt auch für andere Länder wie bei-
spielsweise Vietnam.

An sich müssten wir inzwischen gelernt haben, dass Besat-
zungskinder, die heute noch Kinder sind, eine einfachere Kind-
heit und Jugend haben sollten, als das vor fünfzig oder sechzig
Jahren der Fall war. Aber noch immer herrscht Schweigen, noch
immer ist das Thema tabu, und das ganz besonders da, wo die
Probleme am brennendsten sind.

Mit solchen Aufgaben befasse ich mich heute. Diese Arbeit ist
ausgesprochen frustrierend, denn die Fortschritte sind winzig
klein. Außerdem lassen mir meine Ganztagsstelle und meine
große Familie viel zuwenig Zeit dafür. Dennoch finde ich es
wichtig, mich mit diesen Fragen zu befassen. Die Kinder leiden,
und das Interesse für sie ist minimal. Aber man darf sie nicht
allein lassen.

Dank

Wenn ein Buch geschrieben ist, steht die schönste Aufgabe noch aus: der Dank an all jene, ohne deren Freundlichkeit, Kompetenz und Hilfsbereitschaft das Projekt immer nur das geblieben wäre: ein Projekt.

Als allererstes und am nachdrücklichsten danke ich den vielen Wehrmachtskindern und ihren Angehörigen, die mir Briefe, Dokumente und Fotos zur Verfügung stellten, mir ihre Zeit schenkten, in langen Telefongesprächen meine indiskreten Fragen beantworteten, mir ihre Lebensgeschichte erzählten oder sie für mich aufschrieben. Alles, was ich über die Gedanken und Gefühle jener Menschen weiß, die als Kind eines Wehrmachtsangehörigen in Europa aufgewachsen sind, weiß ich von ihnen. Ich danke ihnen für ihre Offenheit, ihre Großzügigkeit und ihr Vertrauen und hoffe aus tiefstem Herzen, dass sie sich selbst und ihre Erfahrungen in diesem Buch zutreffend geschildert finden.

Ein großer Dank geht an alle Kollegen und Kolleginnen, Freunde und Freundinnen, die mir bei der Recherche halfen, indem sie mich mit möglichen Gesprächspartnern in Verbindung brachten, mich auf Literatur aufmerksam machten, ihre Gedanken zu dem Thema und ihre Forschungsergebnisse teilten. Einige haben Teile des Manuskripts gelesen und kommentiert, was mir in der einsamen Zeit des Schreibens eine sehr große Hilfe war. Ich danke den Angestellten des DRK-Suchdienstes in München sowie der WASt in Berlin, hier vor allem Marie-Cécile Zipperling und Ludwig Norz, die mir wichtiges Material zur Verfügung stellten. Ich danke Klaus Groß für die Erlaubnis, das Foto seines Vaters mit dessen norwegischer Freundin und Tochter als Titelbild benutzen zu dürfen, und meinem Kollegen und Freund Josef Winiger für die Übersetzung der Passage von Richard Bohringer.

Meine Agentin Dr. Annette C. Anton von Mohrbooks in

Berlin und mein Lektor vom Droemer Verlag waren zuverlässig da, wenn ich sie brauchte, und ließen mich ansonsten in Ruhe schreiben. Beides war mir eine große Hilfe.

Abschließend danke ich meinen drei Meistern. Jeder von ihnen weiß über Wehrmachtskinder viel mehr als ich, und sie nahmen mich geduldig und freundlich in die Lehre. Kåre Olsen hat als erster in Europa eine Studie über Wehrmachtskinder veröffentlicht, sein wunderbares Buch schürte meinen Zorn über das Schweigen, das zu diesem Thema in Deutschland herrscht. Es war mir eine große Stütze zu wissen, dass ich ihn als Kollegen und Freund immer um Rat fragen konnte. Josef Focks und Elna Johnsen lasen das komplette Manuskript in einer früheren Fassung, die sie ebenso geduldig wie unerbittlich kommentierten und kritisierten. Wie wichtig ihre Begleitung für mich war und wieviel ich von ihren Anregungen und Gedanken profitiert habe, wissen vielleicht nicht einmal sie selbst. Ich hoffe, dass sie ihren Beitrag im fertigen Buch erkennen und mir die vielen Stellen verzeihen werden, an denen ich ihrem Rat starrköpfig nicht folgte.

Und noch einmal: Elna Johnsen. Sie hat die Arbeit an dem Buch vom ersten bis zum letzten Moment begleitet. Sie hat mich als Mentorin ebenso sanft wie beharrlich daran erinnert, dass nicht alles, was ich einleuchtend finde, deswegen schon wahr ist. Sie hat sich als Freundin in zahllosen Anrufen diskret nach meinem Befinden erkundigt. Vor allem aber hat sie als Mitautorin dem Buch gegeben, was ich ihm nicht geben konnte: Die Authentizität ihrer Erfahrung als Wehrmachtskind.

E. D. D.
Frankfurt am Main,
im Oktober 2004

Anmerkungen

Einführung

1 Müller 2003, S. 243. Rolf-Dieter Müller zählt zu den ganz wenigen deutschen Historikern, die sich auf dieses Terrain vorgewagt haben, vielleicht ist er sogar der einzige.

2 Zu Wehrmachtsbordellen: Meinen 2002. Über Wehrmacht und Vergewaltigung: Beck 2004. Zu Liebesbeziehungen: Drolshagen 1998 sowie Müller 2003.

3 Über die Liebe im Krieg und den Konflikt zwischen patriarchaler und romantischer Liebe in Zeiten des Krieges siehe Drolshagen 1998.

4 2003 wurde in Deutschland ein Verein namens *Kriegskinder.de* gegründet, in dem sich Menschen zusammenfinden, die während des Zweiten Weltkriegs in Deutschland als Kinder aufwuchsen. Die sehr interessante Internetseite ist: http://www.kriegskinder.de/index.htm.

5 Mit Bezeichnungen wie *Deutschenbastard* wurden die Kinder als »Fremde« gebrandmarkt, ja geradezu verbal »ausgebürgert«. Das hat eine lange Tradition. Es heißt, die Juden hätten im Mittelalter Jesus als unehelichen Sohn einer unkeusch lebenden Jüdin und eines römischen Besatzungssoldaten diffamiert. Man habe ihn deswegen auch Rhomäer genannt, was etwa »Römling« bedeutet. (Deutschlandfunk, 18. März 2004: Sendung *Tag für Tag)*

6 Auf diesen »überführten« Patriotismus hat Elna Johnsen mich aufmerksam gemacht. Sehr typisch für die Unmöglichkeit der Deutschen, so etwas wie Nationalstolz zu zeigen, war die feierliche Enthüllung des renovierten Brandenburger Tores im Jahr 2002. Der Pariser Bürgermeister Bertrand Delanoë sprach in seiner Grußbotschaft von »der Freundschaft zwischen unseren Völkern und dem Stolz des deutschen Volkes«. In der (vorbereiteten) Übersetzung hieß es: »Es lebe die Freundschaft zwischen unseren Völkern.« Der Stolz des deutschen Volkes war der deutschen Zensur zum Opfer gefallen. Es muss wohl nicht besonders erwähnt werden, dass es weder deutsche Fahnen noch die Nationalhymne gab.

7 Einige hundert norwegische Wehrmachtskinder könnten hiervon ausgenommen sein. Über sie berichte ich im Kapitel »Sonderfall Norwegen«.

1. Kapitel

1 Heer/Naumann (Hg.) 1995, S. 670.

2 Tarp 1997. Alle weiteren Zitate von Lotte Tarp stammen aus diesem Buch.

3 Gertrud Koch: »Blut, Sperma, Tränen.« In: *Frauen und Film,* Heft 54/55 (Schwerpunkt: Ethnos und Geschlecht). April 1994, S. 3–14.

4 Die Wehrmachtsauskunftsstelle ist zusammen mit dem DRK-Suchdienst in München die wichtigste Anlaufstelle für alle, die Auskünfte über einen ehemaligen Wehrmachtssoldaten suchen. Die Adressen der WASt und des DRK-Suchdienstes befinden sich im Anhang.

5 Weber/Truc 2003; Picaper/Norz 2004.

6 Hoffmann 1997 (Rundfunksendung).

7 Øland 2001, S. 151.

8 ebd., S. 133.

9 ebd.

10 ebd., S. 59.

11 ebd., S. 142 f.

12 Es war allerdings in Europa bis weit in die fünfziger Jahre hinein üblich, elternlosen Kindern nicht nur einen neuen Namen, sondern eine völlig neue Identität zu »verpassen«.

13 Ich danke der holländischen Forscherin Monika Diederichs für diese Informationen.

14 Øland 2001, S. 68.

15 Kaminski 2001 (TV-Film).

16 Olsen 2002, S. 306. Dass im Originaldokument »Dietel« und nicht »Dieter« steht, ist eine sicher unfreiwillige Bestätigung, wie unnorwegisch diese Namen sind.

17 Zitiert in Olsen 2002, S. 352.

18 Das stand im übrigen im Widerspruch zu geltendem Archivrecht.

2. Kapitel

1 Reese, S. 137.

2 ebd., S. 197.

3 Für die Juden war es nirgends »weniger gefährlich«. Nur ein Beispiel: 767 der etwa 1800 norwegischen Juden wurden in Vernichtungslager nach Polen deportiert, 32 überlebten.

4 Bunting, S. 50; Junila 2000.

5 Vincent 2002.

6 Willi Reimann, in: Bunting, S. 42. Es ist mein Eindruck, dass die fünfjährige Besatzung der britischen Kanalinseln heute zu den bestgehüteten Geheimnissen des Zweiten Weltkriegs gehört. Die Kanalinseln fehlen in nahezu jeder Aufstellung der von den Deutschen besetzten Länder. Ein bezeichnendes Beispiel ist die Ausstellung »Mythen der Nationen«, die im Winter 2004/2005 im Deutschen Historischen Museum Berlin gezeigt wurde und sich den deutschbesetzten Ländern Europas widmet. Auf der Europakarte des zweibändigen, knapp tausendseitigen Katalogs zur Ausstellung sind die Kanalinseln nicht eingezeichnet, im Register sind sie nicht aufgeführt, im Aufsatz über Großbritannien werden sie nicht erwähnt.

7 Private Aufzeichnungen in meinem Archiv.

8 Junila 2000.

9 Müller, S. 241.

10 Bunting, S. 58.

11 Man kann natürlich argumentieren, dass sich alle diese Paare »bei der Arbeit« kennenlernten, da der Mann nur aufgrund seines augenblicklichen »Berufs« als Soldat an dem Ort war, wo seine ausländische Freundin lebte.

12 Ich habe den Eindruck, als sei dieser Vorwurf der Berechnung im besetzten Frankreich und im Nachkriegsdeutschland (und dort bis zum heutigen Tag) viel häufiger geäußert worden als in den skandinavischen Ländern und möchte wenigstens in den Anmerkungen darüber spekulieren, ob der Vorwurf der materiellen Bereicherung in den protestantischen (und damals sehr armen) Ländern Europas nur deswegen nicht so laut wurde, weil der Protestant gehalten ist, alles Materielle geringzuschätzen, und der Askese huldigt.

13 Jasinska 1998. Alle weiteren Zitate von Zofia Jasinska stammen aus diesem Buch.

14 Siehe dazu Czarnowski 2000. Zu den Beziehungen mit »erwünschten« Nordeuropäerinnen siehe Olsen 2002.

15 Kundrus 1999, S. 734.

16 Kaminski 2001 (TV-Film).

17 Müller, S. 249.

18 Schreiben des Reichsministeriums für die besetzten Ostgebiete an das Reichskommissariat Ostland vom 27.7.1941; zitiert in Müller, S. 249.

19 Jasinska gibt leider das Jahr nicht an, vermutlich ist es Ende 1944.

20 Foedrowitz 2002.

21 Ich danke Brigitte Rauch, die mir davon erzählt hat.

22 Ich danke Michael Foedrowitz, der mir das Manuskript von Monika Overaths Radiofeature *Das Geheimnis. Eine polnisch-deutsche Familiengeschichte* überließ. Meine Darstellung des Falles folgt – zum Teil wörtlich – diesem Manuskript.

23 Die Informationen über die Agentinnen: Foedrowitz 2002. Ich referiere hier nur. Mir will allerdings nicht einleuchten, warum sich das gegenseitig ausschließen soll.

24 Foedrowitz 2002.

25 Brief an die WASt. Aus dem Zitat geht die Ursache des Arrests nicht zweifelsfrei hervor. Der Kontext scheint mir aber die Vermutung zu rechtfertigen, dass er wegen der Beziehung zu seiner Freundin vor das Kriegsgericht kam.

26 Hitlerzitat: Schreiben aus der Staatskanzlei vom 27.4.1941 mit der Überschrift »Der Führer hat entschieden«, in: Lilienthal 1985, S. 169, Hervorhebung im Original. Himmlerzitat: Tischgespräch mit Hitler 1942, in: Lilienthal 1985, S. 199.

27 Die Geschichte von Anton A. stammt von Josef Focks. In einem Interview erzählten mir einige damals in Norwegen stationierte Flieger, dass sie während des Krieges für das »norwegische« Kind eines abgeschossenen Kameraden viel Geld gesammelt und auf ein Sparbuch eingezahlt hätten.

28 Meinen, S. 27.

29 Zitiert in Dieter Wellershoff 2001.

3. Kapitel

1 Auskunft von Dr. Peter Popp, Major und Leiter MGFA AIF III, Militärgeschichtliches Forschungsamt in Potsdam, Schreiben vom 18.8.2004.

2 Zitat aus: *Feldpostbriefe aus Stalingrad. Militärhistorische Skizze.* Eine Sendung des Deutschlandsenders.
http://www.radio.de/dlf/sendungen/feldpost-stalingrad/ hist-mil.html; Download am 7.7.2004.
Wie zutiefst erbittert die Soldaten im eingeschlossenen Stalingrad über ausgerechnet diese drei Dinge – Orden, Präservative, Propagandabroschüren – gewesen sein müssen, lässt sich nur schwer ermessen.

3 Informationen zu Heinrich Meyer in Olsen 2002, S. 31. Zitat aus: Rediess, Wilhelm: *Für ein Grossgermanien. III: Schwert und Wiege,* Oslo 1943.

4 Meinen 2002, S. 26 f.

5 Olsen 2002, S. 28 f.

6 ebd., S. 133 f.

7 ebd., S. 145.

8 ebd., S. 125.

9 Ausgestellt in den Räumen des Dänischen Freiheitsmuseums, Kopenhagen 1997. Ingers Vater hatte ein Schreibbüro mit dem Abtippen des Briefes beauftragt, dessen Besitzer reichte eine Kopie an die Widerstandsbewegung weiter.

10 Olsen 2002, S. 119.

11 Margarete Holzman, Mündliche Mitteilung. Auszug aus den Gesprächen mit Margarete Holzman, die Reinhard Kaiser im Sommer 1998 in Gießen aufgenommen hat. Siehe auch: *»Dies Kind soll leben.« Die Aufzeichnungen der Helene Holzman 1941–1944.* Hg. von Reinhard Kaiser und Margarete Holzman, Frankfurt am Main 2000. Helene Holzman war die Mutter von Margarete Holzman und deren ermordeter Schwester Marie. Reinhard Kaiser hat diese Passage seines Gesprächs mit Margarete Holzman für mich verschriftlicht. Ich danke ihm für seine großzügige Hilfe und seine Kollegialität.

12 Kaminski 2001 (TV-Film).

13 Schriftliche Mitteilung, Juli 2004.

14 Virgili 1995.

15 Claude Chabrols Spielfilm *Une affaire de femmes (Eine Frauensache)* von

1988 mit Isabelle Huppert ist eine Adaption von Marie-Louise Girauds Lebensgeschichte.
Zu den Abtreibungsfällen in Frankreich: Tony McNeill: *Sexual Politics.* http://www.sunderland.ac.uk/~os0tmc/occupied/gender.htm (Download 10.7.2004)

16 Bunting, S. 68.

17 Bericht von Borghild Skar, vermutlich an Reichskommissar Josef Terboven, 14.1.1941. Norwegisches Reichsarchiv, Archiv DOBN, Akte »Heiraten«.

18 Nach der Lektüre zahlloser Feldpostbriefe habe ich den Eindruck, dass sie entweder nie Geld hatten oder aber dermaßen am Ende der Welt stationiert waren, dass dort weder von Frauen noch gar von Engelmachern die Rede sein konnte.

19 Olsen 2002, S. 190.

20 Es war zu jener Zeit offenbar nichts Ungewöhnliches, unerwünschte Kinder einfach verhungern zu lassen. In Olsens Buch findet sich folgende Passage: »Ein deutscher SS-Mann, der in Deutschland eine der psychiatrischen Kinderabteilungen besucht hatte, berichtete nach dem Krieg, wie die Kinder nach Angaben des Institutionsleiters getötet wurden: ›Nein, unsere Methode ist viel einfacher und natürlicher, wie Sie sehen.‹ Bei diesen Worten zog er [...] ein Kind aus dem Bettchen. Während er dann das Kind wie einen toten Hasen herumzeigte, konstatierte er mit Kennermiene und zynischem Grinsen: ›Bei diesem wird's noch zwei bis drei Tagen dauern.‹ Der Anblick des fetten, grinsenden Mannes, in der fleischigen Hand das wimmernde Gerippe, umgeben von anderen hungernden Kindern, ist mir noch immer deutlich vor Augen.« Olsen 2002, S. 108.

21 Dieses Gesetz ist noch in Kraft.

22 In der Rücksichtnahme auf die fragilen Gefühle zurückkehrender Ehemänner waren sich die sonst so strengen Lebenswächter der Kirche grenzübergreifend einig: Nach den Massenvergewaltigungen beim Vormarsch der Roten Armee im Frühjahr 1945 trat der deutsche Probst Heinrich Grüber für eine Lockerung des § 218 ein. Noch 1967 erläuterte er, das sei nötig gewesen, »denn wir wollten es den deutschen Gefangenen nicht zumuten, dass sie nach der Entlassung unter ihren Kindern ein fremdes vorfänden«. (Zitiert in Hiltrud Häntzschel: »Traumatische Folgen. Helke Sander über Krieg, Vergewaltigung, Kinder«. In: *Süddeutsche Zeitung*, 30.9.1992)

23 Kaminski 2001 (TV-Film).

24 Solche Vertuschungsstrategien sind natürlich nicht die Erfindung der Mütter von Wehrmachtskindern. Sie sind so alt (und bewährt) wie die Verteufelung der nichtehelichen Schwangerschaft.

25 Warring, S. 146 (Zitat von Grethe Hartmann, 1946).

26 Virgili 2003.

4. Kapitel

1 Zitiert in Olsen 2002, S. 351.

2 Dort wurden sie zu Alleinerziehenden mit einem Wehrmachtskind und gerieten von einer relativen sozialen Unauffälligkeit in eine Situation, in der es sehr wahrscheinlich war, dass man sie stigmatisierte. Ein Kind, das in Norwegen Deutsch sprach, musste noch in den sechziger Jahren in Schule und Nachbarschaft mit Problemen rechnen.

3 Löhr Meek, S. 43.

4 Bunting, S. 319.

5 Kaminski 2001 (TV-Film).

6 Picaper/Norz, S. 206. Die Geschichte vom anonymen Anruf erzählte mir die Tochter des Arztes.

7 Kaminski 2001 (TV-Film).

8 Ich danke Eggert Blum, der dies für mich recherchiert hat.

9 Kaminski 2001 (TV-Film).

10 Das Schriftstück wurde mir mit der Auflage völliger Anonymisierung überlassen.

11 Kjendsli, S. 111.

12 *Familie Journalen,* Nr. 19; Kopenhagen, 6.5.2002, S. 30 ff.

13 *Wer bin ich?* (WDR-Sendung, April 2000).

14 Picaper/Norz, S. 101.

15 Berger 1999 (TV-Film).

16 Kaminski 2001 (TV-Film). Die Angst vor der Rache der Roten Armee war berechtigt. Als die Deutschen im Frühjahr 1943 kurzfristig Charkow wiedereroberten, stellten sie fest, dass die Rote Armee 4000 Einwohner erschossen hatte. Darunter waren auch Frauen und Mädchen, von denen es hieß, sie seien mit deutschen Soldaten zusammengewesen, vor allem wenn sie schwanger waren. Zur Liquidierung genügten drei Zeugen (Müller, S. 264).

17 Toynbee, S. 197 f.

18 Hoffmann 1997 (Rundfunksendung).

19 Øland, 2001, S. 59.

20 Toynbee, S. 197 f.

21 Sollte ich morgen erfahren, dass ich ein Adoptivkind bin, ich könnte reinen Gewissens beschwören, dass ich das meine ganze Jugend über wusste.

22 Breit-Schröder zitiert in: Lotta Wieden: »Vater: Unbekannt«, in: *Die Zeit,* »Leben«, 17/2002. Toynbee, S. 197.

23 Noordervliet 1995, S. 54 und S. 247. Es handelt sich bei diesem Buch nicht, wie ich in *Nicht ungeschoren davonkommen* annahm, um einen Roman mit autobiographischem Hintergrund. Alle weiteren Noordervliet-Zitate stammen aus diesem Buch.

24 *Familie Journalen,* Nr. 19; 6.5.2002, S. 30 ff.

25 Vincent 2002.

26 Die Befragung wurde von der Universität Bergen (Norwegen) unter der Leitung von Stein Ugelvik Larsen durchgeführt. Die Befragten hatten sich selbst zur Teilnahme gemeldet.

5. Kapitel

1 Picaper/Norz, S. 103.

2 Warring, S. 47.

3 Wassmo, S. 160. Alle weiteren Wassmo-Zitate beziehen sich auf diesen Roman *Das Haus mit der blinden Glasveranda*.

4 Drolshagen 1998, S. 195 f.

5 Picaper/Norz, S. 206.

6 Knopp, S. 38–47.

7 Brossat, S. 318.

8 *Hamburger Abendblatt*, 7.6.2004.
http://www.abendblatt. de/daten/2004/06/07/304000.html

9 Toynbee, S. 207; Kirsten Nilsen in: *Dagbladet* (Oslo), 30.12.1994.

6. Kapitel

1 Toynbee, S. 16.

2 Olsen 2002, S. 299 f.

3 Siehe auch: Olsen 2002 sowie Drolshagen 1998.

4 Borgersrud 2004, S. 19 und 205 f.

5 Olsen 2002, S. 344.

6 Ina Hartwig:»Falsches Leben im richtigen. Die heikle Affäre um Binjamin Wilkomirski / Bruno Doessekker«. In: *Frankfurter Rundschau*, 10.9.1998.

7 Borgersrud 2002, S. 74 f.

8 ebd.

9 Willi Regeling:»Zoektocht naar Willi Sauermann«.
http://www.bevrijdingskinderen.nl/verhalen/willyregeling/ –
Download 17.6.2004.

10 Schmitz-Köster 2002, S. 187.

11 Euting 1989 (TV-Film).

12 Zitiert in mehreren norwegischen Zeitungsartikeln über den Prozess der Wehrmachtskinder gegen den norwegischen Staat.

13 Olsen 2002, S. 317.

7. Kapitel

1 Ich danke Kåre Olsen für wertvolle Kritik und Anregung zu diesem Kapitel.

2 Lilienthal 1985, S. 10. Das Wort »Züchtung« in diesem Zusammenhang hat zu zahllosen gravierenden Fehlinterpretationen geführt. Zur Klarstel-

lung: Damit war nicht die gelenkte Zeugung »arischer« Menschen gemeint, sondern eine »positive Auslese«. Die Deutschen wussten über die bevölkerungspolitischen Intentionen ihrer Regierung im Dritten Reich offenbar bestens Bescheid, denn es zirkulierte der Spruch: »Hoch das Bein, die Liebe winkt, der Führer braucht Soldaten.«

3 Diese Passage stützt sich auf Schmitz-Köster 2002, ein umfassendes und gut recherchiertes Buch über deutsche Lebensbornheime. Das wissenschaftliche Standardwerk zur Organisation Lebensborn e.V. ist Lilienthal 1985/1993, er behandelt auch die Rolle des Lebensborn bei der Verschleppung von Kindern aus Osteuropa. Diese beiden Bücher stellen das Thema »Lebensborn e.V. in Deutschland« in seiner ganzen Komplexität vor, der ich in der Kürze meiner Ausführungen nicht gerecht werden kann. Das Standardwerk zum Lebensborn in Norwegen ist Olsen 2002.

4 Lilienthal 2003; Marc Hillel / Clarissa Henry: *Au nom de la race.* Paris 1975 (dt.: *Lebensborn e.V. Im Namen der Rasse.* Wien/Hamburg 1975).

5 Lilienthal 1989.

6 Zitiert in Olsen 2002, S. 25.

7 ebd., S. 32 f. Alle Informationen über die Behandlung der Samen stammen aus Olsens Buch.

8 ebd., S. 139.

9 ebd., S. 239.

10 Zitiert in Müller, S. 257 f.

11 Soweit bekannt, hat auch von den Männern und Frauen, die als Kinder vom Lebensborn aus Osteuropa nach Deutschland verschleppt wurden, niemand gegen die Bundesrepublik geklagt. Ich denke vor allem an die schätzungsweise 200 000 Kinder polnischer Eltern.

12 Simonsen 2002, S. 81.

13 Siehe Borgersrud 2004, S. 197 ff.

14 Näheres über das Schicksal der norwegischen Wehrmachtskinder, die 1945 nach Schweden geschickt wurden: Borgersrud 2002; zur Rückführung der Kinder nach Norwegen: Olsen 2002, S. 330 ff., sowie Borgersrud 2004. Der berühmte Fotograf Robert Capa hatte im Juli 1945 im Lebensbornheim Hohenhorst bei Bremen zahlreiche (gut genährt wirkende) Kinder fotografiert. Die Fotos, die die Kinder nahezu debil wirken lassen, erschienen am 13. August 1945 in *Life.* Der Text bezeichnet die Kinder als »die Bastarde von Himmlers Männern«. Sie seien »fett wie Schweine« und ein »Problem, das die Alliierten noch lösen müssen«.

15 Olsen 2002, S. 347 f. Die Geschichte der Stasi-Agenten in: *Der Spiegel,* 1997:25.

16 Auch der Verein »Landsforeningen Rettferd for taperne« setzt sich für die Rechte von Wehrmachtskindern ein, er ist aber in der öffentlichen Diskussion weniger präsent.

17 Die Ergebnisse dieser Interviews, die Kjersti Ericsson und Eva Simonsen durchführten und auswerteten, werden im Frühjahr 2005 veröffentlicht. Zum Projekt gehörten zwei Workshops mit europäischen Forschern zur Frage, wie es den Wehrmachtskindern in anderen Ländern ergangen ist (vgl. Ericsson und Simonsen 2005).

18 Ellingsen 2004. Solche Datenabgleichungen sind in Norwegen möglich, weil jeder Bürger seit 1960 eine Personennummer hat.

19 Borgersrud 2004, S. 13.

8. Kapitel

1 Bodil Nygaard Jensen: *A Kodak moment? Et projekt om fotografi og familie*. Magisterarbeit. http://www.foto.gu.se/ pdfer/Jensen.pdf (Download 18.8.2004)

2 Kjendsli, S. 15.

3 Da konnten auch die findigen und geduldigen WASt-Mitarbeiter nicht weiterhelfen. Der Bearbeitungsvermerk lautet: »Ermittlungen ergebnislos. Fotos zurück.«

4 Löhr Meek, S. 33 f. Löhr Meek nahm als Erwachsener den Namen seines Vaters an, da nach norwegischem (und auch dänischem) Recht auch nichtehelich Geborene den Nachnamen ihres leiblichen Vaters tragen dürfen.

5 Siehe z. B. für Norwegen: Eriksen 1995; für Dänemark: Bryld und Warring 1998, für die Kanalinseln: Bunting 1995. Die Ausstellung »Mythen der Nationen«, die im Winter 2004/2005 im Deutschen Historischen Museum Berlin gezeigt wurde und sich den »Besatzungsmythen« der deutschbesetzten Länder Europas widmet, berücksichtigt übrigens weder die Geliebten der Wehrmachtssoldaten noch die Wehrmachtskinder.

6 Arne Øland, schriftliche Mitteilung.

7 Zur Vernichtung der Akten des Lebensborn in Deutschland siehe Lilienthal 1985 sowie Schmitz-Köster 2002. Zur Rettung der Akten in Norwegen vgl. Olsen 2002, S. 43.

9. Kapitel

1 Das ist übrigens eine sehr »moderne« Argumentation. Sie rekurriert auf zivile, übernationale Werte und hätte in den ersten Nachkriegsjahren vermutlich nur wenige Anhänger gefunden. In den befreiten Ländern hatte man für feinsinnige Differenzierungen der Art, ob ein Deutscher ein bisschen mehr oder ein bisschen weniger Nazi war, wenig übrig. In Deutschland wurde diese Art von »Zivilcourage« sowieso lange Zeit als Verrätertum denunziert.

2 Molvin Villmo, Manuskript einer Oral-history-Befragung im Hemnes Museum (Nordnorwegen). Solche Äußerungen können in einer Schlussfolgerung gipfeln, der sich nicht alle Deutschen und Österreicher vor-

behaltlos anschließen würden: »Er war Österreicher, *darum* war er kein Nazi.«

3 Welzer, Harald et al. 2002, S. 16.

4 Diese überraschende Milde verdankte sie vermutlich der Tatsache, dass sie trotz und vor allem eine Schwangere »guten Blutes« war.

5 Hoffmann 1998.

6 Dorothee Schmitz-Köster schildert in *Der Krieg meines Vaters,* wie sie diese starke innere Abwehr der deutschen Nachkriegsgeneration an sich selbst erlebte. Ihr Vater gehörte der Elitedivision Großdeutschland an, was sie nicht zu beeindrucken vermochte. Dann aber interviewte sie einen Kriegsteilnehmer, der sie zurechtwies: »Man müsse – und damit meinte er auch mich – einfach anerkennen, was diese Männer geleistet hätten. Was sie ausgehalten hätten. Was ihnen abverlangt worden sei. Ich will meine Reaktion auf diese Belehrung nicht verschweigen: Einen Moment lang war ich stolz auf meinen Vater. Aber dann wehrte ich wieder ab. Ich konnte doch nicht stolz auf meinen Soldatenvater sein!« (Schmitz-Köster 2004, S. 309)

7 Drolshagen 1998, S. 25.

8 *Familie Journalen,* Nr. 19, 6.5.2002, S. 30 ff.

9 Picaper/Norz, S. 97.

10 Kaminski 2001 (TV-Film).

11 ebd.

12 Will man das Lied danach beurteilen, wie realistisch es die Emotionen von Wehrmachtskindern beschreibt, taugt es nicht viel. Aber Degenhardt ist mit diesem Text einer der ganz wenigen deutschen Künstler, in deren Vorstellungswelt vom Zweiten Weltkrieg die Wehrmachtskinder überhaupt vorkommen.

Es wäre auch sehr interessant, seine Ballade vom Aufstieg und Tod eines deutschen Industriellen unter dem Aspekt zu analysieren, welche Phantasien ein 1931 geborener deutscher Linker – ein deutscher *Mann* – im Jahr 1968 dazu hegte, welches Schicksal Wehrmachtsväter verdient *hätten.*

13 *Der deutsche Soldat und die Frau aus fremdem Volkstum,* Richthefte des Oberkommandos der Wehrmacht, Allgemeines Wehrmachtsamt, Abt. Inland. Heft 1, 1943. Ich danke Dr. Dorothee Schmitz-Köster für die freundliche Überlassung der Broschüre.

14 Richard Bohringer, S. 28 f.

10. Kapitel

1 Bis 1970 galten in der Bundesrepublik nichtehelich Geborene deutscher Väter, unabhängig vom Geburtsland und -ort, als mit diesem rechtlich nicht verwandt (wohl aber mit der Mutter). Sie waren daher ihm gegenüber nicht erbberechtigt (und hatten wegen des Datenschutzes auch keinen Anspruch auf Informationen über ihn). 1970 wurde dieses aus der Bis-

marckzeit stammende Gesetz geändert. Seither sind nichtehelich Geborene mit dem Vater rechtlich verwandt. Aus Gründen der Rechtssicherheit galt das Gesetz nur für jene, die bei dessen Inkrafttreten am 1.7.1970 noch keine 21 Jahre alt waren. (Es sollte verhindert werden, dass *alle* lebenden Nichtehelichen als verwandt gelten und Ansprüche stellen können.) Die Rechtslage in der DDR war eine andere, was allerdings vor der Wiedervereinigung irrelevant war, weil die Wehrmachtskinder zu ihren Vätern dort keinen Kontakt bekamen. – Ich danke Josef Focks für diese Auskunft. Dieses Gesetz bedeutet übrigens, dass umgekehrt auch die deutschen Verwandten keine Erben des Wehrmachtskindes sind.

Eine kleine Gruppe norwegischer Wehrmachtskinder interpretiert den Stichtag 1.7.1949 so, dass man seinerzeit gezielt beabsichtigt habe, alle ausländischen Nachkommen der Wehrmachtssoldaten um ihr Erbe zu bringen. Diese Vermutung entbehrt mit Sicherheit jeder faktischen Grundlage.

2 Mir ist übrigens aufgefallen, dass es nationale Unterschiede zu geben scheint. Ich weiß nicht, woran es liegt, aber in den mir vorliegenden Briefen und Berichten von französischen Wehrmachtskindern begründen diese ihre Suche seltener mit der Sehnsucht nach ihren *Wurzeln* als vielmehr damit, dass sie lebenslang ein Gefühl von *Leere,* einer großen Leere *(un vide, un grand vide),* empfunden haben, weil sie nichts über den Vater wissen.

3 Löhr Meek, S. 67 ff.

4 Gespräch mit Frau Fischer vom Suchdienst des DRK in München, 16.7.2004.

5 Ich habe mich in vielen Gesprächen sowohl mit Wehrmachtskindern als auch mit Menschen, die ihnen in Deutschland helfen, über die Hürden eines solchen Unterfangens belehren lassen. Vor allem Josef Focks hat mir mit zahlreichen komplizierten Geschichten die Augen für die unendlichen Mühen der »Sucherei«, wie er es nennt, geöffnet.

6 Manche Wehrmachtskinder geraten aus Unkenntnis in die Fänge von deutschen Anwälten, die ihnen viel Geld für Dienste abverlangen, die z. B. die WASt oder der DRK-Suchdienst kostenlos und vermutlich auch professioneller anbieten.

7 Sie fanden ihre Gesprächspartner schließlich durch Vermittlung der WASt.

8 Wie einschneidend persönliche Bekenntnisse tabuisierte Themen und Zustände verändern können, haben spektakuläre Aktionen wie die *Stern*-Kampagne »Ich habe abgetrieben« oder das Coming-out prominenter Homosexueller bewiesen.

9 Klaus Mittermaier, Leiter des Suchdienstes München des Deutschen Roten Kreuzes, in: Berger 1999 (TV-Film).

10 Gespräch mit Irina Scherbakowa, 6.10.2004.

11 Kaminski 2001. Auch Frank Berger schilderte in einer Fernsehdokumen-

tation die Schicksale zweier ukrainischer Wehrmachtskinder. Diese wirkten nach eigenem Bekunden mit, weil sie hofften, auf diese Weise endlich ihre Verwandten in Deutschland zu finden. Auch: Berger, mündliche Mitteilung, Sommer 2004.

12 Øland 2001, S. 13.

13 Die norwegische Forscherin Eva Simonsen hat sich intensiv mit den Lebengeschichten der norwegischen Wehrmachtskinder befasst. Sie vermutet, dass »sicher Tausende von Menschen, die während des Krieges geboren wurden und einen deutschen Vater und eine norwegische Mutter haben, nicht wünschen, dass diese Geschichte ins Licht geholt und von sensationslüsternen Medien durchgehechelt wird. Manche von ihnen haben beträchtliche Teile ihres Lebens und ihrer Kraft darauf verwandt, diese Geschichte geheimzuhalten.« In: Simonsen, 2002, S. 83. Siehe auch das Interview mit Eva Simonsen auf der Internetseite des Norsk Forskningsrådet: »Jeg var redd og gruet meg for hvert dag.«
http://program.forskningsradet.no/vfo/nyhet/nyhet348.php3
(Download 20.9.2004)

11. Kapitel

1 14 Millionen Deutsche (d. h. jeder vierte) suchten nach dem Kriegsende nach einem Familienmitglied. Vgl. Bode 2004, S. 132. Um möglichen Missverständnissen vorzubeugen: Ich bin keinesfalls der Ansicht, dass die Aussage, die Deutschen seien 1945 als Nation traumatisiert gewesen, die Behauptung impliziert, dass die Deutschen als Volk *Opfer* gewesen wären und mit den Verfolgten und Ermordeten des Dritten Reiches auf eine Stufe zu setzen seien.

2 Müller, S. 263.

3 ebd., S. 260–261.

4 Helmut Heiber (Hg.): *Reichsführer! ... Briefe an und von Himmler.* Stuttgart 1968, S. 190.

5 Telegramm des Generals der Gebirgstruppe Jodl vom 14.5.1945. Norwegisches Reichsarchiv, Archiv DOBN, Akte »Heiraten«. In einem Brief der Deutschen Marinedienststelle Norwegen vom 1.10.1945 heißt es, die norwegischen Standesämter trauten Soldaten und Norwegerinnen, »ohne von den Soldaten die Vorlage der Heiratserlaubnis des zuständigen deutschen Vorgesetzten zu verlangen. [...] Soldaten, bei denen die nach den Alliierten Heiratsanweisungen geforderten Bedingungen nicht erfüllt sind und denen deswegen die Heiratserlaubnis von den zuständigen Vorgesetzten abgelehnt wurde, nehmen diese Möglichkeit zum Anlass, um entgegen den Befehlen die Eheschließung vor einer norw. Behörde vornehmen zu lassen. Verhängte Disziplinarstrafen nehmen diese Soldaten als notwendiges Übel auf sich.« In: Abschrift eines Briefes der Deutschen Marinestelle Norwegen

an A.N.C.N. vom 1.10.1945, Norwegisches Reichsarchiv, Archiv DOBN, Akte »Heiraten«.

6 Telegramm des deutschen Befehlshabers der Zone Tromsø vom 28.7.1945 an den Wehrmachtsbefehlshaber Norwegen. Norwegisches Reichsarchiv, Archiv DOBN, Akte »Heiraten«.

7 Olsen 2002, S. 286.

8 Eine mit rückwirkender Kraft erlassene Verordnung bürgerte Norwegerinnen aus, die in den Kriegsjahren bzw. unmittelbar danach einen Deutschen geheiratet hatten. Durch Heirat deutsche Staatsbürgerinnen geworden, mussten sie mit ihrem Mann das Land verlassen.

9 Drolshagen 1998, S. 166. Rut Brandt, die damals als Journalistin für die norwegische Presse aus Deutschland berichtete, schrieb einen sehr bewegenden Artikel über die Not von Norwegerinnen, die unter furchtbaren Umständen in Berlin lebten. Sie waren durch Heirat Deutsche geworden, mussten sich aber (aus welchen Gründen auch immer) mit ihren Kindern allein durchschlagen. Sie konnten nicht nach Norwegen zurück, da deutsche Staatsangehörige nicht nach Norwegen einreisen durften und sie, wie erwähnt, ausgebürgert worden waren. Brandt plädierte mitfühlend dafür, dass man »um der leidenden Kinder willen« mit den Müttern Nachsicht üben möge.

10 »Die Studentenvertretung der Münchener Uni annoncierte 1949 am Schwarzen Brett: ›Studienreise nach Italien – Zwei Wochen mit dem Fahrrad. 120 Mark alles inklusive.‹ Von den 1147 Bewerbern durften 15 schließlich mit; Voraussetzungen: ›charakterlich einwandfrei, entnazifiziert, fachlich qualifiziert, würdig‹, Besitz eines Fahrrads, eines Ersatzschlauchs und Flickzeugs. Dazu mussten Einladungen vorliegen, Visa eingeholt und die Bestätigung abgegeben werden, dass man dem Gastland nicht auf der Tasche läge. Die Einfuhr von Deutscher Mark nach Italien war verboten.« Aus: Norbert Lüdtke/AGIR »Reisen in der Nachkriegszeit.« http://www.abenteuermuseum.de/rox/rox3.htm (Download 24.7.2004)

11 Arnolds Sohn hat mir die Originalkorrespondenz überlassen. Dieser Brief ist undatiert, das etwaige Datum lässt sich anhand anderer Daten rekonstruieren.

12 Bunting, S. 255.

13 »50 Jahre das Beste vom *Stern*«, Nr. 1, 1948. *(Der Stern,* August 1998)

14 Die Unterhaltszahlungen wurden (wie alle Ausgaben für das Reichkommissariat Norwegen) von Konten der Norges Bank (der Norwegischen Staatsbank) bestritten und folglich nicht vom deutschen, sondern vom norwegischen Staat bezahlt.

15 In Norwegen und in Dänemark (über andere Länder habe ich keine Informationen) war der Ablauf wie folgt: Die Mutter beantragte bei der Kom-

mune Unterstützung für ihr Kleinkind. Diese bat ein Gericht um die Feststellung der Vaterschaft. Dazu wurde der mutmaßliche Vater in einer (norwegischen bzw. dänischen) Zeitung aufgefordert, zu einem Gerichtstermin zu erscheinen. Da er davon schwerlich Kenntnis bekommen haben dürfte, erschien er natürlich nicht. Danach musste die Mutter erzählen, woran sie sich erinnerte. Wenn das glaubhaft war, stellte das Gericht die Vaterschaft fest, die Militärmission des Landes im Nachkriegsdeutschland wurde beauftragt, den Vater mit Hilfe deutscher Behörden zu suchen. Wenn Zahlungen geleistet wurden, gingen diese nicht direkt an die Mütter, sondern an die Kommune!
Ich danke Josef Focks für diese Information. Näheres zur Alimenteregelung mit Norwegen in: Olsen 2002, Kapitel »Kindheitsjahre, Unterhaltszahlungen und der Mythos von der Millionenerstattung«.

16 Olsen 2002, S. 352 ff. »In den Jahren, als norwegische Behörden versuchten, Unterhaltszahlungen von deutschen Vätern in Deutschland zu bekommen, stellten auch deutsche Frauen entsprechende Ansprüche an norwegische Männer. Hintergrund waren die sogenannten ›Brigadefälle‹, also uneheliche Kinder von Deutschen mit norwegischen Soldaten, die in der ›Deutschlandbrigade‹ Dienst taten.« Während die norwegischen Behörden von den deutschen Vätern Geld einzutreiben versuchten, »befürworteten sie keine Maßnahmen, die es den deutschen Müttern erleichtert hätte, den Unterhalt von norwegischen Vätern einzutreiben«. Vgl. Olsen 2002, S. 358/59.

17 Drolshagen 2004.

18 Die Diskussion um die »Besatzungskinder« von deutschen beziehungsweise österreichischen Frauen und alliierten Soldaten nahm im ersten Nachkriegsjahrzehnt geradezu hysterische Züge an. Nach dem Zweiten Weltkrieg sahen übrigens nur zwei Staaten in den Kindern der fremden Soldaten eine Gefährdung für Volk und Nation: Deutschland und Norwegen. Diese bemerkenswerte Parallele kann ich hier nicht näher ausführen, siehe Drolshagen 2005. Zur Nachkriegssituation in Norwegen: Olsen 2002 sowie Borgersrud 2004. Zu den Besatzungskindern in Deutschland: Lemke Muniz de Faria 2002. Zur Nachkriegssituation in Norwegen: Olsen 2002 sowie Borgersrud 2004.

19 Eine Norwegerin entdeckte bei ihrer Suche nach dem Vater, dass er im Nachbardorf noch einen Sohn hatte.

20 Kjendsli, S. 116.

12. Kapitel

1 Ich danke Regina Mühlhäuser für wertvolle Kritik und Anregung zu diesem Kapitel.

2 Kundrus, 1995, S. 376.

3 Insa Meinen, 2002, S. 26 f. Zur Prostitution in Norwegen: Ringdal, S. 176. Im Deutschen Reich war Prostitution verboten, Prostituierte wurden rigide bestraft, viele ins KZ geschickt.

4 Bordelle waren nach dänischem Gesetz verboten. Die dänischen Gesetze blieben trotz der deutschen Besatzung weiterhin in Kraft, das wurde von den Deutschen respektiert.

5 Beck, 1999.

6 Beck, 2004.

7 Die USA verabschiedeten nach dem Vietnamkrieg spezielle Regelungen für die in Vietnam gezeugten Kinder ihrer GIs. Sie gewährten ihnen unter bestimmten Bedingungen die Einreise in die USA sowie die Staatsbürgerschaft. Das Interesse an den Kindern entstand erst bei Kriegsende bzw. danach. Sehr verkürzt gesagt interpretiere ich es als Demutsgeste einer besiegten Nation, die durch den Zeitgeist der siebziger Jahre erzwungen wurde.

8 Lilienthal, 1989.

9 Czarnowski, S. 303.

10 Senje, S. 48.

11 Zitat aus Wilhelm Rediess: *Für ein Großgermanien. III. Schwert und Wiege*, Oslo 1943.

12 *Der deutsche Soldat und die Frau aus fremdem Volkstum*, S. 8.

13 Das ist nicht zuletzt deswegen pikant, weil auch Mussolini »arisch« argumentierte. »Das zeigte sich im brutalen Krieg gegen die heillos unterlegenen Äthiopier, in der Diskussion um die Rassenfrage, die jetzt immer weitere Kreise zog, und vor allem in der Verschärfung der Gesetze, die den Umgang zwischen Italienern und Afrikanern regeln sollten und schließlich zu einem strikten Apartheidregime führten. Mussolini ging es dabei nicht nur darum, eine klare Grenze zwischen Besatzern und Besetzten zu ziehen, welch letztere ganz selbstverständlich als minderwertig betrachtet wurden und deshalb gemieden werden sollten. Der ›Duce‹ und seine Satrapen vor Ort bedienten sich zur Begründung ihrer Politik zunehmend häufiger auch rassenbiologischer Argumente, die leicht aus dem nationalsozialistischen Wörterbuch hätten stammen können. Es gelte, hieß es etwa, die ›Verunreinigung des italienischen Blutes‹ zu verhüten oder die ›starke Reinheit‹ der arischen, sprich: auch italienischen Rasse zu bewahren.« Hans Woller: »Mussolini in Afrika. Die faschistische Rassenpolitik in neuer Beleuchtung« (Rezension von Gabriele Schneider: *Mussolini in Afrika. Die faschistische Rassenpolitik in den italienischen Kolonien 1936–1941*. Köln 2000). In: *Neue Zürcher Zeitung*, 4.7.2001.

14 Zitiert in Lilienthal 1985, S. 169.

15 ebd., S. 170 f. sowie S. 192.

16 Zu Finnland: Junila 2000; Norwegen: Olsen 2002; Dänemark: Øland 2001; Kanalinseln: Bunting S. 259.

371

Im Sommer 2004 tauchte in den Medien plötzlich die Zahl von 50 000 holländischen Wehrmachtskindern auf, die angeblich auf einem Statistikvermerk aus dem Bundesarchiv beruht. Ich konnte diese Zahl nicht verifizieren. Die Holländerin Monika Diederich, die seit vielen Jahren über die holländischen Freundinnen der Wehrmachtssoldaten und deren Kinder forscht, hält eine solche Zahl für ausgeschlossen.

Ich selbst habe in *Nicht ungeschoren davonkommen* die Zahl der Kinder in den Niederlanden mit 50 000 angegeben. Ich erfuhr erst später, dass die Quelle als nicht seriös gilt (vgl. Marc Hillel und Clarissa Henry: *Lebensborn e.V. Im Namen der Rasse.* Wien/Hamburg 1975).

17 *Der deutsche Soldat und die Frau aus fremdem Volkstum,* S. 11.

18 ebd., S. 27.

19 Foedrowitz 2002.

20 ebd.

21 ebd.

22 Zitiert in Schwarz, 1997, S. 187.

23 Foedrowitz 2002.

24 ebd.

25 Harten, S. 305.

26 Foedrowitz, schriftliche Mitteilung.

27 Lilienthal, persönliche Mitteilung.

28 Lilienthal 1985, S. 218 ff.; Müller, S. 254.

29 Vgl. Kaminski 2001 (TV-Film); Müller 2003; Mühlhäuser 2003; Mühlhäuser 2005.

30 Müller, S. 249.

31 ebd., S. 248; Mühlhäuser 2005, Fn 3.

32 Kundrus, 1999.

33 Müller, S. 254.

34 ebd., S. 261.

35 Mühlhäuser 2005.

36 Ericsson 2004, S. 38.

37 Virgili: *Enfants nés de couples franco-allemands pendant la guerre.*

38 Müller, S. 255. Müller weiter: »Der ›Rückgriff auf den Erzeuger‹, wie es in der kalten Bürokratensprache hieß, sollte auch nicht völlig entfallen, weil das als Ermunterung für die Männer missverstanden werden könnte. Diese sollten vielmehr mit Regressansprüchen durch die deutschen Vormundschaftsgerichte rechnen müssen.«

39 Mühlhäuser 2005. Die Mütter waren in Heimen der NSV (Nationalsozialistische Volkswohlfahrt) im Reichskommissariat Ostland betreut worden.

40 Meinen 2002.

41 Gunilla-Friederike Budde: »Rezension zu Insa Meinen: *Wehrmacht und*

Prostitution im besetzten Frankreich. Bremen 2002.« In: *H-Soz-u-Kult*, 15.8.2002,
http://hsozkult.geschichte.hu-berlin.de/rezensionen/
GA-2002-031 (Download 14.6.2004).

42 Lilienthal 1985, S. 199 f.

43 ebd., S. 199 f.

44 ebd., S. 201 ff.

45 Rede von Professor C. Fuellberg-Stollberg, Universität Hannover am 8.5.2000 in Hannover: »Zwangsarbeit in Hannover«
http://www.nananet.de/bwdag/seiten_bildungsangebote/
thema/Zwangsarbeit/vortrag1.htm
(Download August 2004).

46 Dieter Schenk: »Fritz Bauer und die Unwilligkeit zu trauern. Rede zur Verleihung des Fritz-Bauer-Preises 2003.«
http://www.humanistische-union.de/modules.php?op=
modload&name=Sections&file=index&req=viewarticle& artid=51
(Download Juli 2004).
Schenk war u. a. beim Hessischen Landeskriminalamt nacheinander Leiter der Ermittlungszentralstelle für Raub, Diebstahl und Hehlerei, für Rauschgiftbekämpfung und für Kapitalverbrechen. Bis 1979 leitete er das Kriminalpolizeipräsidium in Gießen. Danach war er Kriminaldirektor in der Stabsstelle Interpol beim Bundeskriminalamt, ehe er 1989 »wegen unüberbrückbarer Gegensätze mit dem BKA, insbesondere wegen der Ignoranz des BKA gegenüber Menschenrechtsverletzungen in Folterregimen«, vorzeitig aus dem Polizeidienst ausschied. Aus: *Frankfurter Rundschau*, 17.7.2003.

13. Kapitel

1 All das gilt natürlich auch für Adoptivkinder, die ihre Mutter suchen. Ich möchte mich aber in diesem Kapitel auf den Vater beschränken.

2 Natürlich lassen sich heute Verwandtschaftsverhältnisse völlig eindeutig klären. Wenn sich also einer der Beteiligten – das abgelehnte Wehrmachtskind oder ein skeptischer deutscher Verwandter – Gewissheit verschaffen möchte, ist eine DNA-Analyse auf freiwilliger Basis denkbar. Falls sich ein Richter bei einer Vaterschaftsklage überzeugen lässt, dass die Behauptung einer Vaterschaft stichhaltig ist, kann eine DNA-Analyse auch gerichtlich angeordnet werden. Dergleichen ist aber im Verhältnis zwischen den Wehrmachtskindern und ihren deutschen Angehörigen (zumindest bislang) äußerst selten.

3 Zu weiteren Begegnungen kam es aber nicht, weil die Tochter kurz darauf unerwartet starb. Auskunft von Frank Berger im Juli 2004.

4 Norz in: Picaper und Norz, S. 376. Weiter gedämpft wird die spontane Freude, wenn die Suche über die WASt geschieht. Die lässt nämlich of-

fenbar den Brief an den Vater bzw. die Angehörigen, in dem sie um eine Kontaktaufnahme bittet, durch die Polizei zustellen, um ganz sicher zu sein, dass der Betreffende das Schreiben wirklich in Empfang genommen hat.

5 Ich möchte dem Eindruck vorbeugen, dass Janne obsessiv sein könnte. Sie ist im Gegenteil eine patente, bodenständige und entspannte Frau. Außerdem ist sie offenbar eine emotionale Langstreckenläuferin.

6 Löhr Meek, S. 67 ff.

7 Die ersten Briefe an Karola ließ Margarete übersetzen, bevor sie sie abschickte.

8 Brief an den Leiter des Dänischen Kriegskinderverbandes Arne Øland.

9 Als die Mutter ihre Schwangerschaft bemerkte, wandte sie sich an die zuständigen Wehrmachtsstellen in Dänemark. Diese konnten den Vater »enttarnen« und der Vaterschaft »überführen«, daher kannte die Tochter seinen Namen, mit dem sie ihn schließlich fand.

10 Charlotte Link in der *Zeit*, Nr. 32, 29.7.2004, S. 56.

11 Die Mitarbeiterin einer Behörde, die bei der Suche hilft, erzählte mir allerdings, wenn ihre Suche ergebnislos bleibe, sie aufgrund des Datenschutzes für den Betreffenden gar nicht suchen oder den Namen des Vaters nicht nennen dürfe, müsse sie sich von den Antragstellern mitunter vorwerfen lassen, dass sie »die alten Naziväter decke«.

12 Hyks 2000 (TV-Film).

13 Kate Connolly: »Torment of the Abba Star With a Nazi Father«, in: *The Guardian*, 26.6.2002. Das berühmte Musikjournal *Rolling Stone* garnierte die Geschichte mit der strohdummen Erfindung, Haase habe der neunzehnjährigen Synni Lyngstad mit einem Sack Kartoffeln den Hof gemacht, sie habe sich bei ihm mit Walfleisch revanchiert.

14 Besonders dramatisch offenbarte sich die Kluft zwischen den Erwartungen der »fremden« und der heimischen Geschwister in einer Fernsehdokumentation über eine Vietnamesin, die als Fünfjährige von einer amerikanischen Familie adoptiert worden war und als »sehr amerikanische« Erwachsene nach Vietnam reiste, nachdem sie ihre Mutter und ihre leiblichen Geschwister aufgespürt hatte. Ihre Geschwister hielten es für selbstverständlich, dass ihre amerikanische Schwester, die ihnen sehr reich vorkam, nun ihren Teil zur Versorgung der Mutter beitragen werde. Der Bruder teilte ihr mit, man erwarte von ihr, dass sie die Mutter sofort mit in die USA nehmen werde. Als die junge Frau entsetzt in Tränen ausbrach, signalisierte er Entgegenkommen: Es reiche, wenn sie für den Unterhalt der Mutter aufkomme und auch den Geschwistern regelmäßig finanziell helfe.
Die junge Frau kehrte in die USA zurück und brach den Kontakt zu ihrer Familie ab. Niemand hatte sie vor der Reise darüber aufgeklärt, dass in der vietnamesischen Kultur solche Erwartungen an bessergestellte Angehörige so selbstverständlich sind, dass sie nicht einmal der Erwähnung bedürfen.

14. Kapitel

1 Bode, S. 157.

2 Øland 2001, S. 159.

3 Vier Jahre bevor Gisela von ihrer Schwester Marie Claire und dem Verrat ihres Vaters erfuhr, war Giselas Mann gestorben. Da es sich mit den Ablauffristen zufällig so fügte, ließ sie ihn im Grab ihres Vaters beerdigen – auf ihm, sozusagen. In ihrem ersten Zorn dachte sie daran, den Vater »unter meinem Mann rauszuholen« – was sie natürlich nicht tat. Ich persönlich finde diesen Impuls außerordentlich präzise, ja bewundernswert: Sie wollte dem, der diese Wut ausgelöst hatte, buchstäblich an die Gurgel. Während sie in ihrer Wut auf den Vater zunächst ganz unversöhnlich wirkte, versuchte Marie-Claire, verschiedene Entschuldigungsgründe für dessen Verhalten zu finden. Als sie Gisela auf deren Brief hin antwortete, ahnte sie, soweit ich weiß, nichts von Giselas Überlegungen, den Vater zu exhumieren. Um so bemerkenswerter, dass sie ihre Überlegungen zu seinen möglichen Beweggründen mit den Worten schloss: »Wie dem auch sei, ruhe er in Frieden, weil er sicher viel gelitten hat, so wie meine Mutter, die mich auch ›tyrannisiert‹ hat.«

4 Elke Baade: »›Malheur‹ aus dem Krieg wiedergutmachen«, in: *Wiesbadener Kurier*, 22.5.2004, S. 3.

5 Marie Claire ließ diesen Brief ins Deutsche übersetzen, bevor sie ihn abschickte.

6 Mindestens eine Deutsche suchte diesen verliebten jungen Mann, der ihr Vater im Krieg gewesen war, indem sie sich nach der Lektüre seiner Feldpostbriefe nicht auf die Suche nach seinem ausländischen Kind machte (soweit bekannt, hat er keines), sondern nach seinen beiden Kriegsgeliebten. Schmitz-Köster 2004, S. 158 ff.

7 Weitaus schwieriger für alle Beteiligten war und ist es, wenn es sich bei dem plötzlich auftauchenden, der Familie bisher unbekannten Kind um »Mutters Fehltritt« handelt. In diesem Kapitel geht es aber ausschließlich um die *deutschen* Familien. Näheres zur Frage, warum ein plötzlich auftauchendes Kind der *Mutter* von ihrer Familie meist als erheblich schwieriger erlebt wird, findet sich im fünften Kapitel dieses Buches sowie in meinem Buch *Nicht ungeschoren davonkommen*, in dem es um die »Deutschenmädchen« in Nord- und Westeuropa geht.

Literatur

Zitate von Wehrmachtskindern oder deren Verwandten, die nicht gesondert nachgewiesen sind, stammen aus Briefen und persönlichen Berichten, die mir von den Betreffenden unter Zusicherung ihrer Anonymität zur Verfügung gestellt wurden. Die Schriftstücke befinden sich (zum Teil in Kopie) in meinem privaten Archiv. Die Namen wurden von mir anonymisiert.

Die Mitgliedszeitschriften des Norwegischen sowie des Dänischen Kriegskinderverbandes – Røtter bzw. Rødder – behandele ich ebenfalls als vertrauliche Quellen, da die Mitgliedschaft in beiden Verbänden auf Wunsch geheim ist und die Zeitschriften ausschließlich den Mitgliedern zugänglich sein sollten. Daher habe ich Zitate, die ich diesen Heften entnommen habe, anonymisiert. Ich danke der Leitung des Norges Krigsbarnforbund sowie des Danske KrigsBørn Forening dafür, dass ich die Zeitschriften auswerten durfte.

Alle im Original fremdsprachigen Zitate (ob aus meinem privaten Archiv, öffentlich zugänglichen Archiven, veröffentlichten Quellen oder Büchern) ohne Nennung eines Übersetzers bzw. einer Übersetzerin wurden von mir übersetzt.

Beck, Birgit: »Vergewaltigung von Frauen als Kriegsstrategie im Zweiten Weltkrieg?«, in: *Gewalt im Krieg. Ausübung, Erfahrung und Verweigerung von Gewalt in Kriegen des 20. Jahrhunderts* (Jahrbuch für Historische Friedensforschung 4, hg. von A. Gestrich). Münster 1995, S. 34–50.

Beck, Birgit: »Sexuelle Gewalt und Krieg. Geschlecht, Rasse und der nationalsozialistische Vernichtungsfeldzug gegen die Sowjetunion, 1941–1945«, in: Veronika Aegerter u. a. (Hg.): *Geschlecht hat Methode. Ansätze und Perspektiven in der Frauen- und Geschlechtergeschichte.* Zürich 1999, S. 223–234.

Beck, Birgit: *Wehrmacht und sexuelle Gewalt. Sexualverbrechen vor deutschen Militärgerichten 1939–1945.* Paderborn, München, Wien und Zürich 2004.

Bode, Sabine: *Die vergessene Generation. Die Kriegskinder brechen ihr Schweigen.* Stuttgart 2004.

Bohringer, Richard: *Le bord intime des rivières*. Paris 1995. [Die zitierte Passage wurde für dieses Buch von Josef Winiger übersetzt.]

Borgersrud, Lars: *Overlatt til svenske myndigheter. De norske krigsbarna som ble sendt til Sverige i 1945* (Telavågkonferansen Born og Krig). Hg. vom Institutt for Kulturstudier an der Universität Oslo in Zusammenarbeit mit dem Nordsjøfart- museet in Televåg. Oslo 2002.

Borgersrud, Lars: *Staten og krigsbarna*. Hg. vom Institutt for Kulturstudier an der Universität Oslo. Oslo 2004.

Brossat, Alain: *Les tondues. Un carnaval moche*. Paris 1992.

Bryld, Claus und Anette Warring: *Besætttelsestiden som kollektiv erindring. Historie- og traditionsforvaltning af krig og besættelse 1945–1997*. Roskilde 1998.

Bunting, Madeleine: *The Model Occupation. The Channel Island under German Rule, 1940–1945*. London 1995.

Capdevila, Luc: »La ›collaboration sentimentale‹: antipatriotism ou sexualité hors-norme? (Lorient mai 1945)«, in: *Identités féminines et violence politique* (Les Cahiers de l'Institut d'Histoire du Temps Présent), Nr. 31, Oktober 1995.

Czarnowski, Gabriele: »Zwischen Germanisierung und Vernichtung: Verbotene polnisch-deutsche Liebesbeziehungen und die Re-Konstruktion des Volkskörpers im Zweiten Weltkrieg«, in: Helgard Kramer (Hg.): *Die Gegenwart der NS-Vergangenheit*. Berlin 2000, S. 295–303.

Der deutsche Soldat und die Frau aus fremdem Volkstum. Richtheft des Oberkommandos der Wehrmacht. Heft 1, 1943.

Drolshagen, Ebba D.: *Nicht ungeschoren davonkommen. Das Schicksal der Frauen in den besetzten Ländern, die Wehrmachtssoldaten liebten*. Hamburg 1998.

Drolshagen, Ebba D.: »Schattendasein der Feindeskinder. Die Nachkommen der Wehrmachtssoldaten in den ehemals besetzten Ländern«, in: *Neue Zürcher Zeitung*, 17./18. Januar 2004, S. 75.

Drolshagen, Ebba D.: »Besatzungskinder and Wehrmachtskinder«, in: Ericsson und Simonsen (Hg.), 2005.

Duras, Marguerite: *Hiroshima mon amour*. Übers. von W. M. Guggenheimer. Frankfurt am Main 1961.

Ellingsen, Dag: »Mange krigsbarn med vanskelige levekår«, in: *Sammfunnspeilet* 4/2004, S. 2–7.

Ericsson, Kjersti: »Nasjonens Barn?«, in: Simonsen und Ericsson, 2004.

Ericsson, Kjersti und Eva Simonsen (Hg.): *Children of World War II – The Hidden Enemy Legacy*. London 2005 [im Erscheinen].

Eriksen, Anne: *Det var noe annet under krigen. 2. verdenskrig in norsk kollektivtradisjon*. Oslo 1995.

Foedrowitz, Michael: »Deutsch-polnische Kriegskinder.« Vortrag beim

7. Historikertreffen des Vereins Fantom e.V., Berlin, 28. und 29. Oktober 2002.

Harten, Hans-Christian: *De-Kulturation und Germanisierung. Die national-sozialistische Rassen- und Erziehungspolitik in Polen 1939–1945.* Frankfurt am Main 1996.

Heer, Hannes und Klaus Naumann (Hg.): *Vernichtungskrieg. Verbrechen der Wehrmacht 1941 – 1944.* Hamburg 1995.

Hoffmann, Raoul: »Die verbotene Suche nach dem Vater. Eine Geschichte von Scham und Schuld: Die Nachkommen deutscher Besatzer in Frankreich«, in: *Frankfurter Rundschau,* Ostern 1998.

Jasinska, Zofia: *Der Krieg, die Liebe und das Leben. Eine polnische Jüdin unter Deutschen.* Berlin 1998.

Junila, Marianne: »Relationerna mellan de tyska soldaterna och den finska civilbefolkningen i norra Finland under fortsättningskriget«, in: *Studia Historica Septentrionalia,* 14:1/1987. Oulu 1988.

Junila, Marianne: »Das Zusammenleben der finnischen Zivilbevölkerung und der deutschen Truppen in Nordfinnland in den Jahren 1941–1944 [deutschsprachige Zusammenfassung der Dissertation *Kotirintaman ase-veljeyttä: Suomalaisen siviiliväestön ja saksalaisen sotaväen rinnakaiselo Pohjois-Suomessa 1941–1944].* Helsinki 2000.

Kjendsli, Veslemøy: *Kinder der Schande.* Übers. v. G. Haefs. Berlin 1988. (Originalausgabe: *Skammens barn.* Oslo 1986)

Knopp, Guido: »Die Ächtung«, in: Ders.: *Die großen Fotos des Jahrhunderts.* München 1994

Kundrus, Birthe: *Kriegerfrauen. Familienpolitik und Geschlechterverhältnis im Ersten und Zweiten Weltkrieg.* Hamburg 1995.

Kundrus, Birthe: »Nur die halbe Geschichte. Frauen im Umfeld der Wehrmacht zwischen 1939 und 1945 – Ein Forschungsbericht«, in: Rolf-Dieter Müller und Hans-Erich Volkmann (Hg.): *Die Wehrmacht. Mythos und Realität.* München 1999, S. 719–735.

Lemke Muniz de Faria, Yara-Colette: *Zwischen Fürsorge und Ausgrenzung: afrodeutsche »Besatzungskinder« im Nachkriegsdeutschland.* Berlin 2002.

Lilienthal, Georg: *Der »Lebensborn e.V.«. Ein Instrument nationalsozialisti-scher Rassenpolitik.* Stuttgart 1985; Neuauflage Frankfurt am Main 1993.

Lilienthal, Georg: »Der ›Lebensborn e.V.‹ Förderung ›wertvollen‹ Lebens als Kontrast zur Vernichtung ›lebensunwerten‹ Lebens«, in: *Psychiatrie im Nationalsozialismus. Ein Tagungsbericht des Landeswohlfahrtsverbandes Hessen.* Frankfurt am Main 1989.

Lilienthal, Georg: »›Zuchtanstalt‹ ›Lebensborn e.V.‹. Die Geschichte einer Legende« (Vortrag auf der Tagung »Der ›Lebensborn‹ und die Folgen«). Hadamar 11.10.2003.

Löhr Meek, Per Arne: *Lebensborn 6210.* Kristiansund (Norwegen) 2001.

378

Lorenz, Hilke: *Kriegskinder. Das Schicksal einer Generation.* München 2003.

Meinen, Insa: »Wehrmacht und Prostitution – Zur Reglementierung der Geschlechterbeziehungen durch die deutsche Militärverwaltung im besetzen Frankreich 1940–1944«, in: *1999, Zeitschrift für Sozialgeschichte des 20. und 21. Jahrhunderts,* 14 (1999) 2, S. 35–55.

Meinen, Insa: *Wehrmacht und Prostitution im besetzten Frankreich.* Bremen 2002.

Morante, Elsa: *La Storia.* Übers. von H. Hinderberger, Frankfurt am Main 1978.

Mühlhäuser, Regina: »Children of German men and non-German women in the occupied territories in the East 1942–1945« (Vortrag bei der Tagung »Der Krieg in der Nachkriegszeit, Norwegen und Deutschland: Identitäten zwischen Erinnerung und Geschichte«). Oslo, 6.11.2003.

Mühlhäuser, Regina: »Between Extermination and Germanization: Children of German Men in the ›Occupied Eastern Territories‹ 1942–1945«, in: Ericsson und Simonsen (Hg.), 2005.

Mühlhäuser, Regina: »Kinder von deutschen Männern und ›fremdvölkischen‹ Frauen in den ›besetzten Ostgebieten‹ 1939–1945: Sexualität, ›Rasse‹ und Nation im Spiegel nationalsozialistischer Bio-Politik« (Promotionsprojekt/Arbeitstitel).

Müller, Rolf-Dieter: »Liebe im Vernichtungskrieg. Geschlechtergeschichtliche Aspekte des Einsatzes deutscher Soldaten im Russlandkrieg 1941–1944«, in: Frank Becker et. al. (Hg.): *Politische Gewalt in der Moderne. Festschrift für Hans-Ulrich Thamer.* Münster 2003, S. 239–267.

Noordervliet, Nelleke: *Der Name des Vaters.* Übers. von R. Still. München 1995.

Norges forskningråd: *En hvitbok. Utvalgte offentlige dokumenter om krigsbarnsaken.* Oslo 1999.

Norges forskningråd: *Fiendens barn? Kunnskapsstatus – Kunnskapsbehov* Oslo 1999.

Øland, Arne: *Horeunger og helligdage – tyskerbørns beretninger.* Kopenhagen 2001.

Olsen, Kåre: *Vater: Deutscher. Das Schicksal der norwegischen Lebensbornkinder und ihrer Mütter von 1940 bis heute.* Übers. v. E. D. Drolshagen. Frankfurt am Main 2002. (Original: *Krigens barn. De norske krisbarna og deres mødre.* Oslo 1998; deutsche Taschenbuchausgabe unter dem Titel *Schicksal Lebensborn. Die Kinder der Schande und ihre Mütter.* München 2004)

Picaper, Jean-Paul und Ludwig Norz: *Enfant maudits.* Paris 2004. [deutsche Ausgabe in Vorbereitung, München 2005]

Reese, Willy Peter: *Mir selber seltsam fremd. Die Unmenschlichkeit des Krieges. Russland 1941–1944.* Hg. von Stefan Schmitz. München 2003.

Ringdal, Nils Johan: *Mellom barken og veden. Politiet under okkupasjonen.* Oslo 1987.

Sander, Helke und Barbara Johr (Hg.): *BeFreier und Befreite. Krieg, Vergewaltigung, Kinder.* München 1992.

Schmitz-Köster, Dorothee: *Deutsche Mutter, bist du bereit? Alltag im Lebensborn.* Berlin 1997. [Zitate aus der neu bearbeiteten und ergänzten Taschenbuchausgabe. Berlin 2002.]

Schmitz-Köster, Dorothee: *Der Krieg meines Vaters. Als deutscher Soldat in Norwegen.* Berlin 2004.

Schwarz, Gudrun: *Eine Frau an seiner Seite. Ehefrauen in der »SS-Sippengemeinschaft«.* Hamburg 1997.

Senje, Sigurd: *Dømte Kvinner. Tyskerjenter og frontsøstre 1940–1945.* Oslo 1986.

Simonsen, Eva und Kjersti Ericsson: *Krigsbarn i fredstid. Sosialpolitiske og profesjonelle føringer i synet på tysk-norske krigsbarn 1945–1947.* Oslo 2004.

Simonsen, Eva: »Etikk i forskning im krigsbarns oppvekst«, in: *Handicaphistorisk Tidsskrift 7 (Temanummer om etik).* Kopenhagen 2002.

Frankenstein, Luise: *Soldatenkinder. Die unehelichen Kinder ausländischer Soldaten mit besonderer Berücksichtigung der Mischlinge.* Hrsg. von d. Internationalen Vereinigung f. Jugendhilfe, Genf. München/Düsseldorf 1954.

Tarp, Lotte: *– det sku' nødig hedde sig.* Kopenhagen 1997.

Toynbee, Polly: *Adoptivkinder suchen ihre Mütter.* Übers. von M. Menn. Frankfurt am Main 1989.

Ueberschär, Gerd R. und Wolfram Wette (Hg.): *»Unternehmen Barbarossa.« Der deutsche Überfall auf die Sowjetunion 1941. Berichte, Analysen, Dokumente.* Paderborn 1984.

Vincent, Mary: »Legitimacy in the realm of culture«, in: *Brief Report on the workshop ›Moments of Transition‹. Team 1, INSFO-programme.* Gent, Belgium / September 14–15 2002.
http://www.esf.org/articles/68/Team1draft.pdf
(Download 20. März 2004)

Virgili, Fabrice: »Les ›tondues‹ à la Libération: le corps des femmes, enjeu d'un réappropriation«, in: *CLIO, Histoire, Femmes et Sociétés,* 1, 1995, S. 111–127.

Virgili, Fabrice: *La France »virile« – des femmes tondues à la Libération.* Paris 2000. (engl. *Shorn Women. Gender and Punishment in Liberation France.* Übers. von J. Flower. London 2002)

Virgili, Fabrice: *Enfants nés de couples franco-allemands pendant la guerre.* Institut d'histoire du temps présent – CNRS, Paris, France.
http://www.ihtp.cnrs.fr/recherche/enfants_franco_allemands.html
(Download 10. Juni 2003)

Warring, Anette: *Tyskerpiger – Under besættelse og retsopgør*. Kopenhagen 1994.

Wassmo, Herbjørg: *Das Haus mit der blinden Glasveranda*. Übers. von I. Sacks. München 1984. [Die Romantrilogie *Tora* erschien 1987 in der Gesamtausgabe. Sie umfasst die Romane: *Das Haus mit der blinden Glasveranda* (1981; deutsch 1984), *Der stumme Raum* (1983; d. 1985 sowie *Gefühlloser Himmel* (1986; d. 1987).]

Wellershoff, Dieter: »Nach Hause schreiben, um in der Fremde zu überleben Heinrich Bölls Briefe aus dem Krieg 1939–1945«, in: *ZeitLiteratur*, 4. Oktober 2001.

Welzer, Harald, Sabine Moller und Karoline Tschuggnall: *Opa war kein Nazi Nationalismus und Holocaust im Familiengedächtnis*. Frankfurt am Main 2002.

Fernsehdokumentationen, Fernseh- und Rundfunksendungen

Berger, Frank: *Mein Vater war ein deutscher Soldat*. Fernsehdokumentation, ZDF, 14. November 1999.

Euting, Thomas: *Vater, warum schweigst du?* Fernsehdokumentation, ZDF, 1989.

Hoffmann, Raoul: *Kinder des Krieges. Die Nachkommen deutscher Besatzer in Frankreich*. Bayern2 Radio, Erstsendung 16. November 1997; zitiert nach dem Sendemanuskript.

Hyks, Veronika: *Geliebter Feind! Liebe zu deutschen Besatzungssoldaten in Frankreich*. Fernsehdokumentation Ausstrahlung Phoenix 2. Januar 2001 (der Film wurde von der BBC produziert und etwa im Jahr 2000 erstmals im deutschen Fernsehen ausgestrahlt).

Kaminski, Hartmut: *Liebe im Vernichtungskrieg. Die Frauen im Osten und die deutschen Besatzungssoldaten*. Fernsehdokumentation. Arte, 20. Mai 2002 (Erstausstrahlung einer kürzeren Fassung 2001 in SWR III); zitiert nach der Textliste.

Overath, Monika: *Das Geheimnis. Eine polnisch-deutsche Familiengeschichte*. SFB:ORB 92,4, Erstsendung 16. Februar 2003; zitiert nach dem Sendemanuskript.

Weber, Christophe und Olivier Truc: *Enfants de boches*. Fernsehdokumentation. France3 télévision, Februar 2003.

Wer bin ich? Fernsehsendung über Soldatenkinder mit Betroffenen. WDR, 21. April 2000 (90 Minuten).

Nützliche Adressen

Das Deutsche Rote Kreuz und die Deutsche Dienststelle (WASt) sind bei der Suche nach Angehörigen behilflich:

Deutsches Rotes Kreuz Suchdienst München
Chiemgaustraße 109
D-81549 München
Tel.: 089/68 07 73–0
Fax: 089/68 07 45 92
info@drk-suchdienst.org

Internetseiten:
Deutsche Seite:
 http://www.drk-suchdienst.org/german/index.html
Englische Seite:
 http://www.drk-suchdienst.org/english/index.html
Französische Seite:
 http://www.drk-suchdienst.org/french/index.html

Deutsche Dienststelle (WASt) für die Benachrichtigung der nächsten Angehörigen von Gefallenen der ehemaligen deutschen Wehrmacht

Postadresse:
Postfach 51 06 57
D-13400 Berlin

Besuchsadresse:
Eichborndamm 179
D-13403 Berlin
Tel.: 030/419 04–0
Fax: 030/419 04–100

Internetseiten:
http://www.com-de.pair.com/wast *(hier auch Formular für Suchanfrage; für eine Suchanfrage benötigen Sie den Namen und das Geburtsdatum der zu suchenden Person)*
Deutsche Seite: http://www.com-de.com/wast/frame.htm
Englische Seite: http://www.com-de.com/wast/frame_e.htm
Französische Seite: http://www.com-de.com/wast/frame_f.htm

Bisher gibt es in Europa vier Vereinigungen, in denen sich Wehrmachtskinder zusammengeschlossen haben:

Norwegen:
Norges Krigsbarnforbund
www.nkbf.no (Informationen auch auf deutsch)

Krigsbarnforbundet Lebensborn
http://home.no.net/lebenorg/ (Informationen auch auf deutsch)

Dänemark:
Danske KrigsBørns Forening
www.krigsboern.dk (Informationen auch auf deutsch)

Niederlande:
CKDM – Contactgroep Kinderen Duitse Militairen
Zwarte Dijk 18
NL–5121 ZB Rijen
ckdm@planet.nl

Das War and Children Identity Project mit Sitz in Bergen (Norwegen) ist ein internationales Projekt, dem es um die Kinder von Besatzungssoldaten auf der ganzen Welt geht. Seine Arbeit gilt im wesentlichen der nationalen, persönlichen und sozialen Sicherheit der Kinder sowie der Erforschung ihrer Lebensumstände. Das War and Children Identity Project arbei-

tet auf der Grundlage der Kinderrechtskonvention der Verein-
ten Nationen.

http://www.warandchildren.org/ (Informationen vor allem auf
englisch)